Verlos ons van het kwaad

Gelezen sept. 2010

Van dezelfde auteur

Het recht van de macht
Op eigen gezag
Duister lot
Vuil spel
Onder druk
In het hart
Nachtreizigers
De laatste man
Onbewaakt ogenblik
De samenzwering
Het uur van de zonde
De verzamelaars
Geniaal geheim
De verraders
Niets dan de waarheid
De rechtvaardigen
Familieverraad
In het geheim

David Baldacci

Verlos ons van het kwaad

A.W. Bruna Uitgevers B.V., Utrecht

Oorspronkelijke titel
Deliver Us From Evil

Published by arrangement with Lennart Sane Agency AB.
Vertaling
Hugo Kuipers
Omslagontwerp
Studio Jan de Boer
Omslagbeeld
Ebru Sidar/Trevillion Images; Getty Images

ISBN 978 90 229 9549 5
NUR 332

Dit boek is gedrukt op papier dat het keurmerk van de Forest Stewardship Council (FSC) mag dragen. Bij dit papier is het zeker dat de productie niet tot bosvernietiging heeft geleid. Een flink deel van de grondstof is afkomstig uit bossen en plantages die worden beheerd volgens de regels van FSC. Van het andere deel van de grondstof is vastgesteld dat hiervoor geen houtkap in de laatste resten waardevol bos heeft plaatsgevonden. Daarom mag dit papier het FSC Mixed Sources label dragen. Voor dit boek is het FSC-gecertificeerde Munkenprint gebruikt. Dit papier is 100% chloor- en zwavelvrij gebleekt en wordt geleverd door Arctic Paper Munkedals AB, Zweden.

Voor Alli en Anshu, Catherine en David, Marilyn en Bob, Amy en Craig,
allen zeer goede vrienden.

•1•

De zesennegentigjarige man zat in zijn comfortabele fauteuil en genoot van een boek over Jozef Stalin. Geen enkele gewone uitgever had iets met het manuscript vol misvattingen te maken willen hebben, want de auteur liet zich van begin tot eind alleen maar lovend uit over de sadistische Sovjetdictator. Toch sprak de positieve visie op Stalin die uit dit in eigen beheer uitgegeven boek naar voren kwam de oude man bijzonder aan. Hij had het rechtstreeks van de schrijver gekocht, kort voordat die in een psychiatrische inrichting was opgenomen.

Er stonden geen sterren boven het grote landgoed van de oude man, want van de nabijgelegen oceaan kwam juist een onweersbui opzetten. Hoewel hij rijk was en in grote luxe leefde, had hij betrekkelijk weinig voor zichzelf nodig. Hij droeg een tientallen jaren oude, verbleekte trui en een overhemd waarvan de knoopjes waren dichtgemaakt tot op zijn vlezige hals, die een en al kwabben was. Zijn goedkope broek hing flodderig om zijn skeletachtige, onbruikbare benen. De regen trommelde inmiddels hypnotisch op het dak en hij kroop nog wat behaaglijker in zijn stoel weg, blij dat hij zich kon verdiepen in de geest en loopbaan van een krankzinnige, de moordenaar van tientallen miljoenen mensen die de pech hadden gehad onder zijn wrede vuist te leven.

Nu en dan lachte de oude man om iets wat hij las, in elk geval om de beschrijvingen van gruwelen, en hij knikte instemmend bij passages waarin discipelen van Stalin tot in bijzonderheden uiteenzetten hoe alle burgerrechten de kop werden ingedrukt. In het monster van Moskou zag hij de leiderschapskwaliteiten die een land nodig had om sterk te worden en de hele wereld te laten beven van angst. Hij schoof zijn bril met dikke glazen omlaag en keek op zijn horloge. Bijna elf uur. Het beveiligingssysteem ging precies om negen uur aan. Elke deur, elk raam werd professioneel in de gaten gehouden. Zijn fort was veilig.

Er klonk een donderslag, en tegelijkertijd flikkerden de lichten. Ze sputterden nog twee keer en waren toen uit. In de elektronicakamer op de begane grond waren de back-upbatterijen van het beveiligingssysteem verwijderd, zodat het systeem niet meer werkte zodra de stroom uitviel. Van het ene op het andere moment waren de deuren en ramen niet meer beveiligd. Tien seconden later sloegen de grote noodgeneratoren aan. De elektrische stroom kwam weer op gang en het beveiligingssysteem was weer volledig actief. Maar in die tien seconden was er een raam opengegaan. Een hand was vlug naar buiten gestoken en had de digitale camera opgevangen die van beneden naar boven werd gegooid. Een seconde

voordat het beveiligingssysteem weer werkte, ging het raam dicht en op slot.
De oude man, die totaal niets vermoedde, wreef gedachteloos over zijn kale hoofd, waarvan de huid bespikkeld was met korstjes en vlekjes van de zon. Zijn gezicht was al jaren eerder onder invloed van de zwaartekracht vervallen tot een rommelig hoopje weefsel dat zijn ogen, neus en mond zozeer omlaag trok dat het leek of hij altijd kwaad keek. Wat er nog over was van zijn lichaam verkeerde in een soortgelijke staat van verval. Tegenwoordig had hij andere mensen nodig om zelfs de eenvoudigste dingen te doen. Maar hij was tenminste nog in leven, terwijl veel van zijn wapenbroeders, misschien wel allemaal, gestorven waren, en nog vaak door geweld ook. Dat maakte hem kwaad. De geschiedenis liet zien dat inferieure mensen altijd jaloers waren op degenen die tot grotere dingen in staat waren dan zijzelf.
Ten slotte legde hij zijn boek neer. Op zijn leeftijd kon hij volstaan met drie of vier uur slaap, maar die had hij nu dan ook nodig. Hij liet zijn verzorgster komen door op de blauwe knop te drukken van het ronde apparaatje dat hij aan zijn hals had hangen. Dat had drie knoppen, een voor de verzorgster, een voor zijn arts en een voor de bewaking. Hij had vijanden en kwalen, maar de verzorgster had hij alleen voor zijn plezier.
De vrouw kwam binnen. Barbara had blond haar en droeg een strakke witte minirok en een tanktopje dat hem een royaal zicht op haar borsten bood toen ze zich bukte om hem in zijn rolstoel te helpen. Toen hij haar in dienst had genomen, was het een van zijn voorwaarden geweest dat ze kleding zou dragen die veel van haar lichaam liet zien. Oude, rijke, perverse mannen konden doen wat ze wilden. Hij drukte zijn gerimpelde gezicht tussen haar zachte borsten en liet het daar. Toen haar sterke armen hem op de brede zitting tilden, gleed zijn hand onder haar rok. Zijn vingers gleden over de achterkant van haar stevige dijen, tot ze haar billen aanraakten. Toen gaf hij een harde kneep in elke bil. Daarbij kreunde hij zacht van waardering. Barbara reageerde niet, want ze werd goed betaald om zijn handtastelijkheden te verdragen.
Ze duwde hem naar de lift, en daarmee gingen ze samen naar zijn slaapkamer. Ze hielp hem zich uit te kleden en keek daarbij zo min mogelijk naar zijn vervallen lichaam. Zelfs met al zijn rijkdom kon hij haar niet dwingen naar zijn naaktheid te kijken. Tientallen jaren geleden zou ze beslist naar hem hebben gekeken en ook veel meer voor hem hebben gedaan. Als ze in leven wilde blijven. Nu werd hij als een klein kind in zijn pyjama geholpen. De volgende morgen zou hij worden gewassen en gevoerd, opnieuw als een baby in plaats van een man. De cirkel was rond. Van wieg tot wieg en dan naar het graf.
'Kom bij me zitten, Barbara,' beval hij. 'Ik wil naar je kijken.' Hij zei dat alles in het Duits. Dat was de andere reden waarom hij haar in dienst had genomen: ze sprak zijn moedertaal. Er waren er hier niet veel die dat konden.

Ze ging zitten, sloeg haar lange, gebruinde benen over elkaar en legde haar handen op haar schoot. Nu en dan glimlachte ze naar hem, omdat ze daarvoor betaald werd. Ze zou hem dankbaar moeten zijn, vond hij, want als ze niet in dit imposante huis werkte, waar ze weinig taken en veel vrije tijd had, zou ze zich in de straten van het nabijgelegen Buenos Aires moeten prostitueren voor een paar centen per dag.
Ten slotte maakte hij een vluchtig handgebaar. Ze stond meteen op en deed de deur achter zich dicht. Hij leunde in de kussens achterover. Waarschijnlijk zou ze naar haar kamer gaan, haar kleren uittrekken, onder de douche gaan staan en hard genoeg boenen om het vuil van zijn aanrakingen weg te krijgen. Hij grinnikte zacht om dat idee. Zelfs als verschrompelde oude man had hij nog enig effect op mensen.
Hij herinnerde zich levendig hoe hij in zijn glorietijd een kamer binnen liep en de hakken van zijn kniehoge officierslaarzen op de betonnen vloer liet klakken. Alleen al dat geluid had golven van angst door het hele kamp gejaagd. Dát was nog eens macht geweest. Elke dag weer had hij het bevoorrechte gevoel gehad dat hij onoverwinnelijk was. Elk bevel van hem werd zonder aarzeling uitgevoerd. Zijn mannen zetten het ongedierte op een rij, en als die mensen daar dan met gebogen hoofd in hun smerige kleren in lange rijen stonden, keken ze toch nog naar de glans van zijn schitterende laarzen, de macht die van zijn uniform uitging. Hij speelde voor god en besliste wie zouden sterven en wie in leven zouden blijven. De levenden waren nauwelijks beter af, want hun beloning was een hel op aarde, zo pijnlijk, ellendig en vernederend als hij het maar kon maken.
Hij verschoof naar links en drukte op een rechthoekig paneel in zijn hoofdplank. Het stuk hout zwaaide naar buiten en hij toetste met trillende hand de combinatie in van het kluisje dat was vrijgekomen. Hij stak zijn hand naar binnen, haalde de foto eruit, liet zich op zijn kussen zakken en keek naar de foto. Hij rekende uit dat die op de dag af achtenzestig jaar geleden was gemaakt. Zijn geest was nog helemaal helder, zelfs nu zijn lichaam hem in de steek had gelaten.
Op de foto was hij nog maar achter in de twintig geweest, maar dankzij zijn capaciteiten droeg hij al grote verantwoordelijkheid. Hij was lang en slank, met lichtblond haar dat afstak tegen zijn gebruinde, hoekige gezicht. Wat zag hij er toch goed uit in zijn uniform, in groot tenue en met al zijn medailles, al moest hij toegeven dat hij sommige daarvan eigenlijk niet had verdiend. Hij had nooit gevechten meegemaakt, want hij had nooit veel persoonlijke moed kunnen opbrengen. De talentloze massa's mochten met wapens schieten en aan het front omkomen. Hij, met zijn hersenen, had een veiliger pad kunnen kiezen. Zijn ogen liepen vol tranen bij de aanblik van wat hij eens was geweest. En

naast hem stond natuurlijk de man zelf. Die had een klein postuur, maar was in elk ander opzicht kolossaal geweest. Zijn beroemde zwarte snorretje zat voor altijd onbeweeglijk boven zijn expressieve mond.
Hij kuste zijn jongere ik op de foto en daarna de wang van zijn geweldige Führer, zoals hij elke avond deed. Hij legde de foto op zijn geheime bergplaats terug en dacht aan de jaren sinds hij Duitsland was ontvlucht, enkele weken voor de komst van de geallieerden en de val van Berlijn. Hij had van tevoren geregeld dat hij hierheen zou komen, misschien nog wel eerder dan zijn superieuren had hij voorzien hoe de oorlog zou aflopen. Daarna had hij zich tientallen jaren schuilgehouden, maar tegelijkertijd zijn intelligentie en meedogenloosheid gebruikt om in zijn nieuwe land een groot imperium op te bouwen met de export van mineralen en timmerhout. Toch verlangde hij terug naar de tijd van vroeger, toen hij besliste over leven en dood van medemensen.
Hij zou deze nacht zo goed slapen als elke nacht, met een zuiver geweten. Zijn oogleden werden al zwaar toen hij tot zijn verbazing de deur weer hoorde opengaan. Hij keek de schemerige kamer in. Haar silhouet stak af tegen de duisternis.
'Barbara?'

•2•

Ze deed de deur achter zich op slot en liep naar voren. Toen ze dichter bij het bed kwam en de lamp op het nachtkastje aandeed, zag hij dat ze alleen een katoenen nachthemd droeg dat haar dijen amper bedekte en laag om haar borst hing. Haar gebruinde huid was op verschillende plaatsen te zien, behalve bij de zoom van haar hemd. Daar zag hij de bleke huid van haar blote heup. Ze had haar haar losgemaakt en het golfde nu om haar schouders. Ze was ook op blote voeten.
Ze ging op het bed liggen.
'Barbara?' zei hij, en zijn hart sloeg sneller. 'Wat doe je hier?'
'Ik weet dat je me wilt,' zei ze in het Duits. 'Ik zie het in je ogen.'
Hij maakte een zacht geluidje toen ze zijn hand vastpakte en hem binnen de plooien van haar nachthemd trok, bij haar borsten. 'Maar ik ben een oude man. Ik kan je niet bevredigen. Ik... ik kan het niet.'
'Ik zal je helpen. We doen het heel langzaam.'
'Maar de bewaker? Hij staat voor de deur. Ik wil niet dat hij...'
Ze streek zachtjes over zijn hoofd. 'Ik heb tegen hem gezegd dat je jarig bent en dat ik je cadeau ben.' Ze glimlachte. 'Ik heb gezegd dat hij ons minstens twee uur de tijd moet geven.'
'Maar ik ben pas volgende maand jarig.'
'Ik kon niet wachten.'
'Maar ik kan het niet. Ik wil je echt wel, Barbara, maar ik ben te oud. Veel te oud.'
Ze kwam dichter naar hem toe en raakte hem aan waar hij sinds heel lang niet was aangeraakt. Hij kreunde. 'Doe me dit niet aan. Ik zeg je dat het niet werkt.'
'Ik heb geduld.'
'Maar waarom zou je mij willen?'
'Je bent een erg rijke en machtige man. En ik kan zien dat je ooit erg aantrekkelijk was.'
Hij klampte zich aan die woorden vast. 'Dat was ik. Dat was ik. Ik heb een foto.'
'Laat eens zien,' zei ze. 'Laat me die foto zien,' kreunde ze in zijn oor, terwijl ze zijn hand op en neer bewoog binnen haar nachthemd.
Hij drukte op het paneel, haalde de foto uit het kluisje en gaf hem aan haar.
Ze liet haar blik even rusten op de foto van hem en Adolf Hitler. 'Je ziet eruit als een held. Was je een held?'

'Ik deed mijn werk,' zei hij plichtmatig. 'Ik deed wat me werd gevraagd.'
'Daar was je vast heel goed in.'
'Ik heb die foto nooit aan iemand anders laten zien. Nooit.'
'Ik voel me gevleid. Ga nu op je rug liggen.'
Hij deed het. Toen ging ze schrijlings op hem zitten en knoopte haar nachthemd open, zodat hij haar lichaam beter kon zien. Ze pakte het oproepapparaatje dat aan zijn hals hing.
Hij wilde protesteren.
'Anders drukken we nog per ongeluk op knoppen,' zei ze, terwijl ze het bij hem vandaan hield. Ze bukte zich, zodat haar borsten dicht bij zijn gezicht kwamen. 'We willen niet gestoord worden.'
'Ja, je hebt gelijk. Niemand mag ons storen.'
Ze greep in haar zak en hield hem een pil voor. 'Deze heb ik voor je meegebracht. Het helpt je met dát.' Ze wees naar zijn kruis.
'Maar ik weet niet of dat wel goed is. Mijn andere medicijnen...'
Haar stem werd nog dieper. 'Jij gaat nog uren mee. Je zult me laten schreeuwen.'
'God, als ik dat eens kon.'
'Daarvoor hoef je alleen maar dit te slikken.' Ze hield hem het pilletje weer voor. 'En dan neem je mij.'
'Werkt die pil echt?' In zijn opwinding verscheen er een beetje speeksel op zijn lippen.
'Hij heeft mij nooit eerder teleurgesteld. Neem hem nou maar.'
Ze gaf hem de pil, schonk een glas water uit een karaf op het nachtkastje en zag hoe hij eerst de pil en daarna gretig het water doorslikte.
'Wordt hij al groter?' vroeg hij opgewonden.
Ze kuste hem op zijn wang. 'Geduld. Intussen wil ik jóú iets laten zien.' Uit de zak van haar nachthemd haalde ze de kleine camera die ze had opgevangen toen ze haar hand uit het raam stak.
'Barbara, ik voel me zo raar.'
'Je hoeft je nergens zorgen over te maken.'
'Laat toch de dokter maar komen. Druk op de knop voor hem. Doe het nu meteen.'
'Er is niets aan de hand. Het komt alleen door de pil.'
'Maar ik voel mijn lichaam niet. En mijn tong...'
'Voelt hij groot aan? Allemachtig. Blijkbaar heeft die pil uitwerking op je tóng en niet op je andere lichaamsdeel. Ik moet een klacht indienen bij de fabrikant.'
De oude man gorgelde luidruchtig. Hij wilde naar zijn mond wijzen, maar zijn armen en benen werkten niet meer. 'Druk op de kn...'

Ze schoof het apparaatje verder bij hem vandaan, trok haar nachthemd dicht en maakte de ceintuur vast. Ze kwam naast hem zitten. 'Kijk, hier heb ik de foto's die ik je wil laten zien.'
Ze zette de camera aan. Op het schermpje verscheen een oude zwart-witfoto van een gezicht.
'Deze jongen was David Rosenberg,' vertelde ze, en ze wees naar het jeugdige maar magere gezicht op het scherm. Aan de ingevallen wangen en glazige ogen was te zien dat de jongen niet lang meer te leven had. 'Hij heeft zijn bar mitswa niet gehaald. Maar dat wist je zeker niet toen je bevel gaf tot zijn dood, Herr kolonel Huber? Hij was al dertien geweest, maar in de kampen werden de joodse overgangsriten natuurlijk niet in acht genomen.'
De oude man bleef zachtjes gorgelen. Zijn doodsbange blik bleef op de foto gericht.
Barbara drukte op een knop, en op het schermpje van de camera verscheen het gezicht van een jonge vrouw. Ze zei: 'Dit is Frau Helen Koch. Je doodde haar met een geweerkogel in haar buik voordat je je eerste sigaret van die ochtend had gehad. Het schijnt dat ze maar drie uur heeft geleden voordat ze stierf, terwijl jouw mannen de andere Joden beletten haar te helpen. Je hebt die ochtend trouwens twee mensen gedood, want Frau Koch was zwanger.'
Terwijl de rest van zijn lichaam onbeweeglijk bleef, graaide hij met zijn vingers naar het dekbed. Zijn blik was op het apparaatje gericht, maar hoewel dat maar een halve meter bij hem vandaan was, kon hij er niet bij. Ze drukte zijn kin omhoog om hem te dwingen naar het schermpje te kijken.
'Je moet je concentreren, kolonel. Je kunt je Frau Koch toch wel herinneren? Nietwaar? En David Rosenberg? Nietwaar?'
Ten slotte knipperde hij instemmend met zijn ogen.
'Ik zou je de foto's kunnen laten zien van de andere mensen die je ter dood hebt veroordeeld, maar omdat het er meer dan honderdduizend zijn, hebben we daar geen tijd voor.' Ze haalde een foto uit de zak van haar nachthemd. 'Ik heb deze foto uit de lijst gehaald van de piano in je prachtige bibliotheek.' Ze hield hem voor zijn gezicht. 'We hebben je zoon en dochter en je kleinkinderen en achterkleinkinderen gevonden. Al die onschuldige mensen. Je ziet hun gezichten. Net als David Rosenberg, Helen Koch en alle anderen. Als ik de tijd had, zou ik je precies vertellen hoe ieder van hen vannacht gaat sterven. Zeven van hen zijn al afgeslacht, alleen omdat ze nakomelingen van jou zijn. Want we wilden niet dat er monsters overbleven die zich konden voortplanten, Herr kolonel.'
Hij huilde. Uit zijn mond kwamen zachte, jammerende geluiden.
'Goed, goed, dat zijn vast tranen van vreugde, Herr kolonel. Misschien denken ze dat onze seks zo goed is dat je ervan moet huilen. Nou, het wordt tijd dat je gaat slapen, maar blijf wel naar die foto kijken. Wend je ogen niet af. Per slot

van rekening is het je familie.' Toen hij zijn ogen dichtdeed, gaf ze een klap in zijn gezicht om hem te dwingen ze weer open te doen. Ze boog zich naar hem toe en fluisterde hem iets toe in een andere taal.

Zijn ogen gingen wijd open.

'Herken je dat, Herr Huber? Het is Jiddisch. Je hebt die frase vast wel vaak in de kampen gehoord. Maar misschien heb je de vertaling nooit geweten. Het betekent: "Rot in de hel."'

Ze legde een kussen over zijn neus en mond, maar bedekte zijn ogen niet, zodat hij in zijn allerlaatste ogenblikken naar zijn ten dode opgeschreven familie bleef kijken. Toen drukte ze het kussen met veel kracht omlaag. De oude man kreeg geen zuurstof meer en kon daar niets tegen doen. 'Dit is een veel gemakkelijker manier van doodgaan dan jij verdient,' zei ze, terwijl zijn longen steeds sneller naar lucht zochten die er niet was.

Nadat zijn borst een laatste keer op en neer was gegaan, haalde ze het kussen weg en stopte ze de foto van de geüniformeerde Huber in de zak van haar nachthemd, samen met de kleine camera. Ze hadden zijn familie niet gedood en waren dat ook niet van plan. Ze vermoordden geen onschuldige mensen. Maar in zijn laatste ogenblikken had hij moeten geloven dat vanwege hem al zijn dierbaren waren gedood. Ze wisten dat zijn dood nooit kon opwegen tegen de gruwelijke slachtpartijen die op zijn bevel waren aangericht, maar dit was het beste wat ze konden doen.

Ze sloeg een kruis en fluisterde: 'Moge God begrijpen waarom ik dit doe.'

Op de terugweg naar haar kamer kwam ze langs de bewaker, een jonge Argentijn, een echte macho. Hij keek haar met onverholen begeerte aan. Ze glimlachte naar hem terug en wiegde met haar heupen, zodat hij een glimp van de bleke huid onder haar dunne nachthemd kon opvangen. 'Laat het me weten als het jóúw verjaardag is,' plaagde ze.

'Morgen,' zei hij vlug, en hij graaide naar haar, maar ze draaide zich behendig opzij.

Dat is prima, want dan ben ik hier niet meer.

Ze liep meteen naar de bibliotheek en zette de foto in zijn lijst terug. Een uur later flikkerden de lichten weer en gingen ze uit. Opnieuw was er tien seconden helemaal geen stroom, totdat de generator aansloeg. Barbara deed het raam open en weer dicht. Helemaal in het zwart gekleed, met een wollen muts over haar haar, klom ze langs een regenpijp omlaag. Ze ontweek de lijfwachten, klom over de hoge muur van het landgoed en werd opgepikt door een wachtende auto. Dat was niet zo moeilijk, want de beveiligingsmaatregelen op het landgoed waren er vooral op gericht mensen buiten te houden, niet binnen. De bestuurder van de auto, Dominic, een slanke jongeman met donker krulhaar en grote, trieste ogen, keek opgelucht.

'Uitstekend werk, Dom,' zei ze met een Brits accent. 'Je liet de stroom precies op tijd uitvallen.'
'De weerberichten klopten tenminste wat dat onweer betrof. Dat gaf me goede dekking voor mijn technische trucje. Wat zei hij?'
'Hij sprak met zijn ogen. Hij wist het.'
'Gefeliciteerd. Dit was de laatste, Reggie.'
Regina Campion, Reggie voor haar vrienden, leunde achterover en trok de muts van haar geverfde blonde haar. 'Je vergist je. Het was niet de laatste.'
'Wat bedoel je? Er zijn geen nazi's meer in leven zoals hij. Huber was de laatste schoft.'
Ze haalde de foto van Huber en Adolf Hitler uit haar zak en keek ernaar, terwijl de auto met grote snelheid over de donkere Argentijnse wegen reed.
'Maar er zullen altijd monsters zijn. En die moeten we stuk voor stuk opsporen.'

•3•

Shaw hoopte dat de man hem zou proberen te vermoorden, en hij werd daar niet in teleurgesteld. Als mensen zagen dat er een eind aan hun vrijheid kwam, met de reële mogelijkheid dat ze ook nog geëxecuteerd zouden worden, kwam dat hun humeur niet ten goede. Even later lag de man bewusteloos op de vloer, met de afdruk van Shaws knokkels op zijn gekneusde wang. Zijn assistentie verscheen een minuut later om de man in hechtenis te nemen. Op de lijst in zijn gedachten zette Shaw een vinkje bij een harteloze fanaat die nietsvermoedende kinderen gebruikte om mensen op te blazen die niet in dezelfde god geloofden als hij.

Tien minuten later was hij in een auto onderweg naar het vliegveld van Wenen. Naast hem zat zijn baas, Frank Wells. Frank zag eruit als de grootste rotzak die je ooit zou kunnen tegenkomen, vooral omdat hij dat ook echt was. Hij had de borstkas van een buldog en het bijpassende gromgeluid. Hij hield van goedkope pakken die al vol kreukels zaten vanaf het moment dat hij ze aantrok, en droeg een hoed met scherpe randen die je tientallen jaren in de tijd terug verplaatste. Shaw geloofde dat Frank in de verkeerde tijd was geboren. Hij zou op zijn plaats zijn geweest in de jaren twintig en dertig, jagend op misdadigers als Al Capone en John Dillinger, met machinepistolen en zonder huiszoekingsbevelen en kaartjes waarvan de rechten van verdachten werden opgelezen. Hij was ongeschoren en zijn onderkin bungelde tegen zijn dikke hals. Hij was in de vijftig maar zag er ouder uit, met tachtig jaar venijn en woede in zijn ziel. Hij en Shaw hadden een haat-liefdeverhouding die, gezien de donderwolk op het gezicht van de man, zojuist weer was omgeslagen naar haat.

In zekere zin kon Shaw dat wel begrijpen. Frank hield zijn hoed op als hij in een auto zat en als hij binnenshuis was, en dat deed hij niet alleen om zijn eivormige kale hoofd te bedekken. Hij deed het ook om de deuk in zijn schedel te verbergen waar een door Shaw afgevuurde pistoolkogel was binnengedrongen. Dat was geen ideale manier om aan een hechte vriendschap te beginnen. Toch was die bijna fatale confrontatie de enige reden waarom ze nu bij elkaar waren.

'Je reageerde een beetje traag op Benny's bewegingen,' zei Frank, kauwend op een sigaar die hij niet had aangestoken.

'Als je nagaat dat "Benny" bin Alamen op drie staat in de lijst van meest gezochte terroristen, wou ik mezelf toch wel even een schouderklopje geven.'

'Ik zeg het maar, Shaw. Je weet nooit of het nog eens van pas komt.'

Shaw gaf geen antwoord, hij was gewoon te moe. Hij keek uit het raam naar de prachtige boulevards van Wenen. Hij was vaak in de Oostenrijkse hoofdstad geweest, de stad van enkele van de grootste muzikale talenten uit de geschiedenis. Jammer genoeg was hij er in al die gevallen voor zijn werk geweest. Zijn levendigste herinnering aan de stad was dan ook niet een ontroerend concert, maar dat hij bijna was gedood doordat een kogel van zwaar kaliber gevaarlijk dicht langs zijn hoofd vloog.

Hij wreef over zijn haar, dat eindelijk weer was teruggekomen. Niet zo lang geleden had hij het moeten afscheren voor een missie. Hij was nog maar begin veertig, een meter vijfennegentig groot en in voortreffelijke conditie, maar toen zijn haar weer begon te groeien, waren er grijze haren op de slapen verschenen en had de haarlok op zijn voorhoofd zich ook een beetje teruggetrokken. Zelfs voor hem waren de afgelopen zes maanden zwaar geweest.

Alsof Frank zijn gedachten kon lezen, vroeg hij: 'Nou, wat is er gebeurd tussen jou en Katie James?'

'Ze is weer journaliste geworden en ik doe weer wat ik altijd deed.'

Frank liet zijn raampje opengaan, stak zijn sigaar aan en liet de rook door de opening ontsnappen. 'Dat is alles, hè?'

'Waarom zou er nog meer aan de hand zijn?'

'De dingen waar jullie samen aan werkten, waren niet mis. Dan komen mensen vaak nader tot elkaar.'

'Nou, dat is niet gebeurd.'

'Ze heeft mij gebeld, weet je.'

'Wanneer?'

'Een tijdje geleden. Ze zei dat je was weggegaan zonder afscheid te nemen. Je was er gewoon vandoor gegaan.'

'Ik wist niet dat dat bij de wet verboden was. En waarom belde ze mij niet gewoon?'

'Ze zei dat ze dat had geprobeerd, maar dat je een ander nummer had.'

'Oké, misschien is dat zo.'

'Waarom?'

'Omdat ik daar zin in had. Nog meer persoonlijke vragen?'

'Gingen jullie met elkaar naar bed?'

Shaw verstijfde zichtbaar toen hij die woorden hoorde. Misschien voelde Frank dat hij te ver was gegaan, want hij keek naar de map op zijn schoot en zei vlug: 'Oké, we stijgen over een halfuur op. In het vliegtuig kunnen we de volgende klus doornemen.'

'Geweldig,' zei Shaw met doffe stem. Hij liet zijn raampje opengaan en ademde de frisse ochtendlucht in. Hij deed zijn werk meestal in het holst van de nacht en veel van zijn 'klussen' eindigden in de vroege ochtend.

Ik werk voor iets wat vaag een dienst wordt genoemd en niet officieel bestaat. Over de hele wereld doe ik dingen waarvan niemand ooit zal weten dat ik ze heb gedaan.

Het beleid van de 'dienst' stond de agenten toe om tot de grens te gaan van wat wettelijk was toegestaan, en die grens vaak ook te overschrijden en met voeten te treden. De landen die de dienst waarvoor Shaw werkte financieel en logistiek steunden, maakten deel uit van de oude G-8-voorhoede en vormden officieel dus de meest 'beschaafde' samenlevingen ter wereld. Via hun eigen officiële kanalen zouden ze nooit gebruik mogen maken van gewelddadige en soms dodelijke tactieken. Dat probleem hadden ze echter omzeild door in het geheim een hybride monster in het leven te roepen dat op alle mogelijke manieren resultaten moest bereiken. Burgerrechten, zoals het recht op juridische bijstand, werden daarbij meestal aan de kant gezet.

Frank keek hem even aan. 'Ik heb bloemen naar Anna's graf gestuurd.'

Verrast draaide Shaw zich om. 'Waarom?'

'Ze was een goede vrouw. En om de een of andere reden was ze smoorverliefd op jouw miezerige persoontje. Dat was het enige gebrek dat ik bij de dame kon vinden: ze viel op de verkeerde mannen.'

Shaw keek weer uit het raam.

'Je zult nooit meer iemand vinden die zo goed is.'

'Daarom zoek ik niet eens meer, Frank.'

'Ik ben ooit getrouwd geweest.'

Shaw deed het raam dicht en leunde achterover. 'Wat is er gebeurd?'

'Ze leeft niet meer. Ze leek wel wat op Anna. Ik was met een veel betere vrouw getrouwd dan ik verdiende. Zoiets gebeurt geen tweede keer.'

'Jij bent tenminste naar het altaar gelopen. Ik heb die kans niet gekregen.'

Frank keek alsof hij nog iets ging zeggen, maar hij zei niets. De rest van de rit naar het vliegveld zaten de twee mannen zwijgend naast elkaar.

•4•

De Gulfstream steeg moeiteloos op, en zodra ze in de lucht waren, haalde Frank het gebruikelijke dossier tevoorschijn: foto's, achtergrondinformatie, analyses, aanbevelingen voor actie.

'Evan Waller,' begon Frank. 'Canadees. Drieënzestig jaar oud.'

Shaw pakte met zijn ene hand een kop zwarte koffie en met zijn andere hand een foto. Hij keek naar een man met kaalgeschoren hoofd. De man zag er fit en sterk uit en zijn trekken waren scherp en hoekig, als een afbeelding op een high-definition-lcd-scherm. Zelfs op de foto leken de ogen een elektrische stroom uit te stralen die dwars door Shaw heen zou kunnen gaan om hem dodelijk te verwonden. De man had een extreem lange neus. En als er zoiets bestond als een wrede mond, was dit er een, vond Shaw. Zonder enige twijfel was de man wreed, slecht en gevaarlijk. Anders zou Shaw nu niet naar deze foto kijken. Het waren nooit heiligen waar ze hem op af stuurden, alleen gewelddadige zondaren.

'Ziet er goed uit voor zijn leeftijd,' zei Shaw, terwijl hij de foto op het tafeltje liet vallen.

'De afgelopen twintig jaar heeft hij zich beziggehouden met alles wat veel geld oplevert. Op het eerste gezicht is het een fantastische kerel. Hij heeft legale ondernemingen, blijft op de achtergrond, geeft aan goede doelen, helpt derdewereldlanden hun infrastructuur op te bouwen.'

'Maar?'

'Maar we hebben ontdekt dat hij rijk is geworden met mensenhandel. Wallers mensen kidnappen grote aantallen Aziatische en Afrikaanse tienermeisjes en verkopen ze voor prostitutie op het westelijk halfrond. Daarom is hij zo met de derde wereld bezig. Dat is zijn aanvoerbron. Hij gebruikt zijn contacten daar om aan de producten te komen die hij nodig heeft. En zijn legale ondernemingen wassen het geld wit dat hij met die activiteiten verdient.'

'Oké, daarom komt hij in aanmerking voor een bezoekje van mij.'

Frank stond op, schonk een bloody mary in uit de kleine bar van het vliegtuig en liet er een selderiestengel in vallen. Hij ging weer zitten en liet met een lange lepel de ijsblokjes tegen elkaar tikken. 'Waller heeft de details goed verborgen gehouden. We hadden nogal wat tijd nodig om aan de nodige informatie over hem te komen, en waarschijnlijk hebben we nog steeds niet genoeg bewijs om een rechter te overtuigen. Die kerel is slecht, geen twijfel mogelijk, maar het is niet te bewijzen.'

'Als we hem niet achter de tralies kunnen krijgen, waarom nemen we dan de moeite? Daarna is hij des te meer op zijn hoede.'
Frank schudde zijn hoofd. 'Het is geen kwestie van grijpen en vervolgen, maar van grijpen en praten. We ontvoeren hem en overtuigen hem ervan dat het in zijn belang is om ons alles te vertellen over een nieuwe zakelijke activiteit van hem, waar we net lucht van hebben gekregen.'
'Wat is dat dan?'
'De levering van nucleair materiaal aan islamitische fundamentalisten die wereldwijd op de opsporingslijst staan. Als hij ze aan ons uitlevert, gooien we het met hem op een akkoordje.'
'Wat voor akkoordje?'
'Het komt erop neer dat hij dan niet wordt vervolgd.'
'En hij kan doorgaan met de handel in jonge meisjes?'
'We voorkomen op deze manier een nucleaire ramp, Shaw. Het is een compromis dat de mensen die boven ons zijn gesteld wel willen sluiten. Oké, we maken voorlopig ook een eind aan zijn mensenhandel. Maar hij blijft vrij rondlopen en houdt al het geld dat hij ongetwijfeld verspreid over de wereld verborgen heeft zitten.'
'En dus gaat hij gewoon opnieuw in zaken. Weet je, soms is het me niet helemaal duidelijk wie de duivels zijn waartegen we vechten.'
'We vechten tegen alle duivels, alleen op verschillende manieren.'
'Oké, wat is het plan?'
'We hebben ontdekt dat hij op weg is naar het zuiden van Frankrijk. Hij wil daar een korte vakantie houden, tussen het plannen van nucleaire rampen door. Hij heeft een villa gehuurd in Gordes. Ben je daar ooit geweest?' Shaw schudde zijn hoofd. 'Nou, dan ga je nu voor het eerst. Het schijnt daar heel mooi te zijn.'
'Dat is Wenen ook, voor zover ik heb gehoord. Maar meestal krijg ik alleen de rioolputten, afdelingen voor spoedgevallen en lijkenhuizen te zien.'
'Hij heeft veel beveiliging om zich heen.'
'Dat hebben ze altijd. Hoe gaan we hem oppakken?'
'Natuurlijk snel en soepel. Maar de Fransen weten hier helemaal niets van. We hoeven geen hulp van hen te verwachten. Als je in de problemen komt, kun je het wel schudden.'
'Waarom zou ik iets anders verwachten?'
'De timing zal krap zijn.'
'De timing is altijd krap.'
'Dat is waar,' gaf Frank toe.
'Dus we kidnappen hem, bedreigen hem en hopen dat hij bezwijkt?'
'We hoeven hem alleen maar te grijpen. Daarna wordt hij bewerkt door anderen.'

'Ja, en dan laten ze hem vrij?' zei Shaw vol walging.
'De kerels met pakken aan nemen de beslissingen.'
'Jíj hebt ook een pak aan.'
'Herstel: de kerels met de dúre pakken aan nemen de beslissingen.'
'Oké, maar misschien kun je je herinneren dat het niet erg goed ging toen ik de vorige keer in Frankrijk was.'
Frank haalde zijn schouders op. 'Laten we de details bespreken.'
Shaw dronk zijn kopje leeg. 'Ja, het komt op de details aan, Frank. En op een heleboel geluk.'

•5•

Reggie Campion reed met haar tien jaar oude gedeukte Smart-City-Coupé van haar kamer in Londen langs Leavesden naar het noorden en bleef nog een tijdje in die richting rijden. Na een slingerende tocht over smalle landweggetjes sloeg ze een zandweg ter breedte van één auto in die uiteindelijk tussen twee bemoste stenen zuilen door leidde waarop de naam 'Harrowsfield' nog te lezen stond. Zoals gewoonlijk keek ze even over de bochtige oprijlaan van gravel naar het vervallen oude landhuis.

Sommigen zeiden dat Rudyard Kipling ooit in het landhuis had gewoond. Reggie betwijfelde dat echter, al wilde ze wel geloven dat het in de smaak zou zijn gevallen bij die schrijver, die zulke prachtige avonturenverhalen had geschreven. Het was een kolossaal huis, hier en daar provisorisch opgeknapt, met geheime deuren en gangen, natuurstenen torentjes, koude kamers en een enorme bibliotheek. Ontelbare gangen kwamen op massieve muren uit, er was een zolder waar voorwerpen van museumkwaliteit lagen, maar ook een hoop rommel, een doolhof van een kelder met schimmelige flessen grotendeels ondrinkbare wijn, een sterk verouderde keuken met een lekkend dak en blootliggende, vonkende bedrading, en genoeg bijgebouwen om enkele legerbataljons te huisvesten. Dat alles op meer dan honderd hectare verwaarloosd terrein. Het was eeuwenoud, vervallen, vuil, grotendeels onbewoonbaar, en ze was er gek op. Als ze het geld had gehad, zou ze het hebben gekocht. Maar Reggie zou daar nooit genoeg geld voor hebben.

Ze overnachtte hier vaak. Lijdend aan chronische slapeloosheid dwaalde ze vaak urenlang door de donkere vertrekken. Reggie dacht dan dat ze de aanwezigheid kon voelen van anderen die Harrowsfield hun thuis bleven noemen al waren ze niet meer onder de levenden. Het liefst zou ze hier altijd blijven. Ze had een eenvoudig appartement in een niet zo goede Londense buurt, dat toch nog duurder was dan ze zich eigenlijk kon veroorloven. Om zich te kunnen redden bezuinigde ze op luxes als voeding en kleding. In elk geval had ze haar carrière niet uitgekozen omdat ze er veel mee dacht te verdienen.

Reggie parkeerde de auto voor het oude koetshuis, dat verbouwd was tot garages en een werkplaats, en zag dat er al anderen waren. Ze gebruikte haar sleutel om de deur naar de bijkeuken van het landhuis open te maken, en er was meteen een belletje te horen. Even later kwam er een gespierde, breedgeschouderde man van in de dertig, bijna een meter tachtig lang, uit een binnenkamer. Hij had in zijn ene hand een kop thee en in zijn andere hand een speciaal gemaakt

9mm pistool, dat op Reggies borst gericht was. Hij droeg een strakke corduroybroek, een wit overhemd met opgestroopte mouwen en smalle, zwarte leren instappers – zonder sokken, ondanks de vochtige kilte die zelfs hartje zomer gewoon was in Harrowsfield. Zijn ruige bruine haar reikte bijna tot zijn woeste donkere wenkbrauwen, die elkaar net niet raakten.

Toen hij haar zag, stak hij het pistool in zijn schouderholster, grijnsde en nam een slok van zijn thee. Whit Beckham zei: 'Eh, Reg, je had moeten bellen toen je bij de ingang was. Ik schoot je bijna neer. Als ik dat had gedaan, zou ik een week van slag zijn geweest.' Zijn robuuste Ierse accent was de afgelopen jaren zozeer verzacht dat Regina zonder tussenkomst van een tolk bijna alles kon verstaan.

Ze trok haar jasje uit en hing het aan een houten haak aan de muur. Ze droeg een gebleekte spijkerbroek, een dunne bordeauxrode coltrui en zwarte hoge schoenen. Haar haar had weer zijn natuurlijke donkerbruine kleur en was in haar nek met een schildpadden klemmetje vastgezet. Ze gebruikte geen make-up, en toen ze in het licht kwam dat door de ramen naar binnen viel, waren de eerste lijntjes bij haar grote, intense ogen te zien, al was ze nog maar achtentwintig.

'Mijn mobieltje werkt hier nooit, Whit.'

'Dan wordt het tijd dat je een andere provider neemt,' raadde hij haar aan. 'Thee?'

'Koffie, hoe sterker hoe beter. Het was een lange vlucht en ik heb niet veel geslapen.'

'Komt eraan.'

'Schitterend. Dank je. Is Dom er ook? Ik zag zijn motor niet.'

'Ik geloof dat hij hem in een van de garages heeft gezet. Maar het is geen motor.'

'Wat dan?'

'Het is een *crotch rocket*. Heeft iets te maken met extra pk.'

'Goh, interessant, die mannenspeeltjes.'

Hij keek haar doordringend aan. 'Gaat het wel goed met je?'

Ze forceerde een glimlach. 'Geweldig. Beter dan ooit. Als je het één keer hebt gedaan, wordt het elke keer gemakkelijker.'

Hij fronste zijn wenkbrauwen. 'Dat is gelul, en dat weet je zelf ook wel.'

'O ja?'

'Vergeet niet dat Huber een paar honderdduizend mensen heeft vermoord en meer dan zestig jaar ongestraft is gebleven.'

'Ik heb dezelfde briefingpapieren gelezen als jij, Whit.'

Hij keek gekwetst. 'Nou, misschien moet je dan een tijdje vrij nemen. De batterij opladen.'

'Mijn batterij is al opgeladen. Die lange vliegreis en een paar drankjes waren

genoeg. Kolonel Huber is uit mijn geheugen gewist.'
Whit grijnsde. 'Weet je zeker dat je niet gaat instorten?'
'Nee, maar aardig dat je het vraagt. Nou, wie zijn hier?'
'De gebruikelijke figuren.'
Ze keek op haar horloge. 'Een vroeg begin?'
'Een nieuw karwei. Dan is iedereen een beetje opgewonden.'
'Ik ook.'
'Je meent 't.'
'Doe niet zo idioot. Breng me die koffie nou maar.'

•6•

Reggie liep door gangen die naar schimmel roken en kwam ten slotte bij twee naast elkaar gelegen houten deuren, met daarop weelderige ingebrande afbeeldingen van boeken. Ze trok een van de deuren open en liep door naar de bibliotheek. Die had drie wanden met boeken en schuifladders op verbleekte koperen rails om alle planken bereikbaar te maken. De vierde wand was bedekt met oude foto's en portretten van mannen en vrouwen die allang dood waren. In deze kamer bevond zich ook een natuurstenen haard van vloer tot plafond, een van de weinig goed werkende haarden in het huis. En zelfs deze braakte regelmatig rook de kamer in. Ze nam even de tijd om zich bij de vlammen te warmen, voordat ze zich omdraaide naar de mensen die om de grote tafel met gedraaide poten in Spaanse stijl zaten die midden in de kamer stond.
Reggie knikte ieder van hen toe. Ze waren allemaal ouder dan zij, behalve Dominic, die zo te zien goed uitgerust was en aan het andere eind van de tafel zat. Vervolgens keek ze naar de oudere man die aan het hoofd van de tafel zat. Miles Mallory droeg tweed op tweed, met elleboogstukken en een scheef vlinderstrikje, praktische, grove schoenen en sokken die de dikke, onbehaarde schenen niet helemaal bedekten. Hij had een groot hoofd met een randje grijs krulhaar dat in geen maanden de schaar van een kapper had gevoeld. Zijn baard daarentegen was keurig bijgeknipt en had dezelfde kleur als zijn haar, met uitzondering van een blond vlekje ter grootte van een munt bij zijn kin. De ogen waren groen en doordringend achter een bril met zwart montuur en dikke glazen, hij had hangwangen, zijn mond was klein en bits, en zijn scheefstaande tanden zaten onder de nicotinevlekken. In zijn rechterhand had hij een kleine, gekromde pijp die hij aan het volstoppen was met zijn schadelijkste tabaksmengsel. Algauw had de tabaksrook de meeste zuurstof uit de kamer verdreven.
'U ziet er opgewonden uit, professor Mallory,' zei Reggie vriendelijk.
'Ik heb het al tegen Dominic gezegd, maar mag ik de eerste zijn om je te feliciteren met je voortreffelijke werk in Argentinië?'
'Dat zou mogen, maar ik was u voor, prof,' zei Whit, die op dat moment de kamer binnenkwam en Reggie zo'n hete kop koffie gaf dat de damp er nog af sloeg, al was de keuken zowat een kilometer van de bibliotheek verwijderd.
'Nou,' zei Mallory opgewekt, 'laat me dan de tweede zijn.'
Reggie nam een slokje van de koffie. Ze praatte niet graag over wat ze had gedaan, zelfs niet met mensen die haar daarbij hadden geholpen. Toch voelde

ze na de moord op iemand die zoveel mensen had afgeslacht niet de gebruikelijke menselijke emoties. Voor haar en alle anderen aan de tafel hadden hun doelwitten met hun gruweldaden alle rechten verspeeld die ze hadden. Ze zouden net zo goed over het doden van een hond met rabiës kunnen praten. Misschien, dacht Reggie, was zelfs dat een onredelijke vergelijking.
Voor de hond.
'Dank u. Maar helaas denk ik dat Herr Huber nu in vrede rust.'
Mallory zei stijfjes: 'Ik betwijfel sterk of de kolonel op dit moment comfortabel ligt te rusten. Die vlammen doen vast wel pijn.'
'Wie weet. Theologie was nooit mijn sterke kant.' Ze ging op een stoel zitten. 'Maar Huber is nu verleden tijd. We moeten verder.'
'Ja,' zei Mallory enthousiast. 'Ja. Precies. We moeten verder.'
Whit grijnsde wrang. 'Laten we eens kijken of we het monster nog een keer kunnen berijden zonder zelf vertrapt te worden.'
Mallory knikte naar de slanke, blonde vrouw die rechts van hem zat. 'Liza, als je zo goed zou willen zijn...' Ze deelde bruine mappen met kopieën van papieren uit. De mappen werden bijeengehouden met bloedrode elastieken.
'Weet u, prof,' zei Whit, 'dit alles kan op een USB-stick en vandaar op onze laptops. Dat is veel handiger dan dat ik dit alles in mijn auto heb liggen.'
'Laptops kunnen zoekraken. Bestanden kunnen verdwijnen. Ze kunnen zelfs worden gestolen. Gehackt, zeggen ze dan, geloof ik,' antwoordde Mallory met een zweem van verontwaardiging, maar ook met de enigszins onzekere blik van iemand voor wie computers een raadsel waren gebleven.
Whit hield de map omhoog. 'Nou, papier kan ook worden gestolen, zeker als het tien kilo is.'
'Laten we ter zake komen,' zei Mallory bruusk, zonder op Whits opmerking in te gaan.
Hij hield een foto omhoog van een oudere man van in de zestig, met een lange neus, een kaalgeschoren hoofd en een uitdrukking op zijn gezicht die maar één reactie kon wekken: angst.
'Evan Waller,' zei Mallory. 'Officieel drieënzestig jaar geleden in Canada geboren, maar dat klopt niet. Hij gaat door voor een legitieme zakenman, maar...'
Whit onderbrak hem: 'Maar in werkelijkheid?' Hij haalde het pistool uit zijn holster en legde het op de tafel.
Als het Mallory ergerde dat Whit hem in de rede viel of het pistool in het volle zicht legde, liet hij dat niet blijken. Zijn ogen schitterden zelfs toen hij verderging: 'Evan Waller is in werkelijkheid Fedir Kuchin.'
Toen hij de tafel rond keek en geen reactie bij de anderen zag, maakte zijn opgetogenheid plaats voor teleurstelling. 'Hij is in Oekraïne geboren, diende in het leger en daarna bij de nationale geheime politie, die ondergeschikt was aan

de KGB.' Toen zelfs die onthulling geen enkel commentaar opleverde, voegde hij er op scherpe toon aan toe: 'Heeft niemand van jullie gehoord van de Holodomor?' Hij keek naar het andere eind van de tafel. 'Dominic, jij moet er op de universiteit van hebben gehoord,' zei hij bijna smekend.
Dominic schudde zijn hoofd. Het was te zien dat hij het vervelend vond dat hij de oudere man teleurstelde.
Nu nam Reggie het woord: 'Holodomor is Oekraïens voor "dood door honger". Stalin heeft in de eerste helft van de jaren dertig bijna tien miljoen Oekraieners vermoord door ze massaal uit te hongeren. Daar zat ook bijna een derde van de kinderen in het land bij.'
'Hoe heeft hij dat klaargespeeld?' vroeg Whit walgend.
Mallory gaf antwoord. 'Stalin stuurde troepen en geheime politie en die haalden al het vee en alle kippen weg, en ook al het voedsel, zaaigoed en gereedschap. Dat deden ze vooral in de regio van de rivier de Dnjepr, die lange tijd bekendstond als de graanschuur van Europa. Daarna sloot hij de grenzen om te voorkomen dat mensen ontsnapten of vervanging haalden voor alles wat gestolen was, en ook om te verhinderen dat het nieuws in de rest van de wereld bekend werd. In die tijd was er natuurlijk nog geen internet. Hele dorpen stierven van de honger. Binnen twee jaar was bijna een kwart van de boerenbevolking van het land omgekomen.'
'Stalin kon zich wat betreft wreedheden meten met Hitler,' zei Liza Kent nadrukkelijk. Ze was achter in de veertig en ouderwets gekleed: lange rok, lompe schoenen, witte blouse met plooikraag. Haar lichtblonde haar, doorweven met zilver, was erg dun en zou tot haar schouders kunnen reiken, maar ze droeg het in een strak knotje. Haar gezicht had geen bijzondere trekken, en haar doordringende lichtbruine ogen gingen meestal schuil achter dubbelfocusglazen in een erg conservatief montuur. Ze kon gemakkelijk opgaan in bijna elke menigte. Ze had meer dan tien jaar bij de Britse inlichtingendienst gezeten, had leiding gegeven aan contraspionageoperaties op hoog niveau op drie continenten en had een geweerkogel van Roemeens fabricaat gevaarlijk dicht bij haar wervelkolom zitten. Door die wond had ze zich gedwongen gezien ontslag te nemen, en sindsdien leefde ze van een bescheiden overheidspensioen. Ze had er algauw genoeg van gekregen in haar kleine tuintje rond te scharrelen en had zich bij de professor aangesloten.
'Waarom deed hij het?' vroeg Dominic.
'Vraag je waarom Stalin mensen vermoordde?' snauwde Mallory. 'Waarom bijt een slang? Of waarom verslindt een grote witte haai met bijna ondenkbare wreedheid zijn prooi? Stalin deed dat gewoon, en wel op grotere schaal dan iemand voor hem of na hem. Hij was een gek.'
'Maar Stalin was ook een gek met een motief,' merkte Reggie op. Ze keek de

tafel rond. 'Hij probeerde het Oekraïense nationalisme weg te vagen. En daarnaast wilde hij het verzet van de boeren tegen de collectivisatie van de landbouw breken. Ze zeggen dat er tegenwoordig niet één Oekraïener is die geen familielid aan de Holodomor heeft verloren.'

Mallory glimlachte waarderend. 'Je bent goed thuis in de geschiedenis, Reggie.'

Ze keek hem koeltjes aan. 'Het is geen geschiedenis, professor. Horror.'

Whit keek verbaasd. 'Ontgaat mij iets? Zoals u al zei, gebeurde dat alles in de jaren dertig. Als hij nog maar drieënzestig is, leefde die Waller of Fedir Kuchin toen nog niet eens.'

Mallory maakte een bruggetje van zijn handen. 'Denk je dat de genocide na Stalins dood is opgehouden, Beckham? Nadat het monster zijn laatste adem had uitgeblazen, heeft het communistische regime nog tientallen jaren standgehouden.'

'En welke rol speelt Fedir Kuchin bij dat alles?' vroeg Reggie kalm.

Mallory leunde achterover en knikte. 'Hij ging op jonge leeftijd bij het leger en maakte snel carrière. Omdat hij ongewoon intelligent en volstrekt meedogenloos was, werd hij algauw geselecteerd voor inlichtingenwerk. Uiteindelijk kwam hij bij de geheime politie terecht, waar hij opklom tot hij een despotische macht bezat. Dat was in de tijd dat het Rode Leger in Afghanistan op een geduchte tegenstander stuitte en zich gewonnen moest geven. Tegelijkertijd deden andere satellietstaten van de Sovjet-Unie, zoals Polen, een gooi naar de vrijheid, en dat bleven ze doen tot aan de val van het communisme. Kuchin kreeg rechtstreeks van het Kremlin bevel het verzet tot elke prijs de kop in te drukken. Hoewel zijn superieuren de meeste historische eer kregen, werd hij in feite de man in het veld die Kiev op de lijn van Moskou moest houden. En hij is daar bijna in geslaagd.'

'Hoe dan?' vroeg Whit.

Bij wijze van antwoord maakte Mallory zijn map open en gaf de anderen een teken dat ze hetzelfde moesten doen. 'Lees het eerste rapport en kijk dan naar de bijbehorende foto's. Als dat je vraag niet beantwoordt, zul je nergens een antwoord vinden.'

Enkele lange minuten was het doodstil in de kamer, afgezien van nu en dan een zucht als iemand de foto's onder ogen kreeg. Toen Reggie ten slotte de map sloot, beefde haar hand een beetje. Ze had het opgenomen tegen veel monsters op twee benen, toch kon hun pure slechtheid haar nog steeds schokken en soms zelfs van haar stuk brengen. Ze was bang dat ze al haar menselijkheid zou hebben verloren als ze op een dag niet meer geschokt zou zijn. Op sommige dagen was Reggie bang dat het al zover was.

'Zijn eigen versie van Holodomor,' merkte Whit met gedempte stem op. 'Al-

leen gebruikte hij vergiften die door de lucht werden verspreid of in de drinkwatervoorziening werden gestopt, of liet hij duizenden mensen tegelijk in kuilen drijven waarin ze levend verbrandden. De vuile schoft.'
'En Kuchin liet honderdduizend jonge meisjes steriliseren,' voegde Reggie daaraan toe. Terwijl ze dat zei, werd het spinnenweb van lijnen bij haar ogen nog dieper. 'Opdat ze geen jongens konden baren die misschien tegen de sovjets zouden vechten.'
Mallory tikte op de map. 'Naast nog honderd van zulke gruweldaden. Zoals wel vaker het geval is met zulke sluwe mannen zag Kuchin de ondergang eerder aankomen dan zijn superieuren. Hij zette zijn eigen dood in scène en vluchtte naar Azië, vandaar naar Australië en ten slotte naar Canada. Daar bouwde hij een nieuw bestaan op met vervalste papieren en het charisma dat zijn sadistische karakter moest verbloemen. Iedereen ziet in hem een legitieme en uiterst succesvolle zakenman, in plaats van de massamoordenaar en oorlogsmisdadiger die hij in werkelijkheid is. We hebben er drie jaar over gedaan om dit dossier samen te stellen.'
'En waar is hij nu?' vroeg Reggie, haar ogen op de foto gericht die ze uit de map had geschoven. Op die foto waren de resten te zien van een opgegraven graf met kleine skeletten, omdat het allemaal kinderen waren.
Mallory bracht zijn pijp tot leven en er steeg een wolk scherpe rook boven hem op. 'Deze zomer gaat hij op vakantie naar de Provence, om precies te zijn naar Gordes.'
'Dan vraag ik me af hoe het aanvoelt,' zei Reggie tegen niemand in het bijzonder.
'Hoe wat aanvoelt, Reg?' vroeg Whit nieuwsgierig.
Ze keek nog eens naar de foto van de kleine botten. 'Om te sterven in zo'n mooie omgeving als de Provence.'

•7•

De lange vergadering was afgelopen en de avond viel, maar Reggie had nog steeds werk te doen. Ze sloop het vervallen landhuis uit en keek enkele ogenblikken in de schemering naar het terrein. Sinds het hoofdkwartier van Miles Mallory's organisatie hier was gevestigd, had Reggie zich in de geschiedenis van het landgoed verdiept. Op de plaats waar nu het huis stond had oorspronkelijk een kasteel gestaan. Het gebied eromheen was het leengoed geweest van de rijke landheer, die in harnas over zijn volk heerste, altijd paraat om zo nodig met zijn strijdbijl de schedel van deze of gene te klieven.

Later was het kasteel in verval geraakt en was in plaats daarvan het landhuis verrezen. Het leenstelsel was afgeschaft en de landheren hadden hun harnas en strijdknots weggelegd. Ze dreigden nu met de schuldenarengevangenis als hun boeren achter waren met de pacht. Het landgoed was vele generaties in dezelfde familie gebleven en ten slotte in handen gekomen van verre neven van de oorspronkelijke eigenaren. Het bracht altijd minder op dan nodig was om het te kunnen onderhouden. In de twee wereldoorlogen was Harrowsfield – Reggie had nooit kunnen ontdekken waar de naam precies vandaan kwam – als hospitaal voor gewonde soldaten gebruikt. Daarna stond het enkele tientallen jaren leeg, totdat de overheid zich genoodzaakt had gezien het over te nemen en enkele minimale reparaties uit te voeren. Mallory had het ontdekt en voor elkaar gekregen dat hij het mocht gebruiken. In de ogen van de buitenwereld was het alleen maar een informele ontmoetingsplaats voor excentrieke geleerden die zich op esoterische maar onschuldige terreinen bewogen.

Reggie liep langs in rijen opgestelde verwilderde Engelse buksbomen, die hun urinelucht verspreidden. Het was al laat in het voorjaar, maar toch voelde ze tijdens het lopen een kille wind in haar rug. Ze trok de rits open van haar versleten leren jasje, dat van haar oudere broer was geweest. Hoewel hij was gestorven toen hij twaalf was, was hij meer dan een meter tachtig lang geweest. Het jasje paste haar goed, al had zijn dood haar diep getroffen. Ze voelde zich nog steeds emotioneel kwetsbaar, als een ruit met een barstje die bij de volgende harde schok uit elkaar zou vallen.

Na een wandeling van een halve kilometer duwde ze de deur open van wat ooit de kas van het landgoed was geweest. De geuren van turf, muls en rottende planten kwamen haar nog steeds tegemoet, al had hier in geen tijden iemand iets aan tuinieren gedaan. Ze liep langs glasscherven en losse planken die van het plafond waren gevallen. De zon wierp, zakkend naar de horizon van het Engelse land-

schap, schaduwen in alle richtingen. De kille wind, des te kouder nu hij door de smalle openingen in de ruiten en wanden gierde, bracht spinnenwebben aan het fladderen en ruiste door de vervallen restanten van dit hoveniersparadijs.
Reggie kwam bij de dubbele deur die schuin in de hoek van het gebouwtje was aangebracht. Ze stak de sleutel in het zware hangslot, deed de twee deuren open en trok aan de ketting van de kale gloeilamp. Het volgende moment werd de gang waarin ze terechtkwam, zwak verlicht. De geur van vochtige aarde die daar hing maakte haar een beetje misselijk. Ze liep over die aarde en ging zo'n vijftien stappen over een helling van twintig graden omlaag, tot de bodem van de tunnel vlak werd. Ze wist niet wie deze tunnel had gegraven of waarom, maar hij kwam nu goed van pas.
Ze kwam aan het eind van de gang, waar enkele matrassen tegen elkaar aan op hun kant waren gezet. Tegen een zijmuur van aangedrukte aarde stond een tafeltje, met daarop een stapel papier en een kleine ventilator die op batterijen draaide. Ze pakte het bovenste papier en maakte het met een klemmetje vast aan een koord dat tussen de twee zijwanden van de tunnel was gespannen. Naast de stapel lagen oorbeschermers en veiligheidsbrillen. Ze hing een oorbeschermer losjes om haar hals en zette de bril op.
Op het papier was het silhouet van een man te zien, met zwarte cirkels eromheen. Ze liep tien meter terug, draaide zich om en haalde haar pistool tevoorschijn. Ze keek eerst de lading na, zette toen de oorbeschermer op, nam haar favoriete schiethouding aan, mikte en schoot haar hele magazijn leeg. Omdat er in de tunnel maar heel weinig ventilatie was, drong de bittere kruitlucht meteen haar neusgaten binnen. Stukjes aarde die door het schot waren losgekomen vielen uit naden tussen de verweerde plafondplanken. Ze hoestte, sloeg met haar hand in de lucht om rook en stof te verdrijven en liep toen naar voren om te kijken hoe goed ze had geschoten. Onderweg bleef ze even staan om de ventilator aan te zetten. Het ding schommelde loom heen en weer, maar had veel tijd nodig om de lucht te zuiveren. Een eersteklas schietbaan was dit niet.
Zeven van haar elf kogels hadden doel getroffen waar ze ze wilde hebben: in de romp. Ze zouden vitale organen hebben geraakt als het doelwit een echt persoon was geweest. Twee kogels hadden het hoofd geraakt, ook zoals haar bedoeling was. Een van de kogels was een millimeter buiten de dodelijke zone terechtgekomen. Het laatste schot was onaanvaardbaar ver naast gegaan.
Ze verving het doelwit door een nieuwe, herlaadde haar pistool en schoot opnieuw. Tien van de elf. Ze deed het nog een keer. Elf van de elf. Ze deed het opnieuw. Negen van de elf. Ondanks de ventilator hing er nu een dichte rook in de tunnel en voelden haar longen verstopt aan.
'Verdomme,' blafte ze. Ze hoestte en sloeg met haar hand door de troebele nevel. Reggie vond dat ze de laatste paar missers wel kon toeschrijven aan het feit

dat ze amper kon ademhalen en het verrekte doelwit bijna niet kon zien. Toen ze later door de tunnel terugliep, wenste ze dat ze een echte schietbaan hadden. De tunnel was echter de enige plaats waar het geluid van de schoten niet doordrong tot iemand die misschien de politie zou bellen. Stoffige oude geleerden werden niet geacht een voorliefde voor vuurwapens te hebben. Ze was verbaasd toen ze Whit bij de deur naar de kas zag staan.

'Ik dacht wel dat je hier zou zijn. Hoe ging het schieten?' vroeg hij.

'Belabberd.' Ze deed de twee deuren dicht en draaide ze op slot.

Hij leunde tegen een kast met glazen bovenkant die gebruikt was voor zaailingen. Het werd al kouder en zijn adem vormde wolkjes. 'Nou, maak je niet druk. Als jij een wapen kiest, zal dat niet gauw een vuurwapen zijn. Je bent meer het type voor het mes of het kussen. Ik ben de man van het pistool.'

Ze ergerde zich aan zijn botheid. 'Wat ben je soms toch irritant, Whit.'

'Sorry, maar ik heb nog nooit iemand ontmoet die zo gespannen was als jij.'

'Dan moet je wat meer onder de mensen komen. Ik ben tamelijk relaxed.'

'Nou, wat denk je van die Fedir Kuchin?'

'Ik denk dat we hem gauw genoeg in de Provence te zien krijgen.'

'Het is nogal kort dag. Ik heb liever wat meer tijd om het voor te bereiden.'

Ze haalde haar schouders op. 'Als je de professor zo hoort, komt dat stuk ongedierte niet vaak tevoorschijn. Dit is misschien onze enige kans.'

'Je moet wel een heel goede dekmantel hebben. Die kerel heeft de middelen om grondig onderzoek te doen.'

'Het is onze mensen altijd gelukt.' Ze wachtte, want ze had het gevoel dat hij nog meer wilde zeggen.

'Ik wil hier graag zelf aan meedoen,' zei hij plotseling, en toen zweeg hij even, waarschijnlijk om te kijken hoe ze daarop reageerde. 'Zou je misschien met de professor kunnen praten?'

Reggie stak haar pistool in de riemholster en veegde haar handen af aan een lap die ze van een werkbank had gepakt. 'We hebben alleen nog maar een voorlopig plan. We zullen later wel zien.'

'Je weet hoe Mallory denkt. Bij het kiezen van een speerpunt denkt hij altijd het eerst aan jou.'

'Je hebt vaak genoeg in de voorhoede van missies gestaan, Whit,' zei ze beslist.

'Ja, voordat jij er was. Begrijp me niet verkeerd. Ik neem het jou niet kwalijk. Je bent verschrikkelijk goed in dit soort dingen, en omdat we het meestal op oude kerels hebben voorzien, ligt het voor de hand om met een jonge vrouw te werken, want dan zijn ze minder op hun hoede. Maar ik ben ook niet slecht. En ik heb me hier niet voor aangemeld om steeds de koffers te dragen. Ik hou ook wel van een beetje actie.'

Ze dacht daar even over na. 'Ik zal er met de professor over praten. Kuchin is

geen nazi van in de negentig die zich in de luren laat leggen door een mooi gezichtje en een stukje blote dij, hè?'
Whit grijnsde. Hij kwam dichter naar haar toe en liet zijn blik over haar gaan. 'Doe jezelf niet tekort, Reg. Die dingen werken bij de meeste mannen. Jong en oud.'
Ze glimlachte en gaf hem een tikje op zijn wang. 'Bedankt voor het aanbod, maar hoepel op.' Voordat hij nog een stap in haar richting kon doen, liep Reggie hem voorbij in de richting van het landhuis. Ze ging eerst nog ergens anders heen: de begraafplaats van het landgoed. Die bevond zich op respectabele afstand van het grote huis, achter een groepje berken en bijna helemaal omringd door een stevige taxushaag. In de loop van de tijd waren de grafstenen donker geworden, en het leek hier zelfs nog kouder, alsof de lijken die daar lagen op de een of andere manier hun kilte konden uitstralen tot boven het grondoppervlak. Ze bleef voor een graf staan en las de eeuwenoude tekst.
'Laura R. Campion, geboren 1779, gestorven 1804. Een engel, naar de hemel gezonden.' Reggie wist niet of zij zelf familie was van Laura R. Campion, en of de tweede voornaam van de vrouw Regina was. Laura was nog maar vijfentwintig geweest toen ze stierf, wat in die tijd niet zo ongewoon was. Misschien was ze in het kraambed gestorven, zoals veel vrouwen in die tijd. Toen Reggie op een ochtend al wandelend deze grafsteen had ontdekt, had ze de hele begraafplaats afgezocht naar nog meer Campions. Die waren er niet, al kwamen andere achternamen vaker voor. Ze had op internet en in de bibliotheek naar Laura R. Campion gezocht, maar niets gevonden. Er was een dichter geweest die Thomas Campion heette, geboren in vijftienhonderdzoveel, en in een van zijn bekendste werken werd verwezen naar een vrouw die Laura heette, maar voor zover Reggie kon zien, was er geen connectie.
Op de terugweg naar het huis dacht ze aan haar familie, of beter gezegd aan de familie die ze vroeger had. Voor zover ze wist, was ze als enige overgebleven. Haar familievoorgeschiedenis was een beetje ingewikkeld. Daardoor zat er een plek in haar binnenste die niets toeliet. Het was een dode plek. Telkens wanneer ze probeerde te doorgronden wat haar ertoe bracht overal in de wereld het kwaad te vervolgen, duwde die dode plek haar terug. Ze kreeg nooit duidelijkheid, kon nooit vrij ademhalen.
Nadat ze haar spullen uit het huis had gehaald, begon ze aan de terugrit naar Londen. Er zouden nog meer bijeenkomsten op Harrowsfield volgen. Briefings over informatie en achtergronden, tot in de kleinste details. Uiteindelijk zou er een plan ontstaan en zouden ze daaraan blijven schaven om alle mogelijke foutjes eruit te krijgen. En wanneer alle voorbereidingen voltooid waren, zou ze naar de Provence gaan en een moordaanslag plegen op het zoveelste monster. Daarin zou Regina Campion de troost moeten vinden die ze waarschijnlijk ooit zou krijgen.

•8•

Shaw was in Parijs, waar hij de hele dag druk bezig was geweest met voorbereidingen. Hij trok een broek die tot zijn knieën reikte en een wijd wit T-shirt aan en ging een eindje hardlopen langs de Seine. Hij kwam langs de Jardin des Tuileries, de Orangerie en het Grand Palais. Nadat hij door de Avenue de New York was gerend, nam hij een brug over de beroemde rivier die Parijs in tweeën deelde, en enkele minuten later rende hij onder de brede onderkant van de Eiffeltoren door. Hij vertraagde zijn pas, jogde door het groen en voerde het tempo toen weer op. Ten slotte kwam hij in de wijk Saint Germain op de linkeroever, waar zijn hotelletje was. Zelf gaf hij de voorkeur aan het naburige Quartier Latin als hij in de stad was, maar Frank had andere regelingen getroffen.
Hij nam een douche, trok andere kleren aan en ging naar een restaurant bij het Musée d'Orsay, waar hij met Frank had afgesproken. Ze zaten achter op het terras, dat van het trottoir werd gescheiden door rechthoekige bloembakken op hoge smeedijzeren poten. Voordat Frank wegging, gaf hij Shaw een papiertje.
'Wat is dat?'
'Een telefoonnummer.'
'Van wie?'
'Bel het nou maar.'
Frank zette zijn hoed op en liep weg. Shaw zag dat hij in de deuropening bleef staan om zo'n klein sigaartje aan te steken waar hij zo van hield, waarna hij snel in het voetgangersverkeer van de drukke straat verdween.
Shaw liep naar zijn hotel terug en probeerde in een beter humeur te komen door de magie van een van de bekoorlijkste steden ter wereld op zich in te laten werken, maar dat had een averechts effect. In een ziekenhuis in Parijs – waar hij voor zijn leven had gevochten nadat zijn arm er bijna af was gehakt door een neonazi – had hij van Anna's dood gehoord. Dat was kort nadat hij haar ten huwelijk had gevraagd en ze ja had gezegd. Ze was een begaafd talenkenner en had het ja-woord gezegd in verschillende talen. Shaw was zelfs naar een stadje in Duitsland gegaan, waar haar ouders woonden, en had haar vader formeel om de hand van zijn dochter gevraagd.
En toen was ze dood.
Shaw kwam langs de rivier. Hij stak hem over naar het eiland waarop de Notre Dame stond. Die was kortgeleden schoongemaakt; het vuil van eeuwen was met hogedrukspuiten verwijderd. Om de een of andere reden had Shaw de kathedraal mooier gevonden toen hij nog vuil was. Hij keek op zijn horloge. Het

was bijna negen uur en de kerk ging op doordeweekse dagen om kwart voor zeven dicht. Er liepen nog toeristen rond om foto's van het beroemde exterieur en zichzelf op de voorgrond te maken. Hij was niet erg religieus ingesteld en wist eigenlijk niet waarom hij daar was.
Om te bidden? Nou, dan had hij pech. God had blijkbaar een vrije avond.
Shaw liep terug naar zijn hotel, deed de deur van zijn kamer open, ging aan een klein bureau zitten en haalde het papier tevoorschijn. Hij nam zijn mobiele telefoon en toetste het nummer in.
'Hallo?'
Shaw had die stem in geen maanden gehoord. Omdat hij er niet op voorbereid was, drukte hij op de knop om de verbinding te verbreken. *Wat ben je toch een rotzak, Frank.* Shaw had gedacht dat het telefoonnummer iets te maken had met de missie waaraan ze werkten. Maar dat was niet zo.
Het was de stem van Katie James.
Hij ging op het bed liggen en keek naar het lichtblauwe plafond.
Hun laatste dag met elkaar was niet precies zo verlopen als Shaw had gewild. Nou, misschien wel aangezien hij 's morgens in alle vroegte hun hotel in Zürich had verlaten, een pendelbus naar het vliegveld had genomen en met het eerste het beste toestel was vertrokken; eigenlijk had het hem niet kunnen schelen waar hij heen ging. Toen ze wakker was geworden, was ze naar beneden gegaan om met hem te ontbijten, zoals ze hadden afgesproken, en daarna was ze waarschijnlijk in alle staten geweest omdat hij niet kwam opdagen. Ze had geprobeerd hem te bellen, maar hij had haar niet teruggebeld. Hij had zelfs zijn nummer veranderd. Eigenlijk wist hij niet waarom hij dat allemaal had gedaan. Hij was nooit eerder voor iets of iemand op de vlucht gegaan, maar op een koude ochtend was hij in Zwitserland wakker geworden en had hij opeens geweten dat hij weer alleen moest zijn.
En dus was hij gevlucht.
Hij keek weer naar het stukje papier. Hij had haar op zijn minst een kans moeten geven hem de huid vol te schelden over wat hij had gedaan. Toch ging er een uur voorbij zonder dat hij iets deed.
Toen ging hij rechtop zitten en toetste het nummer in.
'Hallo, Shaw,' zei ze.
'Hoe wist je dat ik het was?'
'Je belde een uur geleden en hing toen op.'
'Dat kon je niet weten. Mijn nummerherkenning staat uit.'
'Toch wist ik dat jij het was.'
'Hoe dan, krijg je geen andere telefoontjes?'
'Niet op deze telefoon. Frank is de enige die ik dit nummer heb gegeven. Ik wilde dat hij het doorgaf aan jou.'

'Oké,' zei hij langzaam.
'Ik wilde dat je me belde. Hoe gaat het met je?'
'Heb je geen zin om tegen me te schreeuwen?'
'Wat zou ik daarmee opschieten?'
Dat klonk niet als de Katie James die hij kende. Die was een en al emotie, had haar hart op de tong en ging helemaal op in haar werk als journaliste. Ze was impulsief, iets waaraan Shaw een hekel had en wat hij tegelijk geweldig aan haar vond, want het maakte haar zo heel anders dan hij zelf was. Of tenminste, dan hij zelf was zoals hij zichzelf zag. Het bleek dat hij bij haar tamelijk spontaan kon zijn.
Shaw stond op en liep naar het raam dat op de keistenen binnenplaats van het hotel uitkeek. De avond daalde onverbiddelijk neer over Parijs. 'Het gaat goed met me. Hoe gaat het met jou?'
'Ik werk weer freelance. Er zijn me een paar banen aangeboden, maar die vond ik niet interessant.'
'Zeker een paar snertkrantjes?'
'*The New York Times*. *Der Spiegel* in Duitsland. Zelfs *Rolling Stone*. Riooljournalistiek.'
'Ik dacht dat je weer aan het spel wilde meedoen?'
'Ik denk dat ik me vergiste. Hoe gaat het met Frank?'
'Hetzelfde.'
'Dus jij doet blijkbaar weer aan jóúw spel mee.'
'Dat zou je kunnen zeggen,' mompelde hij.
'Waar ben je?'
'Aan het werk.'
'Ik ben voorlopig in San Francisco. Wanneer denk je dat je vrij bent van je werk?'
'Dat weet ik niet.'
'Weet je niet of je het volgende karwei overleeft of is het iets anders?'
Hij gaf geen antwoord.
'Nou, als je ooit wilt praten, je hebt mijn nummer.'
'Katie?'
'Ja?'
Shaw hoorde dat ze een beetje vlugger ademhaalde.
'Ik vond het fijn om je stem te horen.'
'Pas goed op jezelf. En vergeet niet: je hoeft niet alles te doen wat Frank zegt.'
Ze verbrak de verbinding en Shaw gooide de telefoon op het bed.

•9•

Dominic zette zijn glas bier neer en tikte Reggie op haar arm.
'Sorry, Dom, wat zei je?' vroeg ze schaapachtig.
Ze zaten in een restaurant op enkele straten afstand van haar Londense kamer, en terwijl hij praatte, waren haar gedachten afgedwaald naar andere dingen.
'Dat ik wist dat Whit met je heeft gepraat over wat er op komst is.'
'Hij sprak me bij de schietbaan aan. Had hij jou verteld dat hij daarheen ging?'
'Ik was zelfs degene die het hem aanraadde.'
'Waarom mij? Hij had ook rechtstreeks naar de professor kunnen gaan.'
'Whit en hij kunnen niet altijd goed met elkaar overweg.'
Reggie fronste haar wenkbrauwen. 'Geldt dat niet voor ons allemaal? Het is de aard van het beestje.'
Ze nam een slok thee en speelde met een koekje op haar bord. Buiten was het koud en miezerig, met een felle wind die tegen het raam sloeg en blijkbaar zijn best deed binnen te komen. Tegenover hen sputterde een slecht onderhouden vuur in de beroete haard. Als het weer ook de hele zomer zo bleef, wist Reggie, zou de ene helft van alle Londenaren zelfmoord plegen en de andere helft dat serieus overwegen. Normaal gesproken zou een reis naar de warme, zonnige Provence een godsgeschenk zijn. Normaal gesproken.
'Je weet dat hij bij Huber ook in de frontlinie wilde opereren, maar dat de professor daar bezwaar tegen had?'
Ze boog zich naar voren en dempte haar stem. 'Dat was Huber. Dat was geen situatie om met knallende pistolen naar binnen te gaan. Die oude nazi wilde tieten en billen, geen lichtgeraakte Ier met tatoeages en een Glock.'
Dominic trok zijn wenkbrauwen op. 'Heeft Whit tatoeages?'
Reggie slaakte een vermoeide zucht. 'Hou op, Dom. Ik ben moe.'
'Maar misschien kan Whit meedoen als we op Kuchin af gaan?'
'Ik heb tegen Whit gezegd dat ik met Mallory zou praten en dat ga ik ook doen.' Ze keek hem over haar kopje aan. 'En jij? Welke rol wil jij spelen?'
Dominic haalde zijn schouders op. 'Sinds die eerste bijeenkomst heb ik me in de Holodomor verdiept. Ik wil die schoft echt te grazen nemen.'
'Laat je niet meeslepen door je emoties. Dan zie je de dingen niet scherp meer en maak je fouten.'
'Hoe schakel je die dan uit? Hoe kun je die gevoelens tegenhouden?'
Ze boog zich nog dichter naar hem toe. Haar mooie ogen werden groot en haar

glimlach werd verleidelijk. 'Dat zal ik je vertellen. Telkens wanneer Huber zijn hand op mijn kont legde, verbeeldde ik me dat jij het was die me betastte, Dom. En dat hielp me erdoorheen.' Ze nam een stukje van het koekje.
Dominic knipperde met zijn ogen en keek verward. Zijn wangen waren opeens rood.
Reggie lachte. 'Ik maak maar een grapje. Ik volg Whits advies op om niet zo zwaar op de hand te zijn. Serieus: als hij dat deed, raakte hij niet mij aan, maar betastte hij zijn Barbara, zijn Duitse bimbo. Ik moest die rol spelen om hem in te palmen. Stapje voor stapje. Het was maar een rol. Zo kwam ik erdoorheen. Als ik emotioneel was geworden en tegen hem was uitgevallen, was hij vrijuit gegaan. Dat is de beste motivatie om je nooit te laten gaan: dat ze dan winnen.'
Dominic dronk de rest van zijn bier. 'Hoe was het?'
Ze keek hem kort aan. 'Wat, toen hij zijn hand op mijn rok legde?'
'Nee, ik bedoel, toen je... Je weet wel.'
'Eerlijk gezegd dacht ik er eigenlijk niet bij na. Ik deed het gewoon.'
'Ik heb het nog nooit hoeven doen. Ik vroeg het me alleen maar af.'
'Als het zover is, moet je zelf zien hoe je het doet, Dom. Iedereen doet het anders, maar jij krijgt het voor elkaar. Daar twijfel ik niet aan.'
Hij zweeg enkele ogenblikken en zei toen zacht: 'Die andere nazi-jagers droegen ze over aan de politie, en toen stonden ze terecht. Waarom doen wij het niet op die manier?'
Reggie boog zich naar voren en zei bijna fluisterend: 'Dat zijn alleen de gevallen waarover je in de kranten leest. En denk je nou echt dat er geen groepen zijn die de Duitsers rechtstreeks aan de Israëliërs overdroegen? En denk je dat die Joden hun een rechtszitting gunden? En de mensen verliezen hun belangstelling. De Amerikanen hebben op hun ministerie van Justitie een afdeling die aan de nazi's is gewijd. Ze hebben het mes in de financiering en het personeel gezet omdat iedereen denkt dat de oude handlangers van Hitler voor het merendeel dood zijn. Alsof dat verrekte Derde Rijk het monopolie op het kwaad had. Ik heb in Afrika, Azië en Oost-Europa genocide gezien die elk voorstellingsvermogen te boven gaat. Het kwaad houdt zich niet aan geografische grenzen. Iedereen die er anders over denkt, is krankzinnig.'
Na enkele ogenblikken van stilte veranderde Dominic van onderwerp: 'Nou, hoe denk jij dat het plan zich ontwikkelt?'
Ze keek hem streng aan. 'Daar wil ik niet in het openbaar over praten.'
'Ik ga vanavond naar Harrowsfield.'
Reggie ontspande. 'Ik ook. De professor wil vroeg beginnen. En het stel in de kamer boven mij neukt zich elk uur een ongeluk. Ik hoor niets anders dan "O god, o god, ja, doe het!" Ik zet mijn radio zo hard mogelijk, maar evengoed word ik er gek van. Zullen we er samen heen rijden?'

'Nee, ik ga op de motor.'
'Je bedoelt je crotch rocket?' zei ze schamper.
'Wat? O, je hebt het met Whit niet alleen over missies gehad.'
'Is het niet te regenachtig om er met je tweewieler op uit te gaan?'
'Op een avond als deze?'
'Ik heb een motorpak dat op zulk weer berekend is.' Met enige weemoed voegde hij eraan toe: 'Ik ben liever in Harrowsfield dan bij mij thuis in Richmond.'
'Ik kan daar tenminste een nacht goed slapen.'
'Dan zie ik je daar wel. Ik moet eerst tanken. Rij voorzichtig.'
Toen ze opstonden om weg te gaan, legde ze haar hand op zijn schouder. 'Dom, als het zover is, moet je er vooral aan denken dat er eindelijk gerechtigheid geschiedt. Dat is alles. Het komt goed. Echt waar.'

•10•

De volgende morgen werd Reggie vroeg wakker. Ze ging rechtop zitten in haar slaapkamer op de derde verdieping van Harrowsfield en huiverde. Dit deel van het huis werd nooit verwarmd. Ze keek uit het raam. De regen was weggetrokken en ze dacht dat ze zowaar een beetje zonlicht in het wolkendek kon zien. Ze waste haar gezicht met water uit de kraan, trok een trainingspak en sportschoenen aan, verliet het landhuis door de achterdeur en begon aan haar rondje hardlopen. Een kleine tien kilometer later keerde ze bezweet en met verfriste longen naar het huis terug. Vanuit de keuken drongen de geuren van koffie, bacon en eieren tot haar door. Ze nam vlug een douche en spoelde zich de laatste minuut met alleen koud water af. De oude buizen kletterden en murmelden uit protest tegen het gebruik dat ervan werd gemaakt. Ze trok een spijkerbroek, schoenen met platte hakken en een zwarte sweater met V-hals aan, met een wit T-shirt daaronder, en ging naar beneden.

Er waren soms wel twintig mensen in Harrowsfield, al wist ze dat het aantal deze dag dichter bij de tien zat. Het waren voor een groot deel historici die onderzoek deden in de bibliotheek of in kantoorruimten die op de begane grond en de eerste verdieping waren ingericht. Ze hadden maar één doel: het volgende monster vinden waar het team achteraan zou gaan. Er waren taalkundigen die zich verdiepten in talen uit landen waar nieuwe slechtheid werd bedreven. Weer andere onderzoekers bogen zich over oude telegrammen, gestolen diplomatieke gegevens en met de hand geschreven verslagen van wreedheden die uit derdewereldlanden waren gesmokkeld. Hun werk was tegenwoordig moeilijker, wist ze. De nazi's hadden hun administratie altijd zorgvuldig bijgehouden. Latere sadisten, in veel verschillende landen, lieten bij het begaan van hun wreedheden lang niet altijd zo'n duidelijk spoor achter.

Mallory had alle mensen die voor hem werkten zorgvuldig geselecteerd. Natuurlijk was er geen sprake van formele werving. Je zette geen advertentie in de krant als je personen zocht die gebrand waren op gerechtigheid en het geen punt vonden daarvoor mensen te vermoorden.

Wat Reggie zelf betrof: Mallory had haar benaderd op de universiteit waar hij gastdocent was. Na maandenlange contacten had hij het onderwerp ter sprake gebracht van nazi's die Duitsland voor de val van het Derde Rijk waren ontvlucht en nu nog ter verantwoording geroepen moesten worden. Toen ze enthousiast met dat doel had ingestemd, was hij een beetje verder gegaan, en ten slotte had hij de theoretische mogelijkheid ter sprake gebracht dat je de wereld

de moeite van een proces kon besparen door ook de rol van rechter, jury en beul te spelen.
De daaropvolgende maanden had hij haar tijd gegeven om daarover na te denken. Toen ze uit eigen beweging weer naar hem toe kwam om hem meer vragen te stellen, had hij ze tot op zekere hoogte beantwoord. Zodra ze blijk gaf van grotere betrokkenheid, had hij haar met andere mensen in contact gebracht. Whit was een van hen geweest, en Liza ook. Na weer een maand had Mallory haar krantenknipsels laten zien over een oude man die vermoord in zijn weelderige huis in Hongkong was aangetroffen. Hoewel het nooit in de openbaarheid was gekomen, had Mallory haar verteld dat de man commandant van een concentratiekamp en een van Heinrich Himmlers naaste medewerkers was geweest. Ze hadden tot diep in de nacht over de ethische aspecten van zo'n operatie gepraat. Het was nooit met zoveel woorden gezegd, maar Reggie vermoedde dat de professor en andere mensen die ze had ontmoet achter de moord hadden gezeten. Inmiddels wilde Reggie daar erg graag aan meedoen.
Toen pas had hij haar naar Harrowsfield gebracht. Ze onderging allerlei tests om vast te stellen of ze de juiste psychologische eigenschappen bezat om lid van de groep te worden. Ze was met gemak door die tests gekomen, want ze gaf blijk van een kille gehardheid waar ze zelf versteld van stond. Daarna kwamen de fysieke testen. Hoewel ze van nature heel sportief was, werd ze nu gedwongen om over grenzen heen te gaan die ze niet voor mogelijk had gehouden. Haar longen bezweken bijna toen ze haar afgebeulde lichaam over verraderlijk terrein stuwde waarvan ze nooit had geweten dat het in het pastorale Engelse landschap bestond. Het pleitte voor Whit Beckham dat hij van begin tot eind bij haar was gebleven, al had hij dit allemaal al ondergaan toen hij pas bij de groep was gekomen. Daarna volgde de gespecialiseerde training: wapens, vechtsporten en technieken om onder allerlei moeilijke omstandigheden in leven te blijven.
In het leslokaal leerde ze onderzoek naar een doelwit te doen en zijn achtergrond te bestuderen om zo aan waardevolle informatie te komen. Ze leerde vreemde talen, en ze leerde hoe ze een heel verhaal bij elkaar kon liegen. Ze leerde rollen te spelen en na te gaan of andere mensen dat deden. Het werd haar ook bijgebracht mensen zo geruisloos te volgen dat ze pas wisten dat ze gevolgd werden als ze naar hen toe liep en tegen hen zei dat ze er was. Al deze vaardigheden, en nog talloze andere, werden er zo goed bij haar ingehamerd dat ze er niet meer bij hoefde na te denken.
Toen ze haar training had volbracht, had ze een ondersteunende taak gekregen bij drie missies. In twee van die gevallen was Whit voorop gegaan en in één geval had Richard Dyson, een ervaren naziverdelger die inmiddels met pensioen was gegaan, de uiteindelijke daad voltrokken. De eerste missie waarin zijzelf het voortouw had genomen, betrof een oude, in Azië wonende Oostenrijker die

Hitler had geholpen tientallen mensen te doden, alleen omdat ze hun God aanbaden onder de Ster van David. Ze was tot zijn kringen doorgedrongen door verzorgster van het kind van zijn jonge vrouw te worden. Het monster was vijf keer getrouwd. Hij had met de diefstal van antiquiteiten in de oorlog genoeg geld vergaard om steeds maar weer te kunnen scheiden en hertrouwen en toch in grote luxe te leven. Ze hadden één kind, een vijfjarige jongen die door middel van kunstmatige inseminatie met sperma van een donor was verwekt. Reggie vermoedde dat de oude nazi de spermadonor op grond van zijn huidskleur, haar en lengte had gekozen: wit, blond en lang.
Ze had een maand voor hen gewerkt, en in die tijd had de echtgenoot minstens vijf keer avances gemaakt. Na wat hij haar ooit in een dronken bui had verteld, wist ze dat ze gemakkelijk echtgenote nummer zes kon worden, als ze het handig speelde. Op een nacht bezocht ze hem in zijn slaapkamer, zoals ze hadden afgesproken. Hij had gewild dat zijn vrouw en hij apart sliepen. Hij was opnieuw dronken en Reggie kon hem gemakkelijk aan. Toen hij stevig was vastgebonden en een prop in zijn mond had, haalde ze foto's uit een schuilplaats om hem de gezichten van sommige van zijn slachtoffers te laten zien, een verplicht onderdeel van elke missie. Aan het eind van hun leven moesten de monsters weten dat de gerechtigheid hen eindelijk had ingehaald.
Eerst had ze zijn angst wel grappig gevonden, maar toen het tijd was om het karwei af te maken, had Reggie geaarzeld. Ze had dit nooit aan iemand verteld. Niet aan Whit en zeker niet aan de professor. Ook toen ze Dominic bemoedigend toesprak, had ze dit stukje persoonlijke geschiedenis weggelaten. Het monster had haar smekend aangekeken. Zijn blik smeekte haar het niet te doen. Tijdens haar training had ze gehoord dat dit moment zou komen. En er was haar ook gezegd dat geen enkele training ter wereld haar daar helemaal op kon voorbereiden.
En ze hadden gelijk gehad.
Het leek wel of de besluitvaardigheid uit haar wegtrok bij elke traan die vergoten werd door wat nu een ongevaarlijke oude man was. Toen ze het mes liet zakken, zag ze de opluchting in zijn ogen. Ze zou gewoon kunnen zeggen dat hij haar had doorzien en dat de missie was mislukt. Niemand zou het ooit weten.
Twee dingen weerhielden haar daarvan. Ten eerste was er de spottende blik in de ogen van de man toen hij zag dat ze verzwakte. Ten tweede was er de foto van Daniel Abramowitz, twee jaar oud, met een kogelgat in zijn hoofdje. De foto was afkomstig uit het eigen archief van het monster, een archief dat hij met veel zorg had samengesteld in de jaren dat hij de leiding van het kamp had.
Ze had het mes in zijn borst gestoken tot het heft tegen het borstbeen kwam. Ze gaf het lemmet eerst een ruk omhoog en toen een duw omlaag, en bewoog

het daarna in horizontale richting heen en weer om slagaders door te snijden en hartkamers te verwoesten, zoals haar was geleerd. De spottende uitdrukking was van zijn gezicht verdwenen. Gedurende één lange seconde, toen het leven nog in hem zat, zag ze haat, angst, woede, weer angst en toen alleen nog maar de doffe, glazige blik van de dood.
'Moge God begrijpen waarom ik dit doe,' had ze gefluisterd, woorden die een ritueel waren geworden na afloop van elke missie.
Daarna had Reggie nooit meer geaarzeld.

•11•

In de keuken pakte Reggie toast met boter en legde dat samen met gebakken worstjes en schijfjes appel op een bord. Met een kop hete thee nam ze dat mee naar de bibliotheek. Toen ze binnenkwam, keek professor Mallory op van een groot boek dat in het Pools geschreven was. Hij nam zijn pijp uit zijn mond en glimlachte. 'Ik dacht al dat ik je gisteravond hoorde aankomen. Je auto heeft een heel eigen geluid.'
'Dat heet een kapotte knaldemper.' Ze ging naast hem zitten, legde de worstjes op de toast, beet erin en dronk haar thee. 'Waar is Whit?'
'Ik geloof dat hij er nog niet is. Maar ik verwacht hem gauw.'
'Ik wilde met u bespreken wie het Kuchin-karwei gaan doen.'
Mallory legde zijn boek weg. Zijn vlinderstrikje zat scheef, maar deze ochtend zaten de beide punten van zijn boordje zoals ze moesten zitten. Het leek erop dat hij zelfs zijn haar had gekamd.
'Heb je een voorstel?' vroeg hij.
'Ik vind dat Whit een hoofdrol zou moeten spelen.'
'Heeft hij je gevraagd met mij te praten?'
'Niet met zoveel woorden.'
'Het is moeilijk voor jou; dat weet ik. En voor hem.'
'Hoe bedoelt u?'
'Nou, jij bent in zijn plaats gekomen als leider van missies, Regina.'
De professor was de enige van hen die haar bij haar officiële voornaam aansprak.
'Zo zie ik het eigenlijk niet.'
'Maar zo ís het wel.'
'Weet u, professor, u zou weleens wat tactvoller kunnen zijn.'
Hij glimlachte om dat milde verwijt. 'Als je de waarheid probeert te verbloemen of de feiten naar je hand wilt zetten, maak je de kans dat je tot een verkeerde conclusie komt alleen maar groter.'
'Whit doet het goed.'
'Dat ben ik helemaal met je eens. En als we achter vrouwen aan zaten, zou het waarschijnlijk beter zijn als hij de hoofdrol had. Jammer genoeg zijn onze doelwitten meestal heteroseksuele mannen.'
'Hij heeft acties tegen mannen ondernomen. Met succes.'
'Ja, in zoverre met succes dat ze werden geëlimineerd. Maar we houden ons werk graag buiten de publiciteit. Als we bijvoorbeeld sporen achterlaten waar-

uit blijkt dat we het op nazi's hebben gemunt, en als dat in de openbaarheid komt, wat denk je dan dat er gebeurt?'
'Dan zouden de overgebleven nazi's zich nog beter verschuilen. Maar er zijn geen nazi's meer.'
'Dat doet er niets aan af. En ik moet je corrigeren. Op dit moment weten we niet van nog meer nazi's, maar we zijn nog niet klaar met onderzoek op dat terrein. Maar neem nou Kuchin. Als we hem elimineren, en het komt uit, dan zijn andere Oost-Europese massamoordenaars die een nieuw leven hebben opgebouwd – en er zijn er minstens tien waar we momenteel onderzoek naar doen – voortaan op hun hoede.'
'Maar we maken niet bekend waarom we ze vermoorden. Dat komt niet in de openbaarheid.'
'Maar dat is niet de enige manier om iemand te waarschuwen.'
'Ik begrijp niet wat u bedoelt.'
Mallory zei: 'Je eerste doelwit was die oude Oostenrijker die vijf keer getrouwd was. Je bond hem vast en deed je werk, maar je haalde het huis overhoop en maakte een deurslot kapot, zodat het op een overval leek. En je ging er niet vandoor, maar bleef tijdens het rechercheonderzoek in dienst, zodat niemand je van iets verdacht. Laten we nu Whit eens nemen. Dit gebeurde voor jouw tijd, maar toen hij een keer de leiding van een missie had, doodde hij een Gestapochef door hem in zijn geslachtsdelen te schieten. Het was de bedoeling dat hij een gif bij de man inspoot dat in twee minuten in het lichaam oploste en niet terug te vinden was. Hij zegt dat het flesje met het gif gebroken was. Je hoeft geen genie te zijn om te bedenken dat het moord uit wraak is wanneer iemand een kogel in iemands edele delen pompt en hem daarna laat doodbloeden. Het kan best toekomstige missies in gevaar hebben gebracht.'
'Misschien was dat flesje echt gebroken. In het veld gaat het niet altijd zo soepel.'
De welwillende uitdrukking verdween van Mallory's gezicht. 'O, sorry, ik heb nog een belangrijk stukje informatie weggelaten. Whit schilderde verdomme een hakenkruis op het voorhoofd van de man en had de euvele moed om mij te vragen of ik dat te subtiel vond.'
Reggie bedwong een glimlach. 'O.'
'Ja, o. De internationale pers smulde ervan en maakte ons toekomstige werk veel moeilijker. Meneer Beckham en ik hebben daar ruzie over gehad.'
'Ongetwijfeld.'
'In het geval van Huber geloven ze dat hij stierf nadat hij had geprobeerd tussen de lakens te duiken met de mooie Barbara, en dat ze gevlucht is uit angst voor problemen. Er wordt geen vervolging tegen haar ingesteld omdat de man zesennegentig was en blijkbaar heel gelukkig is gestorven.' De professor kon het niet laten even te glimlachen.

'Maar in dit geval zijn we in het voordeel. De wereld weet niet dat Evan Waller dezelfde persoon is als Fedir Kuchin. Zelfs als hij onder raadselachtige omstandigheden wordt vermoord, krijgen anderen die zich om dezelfde reden schuilhouden als Kuchin waarschijnlijk geen argwaan.'
De professor schudde zijn hoofd. 'Nee, nee. Daar kunnen we niet op rekenen. De pers zal zich ermee bemoeien. Er komt een onderzoek. Iemand, ergens, herkent hem misschien. Hij is dertig jaar op de achtergrond gebleven. Ondanks al zijn zogenaamde filantropische werk krijgt niemand hem te zien. Het gaat allemaal via tussenpersonen. Toch mogen we geen onnodige aandacht op de zaak vestigen.'
'Nou, ik kan niet doen alsof ik met de man in bed duik en hem dan ombreng zoals ik met Huber deed. Er zijn grenzen aan wat ik kan.'
'Misschien heeft een zakenman als hij nog meer vijanden en kunnen we daar ergens de schuld leggen.'
'Wat weten we van zijn andere "zakelijke" activiteiten?'
Mallory haalde zijn schouders op. 'Niet veel. Onze mensen hadden andere prioriteiten. Ze keken naar Kuchin, niet naar een misschien wat louche ondernemer. Ik denk ook dat hij zijn slechte karakter waarschijnlijk op andere interesses uitleeft, maar ik weet niet welke interesses dat zijn en we hebben geen tijd meer om ernaar te zoeken.'
Reggie leunde achterover. 'Ik vind nog steeds dat Whit hierbij betrokken moet worden. Kuchin lijkt me iemand die heel goed op zichzelf kan passen. Ik kan hem niet in mijn eentje overmeesteren. Uiteindelijk moet het teamwerk zijn.'
'Ja, dat is waar, onze prooien worden jonger en sterker, nietwaar?' Hij plukte aan zijn baard. 'Ik ben het grotendeels met je eens. Hier hebben we spierkracht voor nodig. En die heeft Whit, wat hij verder ook aan tekortkomingen mag hebben. Je mag hem vertellen dat ik dat heb gezegd.'
Reggie keek geërgerd. 'Waarom vertelt u het hem niet zelf?'
Mallory glimlachte. 'We kunnen niet zo goed met elkaar opschieten. Nou, laten we nog wat bijzonderheden bespreken voordat de bijeenkomst officieel begint.'
'Waarom doet u dit, professor?' vroeg ze plotseling.
'Waarom doe ik wat? Deze vieze pijp roken?'
'U bent niet Joods. U hebt nooit verteld dat iemand van wie u hield heeft geleden door toedoen van die monsters. Dus waarom?'
Hij keek haar rustig aan. 'Moet je een reden hebben om naar gerechtigheid te streven?'
'Vertelt u het me nou maar.'
'Niet vandaag. Misschien een andere keer. Eén ding kan ik je wel vertellen: je zult genieten van je optrekje in de Provence.'
'O ja? Waarom dan?'

'Het is een villa met vijf verdiepingen met een schitterend uitzicht op de Lubé-ron, en je loopt in nog geen vijf minuten naar het schilderachtige dorp Gordes. Het is wel afschuwelijk duur; de huur is meer dan wat ik voor mijn buitenhuis betaal. En dat is nog niet het mooiste.'
'Wat is dan wel het mooiste?'
Mallory's borstelige wenkbrauwen trilden van verrukking. 'Het is vlak naast het huis waarin onze vriend Fedir Kuchin zal verblijven.'

•12•

Evan Waller leunde achterover op zijn bureaustoel en las de spreadsheet voor de vijfde keer. Hij was gek op getallen; zijn soepele geest kon hun complexe verhoudingen snel doorgronden en gegevens in exacte conclusies omzetten. Hij nam een besluit, stond op, schonk zich nog wat van de Macallan in en nam een slok. Hij zette het glas neer, pakte een pistool op en keek naar de man die op de stoel zat vastgebonden.

'Anwar, wat moet ik met je doen? Vertel me dat eens.' Hij had een diepe, beschaafde stem waarin nog een zweem van zijn Oost-Europese herkomst doorklonk. Zijn toon was die van een teleurgestelde vader tegenover een kind dat zich heeft misdragen.

Anwar was een kleine man met een dik, zacht lichaam. Hij hing achterover in zijn stoel, zijn armen en benen stevig vastgebonden. Zijn gezicht was rond en zijn huid was eigenlijk lichtbruin, maar nu geel, met purperen kneuzingen op zijn wangen, voorhoofd en kaken. Een messnede ging van zijn linkerwang tot aan zijn gespleten neusgat. Het bloed in die wond was gestold en zwart geworden. Zijn donkere haar zat naar achteren geplakt door angstzweet.

'Alstublieft, meneer Waller, alstublieft. Het zal nooit meer gebeuren, meneer. Dat zweer ik.'

'Maar hoe kan ik je nu nog vertrouwen? Vertel me dat eens. Ik zoek een manier. Ik stel je diensten op prijs, maar ik moet weten dat ik je kan vertrouwen.'

'Zij was het. Zij heeft me ertoe aangezet.'

'Zij? Vertel eens.'

Anwar liet een straaltje bloed uit zijn mond en op zijn broekspijp vallen voordat hij antwoord gaf. 'Mijn vrouw. Het kreng geeft geld uit als water. U betaalt me goed, maar voor haar is het nooit genoeg. Nooit!'

Waller ging tegenover de gevangene op een stoel zitten. Hij legde het pistool neer en keek nieuwsgierig. 'Dus Gisele heeft je hiertoe aangezet? Om van mij te stelen en zo aan geld te komen voor haar uitgaven?' Hij klapte hard in zijn handen. Het geluid klonk als een pistoolschot en Anwar kromp ineen. 'Ik heb van het begin af aan haar getwijfeld, Anwar. Dat heb ik je toch verteld?'

'Ik weet het, meneer, ik weet het. En zoals gewoonlijk had u gelijk. Maar zonder haar zou ik dit vreselijke ding nooit hebben gedaan. Ik voelde me verschrikkelijk toen ik het deed. Verschrikkelijk, omdat u zo goed voor me bent geweest. Als een vader. Beter dan een vader.'

'Maar jij bent een man. En een moslim. Je zou je vrouw onder de duim moeten

houden. Dat hoort bij je cultuur. Je geloof.'
'Maar zij is Braziliaanse,' riep Anwar uit, alsof dat alles verklaarde. 'Ze is een duivelin. Een gemene slet. Niemand kan haar in bedwang houden. Ik heb het geprobeerd, maar ze slaat me. Mij! Haar eigen man. U hebt de sporen zelf gezien.'
Waller knikte. 'Nou, ze is inderdaad veel groter dan jij. Maar evengoed ben jij een man en ik heb de pest aan zwakheid bij mannen.'
'En ze bedriegt me met andere mannen. En vrouwen!'
'Weerzinwekkend,' zei Waller onverschillig. 'Dus je weet waar ze is?'
Anwar schudde zijn hoofd. 'Ik heb haar een week niet gezien.'
Waller leunde achterover en spreidde zijn handen. 'Als we haar vinden, wat stel je dan voor?'
Anwar spuwde op de betonvloer. 'Dat u haar doodt. Dat stel ik voor.'
'Dus je geeft haar leven in plaats van het jouwe?'
'Ik zweer u, meneer Waller, ik zou er nooit aan hebben gedacht u te bedriegen. Het kwam door dat kreng. Zij liet me het doen. Ze maakte me gek. U moet me geloven. Dat moet!'
'Ik geloof je, Anwar, ik geloof je.' Waller stond op en liep naar hem toe. Toen maakte hij een vuist en pompte hem in Anwars toch al opgezwollen gezicht. De kleine man zakte opzij. Zijn dode gewicht werd alleen door de touwen op de stoel gehouden. Waller greep hem bij zijn natte haar vast. 'Nu ben je genoeg gestraft. Je bent van waarde voor mij. Van grote waarde. Ik kan het me niet veroorloven je te verliezen. Maar dit is de enige keer dat ik je vergeef. Begrijp je dat?'
Terwijl het bloed uit zijn gespleten lippen en langs zijn afgebroken tanden liep, mompelde Anwar: 'Ik begrijp het. Dat zweer ik. Dank u. Ik verdien zulke genade niet.' Hij snikte.
'Huilen is niet mannelijk, Anwar, dus hou daar nu direct mee op!'
Anwar slikte zijn laatste snik in en keek op, zijn rechteroog opgezet, zijn linkeroog bijna dicht.
Waller glimlachte. 'Ik moet je iets vertellen. Het zal je vast wel interesseren. We hebben je vrouw gevonden. We hebben Gisele.'
'U hebt haar?' zei een verbaasde Anwar.
'En ik ben het met je eens dat ze een duivelin is. Een vrouw die door God is geschapen om mannen tot waanzin te drijven. Zou je haar graag willen zien? Wil je haar vertellen hoe je over haar denkt, voordat wij haar doden?'
'Dat zou me een groot genoegen zijn,' mompelde Anwar zonder enthousiasme.
'Of misschien wil je zelf de honneurs waarnemen? Een kogel in de hersenen van die slechte vrouw? Misschien doet het je veel goed. Een catharsis. Een oppepper voor je persoonlijkheid.'
Anwar kromp ineen. 'Ik ben boekhouder. Ik heb daar de moed niet voor.'

‘Goed, goed. Ik wilde je alleen het aanbod doen.’ Waller keek een van zijn mannen aan. ‘Pascal, ga de vrouw halen, dan kan ze haar echtgenoot onder ogen komen, die ze zoveel kwaad heeft aangedaan.’

Pascal, een kleine, slanke man van in de dertig, verdween achter een andere deur. Even later ging de deur weer open en zag Anwar zijn vrouw om de hoek kijken. Normaal gesproken was haar huid nog donkerder dan die van haar man, maar nu zag ze er vreselijk bleek uit. Haar ogen waren groot van doodsangst.

‘Ellendig kreng. Duivelin. Kijk nou wat je hebt aangericht. Dat heb jij... heb jij...’ Anwar haperde toen de deur verder openging en Pascal binnenkwam en hij het afgehakte hoofd van Anwars vrouw aan de lange haren bleek vast te houden. Pascal glimlachte niet om het afgrijzen op het gezicht van de echtgenoot. Hij pakte de achterkant van het hoofd vast en tilde het op, zoals hem eerder was opgedragen door zijn werkgever.

‘O god. O god. Nee, nee, dat kan niet.’ Anwar keek Waller aan en keek toen weer naar het hoofd van zijn vrouw. ‘Dat kan niet.’

‘Het kan wel, Anwar. Het kan wel. Je kunt als een tevreden man weer aan het werk gaan.’

Anwar snikte nog enkele ogenblikken voordat hij zijn hoofd oprichtte en een gekwelde en tegelijk opgeluchte zucht liet ontsnappen. ‘Dank u, meneer Waller. Allah dankt u.’

‘Ik heb de zegen van jouw Allah niet nodig, Anwar.’ Waller bracht zijn pistool omhoog en richtte het op het hoofd van de man. Zijn ogen concentreerden zich eerst op de metalen korrel aan het eind van de loop en toen op het doel.

Anwar deinsde terug. ‘Maar u zei...’

‘Ik loog.’ De kogel boorde zich als een torpedo in Anwars hersenen. Waller ontspande en vuurde toen nog een kogel af, die links van de eerste ingangswond een gat maakte. Hij legde het pistool op de tafel en nam even de tijd om weer iets van de whisky in te schenken. Hij dronk het langzaam op en liep intussen door de kamer naar de deur. Hij draaide zich om en keek naar twee van zijn andere mannen.

Op vermanende toon zei hij: ‘Denk er deze keer aan dat een man van honderd kilo tweemaal dat gewicht nodig heeft om onder water te blijven.’

‘Ja, meneer Waller,’ zei een van de mannen nerveus.

‘En smelt dat pistool om.’

‘Komt voor elkaar, meneer.’

‘En Pascal, breng dát weg.’ Hij wees naar het hoofd van de vrouw. ‘*Cheers.*’

Waller verdween door de deuropening en stapte in een zwarte gepantserde Hummer, die met grote snelheid wegreed zodra hij zijn gordel om had. Een Escalade volgde hem, en er reed een andere Hummer voor hem uit.

Hij had ontdekt dat zijn 'vertrouwde' boekhouder een geheim potje had afgeroomd van zijn aanzienlijke cashflow. Het was maar een kleine verduistering, nog geen tiende van een procent, en het had Waller geen financiële schade toegebracht, maar evengoed was het onvergeeflijk. Als Waller dit door de vingers zag, zou dat als een teken van zwakheid worden beschouwd. In Wallers vak waren je concurrenten en de mensen die voor je werkten voortdurend op zoek naar tekenen van zwakheid. Als ze dachten dat ze die hadden gevonden, was je je leven geen moment meer zeker. Hij begreep dat heel goed, want op die manier was hij jaren geleden in het zadel gekomen. Zijn baas had een klein vergrijp door de vingers gezien. Drie maanden later werd hij in het noordwesten van het land door wolven opgevreten en had Waller de leiding. In de daaropvolgende twintig jaar had het altijd gevolgen gehad als iemand hem bedroog. Hij voelde er niets voor om door wolven te worden verslonden. Hij was liever zelf degene die at.

Hij keek naar de man die naast hem zat. Alan Rice was negenendertig en had aan een prestigieuze universiteit in Engeland gestudeerd. Daarna had hij het academische wereldje vaarwel gezegd om Waller te helpen zijn imperium te leiden. Sommige mensen voelden zich aangetrokken tot de duistere kant, omdat ze daar vrijuit konden ademhalen en goed konden gedijen.

Rice was slank en was vroeg grijs. Maar in tegenstelling tot al zijn fijne trekken was zijn geest robuust en briljant. Mannen als Rice namen er bijna nooit genoegen mee de tweede viool te spelen in een organisatie. Hij had echter ook geholpen Wallers omzet in korte tijd te verdrievoudigen, en Waller had hem dan ook extra verantwoordelijkheden gegeven die in overeenstemming waren met zijn talenten. Waller zelf was de enige onmisbare persoon in zijn organisatie, maar zo langzamerhand scheelde het niet veel of hij kon haar niet leiden zonder Rice.

Waller maakte de spieren van zijn hand los. Hij had zijn handschoenen nog aan.

Rice zag dat en zei: 'Was de terugslag zo erg?'

'Nee. Ik dacht alleen aan de vorige keer dat ik iemand heb gedood.'

'Albert Clements,' zei Rice prompt. 'Je man in Australië.'

'Precies. Het geeft te denken. Ik betaal ze buitengewoon goed en toch is het blijkbaar nooit genoeg.'

'Je hebt duizenden en je wilt honderdduizenden. Je hebt miljoenen en je wilt tientallen miljoenen.'

'En dan denken ze zeker dat ik zo stom ben om ze hun gang te laten gaan.'

'Nee. Ze denken alleen dat ze slimmer zijn.'

'Denk jij dat je slimmer bent dan ik, Alan?'

Rice keek over zijn schouder naar het gebouw dat ze zojuist hadden verlaten. 'Ik ben intelligenter dan de man die je zojuist hebt gedood, al was het maar

omdat ik niet door jou gedood wil worden. En dat zou gebeuren als ik jou probeerde te bedriegen.'
Waller knikte, maar blijkbaar was hij toch niet helemaal overtuigd.
Rice schraapte zijn keel en voegde eraan toe: 'Ik heb gehoord dat de Provence erg mooi is in deze tijd van het jaar.'
'Er zijn maar weinig momenten waarin de Provence niet mooi is.'
'Ben je daar vaak geweest?'
'Mijn moeder was Française. Ze kwam uit een stadje dat Roussillon heet. Er zijn daar een paar van de grootste okerafzettingen ter wereld. Veel beroemde schilders, zoals Vincent van Gogh, zijn erheen gegaan om de aardse pigmenten voor hun palet te krijgen. En in tegenstelling tot veel andere dorpen en stadjes in de Provence zijn de huizen niet van witte of grijze steen, maar vertonen ze schakeringen van rood, oranje, bruin en geel. Als ik schilder was, zou ik in Roussillon gaan wonen en de streek schilderen met alleen de kleuren die daar worden gevonden. We hebben mooie tijden beleefd in Roussillon, mijn moeder en ik.'
'Ben je er ooit als volwassene terug geweest?'
'Nee, niet in Roussillon.'
'Waarom niet?'
'Mijn vader is daar gestorven toen ik twaalf was.'
'Wat gebeurde er?'
'Hij viel van de trap en brak zijn nek.'
'Een ongeluk?'
'Ja, dat gelóven ze.'
Rice keek geschrokken. 'Dus het was geen ongeluk?'
'Alles is mogelijk.'
'Dus je moeder...'
Waller legde zijn grote hand op Rice' smalle schouder en gaf er een kneepje in. 'Ik had het toch niet over mijn moeder? Ze was lief en goed. Zo'n daad zou ondenkbaar zijn geweest voor zo'n zuivere ziel.'
'Ja, vast wel. Ja, ik begrijp het.'
De lijnen bij Wallers ogen werden nog dieper dan ze al waren. 'Begrijp je het echt, Alan?' Waller nam zijn hand weg en haalde een briefje uit zijn zak. 'Ik zie dat de villa naast de mijne door een jonge Amerikaanse vrouw is gehuurd.'
'Dat hebben we net ontdekt, maar ik denk niet dat ze een bedreiging vormt.'
'Nee, nee, Alan. Dat weten we nog niet, hè? Alleen al het feit dat ze zo dichtbij is, is toch al genoeg reden om op onderzoek uit te gaan?'
'Je hebt gelijk. Ik zal zo veel mogelijk aan de weet komen. Nou, ga je nog naar dat Roussillon? Is het ver?'
'Alles ligt dicht bij elkaar in de Provence.'

'Dus je gaat?'
'Misschien wel.'
'Zorg dan wel dat je niet zelf het slachtoffer van een ongeluk wordt.'
'Alsjeblieft, maak je over mij maar geen zorgen. Mijn vader was onvoorzichtig en zwak. Zijn zoon is dat niet.'

•13•

'Je hebt met haar gepraat, hè?' vroeg Frank.
Shaw keek op van de papieren die hij bestudeerde. 'Met wie?'
'Hou je niet van de domme. Met Katie!'
'Hoe wist je dat?'
'Omdat je er de laatste paar dagen niet met je hoofd bij bent. Als ik had geweten dat je er zo aan toe zou zijn, had ik je nooit dat nummer gegeven. Nou, hoe klonk ze?'
'Goed.'
'Waar hadden jullie het over?'
'Wat gaat jou dat aan?'
'Niets. Helemaal niets. Neem me mijn belangstelling niet kwalijk. Oké, dan nu weer over Evan Waller.'
'Het plan staat me niet aan. Er zitten te veel gaten in.'
Verrassend genoeg knikte Frank. 'Dat ben ik met je eens. Wat stel je voor?'
'Dat we het eenvoudiger maken. In de praktijk hebben dingen toch al de neiging ingewikkeld te worden. Je kunt beter eenvoudig beginnen, en als het dan lastig wordt, is het nog beheersbaar. Begin je ingewikkeld en loopt het uit de hand, dan heb je te veel dingen die mis kunnen gaan.'
'We weten waar hij in Montréal woont, maar we hebben nooit toestemming van hogerhand gekregen om hem daar op te pakken. Te openbaar, te veel bijkomende schade, en bovendien houdt die kerel zich daar nooit aan een vast tijdschema. Hij beweegt zich als een geest. Steeds andere routes en gewoonten.'
Shaw zei: 'Dan moeten we een moment vinden waarop hij zich wel aan een tijdschema houdt en de bijkomende schade minimaal is.'
De twee mannen keken naar de plattegrond van de villa waar de mensenhandelaar zou verblijven. Aan de muur hing een plasmascherm met meer gegevens, inclusief alle wegen naar en van de omgeving van het doelwit.
Frank drukte op een knop van een paneeltje op de tafel en er verschenen enkele foto's op het grote scherm. 'Hij reist altijd met deze kerels, stuk voor stuk keiharde types. En dat zijn dan alleen degenen van wie we weten. Misschien heeft hij er nog meer achter de hand.'
'Hij stuurt een team vooruit, en dat sluit alles af en blijft het huis bewaken,' voegde Shaw eraan toe terwijl hij naar de lijfwachten keek, die er allemaal even hard, gemeen en capabel uitzagen. 'Hoe betrouwbaar zijn de gegevens over zijn reisplannen?'

'Erg betrouwbaar. We hebben ze ontleend aan telefoongesprekken, e-mails en creditcardtransacties.'
Shaw keek op. 'Hebben jullie die van de Amerikanen? Die hebben daar de beste hardware en software voor.'
'Laten we het zo stellen: ik ben de directeurs van de NSA en CIA een lekker etentje schuldig.'
Frank haalde wat papieren tevoorschijn en las ze door. 'Zijn vluchtplan is al ingediend. Hij vliegt in zijn privétoestel van Montréal naar Parijs. Daar neemt hij brandstof in en gaat dan door naar het vliegveld van Avignon. Dat is voor zo'n vliegtuig maar een klein sprongetje. Meestal reist hij met een colonne van drie auto's. Hij heeft huurauto's gereserveerd in Avignon.'
Shaw drukte op een toets van zijn laptop en er verscheen een andere foto, een buitenopname van de straat met de villa die Waller had gehuurd. 'Er staat een andere villa naast.'
'Die is al aan iemand verhuurd.'
'Aan wie?'
'We hebben een voorlopig onderzoek ingesteld. Het gaat om een toerist. Blijkbaar niets aan de hand.'
'Maar wel vlak ernaast?'
'Gordes is een populaire bestemming en er is veel vraag naar die villa's. Als we probeerden te verhinderen dat ze verhuurd werden, zou er meteen alarm worden geslagen. Maar het geeft niet. We pakken hem niet in Gordes op. Daar is het risico van bijkomende schade te groot.'
Shaw keek naar een ander computerscherm, waarop het gedeeltelijke reisplan van Evan Waller te zien was. Hij rechtte zijn rug. 'Hoe weet je dat hij naar de grotten van Les Baux-de-Provence gaat?'
'Hij moest speciale toestemming voor die trip vragen en we hadden toegang tot die gegevens.'
'Waarom? Is die plek niet toegankelijk voor publiek?'
'Jawel, maar onze meneer Waller wilde een heel persoonlijke rondleiding. Zonder publiek erbij. Hij heeft veel geld betaald om dat voor elkaar te krijgen. Die grotten zijn particulier eigendom. Ze kunnen doen wat ze willen. Toen we zagen dat de betaling naar hen ging, hackten we hun computersysteem en vonden het tijdschema. Daarom weten we precies op welke dag hij daarheen gaat.'
Shaw draaide met zijn stoel rond om naar een andere computer te kijken, die alleen gangbare software op de harde schijf had, inclusief een browser. Ze gebruikten hem voor internet. Hij drukte op een paar toetsen en las de resultaten door. 'Oké, ik heb inderdaad weleens wat over die plek gehoord. Het is een fotogallerij. Een lichtshow op de rotswanden, een rondleiding, een documentaire op een beeldscherm enzovoort enzovoort. Ze kiezen elk jaar een andere

kunstenaar.' Hij liet de informatie even bezinken. 'Dan denk ik dat we de plaats hebben waar we toeslaan.'
Hij keerde de laptop om Frank het scherm te laten zien. Het was informatie over de tentoonstellingsruimte. 'De grotten hebben één ingang, veel kamers en weinig personeel. Je kunt er dus makkelijk verdwalen. We snijden de stroom af. Dan is het eliminatieteam al op zijn plaats met nachtbrillen en verdovingsgeweren. We scheiden de baas van zijn lijfwachten, en weg zijn we.'
Frank dacht erover na. 'Het risico van bijkomende schade is daar beperkt. We moeten het terrein grondig van tevoren verkennen om zeker te zijn van alle details.'
'Uiteraard. Maar waar kun je een rat beter gevangennemen dan in een hol?'
'Maar als het in de grotten mislukt, neemt die kerel zijn vliegtuig en is hij Frankrijk uit.'
'Dan hebben we op het vliegveld een reserveteam klaarstaan om hem op te pakken.' Shaw leunde achterover. 'Het is niet volmaakt, maar het is het beste wat we onder de omstandigheden kunnen doen. Alleen wanneer hij die trip naar de grotten maakt, weten we van tevoren waar hij is. En ik zie niet hoe het zou kunnen mislukken.'

•14•

Het eliminatieplan was klaar. Er waren mensen naar de Provence gegaan om de grotten uitgebreid te verkennen. Shaw zou ook een bezoek aan de grotten brengen als hij daar was. Intussen had hij de gedetailleerde plattegronden van de grotten en hun directe omgeving zo goed bestudeerd, dat hij alles uit zijn geheugen op papier zou kunnen zetten. Waller zou er binnen een week na zijn aankomst heen gaan. Zijn persoonlijke rondleiding zou precies om tien uur 's morgens beginnen.

Na elke lange werkdag, waarin hij leden van het overvalteam persoonlijk selecteerde en instrueerde, keerde Shaw naar zijn hotel terug. Hij trok andere kleren aan, ging hardlopen en zwierf daarna in zijn eentje door de straten van Parijs, tot het helemaal donker was en hij zijn energie had verbruikt. Op een avond at hij in zijn eentje in een restaurant tegenover de Jardin du Luxembourg, een plaats waar Anna Schmidt vroeger graag kwam. Ze hadden indertijd hand in hand door het park gelopen, naar de kinderen gekeken die houten bootjes lieten varen in de grote vijver in het midden, en hadden daarna op een bankje gezeten en naar de mensen gekeken die voorbijkwamen. Hij kon daar nu niet heen gaan, maar hij was zo dichtbij dat hij iets van de bloemen in de verte kon zien. Meer kon hij niet doen, want zijn borst trok zich al samen en zijn ogen werden vochtig. Voor hem was dit heilige grond die niet meer door hem betreden mocht worden.

Hij had net zijn eten besteld toen hij om zich heen keek naar de andere tafels in het restaurant. Dat was een tientallen jaren oude gewoonte van hem, even vanzelfsprekend als ademhalen. Hij schrok even toen hij haar in de deuropening tussen de twee eetgedeelten zag staan.

Katie James was niet meer zo mager als de laatste keer dat hij haar had gezien, en dat was goed, want ze had toen echt wat moeten aankomen. Haar natuurlijk blonde haar, piekerig en donker toen ze de vorige keer bij elkaar waren geweest, was gegroeid en reikte nu bijna tot haar schouders. Ze droeg een witte rok, schoenen met hoge hakken, geen panty en een donkerblauwe blouse met lange mouwen. Hij had nooit meegemaakt dat ze een mouwloze blouse droeg, vooral niet vanwege de kogelwond op haar linkerbovenarm.

Toen ze naar hem toe liep, zag hij dat de wallen onder haar ogen niet helemaal door make-up werden gecamoufleerd. Ze was een mooie vrouw. Veel mannen in het restaurant volgden haar met hun ogen en haalden zich daarmee de woede op de hals van de dames met wie ze zaten te eten. Maar blijkbaar hadden ze dat wel over voor een glimp van Katie James.

Ze wachtte niet tot hij haar een stoel aanbood, maar ging gewoon tegenover hem zitten. 'Je ziet er goed uit,' zei ze. Ze keek naar zijn haar. 'Een beetje grijs?'
'Een beetje. Jij bent weer helemaal de oude. Je bent een paar kilo aangekomen. Al vond ik dat donkere piekhaar ook wel mooi.' Hij zweeg even. 'Hoe wist je waar ik was?' Hij gaf antwoord op zijn eigen vraag voordat zij dat kon doen. 'Frank. Wat is zijn belang hierbij? Ik heb nooit meegemaakt dat hij zich voor mijn privéleven interesseerde.'
'Nee, volgens mij niet voordat Anna stierf.'
'Hij zei tegen me dat je hem hebt gebeld.'
'Dat zou ik niet hebben gedaan als jij me ooit had teruggebeld.'
'Het spijt me dat ik bij je ben weggelopen.'
'We hadden geen verplichtingen. Jij bent een grote jongen, ik ben een groot meisje. Ik had er alleen moeite mee dat ik niet wist of je nog leefde. Daarom belde ik Frank. Om er zeker van te zijn dat het goed met je ging.'
Nu voelde Shaw zich nog schuldiger. 'Nou, ik ben ongedeerd. En weer aan het werk. Alles gaat goed. Dat heb ik je door de telefoon verteld.'
'Ik wilde het zelf zien.'
Hij keek naar de tafel. 'Heb je al gegeten?'
'Ik heb geen trek.'
Het verbaasde hem dat ze zijn uitnodiging om met hem te eten van de hand wees, en dat was aan zijn gezicht te zien. 'Katie.'
Ze stond op en ze keken elkaar lange tijd aan. 'Veel succes, Shaw.'
Ze aarzelde even, lang genoeg om hem de gelegenheid te geven iets te zeggen waardoor ze zou blijven. Maar hij zei niets.
Ze draaide zich om en liep weg.
Shaw bleef daar een tijdje zitten terwijl er een hevige strijd gaande was in zijn hoofd. Toen gooide hij een paar euro op tafel, liep vlug het restaurant uit en keek in de drukke straat beide kanten uit.
Maar Katie was al weg.

•15•

Het was al na middernacht toen Reggie naar de bibliotheek in Harrowsfield sloop. De regen tikte tegen de ruiten, en een koude wind blies door de schoorsteen en joeg een vlaag zuurstof in het bijna gedoofde vuur. Ze deed de deur achter zich dicht, ging aan de lange tafel zitten en pakte een map. Bij het licht van een enkele tafellamp nam ze voor waarschijnlijk de honderdste keer de carrière van Fedir Kuchin door. De gruweldaden waren natuurlijk niet veranderd, maar ze hadden zich wel steeds dieper in haar gedachten genesteld. Ze kon de cijfers uit haar geheugen opdreunen; ze kon de gezichten van de slachtoffers zien, pagina's en pagina's. De beelden van de massagraven, opengegraven toen de man de plaatsen van zijn monsterlijke werk allang was ontvlucht, waren op haar netvlies gebrand.

Ze pakte een korrelige foto op – het waren allemaal korrelige foto's, alsof een gewelddadige dood geen kleur of helderheid kon verdragen – en keek naar het gezicht dat daarop stond. Kolonel Huber had zijn David Rosenbergs en Frau Kochs gehad, foto's die Reggie uit talloze andere had uitgekozen om ze aan de man te laten zien voordat hij stierf. Nou, Fedir Kuchin had zijn eigen bewijsmateriaal van de krankzinnige wreedheid waartoe al die mannen in staat waren.

De foto waar ze nu naar keek, was die van een man met een onuitsprekelijke achternaam. Hij was niet rijk geweest en had geen goede relaties gehad. Hij had bijna duizend kilometer van de hoofdstad Kiev gewoond. Hij was een eenvoudige boer geweest die een groot gezin had en lange werkdagen maakte om dat te onderhouden. Zijn misdaad tegen de staat hield in dat hij weigerde zijn vrienden uit te leveren aan de KGB, met name aan Fedir Kuchin. Voor straf werd hij met benzine overgoten en in brand gestoken waar zijn vrouw en kinderen bij waren. Hij verbrandde tot een hoopje botten en as, terwijl zij gedwongen werden toe te kijken en naar zijn kreten te luisteren.

Ze pakte weer een papier op. Het was oorspronkelijk in het Oekraïens geschreven, maar voor haar vertaald. Het was de order waarmee de ongelukkige boer tot de dood door het vuur werd veroordeeld. Fedir Kuchins handtekening stond groot en dik onder aan het papier, alsof hij er geen enkele twijfel over wilde laten bestaan wie de aanzet tot de gruwelijke moord op de man had gegeven.

Ten slotte pakte ze voorzichtig nog een foto op. Het was Fedir Kuchin zelf. Ze hield het papier alleen bij de randen vast, alsof ze de beeltenis van de man niet durfde aan te raken. Hij droeg een uniform met open kraag. In zijn ene hand had

hij een pistool, in de andere een fles. Het was duidelijk dat hij voor de foto had geposeerd. In die tijd had hij donker haar, dat naar achteren was gekamd, zodat zijn grote inhammen te zien waren. Zijn gezicht was in de loop van de tijd niet veel veranderd. Toch vielen vooral de ogen op. Het was net of Reggie over een heel donker pad naar het midden van die ogen ging en vervolgens in een schimmenwereld verdween waaruit geen ontsnapping mogelijk was. Ze ging rechtop zitten, legde de foto langzaam terug en bedekte hem met een stapel papieren.
De volgende dertig minuten nam ze vele foto's van doden door, met op elk daarvan Kuchins bloederige vingerafdrukken. De papieren maakten een zakelijke indruk; het hadden net zo goed inkooporders voor materieel of voedsel kunnen zijn. Toch waren het schriftelijke bevelen geweest om andere mensen te doden, vervaardigd in ouderwets triplo, dus met twee carbondoorslagen. De dood door de kogel. De dood door vuur. De dood door gas. De dood door het mes. De dood door ophanging. Alles netjes en zorgvuldig. Goddank dat ze die carbondoorslagen hadden gemaakt, dacht Reggie. Anders zou het bijna onmogelijk zijn geweest mannen als Kuchin op te sporen en terecht te laten staan.
'Ben je wat aan het bijlezen?'
Geschrokken keek Reggie om.
Professor Mallory stond in een oude, verfomfaaide, geruite ochtendjas in de deuropening. Hij had een boek in zijn hand en keek naar haar.
'Ik hoorde u niet binnenkomen,' zei ze. Het zat haar niet lekker dat de oude man zo dichtbij had kunnen komen zonder dat ze het merkte.
'Nou, ondanks mijn postuur en mijn reumatiek ben ik erg lichtvoetig, en je was helemaal verdiept in wat je deed.' Hij kwam naar voren en keek nieuwsgierig naar de papieren en foto's.
'Ik kon niet slapen,' zei ze. 'Dat kan ik vaak niet,' gaf ze toe.
Hij ging in een versleten leren stoel bij de haard zitten. 'Dat weet ik.'
'Wat doet u hierboven? Lijdt u ook aan slapeloosheid?'
'Nee, Regina, niet aan slapeloosheid.' Met een rilling van pijn kroop hij wat dieper in het gebarsten leer weg. 'Een vergrote prostaat, jammer genoeg. Als ik kon kiezen, had ik liever slapeloosheid.'
'Sorry.'
Hij keek naar de map die ze aan het lezen was. 'Nou, wat vind je ervan? Nog briljante ideeën?'
'Hij heeft geen geweten. Hij zette zijn handtekening onder duizend doodvonnissen alsof het de barrekening was.'
'Nou, ik ben het met je eens, maar dat wisten we al.'
Hij stond op, legde nog een blok op het vuur, ging achterover zitten in zijn fauteuil en opende zijn boek.
'Wat leest u?' vroeg Reggie.

‘In zo’n onstuimige nacht? Agatha Christie natuurlijk. Ik ben nog steeds benieuwd of Hercule Poirots “grijze celletjes” hun werk nog een keer doen. Dat inspireert vaak mijn eigen grijze celletjes, hoe weinig die ook voorstellen in vergelijking met die van de kleine Belg.’
Reggie stond op en ging voor de haard staan. Voordat ze naar beneden ging, had ze een spijkerbroek en een sweatshirt aangetrokken, maar haar voeten waren bloot en ze had het langzamerhand koud gekregen. ‘Er was wel één ding, professor.’
Hij keek op van zijn boek, terwijl de regen bijna zo hard als een brandslang tegen het oude glas-in-loodraam sloeg. Opeens maakte de woedende wind een gierend geluid door de schoorsteen. Reggie deinsde terug voor het geluid en ging op een poef bij hem zitten.
‘Wat voor ding?’ vroeg hij.
‘Kuchin is godsdienstig.’
Mallory sloot zijn boek en knikte. Hij haalde zijn pijp uit zijn zak en stopte er tabak in.
‘Professor, neemt u het me niet kwalijk, maar ik word misselijk van die geur.’
Hij keek verrast. ‘Waarom heb je dat niet eerder gezegd?’
‘Ik denk dat ik u niet wilde kwetsen.’ Ze liet een hol lachje horen. ‘Na alles wat ik heb gedaan is het ook wel een beetje vreemd.’
Hij bleef ernstig kijken. ‘Wat is er vreemd? Dat jij een enorme compassie hebt? Dat facet van je persoonlijkheid lijkt me juist een belangrijke reden waarom je dit werk doet.’
Reggie ging vlug verder. ‘Hoe dan ook, ik heb de gegevens van de zaak nog eens doorgenomen. Daar staat in dat Kuchin elke zondag naar de kerk gaat en grote bedragen aan religieuze doelen schenkt.’
Mallory stak de pijp weer in zijn zak. ‘Dat is waar. Ik heb dat vaker meegemaakt bij mannen als hij. Ze zoeken troost, verlossing, of ze willen zich indekken. Natuurlijk is het waanzin. Reken maar niet dat een “god” in het hiernamaals zich iets gelegen laat liggen aan types als hij.’
‘Massamoordenaars, bedoelt u?’
Mallory begreep meteen wat ze bedoelde. ‘Jij bent niet te vergelijken met de Fedir Kuchins van deze wereld, Regina.’
‘Het is gek, maar soms kost het me moeite het verschil te zien.’
Mallory stond zo snel op dat hij zijn boek liet vallen. Hij liep naar de tafel, pakte het papier op, ging naar haar terug en stopte het in haar handen.
Het was de foto van wat er was overgebleven van de verbrande boer. ‘Dáár is het verschil, Regina. Daar.’ Hij pakte haar hand, hield hem stevig vast en keek haar recht in de ogen. ‘En vertel me nu over die kerk.’

•16•

Ze zaten in een auto bij het vliegveld Charles de Gaulle. Straks zou een turbopropvliegtuig Shaw naar Avignon brengen. Hij zou een paar dagen in Avignon blijven en dan naar Gordes gaan. Dat was nog geen uur rijden.
'Amy Crawford is al in de Provence,' zei Frank.
'Ik heb al vaker met haar samengewerkt. Ze is een uitstekende agente.'
'Heb je het plan goed in je hoofd zitten?'
'In mijn hoofd is het volmaakt. We zullen zien hoe het in de praktijk gaat.'
Frank stond op het punt een van zijn sigaartjes aan te steken, maar Shaw hield hem tegen. 'Wacht daarmee tot ik op zevenduizend meter hoogte ben. Ik heb nu extra zuurstof nodig.'
Frank stopte zijn sigaar weg. 'Ben je nerveus? Dat is niets voor jou.'
'Ik heb Katie laatst ontmoet.'
'Nee maar. Waar?'
'Hier in Parijs. Wou je beweren dat je dat niet weet?'
'Ik zweer het je. Dit hoor ik nu voor het eerst.'
'Kom nou, Frank. Ze kwam het restaurant binnen waar ik zat te eten. Hoe zou ze dat voor elkaar hebben gekregen?'
'Heb je er ooit bij stilgestaan dat de dame een journaliste van wereldklasse is? Ze achterhaalt dingen.'
'Ja.' Het was duidelijk dat Shaw het niet geloofde.
'Wat wilde ze?'
Shaw zei daar niet meteen iets op, want eigenlijk had hij geen antwoord. Wat had ze gewild? Had ze alleen maar met eigen ogen willen zien dat het goed met hem ging? Maar dat had hij haar al door de telefoon verteld.
'Shaw?'
Hij merkte dat Frank ontevreden naar hem keek. 'Je was er opeens niet meer bij. Je bent op weg naar een missie tegen een uiterst gevaarlijke kerel en je bent er nu al niet meer bij? Dat is niet goed.'
'Ze zei niet wat ze wilde. En ze bleef maar een minuut.'
Frank pakte zijn arm vast. 'Wat, bedoel je dat je haar niet hebt uitgenodigd mee te eten? Ze had zo'n eind gereisd en...'
'Hoe wist jij hoe ver ze had gereisd?'
Frank trok een grimas en liet zich in zijn stoel wegzakken.
'Waarom doe je dit?'
'Wat bedoel je?' vroeg Frank nors.

'Eerst gedraag je je of het je geen moer kan schelen of ik levend of dood ben. En vervolgens lijkt het wel of je voor koppelaar wilt spelen.'
'Zo gedroeg mijn moeder zich ook tegen mij. Het zal wel erfelijk zijn.'
'Wij zijn geen familie, Frank.'
'Ach, in sommige opzichten zijn we meer dan familie. Wie heb je dan nog meer?'
Shaw wendde zijn ogen af en tikte met zijn reispapieren tegen zijn dij. Wie had hij nog meer? Alleen Frank? God, wat een deprimerende gedachte. 'Nou, waarom denk je dat ze naar me toe kwam?'
'Dat is nogal wiedes. Ze wilde dat je haar persoonlijk vroeg om te blijven.'
'Weet je dat zeker?'
'Daar hoef je geen Sherlock Holmes voor te zijn. En nee, ze heeft het me niet verteld, als je dat soms bedoelt.'
'Tussen haar en mij kan het nooit iets worden, Frank.'
'Nou, blijkbaar is er toch wel iets gebeurd.'
'Anna ligt nog maar net in haar graf en...'
'Daar hoeft het niet om te gaan. Dacht je dat een intelligente vrouw als Katie niet weet wat je voor Anna voelt? Ze weet heus wel dat je niet meteen met haar in bed springt. Ze weet dat je misschien nooit met haar in bed springt. En ik denk dat ze dat niet eens wil. Tenminste, voorlopig niet.'
'Dus nu denk je dat je psychiater bent?'
'Ik trek alleen maar een logische conclusie.'
'Wat wil ze dan werkelijk?'
'Jullie hebben veel meegemaakt. Jullie zijn samen door een hel gegaan. Daar zijn jullie allebei beschadigd uit tevoorschijn gekomen. Ik denk dat ze alleen maar vriendschap met je wil.'
'Nou, dan heb ik nieuws voor je: als je mijn soort werk doet, kun je geen vrienden hebben.'
Shaw gooide het portier achter zich dicht en liep weg om zijn vliegtuig naar Avignon te halen.
Frank keek de lange man na tot hij met de mensenstroom in het luchthavengebouw was verdwenen. Hij gaf de chauffeur opdracht door te rijden, haalde zijn sigaartje weer tevoorschijn, wilde het aansteken, maar stak het toen weer in de zak van zijn jasje.
'Soms weet jij zelf niet hoeveel geluk je hebt, Shaw,' mompelde hij tegen niemand in het bijzonder.

•17•

Fedir Kuchin was een erg intelligente man, intelligenter dan ze allemaal dachten. Hij was niet alleen professor Mallory te slim af geweest, maar had ook Reggie en haar team in de Provence verslagen. De straf voor dat fiasco was zwaar. Reggie keek naar de lijken van Whit en Dominic. Whits hoofd was weg; Dominic had geen gezicht meer.

Reggie was gedwongen midden in de ijskoude kamer neer te knielen, terwijl Kuchin en zijn mannen om haar heen stonden. Deze keer zou ze echt niet kunnen ontsnappen. Toen hij met een hand haar kin streelde, keek ze op naar zijn lange, wrede gezicht. Ze zou hem hebben aangevallen, maar haar handen en benen waren vastgebonden. Om de aanraking van het monster niet te voelen keek ze strak naar de lijken van haar collega's.

Kuchin lachte, een zelfvoldaan, diep lachje dat minuten door leek te gaan. Dacht je dat het zo gemakkelijk was? zei hij tegen haar. Dacht je dat echt? Ik heb mezelf al die jaren tegen zo'n aanslag beschermd, en jij dacht dat je me te pakken kon krijgen? Je bent een amateur die ze het werk van een professional laten doen.

Zijn streling ging over in een harde klap en Reggie viel achterover en sloeg met haar hoofd tegen de betonnen vloer. Hij trok haar meteen aan haar haren overeind. Met zijn gezicht heel dicht bij haar zei hij: Vertel me hoe je heet. Hoe je werkelijk heet.

Waarom? mompelde ze.

Omdat ik zulke dingen graag wil weten.

Nee, ik zeg het niet.

Hij sloeg haar met zijn pistool op haar mond. Twee van haar tanden gingen loszitten en een derde brak af. Ze proefde bloed en kapot tandvlees en slikte een deel van een verbrijzelde tand in.

Nee.

Hij sloeg haar opnieuw, nu in haar buik, en ze klapte voorover. Hij trapte hard op haar rechterhand, zodat twee vingers braken. Met zijn volgende klap verbrijzelde hij haar linkerknie.

Nu!

Reggie, mompelde ze terwijl het bloed over haar gezicht liep.

Reggie wat?

Reggie Campion.

Nou, Reggie Campion, nu zul je het weten.

Wat weten?

Hoe het is om in de mooie Provence te sterven.

Hij maakte een gebaar naar een van zijn mannen, die met de jerrycan naar voren kwam. Even later proefde Reggie de benzine die over haar heen werd gegoten. Het spul verstopte haar neusgaten en prikte in haar ogen.
Ze wilde dapper zijn, maar ze hoorde zichzelf schreeuwen. Nee, alsjeblieft. Doe dat niet. Als een kind. Jammerend. Zwak.
Kuchin glimlachte, haalde de lucifer uit zijn zak, streek hem aan tegen de hak van zijn schoen en hield hem voor haar omhoog.
Nee, nee, riep ze uit.
Ik had verwacht dat je een waardiger tegenstander zou zijn, zei Kuchin.
Nee, alsjeblieft, maak me niet dood.
Ditmaal wint het monster, Reggie Campion, zei hij.
Hij liet de lucifer op haar hoofd vallen en ze brandde als een fakkel.

Met een kreet die alleen door de lakens over haar gezicht werd gedempt wierp Reggie zich uit het bed en kwam op de vloer terecht. Ze draaide en kronkelde, wreef zichzelf tegen de vloer, vechtend tegen de denkbeeldige vlammen. Toen kwam ze bij haar positieven en bleef een hele tijd stil liggen. Het lukte haar kruipend bij het toilet in de badkamer te komen voordat ze overgaf, en toen liet ze zich op haar rug op de koude tegelvloer zakken.
Daar bleef ze diep ademhalend liggen, wachtend tot de golven van misselijkheid waren weggetrokken. Ten slotte krabbelde ze overeind, strompelde naar het raam en keek uit over het terrein van Harrowsfield. Wanneer het begin van een missie dichterbij kwam, was ze minder graag in het landhuis en bleef ze liever thuis. Maar omdat het seksueel energieke stel in de kamer boven haar nog steeds niet bevredigd was, was ze hierheen gekomen.
Toch had ze, toen ze van Londen hierheen reed, ook een steek van jaloezie gevoeld. *Wanneer heb ik voor het laatst seks gehad? Eigenlijk treurig dat ik dat niet eens meer weet.*
Het was opgehouden met regenen, maar er zat nog kou in de lucht. Reggie schoof het raam omhoog en boog zich naar buiten. Diep ademhalend wachtte ze tot de misselijkheid van de nachtmerrie voorbij was. *Ik heb die kerel nog niet eens gezien en ik heb al nachtmerries over hem. Dat is niet goed, Reggie. Niet goed.*
Het ergste was nog geweest dat ze Whit en Dominic dood op de vloer had zien liggen. Het mocht niet gebeuren dat zij zouden sterven omdat zij, Reggie, zo bang was. Ze moest helder blijven denken.
Ze trok een spijkerbroek, sportschoenen en een gerafelde capuchontrui met het opschrift OXFORD aan en glipte de keukendeur aan de achterkant van het huis uit. Ze wist niet of Whit weer naar huis was gegaan of was blijven slapen. Ze wilde niet dat hij of iemand anders haar zag als ze er zo slecht aan toe was. Na een paar minuten was ze bij de oude begraafplaats, en daar vond ze binnen en-

kele seconden de oude grafsteen van Laura R. Campion. Ze ging er met haar handen in haar zakken voor staan.
Irrationeel genoeg was Reggie, die geen familie meer had, deze dode vrouw als een soort ijkpunt gaan zien, iemand die ze in tijden van stress en onzekerheid kon bezoeken. Toch wist ze dat ze nooit aan haar angst zou kunnen ontkomen door in het holst van de nacht naar een begraafplaats te gaan en daar bij het graf van een vrouw te staan die al meer dan tweehonderd jaar dood was en hoogstwaarschijnlijk helemaal geen familie van haar was.
'Ik moet wel een beetje gek zijn,' zei ze zacht. 'Anders zou ik dit niet doen.'
En toch was het volkomen normaal, zei ze tegen zichzelf, om bang te zijn voor een man als Fedir Kuchin, die kinderen levend verbrandde zonder zelfs maar met zijn ogen te knipperen. Een man die op gruwelijke wijze duizenden mensen tegelijk had afgeslacht. Het zou waanzin zijn om níét bang te zijn.
Aan de andere kant van de begraafplaats stond een kleine vervallen privékapel. De muren van blokken natuursteen waren zwart uitgeslagen van ouderdom. Het dak was voor een deel ingestort en de dikke houten deuren met ronde bovenkant waren aangetast door rot en termieten.
Reggie liep naar binnen en ging bij het altaar staan. Ze kwam hier soms om even afstand te nemen van de eisen die haar 'werk' aan haar stelde en naar de vogels te luisteren die in de oude balken van het gebouwtje zaten. Er waren geen gebrandschilderde ramen, alleen glas-in-loodramen die gebarsten of gewoon uit elkaar gevallen waren. Door die openingen kwamen de geluiden van de omringende bossen naar binnen.
Anders dan blijkbaar bij Fedir Kuchin het geval was, had Reggie het idee dat alles door een hogere macht werd beheerst allang opgegeven. Daar had ze een simpele reden voor gehad. Een alwetende, almachtige, welwillende god zou nooit toestaan dat er monsters op aarde rondliepen en iedereen doodden die ze maar wilden. Voor haar sloot alleen al het feit dat die monsters bestonden de mogelijkheid uit dat er een welwillend opperwezen was. Anderen zouden daar het een en ander tegen in te brengen hebben, en velen hadden dat ook bij haar gedaan. Dan luisterde ze geduldig naar hun redeneringen en zei ten slotte eenvoudigweg dat ze het niet met hun conclusies eens was.
Ze hadden nog twee dagen de tijd om de laatste voorbereidingen te treffen, en dan zou ze naar de Provence gaan. Maar eerst zouden de professor en zij moeten beslissen hoe ze het precies gingen aanpakken. Het hing van hun beslissing af of Fedir Kuchin in leven bleef of stierf.
In het besef dat alles daarvan afhankelijk was, en ondanks haar persoonlijke twijfels, knielde Reggie ten slotte voor het altaar neer. Ze vouwde haar handen samen en bad dat het goede nog één keer van het kwaad mocht winnen.
Je kon het altijd proberen, dacht ze.

•18•

De villa waar Evan Waller zou verblijven kostte meer dan twintigduizend euro per week, en hij had hem voor een maand gehuurd, met vooruitbetaling, had de makelaar Shaw verteld. Het huis stond naast de rotsen van Gordes en telde vijf verdiepingen, die binnen alleen met een enkele kalkstenen wenteltrap te bereiken waren. Het huis had zes slaapkamers en een zoutwaterzwembad in de achtertuin, waar gelegenheid was om onder een houten pergola in de openlucht te eten. Er waren daar ook een buitenkeuken en propaangrill. De eigenaar van de villa had hem kortgeleden opgeknapt, en alle apparaten vernieuwd, ook het Wolf-gasfornuis in de ruime keuken.

Shaw wist dat omdat hij met de makelaar praatte in haar kantoor in Gordes. Hij deed zich voor als iemand die de villa misschien in het volgende jaar wilde huren, en de makelaar was beleefd en verstrekte hem alle informatie.

'Wacht u niet te lang,' had ze hem in goed Frans gewaarschuwd. Ze was een Britse, maar haar Frans was erg goed. 'Gisteren nog heb ik hier iemand gehad die de villa ook volgend jaar wil huren.'

'O ja?' zei Shaw. 'Wie was dat dan?'

De vrouw trok haar wenkbrauwen op. 'Dat is vertrouwelijk. Maar ze is jong en Amerikaans en ziet er heel goed uit. En blijkbaar is ze welgesteld. Deze villa's zijn de beste in de omgeving en gaan het budget van de meeste mensen te boven. Dezelfde aannemer heeft de renovatie van de villa ernaast ook gedaan. Ze zijn binnen niet precies hetzelfde, maar er zijn veel overeenkomsten, zoals de kalkstenen wenteltrap die naar alle verdiepingen leidt.'

Daar gaat dan de vertrouwelijkheid, dacht Shaw. 'Maar als de villa op dit moment wordt verhuurd, waar is dan de huurder? Er is daar niemand.'

De vrouw maakte nu een nerveuze indruk. 'Het is waar dat hij het voor de komende maand heeft gehuurd. Hij heeft vooruitbetaald.'

'Dus het is een man?' zei Shaw.

Blijkbaar was ze nu boos op zichzelf. 'Ja, maar zijn naam is vertrouwelijk.'

'Uiteraard.'

'Trouwens, hij is hier nog niet. Eigenlijk is het heel ongewoon – dat iemand duizenden euro's betaalt voor iets wat hij niet eens gebruikt, bedoel ik. Nou ja, het is niet aan mij om daarover te oordelen. Rijke mensen zijn in dat opzicht nogal vreemd, nietwaar? Maar u bent zelf natuurlijk ook niet onbedeeld, anders zou u niet naar een dergelijke villa kijken.'

'Over geld hoef ik me inderdaad geen zorgen te maken,' zei Shaw bescheiden.

'En we kunnen ook wel Engels spreken, als u dat liever doet, al is uw Frans veel beter dan het mijne.'
Ze keek opgelucht toen ze dat hoorde. Er kwam meteen verandering in haar houding en toon. 'Nou, het is aardig van u om dat te zeggen. Ik heb een maand lessen gevolgd om dat gorgelende geluid in mijn keel te krijgen, maar ik heb het niet helemaal onder de knie gekregen. De Fransen spreken de taal zo mooi, maar het is verwoestend voor mijn arme strot.'
'Ook voor de mijne.'
'Nou, omdat er niemand in de villa is, zou ik u erheen kunnen brengen om een kijkje te nemen. Maar het is niet de bedoeling dat we daar binnenkomen en meneer Waller dan in zijn onderbroek zien staan, hè?' Ze grinnikte.
'Dus het is meneer Waller?'
De vrouw keek geërgerd. 'O jee, daar ga ik weer. Oké, zo heet de man, maar vertelt u dat niet rond. Ons werk is echt vertrouwelijk.'
'Natuurlijk. Geen woord. Dank u.'
Hij verliet haar en liep naar het kuurhotel in Gordes waar hij een kamer had genomen. Gordes lag op de rand van het Vaucluse-plateau, met daarachter het dal en de heuvels van de Lubéron. Het was vanaf de beneden gelegen villa's bijna het vlugst te voet te bereiken over een trap die in de rotsen was uitgehakt. Met de auto moest je een heel eind omrijden over een weg met haarspeldbochten. Het dorp van witte en grijze steen klampte zich aan de rotswanden vast als bijen aan een honingraat. Het dorp werd gedomineerd door de katholieke kerk met zijn hoge klokkentoren en door een middeleeuws kasteel waarin tegenwoordig een deel van het gemeentebestuur was ondergebracht.
Hij belde Frank en stelde hem op de hoogte. Sinds hij hier was aangekomen, had Shaw systematisch elk huis van belang in het dorp verkend. Waarschijnlijk kende hij Gordes nu beter dan veel mensen die er al jaren woonden. Hij en Amy Crawford zouden elkaar de volgende dag ontmoeten, maar Shaw had met haar in contact gestaan sinds hij in de Provence was geland.
Er waren in het dorp verschillende mogelijkheden om te lunchen en hij las op zijn gemak de menu's die op helderwit papier waren afgedrukt en op buitenmuren waren aangebracht. Hij koos voor L'Estaminet in het centrum en dronk bij het eten een glas rhônewijn, een wijn die in deze contreien natuurlijk populair was. Daarentegen was Italiaanse wijn bijna niet te vinden, dacht Shaw met een grijns. Zijn glimlach verflauwde toen ze binnenkwam. Hoewel het restaurant vol zat met toeristen, wist hij om de een of andere reden dat dit de Amerikaanse moest zijn over wie de makelaar had gesproken: jong, mooi en rijk.
Ze was achter in de twintig en had highlights in haar blonde haar, waarvan hij wist dat het die kleur niet van nature had. Haar huid was diep gebruind, met op de schouders een paar sproeten die zo groot als koffiebonen waren en ook

die kleur hadden. Ze droeg een zomerjurk die ruches had en diep genoeg was ingesneden om iets van haar boezem te laten zien. Aan haar lange, smalle voeten had ze leren sandalen. Shaw kon haar alleen van opzij zien toen ze naar haar plaats werd gebracht, maar toen ze haar tas op de stoel naast haar zette, keek ze even zijn kant op.

Shaw was even uit het veld geslagen, omdat ze heel anders was dan hij had verwacht. Toch wist hij niet precies waarom hij eigenlijk iets had verwacht. Haar gezicht was niet volmaakt. Haar neus was een beetje lang en een beetje te scherp en te hoekig. Haar ogen waren iets te groot om de symmetrie van haar gezicht in stand te houden, en haar wangen waren enigszins ingevallen. Toch maakten al die elementen samen haar op de een of andere manier opvallender dan wanneer haar gezicht volmaakt was geweest. Mooie vrouwen waren niet zo zeldzaam, zeker niet in het zuiden van Frankrijk, maar iemand die niet tot een bepaalde categorie behoorde maakte vaak meer indruk.

Haar lichaam was atletisch. De schouders waren goed ontwikkeld en haar benen waren lang en welgevormd. Vooral de kuiten waren gespierd, alsof ze in haar leven veel heuvels had beklommen. Omdat ze zo slank was, leek ze groter dan de een meter zeventig waarop hij haar schatte, maar tegelijkertijd leek ze hem klein. Omdat hij zelf een meter vijfennegentig was, moest je wel een basketballer zijn om in zijn ogen niet klein te lijken.

Nu hij erover nadacht, besefte Shaw dat hij vooral verrast was door het feit dat ze, terwijl ze duidelijk nog jong was, toch oud leek, al was dat dan niet in fysiek opzicht.

Ze lijkt veel te serieus voor iemand die zo jong is, dacht hij.

Hoewel hij zijn lunch ophad, besloot de nieuwsgierige Shaw nog even te blijven en een kop koffie en een aardbeiensorbet te nemen. Hij dacht een paar keer dat ze in zijn richting keek, maar misschien verbeelde hij zich dat. Ten slotte betaalde hij zijn rekening, stond op en ging weg. Als hij zich had omgedraaid, zou hij zeker hebben geweten dat ze hem had opgemerkt, want nog lang nadat hij de deur had gesloten, keek ze in zijn richting.

Hij liep door de hobbelige straten, maar hield de voorkant van het restaurant in het oog. Twintig minuten later kwam ze naar buiten. Ze keek om zich heen en nam het pad omlaag om bij de villa's te komen. Ze nam een kort trapje van versleten treden. Zo bespaarde ze zich een omweg via een haarspeldtocht en was ze een minuut eerder beneden.

Shaw volgde haar en vroeg zich af waar ze verbleef. Tot zijn verbazing zag hij haar de voordeur openmaken van de villa naast die van Waller. En ze had ook nog naar de andere villa geïnformeerd. Hoewel Frank niets bijzonders over de vrouw had ontdekt, moesten ze haar toch maar in de gaten houden. Shaw liet zich niet graag verrassen.

•19•

De volgende dag reed Shaw vijftien kilometer en ontmoette hij Amy Crawford bij de ruïne van een oud fort dat hoog op een heuvel stond, zoals dat bij oude forten wel vaker, om strategische redenen, het geval was. Crawford was tenger en reikte amper tot Shaws borst, maar hij wist dat ze goed in vechtsporten was, marathons liep en met haar handen of voeten iemand buiten gevecht kon stellen en zelfs kon doden. Maar hoewel ze in fysiek opzicht uiterst capabel was, was haar kalmte tijdens missies de reden geweest waarom Shaw haar voor het team had uitgekozen.

Ze reden samen naar de oude steengroeve waarin de grotten van Les Baux zich bevonden en namen de rondleiding. Shaw had een klein cameraatje in zijn overhemd en legde alles op video vast om het later te analyseren.

Toen ze naar hun auto's terugliepen, zei Crawford: 'Ik ben blij dat ik weer met je samenwerk.'

'Insgelijks.'

'Gezien de indeling daarbinnen moet het niet moeilijk zijn de man op te pakken. Hij had geen geschiktere plaats kunnen kiezen.'

'En waarschijnlijk weet hij dat zelf ook. Reken maar dat zijn lijfwachten en hij op hun hoede zijn. We krijgen twee seconden de tijd voor een verrassingsaanval. Het komt maar heel weinig voor dat we zoveel gedetailleerde informatie over een doelwit hebben. Het moet een perfecte operatie worden.'

'Begrepen.'

Shaw gaf haar een teken dat ze in haar auto, een tweedeurs Audi, moest stappen. Hij ging zelf op de passagiersplaats zitten. 'Beschrijf me de operatie van a tot z. We moeten helemaal op elkaar afgestemd zijn.'

Crawford legde haar vingers op het stuur. 'De privérondleiding begint om tien uur. Hij reist meestal met vier tot zes lijfwachten, die gewapend zijn met Glocks. Ze gaan naar de ingang. De gids is een van onze mensen. Hij heeft een microfoontje in zijn haar en een cameraatje op zijn gidsenbadge. Daardoor kunnen we precies volgen waar ze zijn. Hij zorgt ervoor dat de voortgang zo goed mogelijk met het tijdschema overeenkomt. Alle personeelsleden zijn daar al weggehaald. Vijf minuten om het voorlichtingsmateriaal op de wanden te lezen en naar de opgenomen inleiding te luisteren. Dan is het hooguit tien over tien. Ze doen vijf minuten over de eerste zaal. Twee minuten over de tweede. Vier minuten over de derde. Dan is het eenentwintig minuten over tien. In de vierde zaal gaat het gebeuren. Die is zestig bij zestig meter, met goede dekking aan de

voorkant en aan de linkerzijwand. Het eliminatieteam staat daar al klaar. Zestig seconden nadat de eerste van hen in die zaal is aangekomen, laten we de stroom uitvallen. Er zijn daar zeven schutters met nachtvizieren en lasergeleide pijltjesgeweren. Omdat het doelwit misschien een kogelvrij vest draagt, mikken ze op hals, arm en dij. Onze man in de regelkamer telt vijf seconden af zodra op de videobeelden te zien is dat de laatste lijfwacht van het groepje in zaal 4 komt. Een seconde voordat de stroom uitvalt, is in onze headsets het codewoord "rood" te horen. Het schieten begint in die ene seconde, dus voordat de groep op het uitvallen van de stroom reageert. Jij schakelt ons doelwit uit, terwijl ik de man naast hem neerschiet, en de andere schutters leggen de man neer in de sector die hun is toegewezen, vanaf doelwit nummer één naar buiten toe. Het doelwit en alle lijfwachten zijn in twee seconden uitgeschakeld.'
'De aftocht?'
'Er gaat vanuit die zaal een gang naar het oosten en een naar het westen. Die laatste gaat met een boog naar de ingang terug. De oostelijke gang is tweehonderd meter lang en gaat naar en nooduitgang die ons aan de andere kant van de steengroeve brengt. Er is daar een weg. Er is daar vervoer in de vorm van een ambulance. De brancard staat klaar in de oostelijke gang. Het doelwit wordt erop gelegd; dat kan binnen dertig seconden. In nog eens dertig seconden brengen ze hem door de gang. De ambulance gaat rijden zodra de portieren dichtgaan. Veertig minuten naar het zuiden ligt een particulier vliegveld. Het toestel stijgt op zodra de deuren dicht zijn. Het doelwit en het eliminatieteam zijn al minstens dertig minuten buiten het Franse luchtruim als zijn lijfwachten in de donkere grot bij hun positieven komen en zich afvragen wat er gebeurd is.'
Hij knikte waarderend. 'En dan naar het volgende karwei,' zei Shaw.
'Zo gaat het bij mij ook.' Ze aarzelde even en keek hem aan.
'Wat is er?' vroeg hij. Hij merkte dat ze nerveus was.
'Het zijn maar praatjes, maar ik heb me altijd afgevraagd of het waar was.'
Shaw keek haar onderzoekend aan. 'Wat is er?' vroeg hij opnieuw.
'Heb je Wells echt in zijn hoofd geschoten?'
'We hadden een klein misverstand.'
Ze glimlachte. 'Ik hou wel van jouw stijl.'
'Frank valt eigenlijk wel mee, als je verder kijkt dan die honderd kilo woede en gestoordheid.'
'Echt waar?'
'Nou nee, eigenlijk niet.'

•20•

De volgende dag volgde Shaw de raadselachtige dame met veel belangstelling. Ze ging winkelen in Gordes, en mannen van alle leeftijden keken haar na. Ze droeg een zonnehoed en een rok, die tot haar knieën reikte en soms door een zuchtje wind werd opgetild tot op haar dijen. Dan keken de mannen nog aandachtiger. Terwijl hij deed alsof hij etalages bekeek, zag Shaw dat mannen haar aanspraken in het Frans, Italiaans, Grieks, Engels en misschien nog wel meer talen. Ze boden hulp aan bij het winkelen, of met de taal, of misschien bij het uittrekken van haar kleren in de privacy van hun kamer. Alle avances wees ze beleefd van de hand. In feite had ze ook geen hulp nodig. Ze sprak vloeiend Frans en wist wat dingen kostten. En ze kon onderhandelen. Shaw had haar zien afdingen op een blouse, een blauw-met-geel sierbord, een fles wijn en twaalf courgettes. Ze ging daar net zo lang mee door tot ze de prijs kreeg die ze wilde.

Die avond zat hij op een terras in Gordes zich af te vragen wat hij zou gaan eten, toen ze opeens naar zijn tafel kwam lopen.

'*Parlez-vous français?*'

'*Oui, je parle français.*' Al voegde hij eraan toe: '*Mais mon anglais est meilleur.*'

Ze glimlachte hartelijk. 'Mijn Engels is ook beter dan mijn Frans. Mag ik bij u komen zitten? Ik heb de laatste paar keer in mijn eentje gegeten. In het begin was dat wel leuk, maar het gaat gauw vervelen.'

Hij wees naar een stoel. 'Gaat uw gang.'

Ze zette haar hoed af en legde hem op de stoel naast haar voordat ze de menukaart pakte. 'Wat raadt u me aan?' vroeg ze. Ze schoof haar Maui Jims omhoog, al scheen de ondergaande zon fel in haar gezicht.

'Kip puttanesca, en biefstuk met pommes frites en salade is ook altijd goed.'

'Zullen we wijn bestellen?'

'We zijn in de Provence. Ik denk dat het bij de wet verplicht is.'

Ze gaven hun bestelling op aan de ober, die prompt met de gekozen fles rode wijn en twee glazen kwam. Hij schonk in en liet hen alleen.

'Dit komt vast vrijpostig over,' zei ze. 'Dat ik zomaar naar u toe kwam.'

'Ik weet niet of er tussen mannen of vrouwen nog zoiets als "vrijpostigheid" bestaat.'

'Eerst maar mijn naam. Ik heet Jane Collins. Maar mijn vrienden zeggen Janie.' Ze stak haar hand uit en Shaw nam hem geamuseerd aan.

'Bill.'

'Amerikaan?'

Hij knikte. 'En jij?'
'Zo staat het in mijn paspoort.'
'Ik kom uit Washington.'
'En wat doe je in de hoofdstad van ons land?'
'Zo weinig mogelijk. Ik ben lobbyist geweest, maar ik heb mijn praktijk verkocht, en nu wil ik wat meer van de wereld zien dan Capitol Hill.'
'Heb je een gezin?'
'Laat me even de trotse vader spelen.' Hij haalde zijn portefeuille tevoorschijn en gaf haar de foto van een jongen en een meisje. Frank had hem die foto gegeven. 'Michael en Alli. Ze zijn thuis, in de VS.'
Ze gaf de foto terug. 'Mooi. Dus je vrouw is niet bij je?'
'We zijn gescheiden.' Hij stopte de foto in de zak van zijn overhemd. 'Die foto is een beetje oud. Het zijn nu tieners.'
'Dan moet je er vroeg bij zijn geweest, want zo oud zie je er niet uit.'
'Blijf wijn drinken. Ik hou wel van het beeld dat je daardoor van me krijgt. En jij? Wat is jouw verhaal?'
'Dat is niet zo opwindend. Mijn vader heeft ontzaglijk veel geld verdiend. Mijn moeder en hij zijn te vroeg gestorven en ik was enig kind.'
'Dat is triest. Het geld kan dat vast niet compenseren.'
'Dat had ik niet verwacht, en het is ook niet zo. Ik was nog jong toen ze overleden, maar ik mis ze nog steeds.'
'Dat kan ik me voorstellen.'
'Maar het leven gaat door.' Ze staarde even voor zich uit en keek hem toen weer met een vaag glimlachje aan. 'Ik ben rijk en ik hou ervan om te reizen en nieuwe plaatsen te zien. Het is hier zo mooi. Hoe lang ben jij hier al?'
'Een paar dagen.'
'En hierna?'
'Italië en Griekenland. Maar ik neem de tijd. Mijn hele leven is volgens een strak plan verlopen. Ik ben nu zo'n beetje aan het improviseren.'
'Waar verblijf je hier?'
Shaw verschoof ongemakkelijk op zijn stoel. 'Nou, misschien bestaat er toch zoiets als vrijpostigheid.'
Ze kreeg een kleur. 'Oké, dat had ik verdiend. Ik stel vaak te veel vragen en vertel te veel over mezelf aan volslagen vreemden.'
'Dat spreek ik niet tegen. Ik zou maar niet rondbazuinen dat je rijk bent. Er zijn te veel schurken die misbruik van die informatie zouden maken.'
Ze keek alsof ze een standje had gekregen. 'Ja, daar heb je wel gelijk in.'
'Waarom ben je alleen? Heb je geen vrienden die met je op reis willen? Je reist vast wel in stijl.'
'Vrienden hebben banen. Dat is het nadeel als je niet hoeft te werken voor de kost.'

'Ik denk dat de meeste mensen daar wel mee zouden kunnen leven,' zei hij vriendelijk.
'Nou, wíj kunnen samen ergens heen gaan.'
'Je kent me niet eens.'
'Natuurlijk wel. Je bent, eh...'
'Bill,' hielp hij haar.
Ze gaf speels een por tegen zijn arm. 'Uit Washington. Ex-lobbyist, gescheiden, twee mooie tienerkinderen. Zie je wel? Zo slecht is mijn geheugen niet.'
'Oké, Jane...'
'Mijn vrienden zeggen Janie.'
'Goed, Janie, je kunt beter rustig aan doen met mensen.'
Schaapachtig zei ze: 'Ik ben bijna dertig. Je zou toch denken dat ik die les al had geleerd.'
'Sommige mensen leren het nooit.'
'Nou, waar heb je Frans leren spreken?'
'Hoe weet je dat ik dat echt kan? Met de weinige woorden die ik heb gezegd zou ik nou niet bepaald een baan bij de VN kunnen krijgen. Jouw Frans klonk tamelijk authentiek. Waar heb je het geleerd?'
'Ik heb een intensieve cursus van zes maanden gevolgd voordat ik hierheen ging. Het is verbijsterend wat je allemaal op een dag kunt doen als je geen baan hebt.'
Shaw pakte zijn glas wijn en liet het tegen het hare klinken. 'Ik verheug me erop dat te ontdekken.'
Hun bestelling kwam, en tijdens het eten bleven ze praten. Ze deelden de rekening en betaalden contant. Na afloop liepen ze over straat. De meeste winkels waren om deze tijd gesloten, maar de warme bries was aangenaam, er liepen veel mensen te wandelen net als zij, en er kwam muziek uit een café halverwege het dorp.
Ze keek naar hem op. 'Hoe lang ben je?'
'Ongeveer een meter vijfennegentig.'
'Je moet wel de langste lobbyist in Washington zijn geweest.'
'Nee, ze laten daar ook ex-profbasketballers naar dollars hengelen. Een van hen is twee meter tien. Die arme kerel moet bukken als hij door een deuropening loopt om bij iemand te gaan bedelen.'
'Nou, ik ga deze kant op,' zei ze.
Shaw wees met zijn vinger over zijn schouder. 'Ik ga die kant op.'
'Misschien komen we elkaar nog eens tegen.'
'In zo'n klein plaatsje is die kans groot.'
Ze glimlachte. 'De volgende keer ben ik veel terughoudender.'
Hij beantwoordde de glimlach. 'En dan ben ik minder kritisch.'
Reggie Campion liep meteen naar haar villa terug, waar ze een telefoongesprek

voerde. Ze vertelde professor Mallory over haar ontmoeting met Shaw en gaf hem een gedetailleerd signalement van de man. 'Zoek zo veel mogelijk over hem uit. Er is iets met hem aan de hand.'
'Goed, Regina. Maar misschien is het niets.'
'Of misschien is het alles. Ik ga op mijn intuïtie af. Nog nieuws over Waller?'
'Alles volgens schema.'
'Dan weet ik wat me te doen staat als deze nieuwe ontwikkeling op niets uitloopt. Weet u zeker dat mijn dekmantel helemaal waterdicht is?'
'Al een tijdje. Een van onze weldoeners bezit een technologiebedrijf met programma's op topniveau en heeft toegang tot een heleboel essentiële databases. Hij laat ons door een achterdeur binnen en dan kunnen we alles doen wat we willen. De informatie die jij in je geheugen hebt geprent is ook te vinden op alle plaatsen waar iemand zou kunnen kijken. De Amerikaanse burgerlijke stand, een sofinummer, bankrekeningen, schoolopleidingen, studie, voorgeschiedenis van ouders. O ja, wat vond je van je Facebook-pagina?'
'Schitterend. Leuke vrienden heb ik. En ik moet zeggen, professor, dat u meer van computers weet dan u laat blijken.'
'Ik ben gewoon een oude sufferd die herhaalt wat hem is verteld.'
'Als u het zegt.'
'Werk je niet over de kop.'
'Dat is de enige manier waarop ik in leven kan blijven.'

Op nog geen kilometer afstand zat Shaw op zijn bed en haalde een mooi stel vingerafdrukken van de speciale coating op de foto van zijn zogenaamde kinderen die hij aan 'Janie' had gegeven. Hij scande ze met een handheld computerapparaatje in, e-mailde ze naar Frank en belde hem toen op.
'Klinkt als een lekker ding,' zei Frank toen Shaw hem op de hoogte had gesteld.
'Ik heb liever niet dat er "lekkere dingen" opduiken als ik een karwei te doen heb, zeker niet als ze de villa naast mijn doelwit hebben gehuurd. En ze heeft ook naar Wallers villa geïnformeerd.'
'Maar als ik jou zo hoor, is ze een dom blondje.'
'Dat weten we niet zeker. Het kan komedie zijn.'
'Ik heb je al verteld dat uit ons onderzoek niets naar voren is gekomen. Begin je paranoïde te worden?'
'Nee, Frank, dat ben ik al een hele tijd.'

•21•

'Geloof jij in God?' vroeg Waller aan Alan Rice. De twee mannen hadden zojuist na een lange vlucht Wallers privétoestel verlaten en werden nu door een gehuurde Escalade naar een bespreking gereden. Rice hield zijn blik op zijn laptopscherm gericht, waar cijfers overheen vlogen. Als hij verrast werd door de vraag van zijn werkgever, liet hij dat niet blijken. 'Eigenlijk heb ik daar niet meer aan gedacht sinds ik een kind was.'

Waller keek geïnteresseerd. 'En als je er nu over nadacht?'

'Dan zou ik aan de kant komen te staan die zegt dat je je maar beter kunt indekken, al moet ik toegeven dat ik dat niet erg goed heb gedaan.'

Waller keek teleurgesteld. 'O ja?'

'Maar dan wel met dit voorbehoud dat je er zelf aan moet werken om in dit leven te krijgen wat je wilt. Je komt er niet als je alleen bidt tot iemand die je niet kunt zien.'

Dat antwoord viel blijkbaar wel bij Waller in de smaak.

'Ik neem aan dat jij geen praktiserend gelovige bent, Evan?'

'Integendeel. Ik bid elke ochtend en avond en ga elke week naar de kerk. Ik geloof met heel mijn hart in God, net als mijn moeder, en haar moeder. De Fransen houden van het goede leven, maar ze nemen hun geloof erg serieus, weet je.'

'Maar ik begrijp niet...'

Waller maakte een gebaar. 'Ik veroordeel anderen niet omdat ze ongelovig zijn of, zoals jij het zegt, zich indekken. Op een gegeven moment komen ze tegenover God te staan.' Hij keek Alan aan. 'Jíj komt op een gegeven moment ook tegenover God te staan.'

Rice keek vlug weer naar het computerscherm, voordat hem de verkeerde woorden over de lippen kwamen of zijn gezicht hem verried. *Jij krijgt ook met God te maken. En dan zal het je vast niet redden dat je twee keer per dag bidt en naar de kerk gaat.* Die woorden zouden hem zijn leven hebben gekost. 'En vanavond?' drong hij aan.

Waller knikte langzaam en maakte het raampje een beetje open om frisse lucht binnen te laten. 'Het is een andere religie. De mannen die we ontmoeten, geloven dat de mensen die ze bij hun leven doden hen zullen dienen als ze dood zijn. Ze geloven ook dat er maagden op hen wachten in het paradijs. Het verbaast me dat niet meer mannen zich alleen al om die reden tot de islam hebben bekeerd.'

'Misschien zouden ze dat doen als hun vrouw er geen stokje voor stak.'

'Alan, je bent vanavond in vorm.'

Rice ging ernstig verder: 'Dit is voor jou iets nieuws. Zakendoen met islamitische terroristen?'
'Heb jij niet genoeg van Aziatische hoeren? Hoeveel *units* zijn er nodig om het kruis van de mannelijke westerse beschaving te vullen?'
'Blijkbaar meer dan wij kunnen aanslepen. Maar de inkomsten zijn groot en regelmatig. Het is de geldbron van al onze andere activiteiten.'
'Een man heeft behoefte aan nieuwe uitdagingen.'
'Maar hoogverrijkt uranium? Om een kernbom te maken? Die kan net zo goed afgaan in Montréal als in New York. Ze kunnen vast niet goed mikken.'
'De wereld moet een beetje wakker worden geschud. Alles is te gezapig. Te voorspelbaar. De mensen aan de top zitten daar al zo lang. Misschien te lang.'
'Ik wist niet dat jij je voor geopolitiek interesseerde.'
'Er is wel meer wat je niet van me weet. Maar ik denk dat we er zijn.'
Rice keek uit het raam en zag het gebouw in zicht komen. De vlucht met het privévliegtuig had een hele tijd geduurd en de laatste twintig minuten waren nogal onrustig verlopen, want ze waren in de staart van een voorbijtrekkende onweersbui terechtgekomen. Daarna had de rit van vijftig kilometer door een landelijke omgeving zijn maag niet bepaald tot rust gebracht. En de mensen die ze zouden ontmoeten, brachten om een heel andere reden zijn maag nog meer in beroering. Zijn baas had natuurlijk geen last van het slechte weer gehad, en blijkbaar ook niet van de bijeenkomst waar ze heen gingen.
Iedereen die op zoek was naar onderdelen om een kernwapen te maken en daarmee zo veel mogelijk mensen te doden, was natuurlijk krankzinnig. Rice wilde wel toegeven dat zijn werkgever op zijn minst gedeeltelijk krankzinnig was, maar hij had met de man leren omgaan. De mensen van vanavond waren een heel andere zaak. Hij wenste dat Waller er niet op had gestaan dat hij meeging.
Toen hij had geprobeerd het verzoek van de hand te wijzen, had Waller, zoals te verwachten was, bot gereageerd. 'De rechterhand kan zijn ontmoetingen niet uitkiezen. En iemand die bang is, kan geen rechterhand zijn. Gelukkig voor jou heb ik geen behoefte aan enig ander lichaamsdeel van jou, Alan.'
Hij had die woorden voor de grap gezegd, maar de toon was niet grappig geweest. En dus was Rice in het vliegtuig gestapt en was hij door een groot aantal tijdzones gevlogen om over de dood van duizenden mensen te onderhandelen.
'Hoe wil je de bespreking beginnen?' vroeg Rice hem.
'We groeten en glimlachen. Als ze willen dat we eten en drinken, doen we dat. En dan gaan we onderhandelen. O ja, laat ze niet de onderkant van je schoen zien. Dat is een grote belediging.'
'Moet ik verder nog iets weten?'

'Ja, het allerbelangrijkste.'
Rice keek hem afwachtend aan.
'Als het nodig is om te vluchten, doe dat dan zo snel mogelijk.'
Rice keek geschokt. 'Zal dat nodig zijn, denk je?'
'Ik weet het niet. Maar één ding weet ik wel: ik vertrouw geen woestijnmannen in *hattahs* die de wereld willen opblazen.'
'Wat doen we hier dan?'
'Ik zei toch dat een man behoefte heeft aan uitdagingen?'
'Denk je echt dat we misschien moeten vluchten?'
'Misschien. Zo ja, zorg er dan voor dat ik voor je ben.'
'En als je dat niet bent?'
'Dan schiet ik je neer en ren ik over je lijk heen.'

•22•

Het was een groot, modern huis, kilometers bij het dichtstbijzijnde andere huis vandaan. Ze werden bij het hek opgewacht door een man in een donker Brits maatkostuum en met een tulband op. Hij fouilleerde Waller en Rice, en Wallers pistool werd in beslag genomen. 'Dat is een speciaal gemaakte Heckler & Koch 9mm,' zei hij tegen de Arabier. 'Ik verwacht hem in dezelfde maagdelijke conditie terug.'

De man liet niet blijken of hij dat verstond.

'En mijn mannen?' Waller wees achter zich naar de zes potige kerels die hun pistolen bij zich hadden gehouden. Hij had de vraag gesteld, maar meende het antwoord wel te kennen. In gebrekkig Engels zei de Arabier dat ze gerust naar binnen mochten gaan en hun wapens mochten houden. Waller fronste zijn wenkbrauwen toen hij dat hoorde, maar zei niets.

Rice keek op naar het donkere huis. 'Het ziet er niet uit alsof er iemand thuis is,' zei hij hoopvol.

Terwijl ze over het pad liepen, zei Waller: 'O, ze zijn thuis. We zijn vast zeer welkom.'

'Waarom klink je alsof je daar niet zeker van bent?'

'Ik ben er zeker van. Je zult wel last van je zenuwen hebben.'

'Hoe zou dat toch komen?' mompelde de andere man.

Binnen was de verlichting zo zwak dat Rice moest turen om dingen in de verste hoeken van de grote kamers te kunnen onderscheiden. Waller en Rice volgden de man met de tulband dieper het huis in en werden op hun beurt gevolgd door de lijfwachten.

De man bleef bij een grote dubbele deur staan die zo te zien van roestvrij staal was. Hij deed hem open en gaf de anderen een teken dat ze konden doorlopen. Toen ze in de kamer kwamen, zagen ze in het midden een man aan een ronde tafel zitten. De kamer werd alleen verlicht door een lamp boven de tafel. De man droeg een wijd gewaad dat in de moslimwereld een *thobe* wordt genoemd. Hij was tamelijk gezet, al had hij een smal gezicht. Zijn baard was kortgeknipt en hij droeg niets op zijn hoofd.

'Gaat u zitten,' zei hij, en hij wees naar de stoelen die om de tafel heen stonden.

Waller keek eerst rustig de kamer rond. Hij zocht tactische posities en maakte zijn mannen met gebaren duidelijk waar ze moesten gaan staan. Toen liet hij zich in een stoel zakken en keek de man aandachtig aan.

'Ik verwachtte meer mensen,' zei hij.
'Ik ben gemachtigd,' zei de man in duidelijk Engels.
Waller zag het laagje zweet op zijn gezicht. Hij zag ook dat de man zijn blik door de kamer liet gaan. Toen schrok de Arabier blijkbaar op uit zijn gedachten en richtte hij zijn aandacht weer op Waller en Rice.
'HVU,' zei de man.
'Hoogverrijkt uranium,' zei Waller.
'Hoe kunt u eraan komen?'
Waller keek verbaasd. 'Dat is al uitgelegd.'
'Legt u het nog eens uit.'
'In 1993 is tussen Rusland en de Verenigde Staten de HEU Purchase Agreement gesloten,' begon Waller met monotone stem, alsof hij een lezing gaf. 'Die overeenkomst stelt de Russen in staat hun voorraad nucleaire wapens te ontmantelen, het uranium te reduceren tot een vorm die in kernreactors en voor andere niet-militaire processen kan worden gebruikt. Ik kan u vervelen met termen als uraniumhexafluoride, verarmd uranium, downblending en dergelijke, maar het komt erop neer dat de Russen vijfhonderd ton HVU hadden die ze aan de Amerikanen wilden verkopen. Tot nu toe hebben de Amerikanen ongeveer vierhonderd ton ontvangen, gemiddeld dertig ton per jaar. Er wordt door beide kanten toezicht gehouden op het hele proces, met uitzondering van de ontmanteling en scheiding van de HVU-wapencomponent van de rest van het kernwapen. Die eerste stap wordt aan de Russen overgelaten. Daardoor zien sommige mensen met contacten binnen dit proces kans een beetje nucleair goud te bemachtigen.'
'En u hebt zulke contacten?' vroeg de man.
Opnieuw keek Waller verbaasd. 'Als ik ze niet had, zou ik hier niet proberen u het materiaal te verkopen.' Hij hield zijn mobiele telefoon omhoog. 'Eén telefoontje is genoeg om te bevestigen dat ik die contacten heb.'
'Over hoeveel hebben we het?'
'Bedoelt u de wapens of de hoeveelheid HVU?'
'HVU.'
Waller zag dat de man zijn vingers een beetje te hard over elkaar wreef. Hij zag Waller daarnaar kijken en de hand verdween onder de tafel.
'Vijfhonderd ton van het materiaal kan worden gebruikt om ongeveer dertigduizend kernkoppen te bewapenen. Zoveel hadden de Russen er ongeveer op het hoogtepunt van de Koude Oorlog. Mijn contactpersonen kunnen me aan negentig kilo HVU helpen. Dat is genoeg voor twee kernkoppen waarmee een grote stad kan worden verwoest. Het kan ook worden gebruikt om kleinere geïmproviseerde bommen te maken die tegen een groter aantal verschillende doelen kunnen worden ingezet.'

'Het is dus erg waardevol?'
'Laten we het zo stellen: Iran geeft op dit moment miljarden dollars uit aan de fabrieken, technologie en processen om uiteindelijk te bereiken wat ik u vanavond te koop aanbied. Het enige op aarde wat misschien meer waarde heeft, is plutonium, maar dat is niet te krijgen.'
De moslim boog zich abrupt naar voren. 'Wat is de prijs?'
Waller keek eerst Rice en toen de man weer aan. 'En u zegt dat u gemachtigd bent om tot overeenstemming te komen?'
'Om u te parafraseren: anders zou ik hier niet zitten.'
'En wat is uw naam?'
'Die is niet belangrijk. De prijs?'
'Tweehonderd miljoen Britse ponden, overgemaakt naar mijn bankrekening.'
Waller wilde nog iets anders zeggen, maar de man zei: 'Akkoord.'
Waller keek naar de borst van de moslim en snoof toen de lucht op. Hij liet zijn mobiele telefoon vallen en bukte zich om hem op te rapen. Meteen daarop viel Rice achterover doordat Waller de tafel optilde en tegen de moslim aan duwde. Hij greep Rice' arm en schreeuwde tegen zijn mannen: 'Rennen!'
Het volgende moment werd Rice door een raam gegooid. Zijn been bleef haken achter een scherp stuk glas, dat zijn broek scheurde en in zijn dij sneed. Er kwam iets op Rice terecht dat de lucht uit zijn longen pompte. Toen werd hij overeind getrokken en meegesleurd. Hij haalde moeizaam adem en zijn gewonde been bloedde hevig.
De schok van het exploderende huis gooide hem ondersteboven. Het regende brokstukken en tegelijkertijd voelde hij dat Waller boven op hem terechtkwam; de oudere man haalde hijgend adem. Zodra er geen planken, bakstenen, stukken glas en meubelen meer naar beneden kwamen, gingen Waller en Rice langzaam rechtop zitten.
'Wat was dat nou?' begon Rice, terwijl hij zijn gewonde been vastgreep.
Waller stond op en klopte zijn kleren af. 'Die idioot was een zelfmoordterrorist met een bom.'
'Hoe wist je dat?'
'Zo'n thobe moet wijd zitten, en zijn kleren waren te strak omdat dynamietstaven nu eenmaal veel ruimte innemen. Zijn ogen waren wazig en hij keek ons aan en tegelijk ook niet. Hij hield iets verborgen en wij mensen zijn geneigd te denken dat als je niet naar iemand kijkt hij jou ook niet kan zien. Honden hebben datzelfde instinct.'
'Wazige ogen?'
'Hij was waarschijnlijk gedrogeerd om zijn missie te kunnen uitvoeren, want wie wil er nou zichzelf opblazen, zelfs als er maagden in het paradijs op je wachten? En dan was er de geur.'

'Geur?'
'Dynamiet zit verpakt in houten staven die in water zijn geweekt. Het heeft een heel aparte geur. En ik ving ook een zweem van metaal op. Waarschijnlijk granaatkogels in een canvaspak om zijn buik. Die zorgen voor maximale schade in het middelpunt van de explosie. Ik liet mijn telefoon vallen om onder de tafel te kunnen kijken. Hij had een tas naast zich staan. Daar zat de batterij in, met draden naar de springstof die als detonator fungeerde voor de bommen die om zijn lichaam genaaid zaten. Genaaid zodat hij ze niet gemakkelijk kon weghalen. Daarom had hij zijn hand onder de tafel: om de detonator vast te houden. En de man stond niet op om ons te begroeten. Heel vreemd voor een moslim. Dynamietpakken zijn zwaar, en waarschijnlijk was hij bang dat wij iets verdachts zouden zien als hij achter de tafel vandaan kwam.' Waller haalde zijn schouders op. 'Ik had het veel eerder moeten zien. Laten we nu eens naar je been kijken.'
Hij hurkte neer, scheurde Rice' broekspijp open en bekeek de wond nog eens goed. 'Sorry dat ik je door dat raam moest duwen.'
'Allemachtig, Evan, je hebt mijn leven gered.'
'Het bloedt, maar de wond is niet zo diep dat er een slagader is geraakt.'
'Weet je dat zeker?'
'Ja. Ik heb vaker zulke wonden gezien. Als het een slagaderlijke wond was, zou je niet bij bewustzijn zijn, want dan was je nu wel zo ongeveer leeggebloed.' Hij gebruikte repen van Rice' broek om een primitief verband aan te leggen. 'We zullen je zo gauw mogelijk naar een dokter brengen.'
Hij keek op toen hij een van zijn mannen naar hem toe zag strompelen. Hij liep vlug naar de man toe en pakte hem bij zijn arm.
'Pascal, ben je gewond?'
'Nee, alleen een klap tegen mijn kop gehad.'
Pascal was een Griek. Zijn huid was donker en zijn krullende haar was nog donkerder. Hij was een meter zeventig en pezig, met een onuitputtelijke energie. Hij kon de hele dag hardlopen, zuiver schieten, had stalen zenuwen, bewoog zich nooit snel als hij voorzichtig moest zijn en sneller dan iedereen als de situatie dat vereiste. Hij was de kleinste van Wallers mannen en ook de meest geharde. Omdat Pascal bij hem was gekomen toen hij nog maar tien jaar was, had Waller hem opgekweekt tot hij in de top van zijn beveiligingsketen stond. Pascal had niet het brein om de zaken zelf te leiden, niet zoals Alan Rice of hij dat wel had. Toch was de man van onschatbare waarde voor Wallers beveiliging. 'En de anderen?'
'Tanner en Dimitri zijn dood. Dimitri's hoofd is weggeslagen. Het kwam in een bloempot terecht. De andere jongens hebben alleen maar bulten en blauwe plekken. De explosie heeft wel een van de wagens verwoest.'
Waller keek naar de rokerige massa bij de voordeur. De Escalade had de klap opgevangen voor de andere wagens. Links van hen waren kreten te horen en

Waller en Pascal renden in die richting. Er kwamen drie mensen uit het donker tevoorschijn; twee van hen vochten met de derde.
Voordat Waller en Pascal bij hen aangekomen waren, hadden de twee eindelijk gewonnen. De gevangene was de man in het mooie pak die hen het huis in had geleid.
'Die schoft probeerde weg te komen, meneer Waller,' zei een van de mannen, die de armen van de gevangene achter zijn rug hield.
Waller stak zijn hand uit en greep de man met de tulband bij zijn keel vast.
'Wilt u dat ik hem doodschiet, meneer Waller?' vroeg Pascal.
'Nee, nee, Pascal. Ik moet eerst met hem praten.'
Waller keek in de ogen van de man. 'Jij bent een kleine vis. De man die zichzelf opblies was ook een kleine vis, die je teruggooit omdat hij niet de moeite waard is. Maar jij bent wél de moeite waard. Ik moet weten wie hier opdracht voor heeft gegeven. Begrijp je me?'
De man schudde zijn hoofd en praatte snel in zijn moedertaal.
Waller gaf hem antwoord in zijn moedertaal. Hij keek tevreden naar de schrik in de ogen van de man en gaf zijn mannen toen opdracht de lijken van Tanner en Dimitri te bergen.
'Nog één ding,' zei Waller. Hij greep in het jasje van de gevangene en haalde er zijn eigen speciaal gemaakte 9mm-pistool uit dat eerder geconfisqueerd was. 'Ik ben bijzonder op dit wapen gesteld. Dat gaat zelfs zo ver dat ik het ga gebruiken om je dood te schieten als je me alles hebt verteld wat ik moet weten.'

Toen ze naar het vliegveld terugreden, zat Waller naast Rice. 'Op het vliegveld staat een arts klaar om je been te behandelen,' zei hij.
'Waarom zouden ze ons hier uitnodigen en dan proberen ons de lucht in te laten vliegen?'
'Ik weet nog niet waarom. Maar ik kom er wel achter en dan sla ik twee keer zo hard terug.'
Rice schudde zijn hoofd en liet een hol lachje horen. Waller keek hem even aan.
'Wat is er?'
'Ik bedacht net dat je na dit alles echt behoefte zult hebben aan die vakantie in de Provence.'

•23•

Shaw strekte zich uit op de platte rots helemaal aan het eind van Gordes en keek op zijn horloge. Het was een uur 's nachts. De hele dag door kwamen er touringcars met toeristen, die uitstapten op de plaats waar Shaw nu uitgestrekt lag en hun digitale foto's maakten van het adembenemende uitzicht. Shaw was hier ook vanwege het uitzicht, alleen ging zijn aandacht uit naar de twee villa's, die van Waller en die van Janie Collins. Zijn elektronische nachtkijker veranderde massieve voorwerpen, zoals mensen, auto's en potplanten, in figuren met versterkte contouren en veel waarneembare eigenschappen, terwijl de achtergrond in een soort vloeibaar groen veranderde. Er brandde één lamp in het huis van de vrouw, terwijl Wallers huis donker was. Dat was niet zo vreemd, want de man was er nog niet.

Hij had Janie Collins de laatste twee dagen niet meer gezien, maar zijn belangstelling voor haar was alleen maar groter geworden. Shaw bewoog zijn bovenlijf een beetje om minder last te hebben van de scherpe rots die zich in zijn schouder boorde. Toen er beneden iets bewoog, was hij meteen weer alert. Hij richtte zijn kijker en zag haar uit het licht in de duisternis komen, een duisternis die zijn kijker met benijdenswaardige helderheid in beeld kon krijgen. Janie was op blote voeten en droeg een nachthemd. Toen ze het liet afglijden, zag hij dat ze er een badpak onder droeg. Ze zette een duikbril op, bond haar haar in een staart en dook het zwembad in. Ze gleed soepel door het wateroppervlak.

Met krachtige slagen vloog ze door het water. Ze kwam aan de overkant, keerde door achterwaarts te duikelen en zwom terug. Na vijf baantjes wist Shaw dat ze haar slagen telde. Er was weinig licht, want er stond geen maan en het licht van het huis raakte onderweg naar het zwembad al zijn kracht kwijt, en daarom kon ze niet aan de wanden van het zwembad zien op welk moment ze moest keren. Na dertig baantjes zwom ze nog even snel. Shaw moest steeds in zijn ogen wrijven, want haar systematische bewegingen hadden een hypnotiserende uitwerking op hem, alsof hij naar een metronoom keek die heen en weer ging. Toen het licht in de andere villa aanging, richtte Shaw zijn kijker daarop. Er kwam een man in zicht en Shaw zag dat het niet Waller was. Hij kon de contouren niet heel duidelijk zien, maar de man was zonder meer groter en sterker dan de Canadees. Shaw vermoedde dat het een lid van een beveiligingsteam was. Zoals Shaw eerder aan Frank had voorspeld, zouden Wallers mannen het huis doorzoeken en daarna afsluiten. Waarschijnlijk posteerden ze ook schildwachten langs de rand van het terrein, totdat de baas er was. De geheime dienst

van de Verenigde Staten werkte volgens hetzelfde protocol.
Shaw zag dat de stevig gebouwde man, die helemaal in het zwart gekleed was, het terrein rondom het huis vakkundig doorzocht en zijn pistool in de aanslag hield en op donkere hoeken richtte. Shaw zag de man een plotselinge beweging maken en over zijn schouder kijken. Binnen enkele seconden was hij langs het zwembad in Wallers achtertuin gelopen en tegen de scheidingsmuur tussen de twee percelen geklommen om eroverheen te kijken.
Shaw richtte zijn kijker weer op Janie. Ze was klaar met zwemmen en liep de treden van het zwembad op. Terwijl hij naar haar bleef kijken, trok ze haar natte badpak uit en liet het op de tegels naast het zwembad vallen. Ze pakte de handdoek op en droogde zich af voordat ze hem om zich heen sloeg. Shaw keek nu naar de man op de muur. Ondanks alle elektronica kon hij het gezicht van de man niet goed zien, maar hij nam aan dat hij blij was met dat vertoon van vrouwelijke naaktheid. Hij was er zeker van dat de man dit sappige stukje informatie aan Waller zou doorgeven. Misschien had Janie zonder het te weten een grote fout gemaakt.
Een uur later werd Wallers villa donker en richtte Shaw zijn nachtkijker weer op Janies huis. Hij verstijfde een beetje. In de donkerste hoek, bij een nis waarin zelfs zijn kijker niet kon doordringen, meende hij beweging te zien. Was het Janie? Of was een van Wallers mannen vanuit de andere richting bij haar in de tuin gekomen terwijl Shaw zich op de villa ernaast concentreerde?
Shaw dacht koortsachtig na. Had de vrouw de schuifdeur aan de achterkant wel op slot gedaan? Shaw dacht dat ze dat waarschijnlijk niet had gedaan. Ze was te goed van vertrouwen, verstrekte te gemakkelijk persoonlijke informatie. Voorlopig vergat hij de vage achterdocht die hij tegen haar koesterde. Waarschijnlijk was ze gewoon een jonge, naïeve erfgename die vakantie hield naast een psychopaat die jonge vrouwen als seksslavinnen verkocht.
Shaw sprong overeind en begon te rennen. Hij had rondgereden op een Vespa, maar het gierende geluid van de kleine motor zou hem op dit tijdstip weleens in de problemen kunnen brengen. Daarom rende hij over de lege keisteenstraten van Gordes, langs het dorpsplein, door een steegje naast de kerk, een straatje door en de zoveelste eeuwenoude stenen trap af om nog meer af te snijden. Hij kwam langs een amfitheater waar 's zomers concerten werden gegeven, sprong over een laatste stenen trap en was de twee villa's nu tot op tien meter genaderd. Hij keek langs een steenmassa die uit de verder steile rotswand naar buiten stak. Janies villa was rechts van hem en die van Waller links.
Er stond een zilverkleurige Citroën op het kleine parkeerterrein voor Wallers villa. Bij Janies deur stond haar kleine tweedeurs rode Renault, waarvan de achterklep nog geen halve meter achter het voorportier zat. Shaw zag dat de Renault leeg was, maar de Citroën niet. Er zaten twee mannen voorin, van wie

een waarschijnlijk de man was die hij op verkenning had zien gaan, maar dat zou hij niet met zekerheid kunnen zeggen. Hij vermoedde dat er een blinde hoek in hun gezichtsveld zat. Hij liep langzaam door over het pad om na te gaan of zijn veronderstelling juist was. De twee schildwachten bewogen niet. Shaw ging een hoek om en bevond zich nu op een punt vanwaar hij in Janies achtertuin kon komen.

De muur was bijna twee meter hoog, maar in tegenstelling tot de scheidsmuur tussen de twee villa's waren er langwerpige stenen in de bovenrand gemetseld, zodat er nog eens bijna een halve meter bij kwam. Dat was waarschijnlijk gedaan omdat deze muur naast een openbaar voetpad stond. Het maakte het onmogelijk om over de muur te kijken en pijnlijk om eroverheen te klimmen. Shaw merkte dat toen hij zijn eerste poging deed de muur te beklimmen. Hij liet los, sprong weer terug op de straat, trok zijn jasje uit, bedekte zijn geschaafde handen ermee en probeerde het opnieuw. Binnen enkele seconden was hij over de muur en liet hij zich aan de andere kant geluidloos in het zachte gras vallen. Hij hurkte neer en oriënteerde zich. Hij stond in de zijtuin, met klimrozen en weelderige bougainville in de border. Om bij het zwembad te komen zou hij een tegeltrapje rechts van hem moeten beklimmen. Hij trok zijn jasje weer aan en liet zijn kleine nachtkijker in een van de zakken glijden.

Hij deed zijn best er niet aan te denken wat Frank zou zeggen als hij Shaw nu kon zien. Door hier te zijn bracht Shaw de hele missie in gevaar. Dat wist hij. Toch wist hij ook dat hij niet van plan was een van Wallers ingehuurde gangsters vrij spel te geven met die jonge vrouw. Hij stak het gazon over en liep de trap op.

Shaw voelde de loop van het pistool tegen zijn hoofd en hoorde een fractie van een seconde later de klik van de haan die werd gespannen.

•24•

Dat was de eerste fout. De persoon was te dichtbij, op niet meer dan enkele centimeters afstand, en had dus niet de ruimte om een tegenaanval te pareren. Ten tweede beging de persoon de fout de trekker niet over te halen om Shaw te doden. Shaw stak zijn duim achter de trekker, zodat er niet meer geschoten kon worden. Zijn vier vingers sloten zich om de loop en trokken hem omlaag. Ten slotte beging de persoon de fout het pistool niet los te laten. Shaw gaf een harde ruk, boog zijn lichaam naar voren, en de figuur vloog over hem heen en landde met een dreun in het gras. Hij trok het pistool weg, ging schrijlings op het lichaam zitten en richtte het wapen op het hoofd van de persoon.

'Janie?'

Ze lag onder hem, haar katoenen ochtendjas scheef en haar haren voor haar gezicht. Ze haalde diep adem, waarschijnlijk nog niet bekomen van de klap tegen de grond. Voor zover hij kon zien, droeg ze tennisschoenen, de ochtendjas en verder niet veel.

Ze pompte haar knie in zijn linkernier en joeg daarmee een verzengende pijn door zijn rug omhoog. Hij viel opzij en bleef voorovergebogen in het gras naast haar liggen. Ze kwamen alle twee langzaam overeind, wrijvend over hun bulten en pijnlijke plekken. Shaw had het pistool nog in zijn hand.

'Wat doe jij hier nou?' wilde ze weten. Ze keek van het pistool naar zijn gezicht.

'Ik zag licht branden in de villa hiernaast. Toen dacht ik dat ik iemand over de muur naar jouw tuin zag klimmen.'

Ze keek om zich heen. 'Waar was je toen je dat alles zag?'

Shaw wees naar de rotsen. 'Ik maakte een wandelingetje. Van daarboven is je villa goed te zien.'

'Hoe wist je dat ik deze villa had?' vroeg ze op scherpe toon.

Hij keek schaapachtig. 'Oké, ik beken. Ik volgde je naar huis op de avond dat we met elkaar hadden gegeten – maar alleen om er zeker van te zijn dat je veilig thuiskwam. Je weet wel, een rijke, alleenreizende vrouw. Ik maakte me zorgen.' Hij hield het pistool omhoog. 'Het verbaast me een beetje dat je zo'n ding hebt.'

'Zoals je al zei: ik ben rijk en reis alleen. En ik heb er een vergunning voor.'

'O ja?' Hij gaf het aan haar terug. 'Ik dacht dat Frankrijk nogal streng was als het op vuurwapens aankomt.'

'Geld lost veel problemen op,' zei ze koeltjes.

Hij wreef over zijn rug. 'Laat me eens raden. Je hebt niet alleen een intensieve talencursus gevolgd, maar had ook nog tijd om aan vechtsport te doen.'
Ze streek over het pistool, zette toen de haan terug en stopte het wapen in de zak van haar ochtendjas, waarvan ze de ceintuur stevig dichttrok. 'Ik hoorde iets in de achtertuin, maar ik zag niemand over de muur komen. Nou ja, behalve jou dan.'
'Maar je moet hebben gezien dat hiernaast het licht aanging. En er staat een busje voor het huis met twee mannen erin.'
Ze keek naar de muur tussen de twee villa's. 'Misschien wel. Ik... ik weet het niet zeker.' Ze keek hem weer aan. 'Dus je kunt mijn villa zien vanaf de rotsen?'
'Ja. Daar komen elke dag bussen met toeristen die foto's maken van de villa's, het dal en de bergen.' Om de een of andere reden voelde Shaw aan dat ze dat allemaal al wist. Dat wekte weer zijn argwaan, naast het feit dat ze een pistool had. 'Jouw zwembad is het enige wat zichtbaar is vanaf dat uitkijkpunt. Het zwembad hiernaast wordt grotendeels aan het oog onttrokken door een garage en een paar bomen.'
Ze keek naar het donkere water. 'Het zwembad?' Ze keek hem beschuldigend aan. 'Kon je me dan zien zwemmen? En daarna?'
Shaw aarzelde niet. 'Ik zag alleen die man. Daarom kwam ik naar beneden. Ik wilde er zeker van zijn dat jou niets overkwam. Ik zou gewoon hebben aangeklopt, maar nogmaals, er waren die kerels hiernaast en ik wist niet wat er aan de hand was. En het is één uur 's nachts.'
'Ja, dat is het. Het verbaast me dat je nog op bent.'
'Ja, ik was ook verbaasd toen ik jou zag. Ik denk dat ik de Amerikaanse tijd nog in mijn hoofd heb zitten. Weet je zeker dat je niemand hebt gezien?'
'Niemand, en de deuren zijn allemaal op slot.' Ze zweeg even. 'Ik wist niet dat lobbyisten zo goed waren in verdedigingsmanoeuvres en met pistolen.'
Shaw grinnikte. 'Ach, dat was puur geluk. Toen ik een loop tegen mijn hoofd voelde, ging ik min of meer door het lint. De vorige keer dat ik met een vuurwapen schoot, was ik dertien. Het was een jachtgeweer en de doelen waren blikjes die op een hekpaal vastzaten. Maar waar heb jij geleerd mensen zo goed te besluipen? Ik had je niet gehoord.'
Shaw had altijd gedacht dat niemand hem ongemerkt kon naderen.
'Ik ben op ballet geweest. Ik ben lichtvoetig.'
Toen ze verder niets zei, streek hij even over haar arm en zei: 'Ik ben blij dat je ongedeerd bent. Nu moest ik maar gaan.'
'Misschien kunnen we kijken of de mannen daar nog zijn,' zei ze, en ze draaide zich om naar de villa.
Shaw volgde haar zwijgend. Hij zag de grasvlek op de achterkant van haar och-

tendjas, waarop ze was neergekomen toen hij haar op de grond gooide. Het was donker in het huis en ze deed geen licht aan toen ze daar liepen, Shaw voorop. Hij merkte dat ze uitstekend in het donker kon zien. Ze kwamen in de voorkamer, waar Shaw de dubbele eiken buitendeur zag. De kamer had als plafond een tongewelf dat steunde op zichtbare gekromde houten binten, zoals in oudere Europese huizen wel vaker het geval was. De binnenmuren waren dik en gestuukt. Ze hielden de koelte of de warmte binnen, al naar gelang de behoefte. Het meubilair was eclectisch samengesteld, kostbaar en zo overvloedig dat de grote kamer een beetje vol leek, maar wel gezellig. Links van hem zag hij de kalkstenen wenteltrap die toegang gaf tot de vijf verdiepingen. Veel ruimte voor één persoon.
Ze kwamen dicht bij de deur en Reggie trok een gordijn van het raam naast de deuropening opzij. Shaw keek over haar schouder en slaakte een onhoorbare zucht van verlichting toen hij zag dat de Citroën er nog stond, met voorin de donkere silhouetten van de mannen, die dus ook nog aanwezig waren.
Ze sloot het gordijn, ging een stap achteruit en keek hem aan. 'Bedankt voor je goede zorgen, Bill.'
'Graag gedaan. Heb je enig idee wie die mannen zijn?'
Ze schudde haar hoofd. 'Misschien moeten we dit aan de politie melden.'
'Misschien wel,' zei Shaw. Hij was helemaal niet zoiets van plan en vermoedde dat zij de politie ook niet ging bellen. 'Nou, dan ga ik maar. Vind je het erg als ik op dezelfde manier vertrek als ik gekomen ben? Die kerels zien er niet zo vriendelijk uit.'
Ze knikte gedachteloos, haar blik nog op hem gericht. 'Je kunt vast wel goed op jezelf passen.'
Ze liep met hem mee naar de achterkant, waar hij zijn jasje als bescherming gebruikte toen hij zich weer op de muur hees. Toen hij even op de rand zat, zei ze: 'Misschien kunnen we binnenkort iets afspreken.'
'Goed. Na vanavond heb ik het gevoel dat we een band hebben.'
Ze glimlachte met enige moeite. 'Dat denk ik ook.'
'Zeg, ik ben van plan morgenvroeg om een uur of negen een croissantje met koffie te nemen bij de bakker in het dorp. Zullen we daar afspreken?'
Zodra hij over de muur was verdwenen, trok Reggie haar ochtendjas uit. Eronder droeg ze een donkere broek en een marineblauw topje. Ze wachtte even voordat ze de villa weer binnenliep en naar buiten ging door een deur op de begane grond die op het openbare pad uitkwam. Ze ontdekte dezelfde blinde hoek in het gezichtsveld van de mannen in de auto die Shaw ook had ontdekt, en volgde hem. Hij nam het kortste pad naar het dorp en liep door de stille, bochtige straatjes naar zijn hotel terug. Voor zover ze kon nagaan, merkte hij niet dat hij werd gevolgd.
Reggie volgde hem niet langer toen hij het hotel binnenging. Nu wist ze ten-

minste waar hij verbleef. Ze liep langzaam naar haar villa terug, met een wijde boog om de mannen in de auto heen, en ging naar binnen door dezelfde deur. Vervolgens pakte ze haar ochtendjas van de tafel waarop ze hem had laten vallen, haalde er voorzichtig het pistool uit en stopte het in een plastic zak. Bills vingerafdrukken zaten op de loop.
Nadat ze alle deuren op slot had gedaan, doorzocht ze het huis van boven tot beneden. Toen ze tevreden was, trok ze een lang T-shirt aan, stapte in bed en pakte de telefoon.
Whit nam bijna meteen op. Hij klonk niet slaperig. Dominic en hij zaten in een afgelegen huisje, amper vijftien kilometer bij haar vandaan. Ze vertelde hem wat er was gebeurd.
'Die kerel bevalt me niet,' zei Whit.
'Er waren inderdaad twee mannen hiernaast,' merkte ze op.
'Ja, maar je weet nog steeds niet waar hij op uit is. We kunnen er wel van uitgaan dat hij niet zo'n verrekte lobbyist uit de Verenigde Staten is. Dit kan de hele missie in gevaar brengen.'
'Ik kan me niet voorstellen dat hij voor Waller werkt, als je dat bedoelt. Dan had hij me de lijfwachten van de man niet aangewezen en niet tegen me gezegd dat die man naar me keek.'
'Als hij niet bij Waller hoort, wat is hij dan voor iemand?'
'Ik weet het niet. Ik heb zijn vingerafdrukken op mijn pistool, en dat stuur ik naar je toe. Misschien kunnen we er een naam bij vinden.'
'Oké, ik kan het morgen komen halen. Maar luister eens, Reg, het is al moeilijk genoeg om het tegen Kuchin op te nemen. We kunnen er geen onbekende factoren bij hebben.'
Ze legde de telefoon neer en trok het laken over zich heen. Maar ze kon niet slapen. Ze stond op, liep op blote voeten naar het raam, deed het open en keek naar buiten. Ze was op de bovenste verdieping van de villa, vanwaar ze een goed zicht op Gordes had. Daarboven was een lange man die haar had overmeesterd. Hij had haar kunnen doden, maar had dat niet gedaan. Ze had nooit iemand zo snel, zo soepel zien bewegen, Dominic niet en zelfs Whit niet. Zijzelf ook niet.
Wie was hij?
'Verdomme,' mompelde ze, en toen deed ze haar raam dicht en liet zich diep kreunend op het bed vallen. Deze complicatie was wel het laatste wat ze op dit moment kon gebruiken. Als dit nu eens tot gevolg had dat ze Kuchin niet te pakken kregen? Pas na een uur viel ze in slaap.

Shaw, in zijn kamer, had net met Frank gebeld en hem verteld wat er was gebeurd. Hij kleedde zich uit tot op zijn ondergoed, maar kon niet slapen. Als hij ging liggen, had hij soms moeite met ademhalen. Dat kwam door een lelijke aanval die nog niet zo lang geleden op zijn luchtpijp was gedaan door een zekere Caesar. Shaws spieren waren lang en pezig en hij was sterker dan hij eruitzag, maar de reus Caesar was nog veel sterker geweest. Gelukkig had Shaw in zijn gevecht met hem een beetje hulp kunnen putten uit onbekende bronnen. Liefde. Haat. Razernij. Maar vooral haat en razernij. Als gevolg daarvan was hij hier en Caesar niet.

Hij stond op en zette zijn raam open om frisse lucht binnen te laten. Zijn raam had geen zicht op de villa's beneden, maar hij wist nog precies hoe ze eruitzagen.

Wie was die vrouw en wat was de werkelijke reden van haar aanwezigheid hier? Misschien was ze gewoon degene die ze zei dat ze was. Ze was rijk en reisde alleen: het was niet zo vreemd dat ze een wapen had. En de zoektocht in de database naar haar vingerafdrukken had geen resultaat opgeleverd. Toen drong zich een beeld aan hem op dat hij niet van zich af kon zetten. Haar badpak ging uit en hij zag haar lange, gebruinde bovenlijf, dat overging in haar gladde, fraai gevormde naakte achterste. Er rolden enorme golven van schuldgevoel over hem heen. Hij stapte weer in bed en viel eindelijk in slaap.

•25•

Evan Waller deed zijn ogen dicht en ging twintig, dertig jaar in de tijd terug. Alles wat de legitieme Canadese zakenman bezat, alles wat was voortgekomen uit zijn criminele ondernemingen, viel weg, en in de plaats daarvan verscheen de ziel van de Oekraïener Fedir Kuchin, als een slang die zijn oude verbleekte huid afwierp en daar een nieuwe, soepele huid onder bleek te hebben. Zijn blik ging naar zijn blote arm, op zoek naar een plek om het te doen. Hij spande zijn biceps en verstrakte daarmee de rubberen band om zijn arm. De aderen in zijn onderarm zwollen op. Voor zijn geestesoog zag hij een tunnel van bloed, en hij stak de naald erin en drukte op de plunjer. De speciaal samengestelde cocktail vloeide in hem: steroïden, gezuiverde drugs, iets van zijn eigen duur gekochte elixer uit het Verre Oosten. Wat hij bij zichzelf inspoot, was volkomen uniek. En zo hoorde het ook, vond hij. Wat goed genoeg was voor ieder ander, was niet goed genoeg voor hem.

Hij haalde diep adem en liet het vuur over hem heen komen, van binnen naar buiten. Hij glimlachte, leunde achterover, en toen kwam de adrenaline opzetten. Hij kwam energiek overeind, maakte een paar gehoekte sprongen, deed toen een stel snelle push-ups en maakte toen nog meer gehoekte sprongen. Ten slotte greep hij de optrekstang vast en hees zich snel tien keer omhoog, grijnzend bij elke keer.

Hij liet zich op de mat vallen en haalde diep adem. Hij keek in de spiegel. Voor iemand van drieënzestig verkeerde hij in buitengewoon goede conditie. Ja, zelfs voor iemand van drieënvijftig, verrek, misschien zelfs drieënveertig, in elk geval in de verslapte westerse wereld. Hij had dunne zwembandjes, en de keiharde spieren op zijn borst waren verdwenen, maar zijn buik was nog plat en als hij hem samentrok, waren de spieren daaronder ook nog hard. Zijn dijen waren een beetje dunner dan vroeger, maar zijn armen en schouders bolden nog op. Hij wreef over zijn kale hoofd en keek naar de wirwar van grijs haar op zijn borst. Eigenlijk maakte het niet meer uit welke middelen hij nam, hoeveel hij trainde, hoe ver hij rende: oud werd hij evengoed. Aan de ene kant was hij daar dankbaar voor, dankbaar omdat nog niemand kans had gezien hem te doden. Aan de andere kant, tja, werd hij gewoon oud. En dat vond hij niet leuk.

Hij nam een douche en wreef het pijnlijke gevoel rond het prikpunt op zijn arm weg. Met een ochtendjas aan liep hij door zijn penthouse in Montréal. Hij had een schitterend uitzicht door de ramen van de nieuwste generatie kogelwerend glas. Dat wist hij, omdat de Amerikaanse president hetzelfde materiaal in

zijn limousine en in het Witte Huis had. In het verzwaarde glas zat ook een membraan dat het beeld dat de buitenwereld te zien kreeg vervormde. Hij stond nu midden in de kamer, maar volgens het beeld dat door de glazen wand werd geprojecteerd, stond hij twintig centimeter naar rechts. Vijf minuten later, als hij op een andere plaats in de kamer stond, zou iemand die naar binnen keek hem een halve meter links daarvan zien. Omdat het beeld voortdurend veranderde, kon niemand hem goed onder schot nemen. Tenminste, in theorie.
Toen hij naar buiten keek, de koele zomeravond in, wierp hij vlug een blik op zijn borst, beducht voor het verraderlijke rode stipje van een laservizier. Misschien was er toch iets uitgevonden wat de beeldvervorming kon compenseren en de hightech barrière kon verbrijzelen die hij tussen zichzelf en zijn vijanden had opgericht. Toch ging hij niet in de schaduw staan. Als ze hem zo graag wilden hebben, moesten ze het maar proberen. Maar dan moesten ze hem wel met het eerste schot uitschakelen, want ze zouden geen tweede kans krijgen. In zijn wereld bleef alleen degene in leven die het best doodde.
Daar zouden de moslims gauw genoeg achter komen. De man die ze gevangen hadden genomen, had het niet lang uitgehouden. Nadat hij een halfuur met Waller en diens gereedschapskistje alleen was geweest, had de man hem alles verteld wat hij moest weten. Nou ja, bijna alles. Hij kende de namen van de mannen die opdracht tot zijn dood hadden gegeven en wist waar ze waren. En dan was er nog een zekere Abdul-Majeed. Hij was Wallers eerste contactpersoon geweest en had hem op de weg geleid die hem bijna fataal was geworden. Waller liet zich niet gemakkelijk bedriegen, maar het was Abdul-Majeed gelukt.
De gevangengenomen moslim had hem niet kunnen vertellen waarom ze hadden geprobeerd Waller te vermoorden, want dat wist hij niet. Tenminste, dat had hij met zijn laatste schelle doodskreten gezworen. Dat was het grootste raadsel. Was er een andere macht die het op Waller had voorzien?
Waller trok een donkere broek en een wit zijden overhemd aan. Hij nam de privélift naar de garage, waar zijn mannen op hem wachtten. Hij liet niemand in zijn appartement toe, zelfs geen schoonmakers. Zelfs die harde, trouwe Pascal niet. Het was zijn persoonlijke heiligdom. Ze stapten in hun stoet van SUV's en reden de parkeergarage uit.
Ze reden naar het noorden en de grote stad maakte algauw plaats voor een open landschap. Waller trommelde met zijn vingers op het glas en keek naar de grote bomen die in het donker voorbijtrokken. Hij dacht dat hij een eland dicht bij de weg zag, maar toen was het dier weer weg. In het landelijke deel van Oekraïne waar hij was opgegroeid had zijn vader op dieren gejaagd om aan voedsel te komen. Nu joeg zijn zoon op mensen, en dat deed hij voor zijn plezier en om winst te maken. Dit was een van die uitstapjes.

Het gebouw was tochtig en koud. Omdat het zo slecht geïsoleerd was, hing de condens als schimmel aan de ruiten. Waller trok een warme jas aan en liep langs de deur die door een van zijn mannen werd opengehouden. Het was een immense ruimte, zo groot als een pakhuis en met balkenplafonds die in de duisternis verdwenen. Midden in de ruimte stonden zes mensen op een rij. Ze droegen een zwarte overall en hadden een kap over hun hoofd. Hun voeten waren geboeid; hun handen waren op hun rug gebonden. De langste kwam amper tot Wallers borst.
'Hoe gaat het met je been?' vroeg hij aan de slanke man die uit de schaduw kwam.
Alan Rice was blijkbaar hersteld van de bomaanslag, al leek zijn huid in het donker bleker dan normaal en liep hij een beetje mank. 'Meer dan een handjevol pijnstillers heb ik niet nodig.'
'Hoeveel doen we er vanavond?'
Rice klapte zijn minilaptop open, en het licht van het scherm brandde als een vuurtje in de duisternis. 'Dit is een zending van achtennegentig. Zestig procent uit China, twintig procent uit Maleisië, tien procent uit Vietnam, vier procent uit Zuid-Korea, en de rest is een mengelmoes uit Myanmar, Turkmenistan, Kazachstan en Singapore.'
'Hoeveel krijgen we momenteel per eenheid?'
Rice typte iets in. 'Twintigduizend Amerikaanse dollars. Dat is vijf procent meer dan vorig jaar, al zijn sommige afnemers getroffen door de recessie. Het is een gemiddelde. We krijgen meer voor Maleisische en Koreaanse vrouwen en minder voor die uit de Stans.'
'Internationale smaak?' zei Waller terwijl hij om de figuren met de kap over het hoofd heen liep. Hij maakte een gebaar met zijn vinger en er scheen meteen een spotlight op het groepje. 'Vooroordelen tegen dames uit de vroegere Sovjet-Unie?' zei hij afkeurend.
'Nou, degenen die we daarvandaan krijgen zijn inderdaad nogal schriel,' zei Rice. 'En bij de Aziatische uit het Verre Oosten speelt nog steeds de exotische factor mee.'
'Zelf heb ik Oost-Europese vrouwen altijd de mooiste ter wereld gevonden.'
Waller keek naar Pascal, die zijn handen niet achter zich maar voor zich gevouwen hield, zodat hij zijn pistool sneller uit de holster zou kunnen trekken. Als hij Pascal zag, voelde hij zich altijd wat beter, en niet alleen omdat de man hem zo goed kon beschermen.
Pascal was zijn zoon. Zijn bastaardzoon, verwekt bij een Griekse vrouw die hij op vakantie had ontmoet. Pascal wist dat natuurlijk niet, maar Waller wel. Hij voelde geen emotionele band met de jongere man, niets wat in de buurt kwam van liefde of toewijding. Toch had Waller het gevoel dat hij verplichtingen te-

genover de jongen had, vooral omdat Waller niets had gedaan om de moeder te steunen. Ze was in diepe armoede gestorven en had alleen haar wees geworden zoon achtergelaten. Hij had dat laten gebeuren, om geen andere reden dan dat hij geen belangstelling meer had voor de vrouw, die er mooi uit had gezien maar in feite niet meer dan een eenvoudige, onontwikkelde volksvrouw was geweest. Hij had Pascal bij zich opgenomen toen die tien was, en hem daarna opgeleid, en nu was de jongen een vurige krijger die voor hem werkte en hem tegen alle kwaad beschermde. Ja, Pascal had zijn rang in Kuchins legertje verdiend.
'Pascal,' zei hij. 'Van wat voor vrouwen hou jij? Oost-Europese of Aziatische?'
Pascal aarzelde niet: 'Griekse vrouwen zijn de meest sensuele schepsels die God ooit heeft geschapen. Voor mij gaan Griekse vrouwen boven alle andere.'
Waller glimlachte. Hij trok een van de kappen omhoog en keek naar het meisje. Aan haar gezicht was meteen te zien dat ze van Chinese herkomst was. Ze was amper veertien en geblinddoekt, en ze huiverde van zowel kou als angst. Omdat haar mond was dichtgeplakt, werd haar gejammer gedempt, al zou niemand haar kunnen horen, althans geen mensen die zich er iets van aantrokken.
Waller rekende het uit in zijn hoofd. 'Dus één miljoen negenhonderdzestigduizend voor deze zending?'
'Ja. Minus onkosten. Het netto bedrag ligt nog steeds boven de één komma zes miljoen. Dat alles in Amerikaanse dollars, die nog steeds de standaardmunt zijn. Al heb ik onze cashflowreserves voor alle zekerheid afgedekt met Chinese RMB's en Indiase rupees.'
Waller keek hem aan. 'De marges zijn kleiner geworden. Waarom?'
'Dat komt vooral door de brandstofkosten van de schepen. Ze reizen bepaald niet met de *Queen Elizabeth 2*. We doen het goedkoop, vervoeren ze in containers, maar het is nog steeds duur. En vanwege de logistiek en om ontdekking te voorkomen moeten we twee schepen gebruiken voor één zending. Dat alleen al verdubbelt de brandstofkosten. We moeten in elementaire levensbehoeften als voedsel en water voorzien, en we moeten bemanningsleden omkopen om regelmatig zuurstof binnen te laten. Toch is het de enige manier. Vliegreizen zijn te problematisch en ze moeten de auto nog uitvinden die over de Stille Oceaan kan rijden. Evengoed is het nog steeds een benijdenswaardige netto winst.'
Waller knikte. Hij bleef om de vrouwen heen lopen. 'Hoeveel zendingen krijgen we?'
'Vier per maand, met ongeveer evenveel units in elke zending. Dat aantal blijkt de containers goed te vullen. We verliezen onderweg maar twee tot drie procent, onder andere door verhongering, uitdroging en ziekte. Dat ligt ver onder het gemiddelde in de bedrijfstak, dat op zo'n twaalf procent ligt.'
'Waarom heb je deze zes uitgekozen?'

Rice haalde zijn schouders op. 'Het zijn de besten. Hun uiterlijk, hun gezondheid. Jij mag natuurlijk kiezen. Maar we hebben een zorgvuldige selectie gemaakt.'
'Ik weet dat je je best hebt gedaan.'
Rice kwam dichterbij. 'Ik ben liever hiermee bezig dan met maniakken met tulbanden.'
'Vind je?' vroeg Waller geamuseerd. 'Ik vond het heel opwindend. En het heeft me een nieuw doel in mijn leven gegeven: ze allemaal uitroeien.'
Rice sprak zo zacht dat alleen Waller hem kon horen. 'Is dat wel verstandig, Evan? Deze mensen zijn echt krankzinnig. Ze doden ons, zichzelf, iedereen.'
'Maar dat is juist de uitdaging. Ik wil vooral Abdul-Majeed. Hij was de contactpersoon en hij was er niet. Dat betekent dat hij degene is die me heeft bedrogen. En zijn verraad heeft me twee van mijn beste mannen gekost, God ontferme zich over hun ziel.'
Aangezien Dimitri en Tanner minstens zes mensen hadden vermoord, tenminste voor zover Rice met eigen ogen had gezien, betwijfelde hij of God zich iets aan hen gelegen zou laten liggen.
'Maar waarom zouden ze dat doen? Je had wat ze wilden hebben.'
'Dat is precies de vraag die ik wil stellen als ik de goeie ouwe Abdul vind.' Pascals BlackBerry piepte en hij keek naar het bericht.
Het was Waller niet ontgaan. 'Ja, Pascal?'
Pascal kwam naar voren en fluisterde in het oor van zijn baas. Waller glimlachte. 'De moslims zullen ervan lusten.'
'Ontwikkelingen?' vroeg Rice.
'Daar lijkt het op,' zei Waller kortaf.
Waller keek naar zijn mannen, die zwijgend in het donker stonden, hun handen voor zich gevouwen. Hij had zijn medewerkers vooral uit de strijdkrachten van verschillende landen gerekruteerd, en ze hadden hun discipline en protocollen behouden. Dat deed Waller goed, want zelf had hij het uniform ook gedragen. Zijn blik bleef rusten op Rice. 'Het zou teleurstellend zijn als bleek dat ik een verrader in mijn eigen gelederen had.'
Het lukte Rice om onder Wallers vernietigende blik nog enige moed te verzamelen. Hij zei: 'Dan moet je mij niet aankijken. Waarom zou ik je verraden om mezelf te laten opblazen?'
'Dat antwoord is goed genoeg. Voorlopig.'
Waller trok de kappen van de andere meisjes omhoog, bekeek hen zoals hij vee op een veiling zou bekijken en bleef ten slotte bij een van hen staan, de kleinste. Hij pakte haar magere arm vast en trok haar mee. Ze strompelde vanwege de boeien om haar enkels.
'We hebben boven een geluiddichte kamer,' zei Rice. 'En nieuwe vloerbedekking en meubelen. Wil je dat de boeien worden weggehaald?'

'Nee. Geef me twee uur de tijd en stuur dan iemand om de rommel op te ruimen.'
Zodra Waller buiten gehoorsafstand was, schuifelde een van de lijfwachten naar Rice toe en vroeg zachtjes: 'Maakt meneer Waller zich geen zorgen?'
'Waarover?' vroeg Rice op scherpe toon.
De grote man keek gegeneerd. 'Je weet wel, aids, soa's, dat soort dingen.'
'Deze vrouwen zijn allemaal maagd. Daar gaat het juist om, Manuel.'
'Evengoed. Ze komen uit de derde wereld. Je weet het nooit.'
Rice keek naar de gammele trap waarover zijn baas met het meisje was verdwenen. 'Ik geloof niet dat hij seks met ze heeft.'
'Wat dan wel?'
'Dat wil ik niet weten.'

•26•

Reggie zat al op een van de bistrostoelen op het terras van de bakkerij te wachten toen Shaw daar aankwam. Ze gaven hun bestelling op, aten hun broodjes en dronken hun verse koffie. Reggies haar zat onder een Red Sox-honkbalpet. Ze droeg een korte spijkerbroek, een lichtblauw T-shirt en hardloopschoenen. Shaw droeg een katoenen broek, instappers en een wit shirt met lange mouwen. Reggie nam een slokje van haar koffie, liet haar blik over hem gaan en zei speels: 'Je kleedt je nog steeds als een lobbyist, zelfs in de Provence.'

Shaw glimlachte en leunde op het stoeltje achterover. Achter hen spoelde een werkman de straten af met een brandslang. Het water hield zich aan de wetten van de zwaartekracht en liep over de keistenen straten en langs stenen trappen omlaag en slingerde uiteindelijk in dunne stroompjes de rotsen af.

'Oude gewoonten zijn hardnekkig.' Hij beet in een croissant. 'Maar ik heb mijn jasjes en dassen in de kast achtergelaten.'

'Waar verblijf je hier? Dat mag ik wel vragen, want jij weet nu ook waar ik ben.'

Hij wees met zijn vinger over zijn hoofd. 'In het kuurhotel daar. Het is niet slecht. Ik denk erover me later vandaag te laten masseren.' Hij dronk zijn koffie, propte het papier samen waarin zijn broodje had gezeten en gooide het in een afvalbak. 'Zijn die kerels er nog?'

'De Citroën stond er vanmorgen nog, al zat er maar één man in. Ik weet niet of ze daar de hele nacht zijn geweest. Het komt nogal mysterieus over,' zei ze in alle onschuld.

'Ik heb je op je rug gegooid. Heb je daar nog last van?'

'Nee. Hoe gaat het met je linkernier?'

'Niet zo best. Daarom denk ik over die massage.'

'Als je nog eens over mijn muur wilt klimmen, bel me dan eerst even op.'

'Weet je wat vreemd is? Die villa's zijn meestal de hele zomer bezet, maar die naast jou staat al leeg sinds ik hier aankwam.'

Ze glimlachte. 'Je bent wel nieuwsgierig. Word je soms geobsedeerd door villa's?'

Jij was zelf anders nieuwsgierig genoeg. 'Nee, het viel me alleen maar op. Ik dacht erover zo'n villa te huren, maar het was me veel te duur.'

'Ik dacht dat alle lobbyisten rijk waren.'

'Als ik niet was gescheiden, zou ik heel rijk zijn geweest. Nu zit ik er nog steeds warmpjes bij, maar ik heb niet meer dan de helft.'

'Ik denk niet dat ik ooit ga trouwen.'

'Waarom niet? Om eerlijk te zijn: je zou een goeie vangst zijn voor een jonge kerel.'
'Waarom moet hij jong zijn?'
'Nou, jij bent jong. De meeste mensen trouwen met iemand van ongeveer hun eigen leeftijd.'
'Hoe oud ben jij?' vroeg ze glimlachend.
'Te oud voor jou.'
'Je bent vleiend en spreekt tegelijkertijd geringschattend over jezelf. Ik ben onder de indruk.'
'Dat talent heb ik in de loop van de jaren ontwikkeld. Ik hoop dat je je pistool op een veilige plaats hebt liggen. Als de schoonmakers hier het vinden, krijg je met de politie te maken.'
'Dankzij jouw goede raad ligt het op een heel veilige plaats.'
'Nou, gaan we morgenavond samen dineren?'
'Morgenavond kan ik niet. Overmorgen?'
'Oké. Hier in het dorp?'
'Nee, in een dorp hier in de buurt is een klein restaurant dat over het dal uitkijkt. Hou je van kajakken?'
Hij keek verrast omdat ze zo plotseling van onderwerp veranderde. 'Dat heb ik weleens gedaan. Hoezo?'
'Ik heb vandaag een reservering bij een kajakverhuurbedrijf in Fontaine de Vaucluse. De rivier schijnt daar heel mooi te zijn. Heb je zin om mee te gaan? Dan zouden we over ongeveer een uur moeten vertrekken.'
Shaw dronk zijn koffie op en dacht vlug na. 'Goed. Ik moet alleen even wat geschiktere kleren aantrekken.'
'Een zwembroek zou wel geschikt zijn.'
'Nou, ik ben van plan in de boot te blijven. Zelfs 's zomers is dat water vast heel koud.'
'Je kunt nooit weten. Je moet altijd voorbereid zijn op het onverwachte.'
Toen ze uit elkaar gingen en ze over straat liep, keek Shaw haar na. Zodra hij de man in zijn richting zag komen, dook Shaw een steegje in. Het was de man die de vorige avond Janie in de gaten had gehouden. Shaw kon niet nagaan of de man Janie volgde of niet.
Hij wist nog steeds niet wat hij van die vrouw moest denken. En dat zat hem dwars. Hoe goed zijn plan ook was uitgedacht, hij wist niet hoe de dingen zouden gaan. In elk geval had hij het gevoel dat zijn achterflank kwetsbaar was en hij wist niet wat hij daaraan moest doen.
Voorlopig ging hij blijkbaar kajakken. En hij zou haar raad opvolgen en zich voorbereiden op het onverwachte.

•27•

'Je hebt vast nog nooit zulk helder water gezien,' zei Reggie, terwijl ze peddelden.
Ze zaten samen in een rode kajak, zij voorin en Shaw achterin. Hij had een zwembroek met lange pijpen en een wijd T-shirt aangetrokken, met daaroverheen een reddingsvest. Reggie droeg een gestreept bikinitopje onder haar reddingsvest en had een strak wit katoenen broekje aan, zo dun dat de strepen van haar bikinibroekje erdoorheen schemerden. Ze had dezelfde Red Sox-honkbalpet op, alleen stond hij nu achterstevoren.
'Je bent hier goed in,' zei Shaw. Hij zag hoe ze met haar gespierde bovenarmen de peddel door het water bewoog. Hij had zijn bewegingen op de hare afgestemd, behalve wanneer hij zijn peddel als roer moest gebruiken om hen door de bochten van de bedrieglijk snel stromende rivier te loodsen. In het heldere water dreven grote massa's lichtgroene en purperen planten. Het waren lange slierten die op kelp leken en Shaw had het gevoel dat hij in een groot aquarium aan het varen was.
'Ik hou van water. Toen ik in Boston woonde, roeide ik op de rivier de Charles wanneer ik maar kon.'
'Oké, dus je bent een sportvrouw. Nu vind ik het niet meer zo erg dat ik je niet kan bijhouden.'
'Je doet het goed.'
Hij stak zijn hand in het water. Het was inderdaad erg koud. Hij wilde beslist in de boot blijven.
Er behoorden nog vijf andere kajaks tot hun groep, maar Shaw en Reggie hadden ze algauw achter zich gelaten, op een na. In die kajak zaten Whit en Dominic. Ze waren verkleed als toeristen en praatten luidruchtig in het Frans. Ze stelden zich een beetje aan en peddelden een zijriviertje in. Terwijl Dominic een camera in zijn hand had en deed alsof hij grappige capriolen van Whit aan het filmen was, kon hij ongeveer twee minuten lang close-ups van Shaw maken.
Ze moesten bij verschillende dammen stoppen, waar de gidsen hen hielpen de kajaks eroverheen te dragen. Er was een 'verrassende' stroomversnelling waar ze met gemak overheen kwamen, en toen kwam er een eind aan hun tochtje over de rivier en stapten ze in het busje van het kajakbedrijf om naar het beginpunt te worden teruggebracht. Shaw en Reggie zaten bijna voorin; Whit en Dominic zaten achterin. Het busje schommelde een eind over winderige en doorgroefde zandweggetjes, tot ze weer op asfalt kwamen. Slechts één keer keek Reggie ach-

terom en gaf ze Whit een teken door met haar rechteroog te knipperen. Hij antwoordde door even in de tas te knijpen die hij op zijn schoot had. Daar zat het pistool met Shaws vingerafdrukken in. Zoals ze hadden afgesproken, had hij dat uit haar auto gehaald terwijl de anderen hun kajakspullen bij elkaar zochten.

Ze stapten uit het busje en in Reggies rode Renault. Shaw moest zich bukken om zijn lange lijf en benen in de kleine ruimte te krijgen.

'Europese auto's zijn echt niet geschikt voor lange mensen,' zei Reggie meevoelend.

'Ik overleef het wel.'

De rit terug naar Gordes nam nog geen twintig minuten in beslag.

'Rij maar gewoon naar je villa,' zei hij. 'Ik loop wel terug naar mijn hotel.'

'Als we nu eens gingen zwemmen en daarna lunchen?' stelde ze voor. 'Je bent er al op gekleed.'

Hij aarzelde en nam in gedachten alles door wat het met zich meebracht. 'Goed. Akkoord.'

Ze parkeerden voor haar villa. Shaw keek naar de deur van de villa ernaast. 'Ik zie de Citroën niet.'

'Dat weet ik. Hij was weg toen ik jou ging ophalen.'

'Interessant. Ik zag een van die kerels vanmorgen door het dorp lopen.'

'O ja? Heb je met hem gepraat?'

Hij keek haar vreemd aan. 'Eh, nee, hij leek me niet zo vriendelijk. Net een misdadiger.'

Ze deed de deur open, zette het alarmsysteem uit en liep met hem naar de achterkant van het huis. Ze gaf hem een handdoek en zonnebrandmelk en wees naar zijn onderarmen, die al een beetje rood waren van het tochtje met de kajak.

'Ja, al die jaren dat ik binnen heb gezeten,' klaagde hij.

Ze liepen naar het zwembad. Daar trok ze haar korte broek en gymschoenen uit, terwijl hij zich van zijn T-shirt ontdeed en zijn sandalen uittrapte.

Hij nam even de tijd om door zijn zonnebril nog eens goed naar haar lichaam te kijken en was onder de indruk. Er zat geen grammetje vet aan de vrouw. Haar benen waren slank, haar spieren duidelijk zichtbaar, haar middenrif was keihard en ze had de kuiten van een beroepshardloper.

Ze dook het zwembad in, kwam moeiteloos watertrappend boven en knikte naar rechts. 'Daar is het diepe. Vier meter. Anders stoot je je hoofd nog, met je een meter vijfennegentig.'

Hij dook erin en kwam naast haar boven.

'Ik ga baantjes trekken,' zei ze.

En dat was precies wat ze de volgende twintig minuten deed: heen en weer en

kerend op exact het juiste moment. Hij zwom een paar baantjes met haar mee, klom toen het zwembad uit, droogde zich af en ging in de stralende Provençaalse zon naar haar liggen kijken.
Toen ze later uit het water kwam, wrong ze haar haar uit, pakte een handdoek en keek op.
'Wat doe je nou?'
Shaw stond op de eettafel met tegelblad. Die tafel stond onder een houten pergola naast de muur die haar villa van de buren scheidde. Het was een hoge muur, maar de tafel plus zijn eigen aanzienlijke lengte stelden hem in staat eroverheen te kijken.
'Ik kijk naar die kerels van hiernaast.'
Ze liep snel over de tegels en trok hem hardhandig van de tafel af.
Hij deed alsof hij het grappig vond. 'Wat is er?'
Haar gezicht was roze onder haar gebruinde huid, en haar wenkbrauwen waren samengetrokken van woede. 'Doe dat nooit meer.'
'Hoezo, ben je niet nieuwsgierig?'
'Je hebt zelf gezien dat een van die engerds naar me gluurde. Je zei dat de kerel die je vanmorgen in het dorp zag er onvriendelijk uitzag. Als een misdadiger. Ik wil niet dat ze kwaad op me worden. Ik ben op vakantie.'
'Goed, goed. Dat is redelijk. Zullen we gaan lunchen? Ik ben uitgehongerd.'
Ze beheerste zich en droogde zich af. 'Ik dacht aan een garnalensalade, wat brood om in olijfolie te dopen en een fles witte wijn. Ik heb tomaten, komkommers en artisjokken van de markt.'
'Klinkt geweldig. Zet me maar aan het werk. Ik ben handig in de keuken. Als sous-chef kan ik me meten met de besten. Nou ja, niet echt, maar ik kan groente snijden.'
'Ik zal je aan het werk zetten.' Ze trok haar korte broek aan, maar liet haar bikinitopje onbedekt. Ze trok haar haar naar achteren en zette het vast met een rood klemmetje. In haar zomerjurk had ze er voluptueuzer uitgezien, vond Shaw. Maar wat hem meer bezighield was dat ze voor zijn testje was gezakt. Hij was alleen op de tafel gaan staan – een plaats vanwaar hij volgens zijn berekeningen niet zichtbaar was voor de buren, tenzij ze helemaal achter op hun terrein stonden – om na te gaan hoe ze zou reageren. Ze had precies de juiste dingen gezegd, uiting gegeven aan de normale bezorgdheid dat ze met 'misdadigers' te maken had, maar Shaw zat al heel lang in dit werk en zijn gevoel zei hem dat in haar woorden de verkeerde emoties hadden doorgeklonken. Ze was echt bang, maar niet om de voor de hand liggende redenen.
Hij hielp haar de lunch klaar te maken en ze aten buiten. Het grootste deel van de tijd praatten ze over koetjes en kalfjes. Haar buren kwamen niet meer ter sprake. Later liep hij de heuvel op naar zijn hotel. Hij controleerde meteen

de drie vallen die hij altijd zette om te kijken of er iemand was geweest. De vallen bevonden zich op zodanige plaatsen dat iemand die de kamer op een normale manier schoonmaakte er niet tegenaan zou lopen: in zijn bureaula, in zijn kast en op een van zijn tassen.
Hij ging weer op het bed zitten. Van de drie vallen waren er twee aangeraakt. Terwijl hij zich met Janie had geamuseerd, had iemand zijn kamer doorzocht.

•28•

Waller nam een douche en schoor een paar verdwaalde haartjes van zijn hoofd. Hij was van nature niet kaal, maar toen hij uit Oekraïne was gevlucht, had hij zijn hoofd geschoren om zich te vermommen. Hij wist dat niets het uiterlijk van een man meer veranderde dan haar dat eraf ging of erbij kwam.

Nadat hij zichzelf nog een injectie met zijn speciale elixer had gegeven, liep hij door zijn penthouse naar een ingebouwde kast aan het eind van een gang. Hij draaide de knop van de rechterdeur tegen de klok in. Er gleed een houten paneel opzij waarachter zich een digitaal toetsenbord bleek te bevinden. Hij toetste een code van vier cijfers in. Er volgde een klikgeluid en de voorkant van de kast gleed op soepele hydraulica naar voren. Waller stapte door de opening en de deur, die op een bewegingsensor werkte, ging automatisch achter hem dicht. Het was een mooi stukje vakmanschap.

Wallers penthouse was meer dan duizend vierkante meter groot, exclusief de 'verborgen' ruimte hier in het midden. Dat was de voornaamste reden waarom hij niemand anders in zijn appartement toeliet. Hij wilde niet het risico lopen dat iemand die ruimte ontdekte. Het was een vertrek met kale betonnen wanden, een deel van de oorspronkelijke constructie van het penthouse. De man die deze *safe room* voor hem had gebouwd, was van Oekraïense afkomst en trouw aan Waller geweest. Hij was inmiddels gestorven – door een natuurlijke oorzaak. Waller doodde zelden of nooit zijn echte vrienden.

Waller had de safe room zelf ingericht. Via een betrouwbare koerier waren roestvrijstalen kisten met digitale sloten geleverd, en Waller had ze in zijn eentje in dit heiligdom uitgepakt. Hij bleef voor een oude metalen kast staan met op de deur een plaatje waarop de naam 'Fedir Kuchin' was gegraveerd. Hij haalde het galatenue tevoorschijn dat hij als officier had gedragen, en trok het aan. Het paste nog vrij goed, vond hij, al zat het strak op plaatsen waar de zwaartekracht het van hem had gewonnen. Hij legde zijn pistoolgordel om zijn middel, waaraan een holster hing met een klassieke Russische PM-53 9x18 Makarov. Dat was veertig jaar lang het standaardwapen van de Sovjetstrijdkrachten geweest, tot aan 1991, toen het Sovjetimperium volledig instortte. Waller zette de lichtblauwe pet met goudkleurige biezen op, met de rode Sovjetster in het midden. Hij draaide zich om en bekeek zichzelf in de wandspiegel. Het materiaal was stug en het weefsel ademde niet erg goed, maar voor hem was het de fijnste zijde.

In zijn volledige galatenue van de KGB werd hij teruggevoerd naar een tijd in zijn leven die, zoals hij zelfs toen al besefte, het hoogtepunt van zijn bestaan was. Hij raakte de medailles, linten en insignes aan die hij op de linkerkant van zijn jasje had. Drie medailles voor Onberispelijke Dienst in de KGB, Uitmuntend Werker voor de Staatsveiligheid, een insigne voor afgestudeerden van de universiteit van Leningrad en een insigne dat aangaf dat hij aan het prestigieuze Andropov-Instituut van het Rode Vaandel had gestudeerd. Hij had ook medailles voor militaire verrichtingen; die had hij onder andere in Afghanistan met zijn bloed verdiend. Zijn vijanden konden naar waarheid veel verschrikkelijke dingen van hem zeggen, maar niet dat hij laf was.

Hoewel hij geboren was in een vissersdorpje op duizenden kilometers van Kiev, had Waller zichzelf altijd als een Sovjet en niet als een Oekraïener beschouwd. Zijn mentor in de KGB was een onderscheiden kolonel-generaal geweest die de bijnaam 'beul van Kiev' had gekregen. Deze man was ook in Oekraïne geboren, maar had trouw gezworen aan Moskou. Al Wallers kennis over contraspionage, het bedwingen van opstanden en het waarborgen van de veiligheid van de Sovjetmaatschappij was afkomstig van die man. Hij had een foto van hem aan de muur hangen, naast de rode Sovjetvlag met de gouden hamer en sikkel en de ster van de Communistische Partij in de bovenste helft.

Hij liep naar het midden van de kamer, ging stijf in de houding staan en salueerde voor deze grote Sovjet, die nu dood was, zonder plichtplegingen doodgeschoten na al zijn glorieuze daden. Toen ging Waller, die zich een beetje belachelijk voelde omdat hij in de houding had gestaan voor een man die allang in zijn graf lag, aan een oud metalen bureau uit de jaren vijftig zitten dat hij had gebruikt toen hij in zijn geboorteland voor de KGB werkte. Oude papieren en formulieren in triplo, met carbondoorslagen, lagen in keurige stapels op dat bureau. Tegen een van de muren stonden geblutste metalen archiefkasten. In die eenvoudige kasten lagen alle gegevens uit de tientallen jaren waarin hij zijn nieuwe vaderland trouw had gediend die hij naar buiten had kunnen smokkelen. Van tijd tot tijd ging hij hierheen om deze 'trofeeën' te bekijken en de glorie van vroeger te laten herleven.

Eigenlijk gaf hij niet veel om het leven dat hij nu leidde. Hij was rijk, maar geld was nooit een hoofddoel van hem geweest. Hij was arm geboren, opgegroeid in armoede en had zich aangesloten bij degenen die zijn manier van leven verdedigden. Toch bezaten zelfs degenen die tot de hoogste niveaus van de Communistische Partij waren opgeklommen alleen maar 'luxes' als een flat met een eigen badkamer en een auto. Het communisme betaalde lang niet zo goed als het kapitalisme.

Toch ben ik dat nu. Een kapitalist. Juist datgene waartegen ik al die jaren heb gevochten. Nou, ik moet toegeven dat de Amerikanen waarschijnlijk gelijk hadden.

De handel in jonge meisjes voor prostitutie verveelde hem. Hij was vooral aan

zijn onderhandelingen met de moslims over de verkoop van nucleair wapenmateriaal begonnen om iets van zijn verleden terug te vinden, een verleden waarin al zijn daden en bevelen van invloed waren op het leven van duizenden mensen. Nu was hij alleen maar een zakenman, zoals zoveel anderen. Hij verdiende veel geld, leefde in grote luxe, maar als hij morgen doodging, wie zou dat dan erg vinden? Zijn naam zou in geen enkel geschiedenisboek staan. Zijn superieuren bij de KGB hadden de meeste eer voor zijn werk opgestreken. Zij leefden voort. Zij waren onsterfelijk. In vergelijking met hen was hij heel gewoon. Toch waren er mensen die wisten wat hij op zijn kerfstok had. En daarom had hij moeten vluchten en moeten wegkruipen als een muis in een muur. Toch had hij weinig keus gehad, als hij wilde blijven leven. Hij had gezien wat er met kameraden van hem was gebeurd die niet zo handig waren. Sommigen waren gelyncht door horden woedende mensen die hun hele leven in hun eigen land gevangen hadden gezeten. Hij had veel begrip voor de gevoelens van die mensen, maar wilde zelf niet de gevolgen ervan ondergaan.
Hij maakte weer een lade open, haalde er een oud boek uit en bladerde het door. Het stond vol met tekeningen die hij had gemaakt. Hij had altijd goed kunnen tekenen. Dat had hij van zijn moeder geleerd. Zij had als straattekenaar gewerkt, eerst in Frankrijk en toen in Kiev, voordat ze trouwde met een man die niet van haar hield en in een vissersdorp terechtkwam dat vijf maanden per jaar van de wereld afgesloten was. Nog steeds kende Waller niet de volledige voorgeschiedenis van zijn ouders, wist hij niet hoe ze elkaar hadden leren kennen. In zijn boek stonden afbeeldingen van veel van de mensen die hij had vermoord, hun dode en stervende gezichten sober op papier gezet met alleen houtskool, zwarte inkt of potlood. Er zat geen kleur in het boek. De doden hadden geen kleur nodig.
Het volgende boek dat hij uit zijn bureau haalde, zou verbazingwekkend zijn voor sommige mensen die de oude Fedir Kuchin hadden gekend. Hij woog de bijbel in zijn hand. De Sovjet-Unie was natuurlijk fervent gekant geweest tegen elke vorm van georganiseerde religie. 'Opium van het volk,' had Marx gezegd. Toch was Wallers moeder Frans en vroom katholiek geweest. En ze had haar zoon met haar religieuze overtuigingen opgevoed, al was dat erg gevaarlijk geweest. Elke avond, als zijn meestal dronken vader sliep, las ze hem voor uit de Bijbel.
Waller had zich aanvankelijk sterk aangetrokken gevoeld tot het vele geweld in dat boek, dat de naam had vrede en liefde te prediken. Veel mensen werden afgeslacht op manieren die zelfs de volwassen Fedir Kuchin niet zou hebben toegepast. Wanneer hij 's avonds met zijn moeder het Onzevader opzegde, had ze altijd de nadruk gelegd op dezelfde frase, alsof die extra aandacht verdiende. 'En leid ons niet in verzoeking, maar verlos ons van het kwaad.'
Waller wist heel goed aan welk kwaad ze dacht: haar man.

Zijn arme moeder, goed tot het eind. Maar wat zij niet over het kwaad had begrepen, begreep haar zoon heel goed. Mits voldoende gemotiveerd was iedereen in staat tot vreselijke gruweldaden, ongegronde wreedheid, afschuwelijk geweld. Een moeder was bereid tot moord om haar kind te beschermen, en omgekeerd. Een soldaat doodde om zijn land te beschermen. Waller had gedood om zowel zijn moeder als zijn land te beschermen. Hij was daar goed in, begreep heel goed welke mentaliteit daarvoor nodig was. Hij was niet ongevoelig voor geweld; hij had er respect voor. Hij maakte er geen onverschillig gebruik van, maar als hij het gebruikte, kon hij niet ontkennen dat hij ervan genoot. Maakte dat hem een slecht mens? Misschien. Zou zijn moeder hem een slecht mens hebben gevonden? Beslist niet. Hij doodde voor zijn land, zijn moeder en zijn eigen overleving. Als mensen hem sloegen, sloeg hij terug. Eerlijker spelregels waren niet mogelijk. Hij was wie hij was. Hij bleef zichzelf trouw, terwijl de meeste mensen hun leven leidden alsof het alleen maar een façade was en hun ware persoonlijkheid onder leugens begroeven. Ze zouden glimlachen naar hun vriend voor ze hem een dolkstoot in de rug toedienden. Wie was dan werkelijk een slecht mens?

De leeuw brulde voordat hij aanviel, terwijl de slang in stilte kwam aanglijden voordat hij zijn tanden in nietsvermoedend vlees zette.

Ik ben een leeuw. Tenminste, dat was ik vroeger.

Hij pakte een oude filmprojector uit een van de kasten, zette hem op zijn bureau en stak de stekker in een stopcontact. Hij maakte de la van zijn bureau open en haalde er een spoel met een film uit. Die spoel zette hij in de projector, waarna hij de film door het apparaat leidde en de projector op een lege betonnen muur richtte. Toen deed hij het licht uit en haalde de schakelaar van de projector over. Op de muur verschenen zwart-witbeelden van meer dan dertig jaar geleden. Een jonge Fedir Kuchin in groot tenue kwam in beeld gelopen. De huidige Kuchin glimlachte trots toen hij zichzelf als jongere man zag.

Op de muur liep de jonge Kuchin naar het midden van een terrein met hoge afrasteringen van scheermesprikkeldraad en overal wachttorens. Hij zei iets en gewapende mannen dreven een stuk of tien mensen naar hem toe en gebruikten hun geweerlopen om hem te dwingen voor Kuchin neer te knielen. Het waren vier mannen, drie vrouwen en verder kinderen. Kuchin bukte zich en zei iets tegen ieder van hen. Nu, in zijn bureaustoel, vormde Waller dezelfde woorden met zijn mond. Dit was een van zijn favoriete herinneringen. Op de muur leidde de zwart-witte Kuchin de kinderen bij de volwassenen vandaan. Hij haalde snoep uit zijn zak en gaf dat aan de doodsbange, in vodden gehulde kinderen. Hij klopte zelfs een klein meisje op haar hoofd. Uit de zak van zijn uniform haalde Waller nu een meer dan dertig jaar oude reep muffe chocolade van diezelfde dag.

Terwijl de uitgehongerde kinderen gretig hun snoep aten, liep Kuchin naar de volwassenen terug, trok zijn pistool en executeerde ieder van hen met een kogel in het achterhoofd. Toen de schreeuwende kinderen naar voren renden om hun dode ouders in hun armen te nemen, schoot Kuchin hen ook dood. Zijn laatste kogel schoot hij in de rug van een klein meisje dat het hoofd van haar dode moeder in haar armen wiegde. Op de laatste beelden nam Kuchin een half opgegeten stuk snoep uit de dode vingers van een jongen die languit in de modder lag en at hij het zelf op. Toen de film was afgelopen en de muur weer licht werd, leunde Waller achterover met de trots en voldoening die hij vroeger dagelijks had gevoeld. Dat was zijn werk geweest, en hij had het goed gedaan. Niemand in Oekraïne had het beter gedaan.

Hij trok zijn uniform uit en hing het zorgvuldig in de kast terug, waarna hij nog een paar kreukels gladstreek. Voordat hij het licht uitdeed en wegging, wierp hij een blik op de vlag en de foto van zijn mentor.

Ik wil alleen weer iets wat waarde heeft. Iets wat er werkelijk toe doet. Nog één keer.

Hij deed het licht uit, deed de deur op slot en keerde terug naar het enige leven dat hij nog had. Binnenkort vertrok hij naar Frankrijk. Misschien zou hij daar iets vinden wat weer echte gevoelens bij hem opwekte.

•29•

Reggie hoorde de claxon buiten. Ze keek op haar horloge, zag dat ze bijna te laat was en keek uit het raam naar de straat beneden. Shaw zat op zijn Vespa bij de voordeur. Hij droeg een kaki broek met daaroverheen een wit katoenen shirt. Aan zijn voeten had hij instappers en geen sokken. Ze tikte op het raam, zag hem opkijken en hield twee vingers omhoog.

Ze kleedde zich vlug verder aan en maakte haar oorhangers vast. Vervolgens fatsoeneerde ze haar kapsel voor de spiegel, al zou dat na de rit op de scooter niet veel verschil maken. Ze streek de voorkant van haar jurk glad. Vanwege het vervoermiddel dat ze zouden gebruiken had ze voor een nauwsluitende jurk gekozen. Ze wilde niet dat haar rok boven haar hoofd wapperde als ze op die scooter over de landelijke weggetjes van zuidelijk Frankrijk reden.

Ze was klaar met haar lipstick en liep vlug de trap af. Ze deed de voordeur op slot en zwaaide naar Shaw.

'Je ziet er fantastisch uit,' zei hij.

'Dat was de bedoeling,' kaatste ze terug. 'Jij ziet er ook goed uit, op een nonchalante manier. Heel anders dan een lobbyist. Ik ben zeer onder de indruk.'

'Goed, want dat was míjn bedoeling.'

Ze stapte achterop en maakte de helm vast die hij haar had aangegeven.

'Mooie scooter,' zei ze, en ze streek over het lichtblauwe metaal.

'De beste manier om je hier te verplaatsen. Hou je vast.'

Ze greep hem om zijn middel en leunde tegen zijn rug. Zodra Shaw haar armen om zijn middel voelde, ging er een elektrische schok door hem heen. Zo sterk dat zijn lichaam onwillekeurig reageerde en bewoog.

'Hoe gaat het met je?' vroeg ze.

'Prima. Alleen wat spierpijn van het kajakken.' Hij gaf gas en ze reden weg met een snelheid van ongeveer twintig kilometer per uur. Toen ze op de grote weg kwamen, verdubbelde hij die snelheid.

'Oké, waarheen?' riep hij over zijn schouder.

'Ik tik wel op je linker- of rechterkant,' antwoordde ze. Hij knikte om te laten zien dat hij het had begrepen.

Een kwartier later tuften ze met de gierend protesterende 125 cc-motor van de Vespa een steile helling op. Shaw vond een parkeerplek en ze zetten hun helm af die Shaw aan de scooter vastmaakte. Ze liepen naar het restaurant, een afstand van niet meer dan een half blok, en gingen op een terras zitten met uitzicht op het dal.

'Mooie keuze,' zei Shaw toen ze van het uitzicht genoten.
'Het eten is hier ook heerlijk,' zei ze.
Ze gaven hun bestelling op en namen uit gewoonte ieder enkele ogenblikken de tijd om naar de tafels om hen heen te kijken. Toen ze klaar waren, keken ze elkaar aan.
'Dus je bent gescheiden en hebt twee kinderen. Zijn ze bij hun moeder?'
'Op dit moment wel, maar we delen de voogdij.'
Shaw brak een stukje brood af, doopte het in verse olijfolie en nam wat wijn.
'En jij? Ik weet alleen dat je rijk bent.'
Ze trok haar neus op. 'Dat is het wel zo'n beetje. Ik ben betrokken bij een paar goede doelen. Meestal ben ik op reis, op zoek naar iets, denk ik. Ik weet alleen niet wat.' Ze nam een slokje wijn en stopte haar haar achter haar oor weg. Ze keek Shaw niet in de ogen, maar naar een punt schuin achter hem. Om de een of andere reden had Reggie er moeite mee haar rol te spelen.
Hij zei: 'Je ziet eruit alsof je te diep nadenkt. Rustig maar. Je bent op vakantie.'
Ze streek met haar vinger over de rand van haar wijnglas. 'Waarom denk je dat die mensen de villa naast mij huren?'
Hij haalde zijn schouders op. 'Ik heb wel een idee.'
Ze boog zich enigszins naar voren en keek hem afwachtend aan.
Hij zag dat en grijnsde. 'Hé, verwacht geen grote openbaringen. Ik heb bij het makelaarskantoor in het dorp geïnformeerd, maar dat verhuurt die villa niet en ze weten van niets.' Shaw ging niet toegeven dat hij met de makelaar had gepraat die de villa verhuurde, en dat hij wist dat Reggie ook met haar had gepraat.
'Oké,' drong Reggie aan. 'En?'
'En ik denk dat het een politieke figuur zou kunnen zijn. Je weet wel. Die hebben mensen om zich heen. Ze sturen lijfwachten vooruit. Dat soort dingen. In Washington heb ik dat vaak gezien.'
Reggie leunde achterover en probeerde haar teleurstelling te verbergen. 'Het zou ook iemand kunnen zijn die heel rijk is, nog rijker dan ik.'
'Ja, ja. Bijvoorbeeld een Bill Gates of een Warren Buffett.'
'Of een misdadiger. Je zei dat die ene kerel er zo uitzag.'
'Nou, zelfs Bill Gates neemt waarschijnlijk geen watjes als lijfwachten in dienst. Je moet er hard uitzien; dat schrikt mensen af. Het hoort bij het werk.'
'Ja, dat denk ik ook.'
'We moeten gewoon afwachten en kijken wie er komt opdagen.'
Hun bestelling kwam, en terwijl ze aten, kwam het gesprek op andere onderwerpen. Twee uur later reden ze in het laatste beetje daglicht naar Gordes terug. Toen Shaw het zijstraatje in reed dat naar Reggies villa leidde, kwam er plotse-

ling een man aan in een zwart pak en een wit T-shirt om hen de weg te versperren. Shaw moest zo abrupt stoppen dat Reggie tegen hem op botste en bijna van de scooter af gleed voordat ze zichzelf weer in evenwicht kreeg.
Shaw trok de klep van zijn helm omhoog en keek naar de man. Hij was nauwelijks groter dan Janie, maar zelfs door het pak heen kon Shaw zien dat hij gespierd was en geen grammetje vet had. Zijn haar was krullerig, zijn kin stak naar voren, zijn ogen keken scherp en zagen alles, en zijn handen zagen er sterk en soepel uit. Shaw wist dat hij rechtshandig was, want de schouderholster zat aan de linkerkant onder een kleine holte die speciaal daarvoor in zijn jasje was aangebracht.
'Waar gaat u heen?' vroeg Pascal vriendelijk.
'Ik breng mevrouw hier naar huis,' zei Shaw. 'En omdat dit een openbare weg is, weet ik eigenlijk niet waarom we dit gesprek hebben.'
Shaw merkte dat Reggie onrustig achter hem bewoog. Hij voelde dat ze met haar vinger in zijn zij stak.
Pascal draaide zich om en keek naar de twee villa's. 'Mevrouw, huurt u die villa daar?' Hij wees naar die aan de rechterkant.
Reggie zette haar klep niet omhoog. 'Ja.'
De man bekeek haar van top tot teen, van haar helm tot haar lange blote benen.
'Dus u bent Jane Collins?'
Nu schoof Reggie haar klep wel omhoog. 'Hoe weet u dat?'
'De makelaar was erg behulpzaam.'
'Dat is een inbreuk op mijn privacy.'
'Nee,' zei Pascal kalm. 'Het hoort gewoon bij mijn werk.'
'Wat voor werk is dat dan?' vroeg Shaw.
'Laten we zeggen dat ik me met veiligheidsmanagement bezighoud.'
'Kunnen we nu gaan?' vroeg Reggie.
'Ja. Ik volg u even naar boven om er zeker van te zijn dat u veilig aankomt.'
'Ik denk niet dat mevrouw hulp nodig heeft,' zei Shaw.
'Nee, het is wel goed,' zei Reggie vlug.
Shaw tufte naar de villa, achter het schijnsel van zijn koplamp aan, terwijl de man hen volgde. Ze zagen dat nu niet alleen de Citroën bij de andere villa stond, maar ook twee grote SUV's die op de een of andere manier door de smalle straatjes met haarspeldbochten omhoog waren gekomen zonder hun zijspiegeltjes te verliezen. In de villa brandde nu overal licht. Shaw zag schaduwen bewegen langs een van de ramen.
Ze stapten van de Vespa en Reggie maakte de deur open. Het gepiep van het alarmsysteem was te horen.
Pascal was bij de scooter blijven staan en knikte goedkeurend. 'Heel verstandig

mevrouw, dat u uw alarmsysteem hebt aangezet. Je kunt nooit voorzichtig genoeg zijn.'
'Wil je dat ik binnenkom, Janie?' vroeg Shaw, terwijl Pascal bleef staan toekijken.
Ze aarzelde even en keek toen naar de andere man. 'Nee, dat hoeft niet. Ik ben moe. Bedankt voor deze avond.'
Ze deed de deur dicht en Shaw stapte weer op de scooter.
'Mooie vrouw,' zei Pascal.
Shaw had mannen van speciale eenheden van over de hele wereld gekend die er precies zo uitzagen als deze man. Ze konden de lange kerels met hun getrainde spieren het nakijken geven. In dat soort werk kwam het niet aan op kracht of zelfs snelheid, maar op uithoudingsvermogen. In die wereld was het de schildpad die uiteindelijk won. Die kerels konden vechten als de besten, op vierhonderd meter afstand de vleugels van een bij af schieten, onzichtbaar blijven als dat nodig was en de tegenpartij overrompelen als ze plotseling tevoorschijn kwamen, maar uiteindelijk draaide het allemaal om overleven. Daarom had Shaw nooit veel met gewichten getraind, maar de zolen van sportschoenen versleten door bergen op en af te rennen. Dat uithoudingsvermogen, zijn schietkwaliteiten en zijn stalen zenuwen bepaalden het verschil tussen veilig thuiskomen en voorgoed in een kist liggen.
Hij maakte zich uit die gedachten los toen Pascal naast hem kwam staan en zei: 'Hebt u verder nog iets nodig? Zo niet, dan zou ik het op prijs stellen als u vertrok, dan kan ik deze omgeving beveiligen.'
Geen openlijke bedreiging. Erg professioneel, vond Shaw. De man was goed. Maar ja, iemand als Waller kon zich de beste mensen permitteren. Shaw reed naar zijn kamer terug en belde Frank.
'Oké,' zei Frank. 'Het kan beginnen. Hou me op de hoogte.'
Shaw trok andere kleren aan, wachtte drie uur en liep toen weer naar buiten, nadat hij eerst zijn nachtkijker – die er als een gewone camera uitzag – uit de kluis van het hotel had gehaald. Hij sloop door de donkere straten van Gordes. Onder normale omstandigheden zou hij blij zijn geweest dat het doelwit precies volgens het tijdschema ter plaatse was. Hoewel de villa gehuurd was en er regelingen waren getroffen voor de privérondleiding in Les Baux, konden plannen altijd veranderen, en was er geen enkele garantie geweest dat Waller inderdaad naar de Provence zou komen. Toch was Shaw niet blij. Het doelwit was er, maar Janie Collins was er ook. Shaw vreesde dat daar niets goeds uit kon voortkomen.

•30•

Reggie keek in de badkamerspiegel toen ze met een vochtige doek haar make-up verwijderde. Ze droeg een lang groen T-shirt met een wit slipje en haar sluike haar hing tot op haar schouders. Ze deed het licht uit en liep naar het raam dat uitkeek op de straat. Het busje en een van de SUV's stonden er nog. De andere SUV was ongeveer twintig minuten geleden vertrokken; Reggie had hem horen starten, maar was te laat bij het raam geweest om te zien wie erin zaten.
Ze had een sms'je naar de professor en Whit gestuurd om hun te vertellen dat Kuchins mannen er waren. Het bericht was via een beveiligde verbinding verstuurd, maar ook als iemand het onderschepte, zou het onschuldig lijken. De inhoud was simpelweg geweest: 'Beste Carol, het uitzicht hier is nog mooier dan ik dacht. Ik ga vroeg opstaan om naar de zonsopgang te kijken.'
Ze liep haar slaapkamer in en zette het raam open. Dat zwaaide naar buiten als een deur. Van hieruit kon ze een deel van de achtertuin van de andere villa zien. Tot haar schrik zag ze het silhouet van een man die in een stoel bij het eind van het zwembad zat en iets rookte, waarschijnlijk een sigaar. Er brandde geen licht in de tuin, maar de maan was helder.
Hij is het. Het is Fedir Kuchin.
Als Reggie een geweer had gehad, had ze op dat moment een eind aan het leven van de man kunnen maken. Maar dat was niet hun manier van werken.
Ze zag dat de man even ineenkromp. Had hij haar zien kijken? Dat was bijna onmogelijk. Hij keek niet in haar richting en er brandde geen licht achter haar. Toch liet ze het raam openstaan toen ze zich in de kamer terugtrok. Als ze dat dichtdeed, zou hij misschien beseffen dat er iemand naar hem keek.
Ze haalde diep adem, verwisselde haar T-shirt en slipje voor een bikini en liep de trap af. Ze schoof de achterdeur open en liep naar het donkere zwembad.
'Oké,' zei ze zachtjes. 'Daar gaan we dan.'
Ze gleed het warme water in, zette zich af en begon haar baantjes te trekken.

Vanaf de rotsen tuurde Shaw door zijn nachtkijker naar de twee villa's. Hij zag Reggie bij het raam staan en zich naar voren buigen om naar de andere villa te kijken. Toen keek hij naar de man in de achtertuin van de andere villa. Evan Waller zat daar een sigaar te roken, terwijl twee van zijn lijfwachten in de buurt stonden. Shaw zoomde in op de man. Omdat zijn kijker geen warmte afgaf, was hij er vrij zeker van dat niemand hem kon zien. Ook wanneer ze zelf met nachtkijkers werkten, keek hij door een spleet tussen twee rotsen. De kans dat

ze hem onder die omstandigheden zouden zien was verwaarloosbaar klein.
Waller bewoog zich op zijn gemak. Hij praatte in een mobiele telefoon. Er gingen enkele minuten voorbij en Shaw wilde net zijn post verlaten toen hij Reggie in haar bikini en met een handdoek via de schuifdeur aan de achterkant van haar villa naar buiten zag komen.

'Kom nou,' zei Shaw tegen zichzelf. 'Je wist dat die griezel je al aan het bespioneren was.'

Alsof hij had gehoord dat Reggie naar buiten kwam, stond Waller op en liep naar de muur tussen de twee villa's. Een van zijn mannen kwam daar bij hem staan en wees naar Reggies villa. Shaw zoomde weer in. Het was dezelfde lijfwacht die al eerder naar de buurvrouw had gegluurd. Waarschijnlijk vertelde hij Waller precies wat er toen was gebeurd. De resolutie van Shaws kijker was goed, maar niet zo goed dat hij iemand kon zien glimlachen. Niettemin was hij ervan overtuigd dat de man grijnsde om wat er op dat moment door zijn gedachten ging.

Shaw kromp ineen toen de lijfwacht zich bukte en een stijgbeugel van zijn handen maakte. Even later werd Waller opgehesen en gluurde hij over de muur. Shaw keek meteen in dezelfde richting. Reggie was nog baantjes aan het trekken. Shaw hoopte dat ze dat zou blijven doen tot de twee mannen naar binnen gingen, maar zijn hoop werd de bodem ingeslagen toen ze naar de kant zwom, het trapje opliep en haar handdoek pakte.

Shaw richtte zijn kijker weer op Waller, die nog over de muur keek. Het water zou die schoft al wel in de mond lopen. Of misschien vroeg hij zich af of de dame een goede kandidate voor zijn prostitutiebedrijf was.

Hij keek weer naar haar. *Trek je bikini niet uit, Janie. Doe dat niet.*

Nu leek het net alsof ze hem had gehoord. In elk geval hield ze haar bikini aan. Ze droogde zich af, sloeg de handdoek om zich heen en liep het huis in. Niemand die naar haar keek kon het waterdichte knopje in haar rechteroor zien, waardoor ze informatie had ontvangen van Dominic. Shaw was die avond niet de enige die vanaf de rotsen toekeek.

Waller klom vlug omlaag en de twee mannen gingen naar binnen. Shaw verliet zijn observatiepost en liep terug naar zijn kamer. Hoewel het een koele avond was, zweette hij. Hij belde Frank en vertelde hem wat hij zojuist had gezien. Zijn baas maakte zich lang niet zoveel zorgen als hij.

'Die meid interesseert me niet. Het enige wat mij interesseert is dat hij volgens schema naar Les Baux gaat.' Onheilspellend voegde hij eraan toe: 'En laat dat ook het enige zijn wat jou interesseert, Shaw.'

Shaw legde langzaam de telefoon neer. Hij was een professional en deed dit werk al een eeuwigheid. Hij had zich maar één keer echt laten gaan, en dat was toen hij zichzelf had toegestaan om meer om iets te geven dan om de missie. Nou ja, toen had hij meer om een persóón gegeven.

•31•

Reggie droeg haar zomerjurk, sandalen en een lichtblauwe doek om haar haar. Ze deed de deur van haar villa open, ging naar buiten en botste bijna tegen hem op. Ze keek op naar de man en constateerde dat hij er in het echt nog intimiderender uitzag dan op de oude foto's. Hij droeg een zwarte broek en een wit overhemd met korte mouwen, dat hij in zijn broeksband had gestopt, zodat zijn slanke taille goed te zien was. Hoewel hij in de zestig was, had hij nog veel van de spieren uit zijn jeugd. Zijn schouders waren breed, zijn armen pezig en zijn dijen hard onder de zwarte broek. En toch werd haar aandacht vooral getrokken door zijn ogen.

Ze had in de ogen van veel moordenaars gekeken, maar de kracht in die van Fedir Kuchin was van een heel andere orde. Die ogen leken in staat te zijn elk geheim dat ze ooit had gehad recht uit haar ziel te trekken. Vergeleken met hem waren die oude nazi's bange kinderen.

Hij stak zijn hand uit. 'Blijkbaar ben ik uw buurman,' zei hij. 'Evan Waller.'

Zijn Oekraïense accent was nu verdwenen, begraven onder jarenlange Canadese invloed.

Ze gaven elkaar een hand. Zijn lange vingers omsloten de hare. 'Jane Collins,' zei ze.

Hij stond onaangenaam dicht bij haar. Hij was tien centimeter kleiner dan Shaw, maar torende nog steeds boven haar uit.

'Ik hoorde dat u gisteravond een klein misverstand hebt gehad met een van mijn mannen. De fout ligt geheel en al aan mijn kant. U kunt ervan verzekerd zijn dat het niet opnieuw zal gebeuren. Ik zou het graag willen goedmaken. Misschien met een etentje vanavond? In mijn villa of in het charmante dorpje boven op de rotsen?'

Terwijl ze daarover nadacht, was het of zijn grote lichaam nog dichter op haar afkwam. Ze keek even over zijn schouder en zag twee van zijn mannen, die nog groter waren dan hij, naar hen kijken. Een van hen deed dat met een vaag glimlachje. Waarschijnlijk was hij degene die haar naakt bij het zwembad had gezien, dacht ze. Lust bij mannen was een open boek. En dan stond de kleinere man van de vorige avond ook in de buurt. Om de een of andere reden was ze voor hem meer op haar hoede dan voor de grotere mannen.

'Nou, dat is heel aardig van u, maar...'

Hij onderbrak haar met een ontwapenende glimlach. 'Nee, nee, voor u me afwijst, moet u erover nadenken. Ik viel wel erg met de deur in huis. Mijn veront-

schuldigingen. U hoeft niet meteen antwoord te geven.' Hij keek naar haar rieten mand. 'U gaat boodschappen doen, zie ik?'
Ze knikte. 'Er is twee keer per week een geweldige markt in het dorp. Ze hebben alles, van kleren tot groenten.'
'Nou, dan moet ik daar zelf eens gaan kijken. Hebt u er bezwaar tegen dat ik met u meeloop? Het is een prachtige ochtend en ik wil graag even de benen strekken.'
'Bent u net aangekomen?'
Hij stak zijn arm door die van haar en ze zag zich gedwongen naast hem te lopen. Het was een hoffelijk gebaar dat heel vanzelfsprekend leek, maar Reggie zou zich niet kunnen verzetten zonder haar arm met enig geweld terug te trekken.
'Ja, het was een lange vlucht. Ik woon in Canada, mijn geboorteland. Daarvoor ben ik in Hongkong geweest. Een nog langere vlucht. Bent u daar weleens geweest?'
Reggie schudde haar hoofd.
'Een stad met meer energie dan welke andere stad ook.' Hij glimlachte en voegde eraan toe: 'En een stad waar je kunt krijgen wat je wilt. En dan bedoel ik alles. Maar u bent Amerikaanse, nietwaar? U bent gewend te krijgen wat u wilt.'
'Waarom denkt u dat ik Amerikaanse ben?' Ze deed alsof ze argwanend was.
'Een logische deductie op grond van uw accent en aspecten van uw uiterlijk. Heb ik gelijk?'
'Ja, ik ben Amerikaanse.'
'Dan zijn we in dat opzicht ook buren. Onze twee landen. Ik zie daarin de hand van de voorzienigheid.'
'Toen ik gisteravond thuiskwam, wist uw lijfwacht hoe ik heette.'
Kuchin maakte een nonchalant gebaar met zijn andere hand. 'Dat zijn de gebruikelijke veiligheidsprocedures, vrees ik. Ik ben namelijk erg rijk. Ik leid een erg saai leven en heb voor zover ik weet geen vijanden, maar de onderneming die ik leid eist dat ik die voorzorgsmaatregelen neem.' Hij lachte. 'Per slot van rekening ben ik Canadees. Wij zijn een vreedzaam, hardwerkend volk.' Hij gaf een klopje op haar arm. 'Ik kan u verzekeren dat er geen inbreuk meer zal worden gemaakt op uw privacy.'
O nee? dacht Reggie, dus ik word ook niet meer bespioneerd als ik aan het zwemmen ben? Ze had geen nachtkijker gehad, maar vanuit haar ooghoek had ze hem de vorige avond over de muur zien kijken. En Dominic had het bevestigd via het dopje in haar oor. Omdat Shaw had gezegd dat ze werd begluurd, hadden ze een observatiepost ingericht, amper een halve kilometer bij de plaats vandaan waar Shaw tussen de rotsen had gezeten. Dominic en Shaw hadden niets van elkaars aanwezigheid geweten.

‘Bent u daar wel zeker van?’ vroeg Reggie. ‘Uw beveiligingsman maakte de indruk dat hij grondig werk leverde.’
Kuchin glimlachte stralend en wreef over haar arm. ‘Ik ben er zeker van. Hij werkt voor mij. En ik zie dat u een heel charmante jongedame bent bij wie ik volkomen veilig ben.’
Het zal me een genoegen zijn het tegendeel te bewijzen, Fedir, dacht Reggie.
‘Heb ik goed begrepen dat u gisteravond een man bij u had? Alstublieft, zegt u nu dat hij alleen maar een oppervlakkige kennis was. Dan kan ik tenminste blijven hopen dat ik u nog eens zie terwijl ik hier ben.’
‘Ik ken hem nog maar kort.’
‘Geweldig. Dus u hebt geen echtgenoot of vriend bij u?’
‘Nee.’ Ze keek naar hem op alsof ze verbaasd was.
Blijkbaar interpreteerde hij die blik precies zoals ze wilde. ‘Nee, nee. Ik ben alleenstaand, maar ik zou kinderen van uw leeftijd kunnen hebben. Gunt u het een oude man nu maar dat hij graag op een onschuldige manier in het gezelschap van mooie jonge vrouwen verkeert. Verder niets.’
Ze keek hem speels aan. ‘U lijkt nog niet zo oud.’
‘U hebt mijn dag zojuist veel mooier gemaakt.’
‘En u weet zeker dat het verder niets is?’
‘U speelt met mij, nietwaar?’
‘Misschien een beetje.’
‘Goed, dat is een goede eerste stap. Bent u al eerder in de Provence geweest?’
‘Eén keer.’
‘Ik ben hier vaak geweest. Als u wilt, kan ik u hier enige mooie bezienswaardigheden laten zien. Het pauselijk paleis in Avignon, het fraaiste voorbeeld van een Romeins aquaduct in heel Frankrijk bij Pont du Gard, de grotten met de fototentoonstelling in Les Baux-de-Provence, het mooie stadje Roussillon en de wijnstreek ten noorden daarvan. Ik ken een café in Gigondas waarvan de pasteitjes alleen al de reis waard zijn.’
‘Nou, u laat er geen gras over groeien, meneer Waller.’
‘En wat zou het leven voor zin hebben als je tijd zou verspillen? Voor mij is het leven kostbaar. Ik wil er alles uit halen, want ik weet dat het op een dag voorbij is. En hoeveel geld je ook hebt, of hoeveel mooie huizen, of wat dan ook: als je je laatste adem uitblaast, is het allemaal weg. En alsjeblieft, noem me toch Evan. Je brengt me in verlegenheid als je mijn achternaam gebruikt.’
‘Nou, Evan, laten we met de markt beginnen en dan zien we wel verder. Hoe klinkt dat?’
‘Volkomen logisch.’ Hij gaf een kneepje in haar arm waaruit bleek dat het een leugen was toen hij zei dat hij ‘verder niets’ wilde. ‘Op naar de markt.’
Reggie begreep nu wat de professor had bedoeld toen hij het over de charme

van de man had. Als ze zijn verleden niet had gekend, had ze hem interessant, ja zelfs fascinerend kunnen vinden. Maar ze kende zijn verleden wel degelijk en keek dwars door zijn charme heen. En daarna was het nog maar een kleine stap naar het moment waarop ze een eind aan zijn leven zou maken.

32

Shaw liep door de menigte die zich al op de markt had verzameld. Er waren honderden marktkooplui. Sommigen hadden alleen maar een stel manden uit hun oude kleine autootje gehaald en op een gammele tafel gezet, terwijl anderen hun goederen op deugdelijke rekken hadden uitgestald. Hij moest de tijd doden en was hier al een uur. Hij had twee koppen koffie en een amandelcroissant gehad en stond op het punt door een lange smalle straat te lopen waar nog weer andere kooplui hun waren hadden uitgestald, toen hij hen zag naderen. Impulsief zocht hij dekking achter een rek met katoenen jurken en dameshoeden. Hij hurkte neer alsof hij een paar leren laarzen op een toonbank bekeek, maar in werkelijkheid waren zijn ogen achter de zonnebril op twee mensen gericht.

Janie Collins en Evan Waller liepen gearmd door de straat links van hem. Zij had een mand in haar hand en Shaw kon zien dat ze al een paar dingen had gekocht. Twee stappen achter hen liepen de lijfwachten. Een van hen was het onderdeurtje van de vorige avond, en de ander was een meter negentig en ongeveer honderddertig kilo. Shaw keek naar de andere straten, portieken en zelfs daken om te zien of er nog meer lijfwachten waren. Hij zag ze niet, en als ze er waren geweest, zou het hem niet zijn ontgaan.

Wat deed ze met hem? Die kerel moest wel heel snel in actie zijn gekomen.

Hij ging achter hen lopen, maar bleef op een flinke afstand en gebruikte de mensen en marktartikelen als dekking, want het was niet de bedoeling dat ze hem zagen als ze omkeken. Dit was een van de weinige momenten dat zijn lengte een nadeel was. Hij posteerde zich naast een kraam met T-shirts en ouderwetse muziekdozen die je met de hand moest aanzwengelen en keek nog eens goed naar Evan Waller. Hij was onder de indruk, zowel van de duidelijke fysieke fitheid van de man als van diens zelfverzekerde houding. Blijkbaar onthaalde hij de dame op grappige anekdotes, en onwillekeurig kromp Shaw telkens even ineen wanneer hij haar om een opmerking van de man zag lachen.

Een ogenblik dacht hij dat Waller in zijn richting had gekeken toen hij voor een kraam met leren jasjes stond, maar de man had meteen ergens anders heen gekeken en zijn metgezellin naar een andere bestemming geleid. Shaw zag dat Waller een met de hand gemaakt halssnoer voor haar kocht en om haar hals legde, waarbij zijn vingers Janies huid licht aanraakten. Twintig minuten later, toen ze haar mand vol had, liep het tweetal, met de zwijgende lijfwachten in hun kielzog, langzaam naar de villa's terug. Shaw bleef achter. Hij dacht na, maar kwam niet op ideeën waar hij iets aan had.

Hij liep vlug naar zijn kamer terug en belde Frank.
'De dame speelt met vuur en zal zich misschien branden,' zei Shaw. 'Het moet mogelijk zijn haar tegen die kerel te beschermen.'
'Hé, Shaw, ik dacht dat we dit gesprek al hadden gehad. We hebben jou niet naar de Provence gestuurd om een rijk vrouwtje uit de Verenigde Staten te beschermen. Je bent daar om Waller op te pakken. Dat is alles.'
'We kunnen niet toestaan dat die kerel...'
'Wat? Dat hij haar versiert?' Frank grinnikte. 'Goh, je zou jezelf eens moeten horen.'
Shaw ging op zijn bed zitten en wreef zo hard met zijn duim over zijn wijsvinger dat het geluid maakte. 'Hij kan haar wel vermoorden. Of haar ontvoeren en tot prostitutie dwingen.'
'Ja, hoor. Hij vermoordt of ontvoert een Amerikaanse erfgename die de villa naast hem heeft gehuurd en vindt het helemaal niet erg als de politie een onderzoek komt doen? Denk toch eens na. En waarom zou hij dat doen als hij zoveel veertienjarige weesmeisjes uit Azië kan krijgen als hij maar nodig heeft voor zijn onderneming? De man is op vakantie. Hij ziet dat er een mooie meid naast hem woont die naakt gaat zwemmen. Waarschijnlijk wil hij alleen maar een nummertje maken.'
'En dat vind jij geen probleem?'
'Het gaat mij niet aan. Denk jij daar anders over?'
Shaw aarzelde. Hij wist niet precies hoe hij erover dacht. Nee, misschien toch wel, maar hij durfde het niet uit te spreken, zeker niet tegen Frank.
'En als ze de operatie verknoeit?'
'Hoe dan?'
'Ik weet het niet. Maar als we nu eens gewoon de stekker uit de hele operatie trekken?'
'Ben je gek geworden?' blafte Frank. 'Als we hem deze keer niet te pakken krijgen, duikt hij misschien niet meer op voordat Londen of New York met een paddenstoelwolk de lucht in vliegt. Concentreer je op de operatie, Shaw, en maak je niet druk om die andere toestanden.'
Shaw legde de telefoon neer en kreunde zacht. Als dit voorbij was, ging hij nooit, nooit meer naar Frankrijk.

33

Reggie bukte zich om een foto van een bij op een lavendelstruik te maken. Ze stond op, liet de camera in de achterzak van haar witte jeans glijden en liep naar de abdij van Sénanque. Die abdij was in de twaalfde eeuw door cisterciënzer monniken gesticht en bevond zich ongeveer dertig kilometer bij Gordes vandaan. Je kwam er over bochtige bergwegen die officieel tweebaans waren maar in werkelijkheid niet breed genoeg waren om twee auto's elkaar te laten passeren.

Ze liep naar het eeuwenoude gebouw, waar mannen al honderden jaren naartoe kwamen om zich geheel aan het geloof te wijden. Het bevatte nu onder meer een kapel en een boek- en souvenirwinkel. Er woonden daar nog steeds cisterciënzer monniken, die allerlei dingen maakten voor de verkoop, zoals honing en likeuren. De grond om de abdij heen was bedekt met de lavendelvelden waarom de Provence bekendstond, al had Reggie op weg ernaartoe velden met zonnebloemen gezien die even indrukwekkend waren. Overigens was ze hier niet gekomen om de tuinbouw van de abdij te bewonderen. Ze was hier om iemand te ontmoeten. Deze plaats had ze vooral uitgekozen omdat niemand haar hierheen zou kunnen volgen. Dat was het voordeel van die onveilige smalle bergweggetjes.

Ze liep mee met een rondleiding, maar toen de groep naar de kapel ging, liep zij naar de souvenirwinkel. Het was daar warm en de plafondventilator deed niet anders dan warme, muffe lucht verplaatsen. In het halletje stond een automaat met cola en cappuccino. Ze liep naar het deel van de winkel waar grote platenboeken over de Provence lagen, in veel gevallen uiteraard met lavendelvelden op het omslag.

Toen ze een boek over de geschiedenis van de abdij doorbladerde, trilde haar mobiele telefoon. Ze keek naar het sms'je. Dat luidde: 'Zes uur.' Ze legde het boek neer, pakte een ander boek op en keek nonchalant om zich heen.

Whit stond achter haar en bekeek een klein houten beeldje van het abdijgebouw die voor vijftien euro te koop was. Hij droeg een honkbalpet, een zonnebril en een rafelige spijkerbroek en had een baard van weken. In zijn oren zaten iPod-knopjes. Hij legde het houten voorwerp terug en liep naar buiten. Ze wachtte een minuut en liep toen achter hem aan, nadat ze eerst nog het boek had gekocht dat ze had bekeken.

Ze zag hem bij een laag muurtje voor het gebouw staan. Hij had zijn camera in zijn handen en keek door de lens. Hij keek op en zag haar.

'Zou u een foto van mij willen maken voor de abdij?' vroeg hij.
Ze glimlachte. 'Alleen als u hetzelfde voor mij doet.'
Ze maakten om beurten foto's van elkaar en wandelden toen samen verder.
'Informatie over mijn vriend Bill?' vroeg ze met gedempte stem.
'Nee. De vingerafdrukken hebben niets opgeleverd. En zijn foto ook niet. Hij moet een braaf jongetje zijn. Zijn volledige naam is trouwens William A. Young.'
'Waar is die A een afkorting van?'
'Dat hebben we niet kunnen ontdekken.'
'Zou hij hebben gemerkt dat jullie twee zijn kamer hebben doorzocht?'
'We hebben alles precies op dezelfde plaats teruggelegd. Zijn paspoort is Amerikaans en het adres klopt. Er zijn in Amerika veel lobbyisten geregistreerd die William Young heten. In de weinige tijd die we hebben kunnen we ze niet allemaal natrekken. Dat zou waarschijnlijk toch tijdverspilling zijn. Ik zie niets bijzonders aan hem.'
'Of zijn dekmantel is net zo goed als de mijne.'
'Hij kan ook gewoon degene zijn die hij zegt dat hij is, Reg.'
'Hij is over een muur geklommen en heeft mij ontwapend. Nogal een prestatie voor een lobbyist.'
Whit keek zorgelijk. 'Nou ja, het is een grote kerel. Maar ik begrijp wat je bedoelt. Wat wil je dat ik doe?'
'Dat weet ik eigenlijk niet. Wat vindt de professor ervan?'
'De briljante man wil zich laten leiden door jouw expertise in het veld.'
'Geweldig. En wat vind jíj ervan?'
'Ik vind dat we Kuchin moeten grijpen, en als we nu op grond van heel weinig informatie zomaar onze plannen gaan veranderen, kan dat alles bederven. Laten we dus doorgaan met het oorspronkelijke plan. Als zich concrete problemen voordoen, zien we wel verder.'
'Hoe gaat het met Dom?'
'Die is er helemaal klaar voor. Nou, wat zijn je eerste indrukken van die goeie ouwe Fedir?'
'Precies wat ik al dacht. Hij vult de ruimte als hij ergens is, en dan nog is er ruimte te weinig.'
Hij keek haar sceptisch aan. 'Je laat je toch niet het hoofd op hol brengen, hè?'
'Door dat monster? Nooit.'
'Eigenlijk heb ik het niet over Kuchin.'
Ze keek hem strak aan.
Whit grijnsde kwaadaardig. 'Lang, mysterieus en beklimmer van muren?'
'Ik zal maar doen alsof je dat niet hebt gezegd,' antwoordde ze koeltjes.
'Ik wil je niet vertellen wat je moet doen...'

'Doe dat dan ook niet, Whit.'
'Als je maar voorzichtig bent.'
'Moet je horen wie het zegt!'
'Wat bedoel je daar nou weer mee?'
Ze wierp hem een zijdelingse blik toe. 'Heb jij echt met het bloed van een doelwit een hakenkruis op zijn voorhoofd geschilderd nadat je hem in zijn ballen had geschoten?'
'Wat kan ik daar nou op zeggen? Ik ben een kunstenaar.'
'Oké. Ik ga terug.'
'Dus vanavond ga je dineren met onze Oekraïense vriend?'
'Ja.'
'Ik vraag me af of je lange, mysterieuze vriend dan ook ergens in de buurt is.'
'Het is een klein dorp.'
'Nou, als je maar niet in een ménage à trois verzeild raakt. Dat kan rommelig worden. En voordat je het vraagt: ja, ik spreek uit ervaring.'
'Whit, soms begrijp ik niet hoe ik jou kan verdragen.'
'Dat moet wel door mijn charme komen.'
'Hoe weet je dat je die hebt?'
Hij keek beledigd. 'Jezus, vrouw, ik ben Iers. Dat zit in ons DNA.'

•34•

Reggie had erop gestaan dat ze in een van de restaurants in Gordes zouden eten in plaats van in zijn villa, en Waller had uiteindelijk toegegeven.
'Je bent volhardend,' had hij op licht verwijtende toon gezegd.
'Nee, ik gebruik alleen mijn verstand. Ik ken jou eigenlijk niet. En mijn ouders zouden niet hebben gewild dat ik zonder begeleiding naar je huis ging, zelfs niet om te eten.'
'Verstandige mensen, die ouders van jou.'
'Ja, dat wáren ze.'
'O. Wat jammer.'
'Dat vind ik ook,' had Reggie resoluut gezegd.
Ze waren er samen heen gelopen en hadden een tafel genomen op een terras dat omgeven was door een smeedijzeren hek van een meter hoog. Zoals gewoonlijk zaten Wallers mannen aan een tafel in de buurt. Pascal maakte deze avond geen deel uit van het bewakingsteam.
'Gaan ze overal met je mee?' vroeg Reggie, met een blik op de bewapende mannen.
'Dat is een van de prijzen die voor het succes betaald moeten worden,' zei Waller, en hij spreidde hulpeloos zijn handen. Hij droeg een blauwe blazer met een wit pochetje, een kaki broek, een wit zijden overhemd en blauwe gympen die zijn blote enkels vrijlieten. De dag was nog niet afgekoeld en er zat een streepje zweet op zijn voorhoofd. Ze was er zeker van dat hij ook zweetplekken onder zijn oksels zou hebben. Reggie had gekozen voor een lichtblauwe rok, een gele blouse en witte sandalen, met een bijpassende gele doek om haar haar. Zij zweette niet.
'Je kunt je moeilijk voorstellen dat iemand in deze omgeving iemand anders kwaad zou willen doen,' zei Reggie, terwijl ze haar laatste hapje rundvlees nam.
Waller nam een slokje van zijn wijn en keek haar onderzoekend aan. 'Het is hier sereen, pastoraal. Mooi.' Hij glimlachte. 'Net als jij.'
Op een gebaar van Waller bracht de ober een tweede fles van dezelfde wijn en schonk de glazen vol. Reggie pakte haar glas op en liet de wijn erin rondwalsen, terwijl ze het glas gedachteloos tegen het licht van de kaars hield die midden op de tafel in een schaaltje stond. 'Je zei dat je kinderen van mijn leeftijd zou kunnen hebben. Héb je kinderen?'
Hij maakte een nonchalant gebaar. 'Nee, ik sprak alleen in hypothetische zin. Ik denk dat ik het altijd te druk heb gehad voor kinderen.'

'Heb je een vrouw?'
'Als ik die nu had, zou ze met me mee zijn.'
'Als je er nú een had? Dus je bent getrouwd geweest?'
'Ja.'
'Is ze overleden of ben je gescheiden?'
'Vragen, vragen,' zei hij nonchalant, maar zijn blik was strakker.
'Sorry,' zei Reggie. 'Ik was alleen maar nieuwsgierig.'
'Beide.'
'Wat?'
'De eerste is overleden en de tweede is van me gescheiden.' Hij gaf een klopje op haar hand. 'Jij doet me denken aan mijn eerste vrouw. Die was ook mooi. En koppig.'
'Hoe heette ze?'
Waller wilde iets zeggen, maar hield zich in. 'Dat is het verleden. Ik sta niet stil bij het verleden. Ik leef in het heden en kijk naar de toekomst. Laten we deze heerlijke bordeaux opdrinken en dan een wandeling maken en van dit land genieten.'

Later op de avond leidde hij haar door de straat terug, haar arm door die van haar gestoken. Ze keek weer naar de lijfwachten. Waller volgde haar blik.
Ze zei: 'Het zal voor jou wel nodig zijn, maar ik zou niet graag op die manier willen leven.'
'Maar je bent zelf ook rijk. Je reist in stijl; je huurt een luxueuze villa op een van de mooiste plaatsen ter wereld. Ben je niet bang dat je wordt ontvoerd? Of zelfs vermoord om je geld?'
'Ik heb geen geld bij me, tenzij je een paar euro's de moeite waard vindt. Als ze mijn creditcards willen, hoeven ze me daar niet voor te vermoorden. En als ze me ontvoeren, zou er niemand zijn om losgeld te betalen. Dus je ziet: ik ben helemaal geen geschikt doelwit voor een misdadiger.'
'Misschien heb je gelijk. Weet je, die man met wie je omging, ziet eruit alsof hij een bekwame lijfwacht zou kunnen worden.'
'Bill ziet er inderdaad uit alsof hij op zichzelf kan passen.'
'Ach, dus het is Bill. Zijn achternaam?'
'Hij heeft me zijn achternaam niet genoemd,' zei ze naar waarheid. Whit had die naam voor haar ontdekt.
Het feit dat ze zijn achternaam niet wist, deed Waller blijkbaar goed. 'Dan ken je hem niet zo heel goed. Ik ben hier nog maar net en je kent míjn achternaam al.'
'Het is geen wedstrijd, Evan.'
'Natuurlijk niet,' zei hij zonder veel overtuiging.
'En zoals je zelf al zei, ben je oud genoeg om mijn vader te kunnen zijn.'

'Ik ben zelfs oud genoeg om je opa te kunnen zijn, tenminste bijna.' Hij liet haar arm los en wees naar de kerk. 'Er staat er een in elk dorp hier in de buurt.'
'Een kerk? Ja, ik geloof van wel.'
'Mensen gebruiken godsdienst voor veel dingen, vooral om hun eigen tekortkomingen te verklaren.'
'Dat is een ongewone theorie.'
'Er zijn hele boeken volgeschreven door dwaze mensen die de verantwoordelijkheid voor hun eigen leven niet willen dragen. En dus gaan ze op zoek naar een goddelijk wezen om een verklaring te geven voor hun verlangens.'
'Om hen te leiden, bedoel je?'
'Nee, als excuus. De mensen die echt iets met hun leven doen, doen dat van hieruit.' Hij tikte op zijn borst. 'Die hebben geen behoefte aan mannen met een priesterboordje om die hun vertellen wat ze moeten denken en tot wie ze moeten bidden. En vooral: aan wie ze hun geld moeten geven.'
'Ik leid hieruit af dat je geen trouwe kerkganger bent.'
Hij glimlachte. 'O, maar dat ben ik wel. Ik ga elke week. En ik geef veel geld aan de kerk.'
'Waarom, als je denkt dat het allemaal onzin is?'
Hij pakte haar arm weer vast. 'Nee, ik doe dat omdat het in mijn hart zit. Ik geloof. En er zit veel goeds in het geloof. Veel goeds. Mijn moeder zou in een klooster hebben gezeten als ze haar zin had gekregen. Gelukkig ging ze daar niet heen, anders was ik er niet geweest. Ik hield heel veel van mijn moeder.'
Reggie keek opzij en zag dat hij naar haar keek.
'Ik ga deze week voor een privérondleiding naar de fototentoonstelling in Les Baux. Heb je daarvan gehoord?'
'Ja, ik heb erover gelezen.'
'Dit jaar hebben ze voor Goya gekozen.'
'Goya? Geen opbeurende keuze.'
'Het is waar dat veel van zijn meesterwerken somber zijn, maar ze bezitten veel kracht, veel inzicht in de menselijke ziel.'
'Ze laten het kwaad zien,' zei Reggie, en ze wendde haar ogen af van de man die ze als een van de slechtste mensen beschouwde die ze ooit had vervolgd.
'Toch is het kwaad een belangrijke component van de ziel. Iedereen is in staat om kwaad te doen.'
'Dat geloof ik niet,' zei Reggie ademloos. 'Dat weiger ik te geloven.'
'Je kunt weigeren het te geloven, maar dat wil niet zeggen dat je gelijk hebt.' Hij zweeg even. 'Ik zou graag willen dat je die dag met me meegaat. We kunnen er dan verder over praten.'
Reggie gaf niet meteen antwoord. 'Ik zal erover nadenken en het je laten weten.'
Hij glimlachte om dat lichte verwijt, boog zich voorover en kuste de rug van

haar hand. 'Ik heb van ons diner genoten, Janie. En omdat ik nu zaken te doen heb, wens ik je goedenavond.'
Hij draaide zich om en liep weg. Zijn mannen liepen haastig achter hem aan.
Reggie bleef midden op straat staan en vroeg zich af wat die laatste blik van hem echt had betekend.
'Problemen?'
Ze draaide zich om.
Shaw leunde tegen een zuil voor de kerk.

•35•

Evan Waller stapte in de zwarte SUV en zijn colonne van drie auto's reed bulderend weg en wierp stof op een ouder echtpaar dat langzaam de heuvel opliep naar Gordes. Waller leunde achterover en keek naar het schermpje van zijn telefoon. Het mailtje was kort, zoals hij op prijs stelde, en informatief, zoals hij nog meer op prijs stelde.

'Hoe lang nog?' riep hij naar de chauffeur.

'Volgens de gps nog vijftig minuten, meneer Waller. Slechte wegen.'

'Maak er veertig van.'

De man trapte het gaspedaal dieper in en sprak in zijn headset. 'Harder rijden.' De twee andere wagens van de colonne zetten er meteen meer vaart achter.

Negenendertig minuten later kwamen de drie auto's op een eenbaansweg, en na veel bochten kwamen ze uiteindelijk bij een klein natuurstenen huis omgeven door een groepje bladerrijke bomen. De tuin was verwaarloosd, het dak moest nodig worden hersteld en de muren brokkelden af. Het was duidelijk dat hier een hele tijd niemand had gewoond. En er stonden geen andere huizen tot kilometers in de omtrek.

Waller maakte het portier van de SUV open en stapte uit. Hij wachtte maar enkele seconden tot zijn mannen hadden gekeken of alles veilig was, al had hij hier al een man geposteerd, die uit het huis was gekomen toen ze arriveerden. Waller liep het huis in, gevolgd door zijn mannen. Twee lijfwachten hielden buiten de wacht.

Het was een kleine, donkere kamer die naar schimmel en uitwerpselen stonk. Waller trok zich niets van de stank aan. Hij had wel ergere dingen meegemaakt. Midden in de kamer stond een smalle tafel. Die was twee meter lang en op een korte kant gezet, zodat hij bijna tot het plafond reikte. Twee van de poten waren afgezaagd en de rand van de tafel rustte op de vloer. De twee andere poten stonden tegen de muur. Een naakte man met donker haar en een baard was languit op het tafelblad gebonden. Waller keek naar Pascal, die in een donkere hoek stond en zijn blik op de man zonder kleren gericht hield.

'Je hebt zijn gevangenneming goed georganiseerd, Pascal.'

'Hij probeerde te vluchten, meneer Waller, maar het lukte hem niet.'

Waller liep naar de gevangene toe. In het licht van twee batterijlampen zag hij de onverschilligheid op het gezicht van de man. Dat maakte Waller kwaad. De man moest hem haten of vrezen, maar in elk geval íets voelen. Hij sloeg de man in zijn bebloede gezicht.

'Ben je wakker, Abdul-Majeed? Volgens mij ben je er niet helemaal bij.'
'Ik ben wakker. Ik zie je. Wat is er?' Waller wist dat de nonchalante houding van de man tot doel had zichzelf een moedige moslim te tonen en zijn eigen verwachtingen te dempen – alsof Waller de gevangene was in plaats van andersom. In werkelijkheid zouden waarschijnlijk geen van beide doelen worden bereikt. De dikke boekhouder Anwar was verwesterd. Abdul-Majeed was nog hard, een man van de woestijn voor wie extreme beproevingen de norm waren. Waller had respect voor zo'n man, zij het tot op zekere hoogte.
'Mis je Kandahar, Abdul-Majeed? Of hou je meer van de schoonheid van de Provence?'
De man haalde zijn schouders op. 'Ik hou wel van deze kamer. Hij is zelfs beter dan wat ik in Kandahar heb.'
Waller ging een stap achteruit en glimlachte. Hij had onwillekeurig bewondering voor de moed van de man.
'Ik hou er niet van om bedrogen te worden.'
'Dan begrijp je niet hoe de moslimwereld in elkaar zit. Het was geen bedrog. Het waren onderhandelingen. Het was voorzichtigheid. En de hele islam is al zo vaak door het Westen bedrogen. Waarom zou het in jouw geval anders gaan?'
'Ik ben hier op vakantie, en toch moet ik mijn aangename tijdsbesteding onderbreken omdat jij me een streek leverde.'
'Het is puur zakelijk. Je moet het niet persoonlijk opvatten.'
'Neem me niet kwalijk, maar ik vat het altijd persoonlijk op als iemand een bomaanslag op me pleegt.'
'Dan ben je te gevoelig.'
'Waarom deed je het?'
'Je loog tegen ons,' zei Abdul simpelweg.
'Ik lieg niet als het op zaken aankomt.'
De moslim keek hem smalend aan. 'Je bent Canadees en je hebt verrijkt uranium? Daar geloof ik niets van. Waarschijnlijk ben je een spion. Daarom probeerden we je te vermoorden.'
'Weet je, ik heb écht verrijkt uranium. Dat is een essentieel verschil. En als jullie dat niet geloven, waarom wilden jullie dan met me praten?'
'Ik bedoelde dat ík het niet geloofde. Anderen van mijn groep geloofden het wel. Zij maakten de fout en toen moest ik de rommel opruimen.'
'Maar zij hadden gelijk en jij had ongelijk.'
'Nogmaals: dat zeg jij. Jouw land is van de Amerikanen. Dat weet iedereen. Canada is een satelliet van de grote satan. Een hond wijkt niet van de zijde van zijn baas.'
Waller keek zijn mannen aan en gebaarde in de richting van de deur. Ze lie-

pen gehoorzaam weg. Pascal was de laatste en voordat hij de deur dichtdeed, wees hij naar een metalen gereedschapskist die in een hoek van de kamer op de vloer stond. Zijn werkgever en hij wisselden een blik van verstandhouding.
Waller keek de gevangene weer aan en greep een handvol van het vuile haar van de man vast. 'Alleen omdat je denkt dat ik een Canadees ben? Kun je echt zo stom zijn?'
Abdul-Majeeds ogen lichtten voor het eerst geïnteresseerd op. 'Omdat ik dénk dat je een Canadees bent? Bedoel je dat je dat niet bent?'
'Nee, Abdul-Majeed, dat ben ik niet.' Hij trok zijn jasje uit en schoof de mouw van zijn overhemd omhoog. Aan de binnenkant van zijn bovenarm bleken tekens te zitten die voor het oog niet gemakkelijk te zien waren. Hij hield het omhoog voor de moslim. 'Zie je dat? Weet je wat dat betekent?'
Abdul-Majeed schudde zijn hoofd. 'Ik weet niet veel van zulke tekens.'
Waller wees ze een voor een aan. 'Het zijn letters van een alfabet.'
'Dat is geen Engels,' zei Abdul-Majeed. 'Mijn Engels is goed. Ik weet niet wat dat is.'
'Het is Oekraïens. Het is een variant van het Cyrillische schrift en het betekent Vijfde Hoofddirectoraat. Belast met de interne beveiliging tegen de vijanden van de Sovjet-Unie. Ik hield zo veel van mijn werk dat ik het in mijn huid brandde.'
Abdul-Majeed zette grote ogen op. 'Ben je Oekraïens?'
Waller trok zijn mouw omlaag en deed zijn jasje weer aan. 'Eigenlijk heb ik mezelf altijd in de eerste plaats als Sovjetburger beschouwd. Maar misschien is dat haarkloverij. En omdat een groot deel van het nucleaire arsenaal van de vroegere Sovjet-Unie in Oekraïne te vinden is, begrijp je misschien wel hoe het zit. Ik heb daar nog steeds veel contacten.'
'Waarom heb je ons dat niet verteld?' snauwde Abdul-Majeed.
Waller trok een stoel bij en ging zitten. 'Het is niet mijn taak om jullie mijn hele voorgeschiedenis te vertellen. Ik wilde jullie alleen genoeg HVU, hoogverrijkt uranium, leveren om een groot deel van een Amerikaanse stad de lucht in te laten vliegen. Weet jij zelfs wel wat HVU werkelijk is, Abdul-Majeed?'
'Het is Allahs wapen.'
'Nee, het heeft niets met Allah te maken,' zei Waller smalend. 'Uranium is een in de natuur voorkomend mineraal dat over de hele wereld in kleine hoeveelheden wordt aangetroffen. Natuurlijk moesten de Duitsers eraan te pas komen om te laten zien wat je met splijting tot stand kunt brengen, namelijk de massale vernietiging van mensen en goederen. Wist je dat je hoogverrijkt uranium gewoon in je hand kunt houden en daar pas jaren later de nadelige gevolgen van ondervindt? Ik heb het zelf gedaan. Het was natuurlijk dom van me, maar

wie zou niet zoveel macht in zijn hand willen hebben? Ik was toen nog jong en dwaas en de verleiding was te groot om me druk te maken over de chemische effecten die me ooit waarschijnlijk fataal zullen worden.
Je hebt ongeveer vijftig kilo van die stof nodig om een nucleaire ontploffing te veroorzaken. Terwijl je bijna een ton, dus twintig keer zoveel, láágverrijkt uranium nodig zou hebben om een enkele atoombom te maken. Van plutonium heb je nog veel minder nodig om zo'n bom te maken, namelijk ongeveer tien kilo. Maar in tegenstelling tot HVU kun je alleen aan plutonium komen door nucleair materiaal van reactors opnieuw te verwerken. En geen enkel land zal terroristen dat toestaan, want het plutonium zou de chemische signatuur van dat land hebben.'
'Je beloofde genoeg materiaal voor een kofferatoombom,' zei Abdul-Majeed.
Waller schudde teleurgesteld zijn hoofd. 'Weet je, als je nucleair terrorist wilt worden, moet je de tijd nemen om de wetenschap te doorgronden. Kofferbommen zijn onzin. Je ziet ze in Hollywoodfilms en paranoïde politici praten erover. Je moet eerder aan een SUV-bom denken. Misschien is het met een iets kleiner formaat te doen, maar hoe kleiner de bom, des te groter de onderhoudskosten, al zou je dat misschien niet zeggen. En iemand moet wel erg sterk zijn om met een koffer van meer dan honderd kilo rond te sjouwen. Trouwens, de nucleaire kern zou het niet lang uithouden. Nee, wat ik jullie beloofde, was genoeg hoogverrijkt uranium, verwerkt door middel van gascentrifugetechnieken van de tweede generatie, voor de kern van een nucleaire bom. Dat is splijtbaar uranium met meer dan vijfentachtig procent Uranium-235. Dat betekent dat het van bewapeningsniveau is. Ik kan jullie ook voor een gereduceerde prijs materiaal leveren dat voor bewapening te gebrúíken is. Dat heeft maar twintig procent Uranium-235. De knal is lang niet zo hard, maar evengoed is het nog een verdomd harde knal en is er radioactieve neerslag.'
Waller stond op en liep door de kamer, maar zijn blik bleef op de moslim gericht.
'Ik kan ook technische ondersteuning bieden. Ik kan de splijtbare kern van het wapen bijvoorbeeld in een neutronreflector verpakken, want dat maakt de kritieke massa veel kleiner, en dat is goed als je zo veel mogelijk explosieve kracht uit je bom wilt halen. Het luistert nogal nauw. Een beetje te veel van het U-238-isotoop en er komt niets terecht van de kettingreactie die de stof in staat stelt tot massasplijting. Dan komt er geen knal en gaat er niets de lucht in.'
Voor het eerst was Abdul-Majeed zichtbaar onder de indruk. 'Je weet er veel van.'
'Ja, ik weet hier veel van,' zei Waller spottend. 'Ik woonde in Oekraïne toen dat land één groot atoomwapen was dat elk moment kon worden ingezet. Ik heb in nucleaire installaties gewerkt.' Onheilspellend voegde hij eraan toe: 'En ik heb wetenschappers gemarteld die ervan verdacht werden dat ze hun land aan de

Amerikanen en hun bondgenoten wilden verkopen. Het was in veel opzichten een heel leerzame tijd.'
'Dan hebben we ons in jou vergist. We kunnen alsnog zaken doen.'
Waller keek geamuseerd. 'O ja? Nadat jullie hebben geprobeerd mij te vermoorden?'
'Waarom niet? Je bent niet doodgegaan. De dingen zijn uitgelegd. Je zult veel geld verdienen.'
'Nou, het gaat niet altijd om geld, hè? En niet alle dingen zijn uitgelegd. Ik weet bijvoorbeeld dat het besluit om mij te vermoorden niet door jou is genomen, want jij bent daar niet belangrijk genoeg voor. Maar ik wil de namen van degenen die dat besluit wel hebben genomen.'
Abdul-Majeed glimlachte grimmig. 'Die namen zul je nooit te weten komen.'
'Ben je ooit gemarteld, Abdul-Majeed? Neem het me niet kwalijk dat ik de belachelijke term "grondige ondervraging" weiger te gebruiken. Ik zeg liever waar het op staat.'
De Afghaan keek verveeld. 'Slaapdeprivatie, waterboarding, stroomstokken, harde muziek.'
'Nee, je begrijpt me verkeerd. Ik vroeg of je gemarteld bent, niet vertroeteld op de manieren die tegenwoordig voor marteling doorgaan.'
Waller liep naar de gereedschapskist en haalde er verscheidene instrumenten uit. 'Ze zeggen dat de Duitsers wisten hoe ze mensen moesten martelen en dat ze daar heel erg goed in waren. Tegenwoordig hebben de Israëliërs de reputatie de beste ondervragers te zijn, en die zeggen dat ze helemaal niet martelen, maar psychologische middelen gebruiken om hun doel te bereiken. Ik persoonlijk geloof dat de Sovjets op unieke hoogte stonden als het op zulke dingen aankwam. We hadden de beste sluipschutters en ook de beste ondervragers. En ik ben ouderwets. Ik hou niet van de nieuwste technologische gadgets. Ik gebruik oude beproefde methoden om aan informatie te komen. Die methoden zijn gebaseerd op één feit.'
'Welk feit?' vroeg de moslim met holle stem.
Waller keek hem aan. 'Dat mensen slappelingen zijn. Ben jij een slappeling, Abdul-Majeed? Ik denk dat we daar vanavond achter komen.'

36

'Waarom zou ik problemen hebben?' vroeg Reggie.
Omdat ze geen aanstalten maakte naar Shaw toe te komen, liep hij naar haar toe.
'Sorry, daar vergiste ik me dan in. Hoe was het etentje?'
'Goed. Hij heeft verstand van wijn. En hij kan goed converseren.'
'Ongetwijfeld.'
'Zit je iets dwars?'
'Ik heb je al verteld dat een van zijn mannen je bespioneerde. En toen zetten ze de weg af alsof die van hen was...'
'Daar heeft Evan zich voor verontschuldigd,' onderbrak ze hem.
'O, is het Evan?'
'Zo heet hij. Hij heeft me trouwens ook zijn achternaam verteld, wat jij niet hebt gedaan. Hij heet Waller.'
'Young. Bill Young.' Hij zweeg even. 'Op de dag dat we gingen kajakken heeft iemand mijn kamer doorzocht.'
Reggie keek geschrokken. Haar respect voor Shaw nam toe, maar ook haar argwaan. 'Is er iets gestolen?'
'Nee, niet voor zover ik kan nagaan.'
'Waarom zou iemand dat doen?'
Hij haalde zijn schouders op. 'In elk geval blijkt Gordes opwindender te zijn dan ik dacht.'
Ze liepen door. Verderop, bij het dorpsplein, speelde een tienerband op gitaren en drums en was een groepje mensen blijven staan luisteren. Ze gooiden geld in hun mand.
'Hij vroeg naar jou,' zei Reggie.
'Naar mij? Waarom?'
Ze glimlachte. 'Ik denk dat hij wilde weten of je serieuze concurrentie voor hem bent.'
'En wat heb je tegen hem gezegd?'
'Dat ik je nauwelijks kende. En dat is ook zo.'
'Je kent hem ook niet,' merkte hij op.
'Hij lijkt erg aardig. Ik bedoel, hij is veel te oud voor me.' Ze gaf een speels tikje op zijn arm. 'Hij is zelfs ouder dan jij.'
'Om de een of andere reden denk ik dat leeftijdsverschillen geen rol spelen voor zo'n man.'

'Nou, ik denk dat ik de beslissing moet nemen, niet hij. Als ik tegen hem zeg dat hij zich moet inhouden, doet hij dat wel.'
'Hij lijkt me niet iemand die zich laat afwijzen.'
'Maar jij kent hem niet eens. Je heb hem zelfs nooit ontmoet.'
'Heeft hij je verteld wat voor werk hij doet?'
'Hij is zakenman.'
'Nou, dat kan van alles zijn.'
'Er is vast niets aan de hand. Per slot van rekening zijn we hier in de Provence. Wat kan hij doen?'
Shaw wendde snel zijn ogen af. Er klopte een adertje bij zijn slaap.
'Voel je je wel goed?'
'Het eten is me niet goed bekomen.'
'Wil je naar je kamer terug? Ik kan wel in mijn eentje thuiskomen.'
'Nee, ik loop met je mee.'
Ze namen de kortste weg en kwamen een paar minuten later bij haar villa aan.
'Zo te zien is onze vriend vanavond uit,' zei hij met een blik op de lege parkeerplekken voor Wallers villa.
'Hij is na het eten nogal plotseling vertrokken,' merkte ze op. 'Hij zei dat hij wat zaken te regelen had.'
'Een drukbezet man.'
Haar volgende woorden joegen een koude rilling over Shaws rug.
'Woensdag gaat hij naar Les Baux, naar de Goya-tentoonstelling. Hij heeft mij gevraagd mee te gaan.'
'En wat heb je tegen hem gezegd?' vroeg Shaw een beetje te scherp.
Ze keek hem verbaasd aan. 'Dat ik erover zou nadenken en het hem nog zou laten weten.'
Shaw dacht snel na en gooide er toen uit: 'Je hoeft het niet te doen.'
'Waarom niet?'
'Omdat je met mij naar Les Baux gaat. Morgen. Ik wil naar die tentoonstelling. Ik had het je al eerder willen vragen.'
'O ja?' zei ze sceptisch.
'We kunnen er een dagje van maken. Lunchen in St.-Remy?'
'Waarom doe je dit? Denk jij ook dat het een competitie is? Ik ben geen prijs die je kunt winnen.'
'Dat weet ik, Janie. En als je liever met hem gaat, heb ik daar alle begrip voor. Alleen...'
'Alleen wat?'
'Ik wilde alleen graag wat meer bij je zijn. Dat is alles. Ik heb er geen ingewikkelde verklaring voor. Ik wil gewoon bij je zijn.'
Reggies trekken verzachtten en ze streek met haar hand over zijn arm. 'Nou,

hoe kan ik weigeren als je het zo aardig vraagt?' Ze glimlachte. 'Oké, dat is afgesproken. En nu de grote vraag: Vespa of auto?'
'Het is een beetje ver voor de Vespa. Ik denk dat we beter met jouw Renault kunnen gaan. Zullen we zeggen, negen uur? Ik kom lopend naar je toe.'
'Ik kom je wel halen.'
Shaw keek haar nieuwsgierig aan.
'Dat lijkt me gemakkelijker. Dan nemen we meteen de grote weg.'
'En dan weet Waller er niets van, bedoel je?'
'Inderdaad.'
'Ik kan op mezelf passen.'
'Daar twijfel ik niet aan, Bill.' Ze zweeg even. 'En ik kan dat ook.'

•37•

Waller legde een kleverige sensor, die met een lange elektrische draad was verbonden, op de zijkant van Abdul-Majeeds hals. Toen verbond hij de draad met een kleine, op batterijen draaiende monitor die hij had aangezet.
'Wat is dat?' vroeg Abdul-Majeed nerveus.
'Het is niets om je zorgen over te maken. Het meet alleen je hartslag. Ik heb hier niet genoeg elektrische stroom om met schokken de waarheid uit je te krijgen, mijn moslimvriend. Maar er zijn andere manieren.' Waller legde een manchet om de arm van de man en stak de draad van de manchet toen in hetzelfde apparaat dat hij voor het meten van de hartslag gebruikte. 'En zo meet ik natuurlijk je bloeddruk.'
'Waarom doe je dat?'
'Omdat ik de pijn wil laten ophouden voordat je dood bent.'
Abdul-Majeed spande zijn spieren en begon binnensmonds te reciteren.
'Dus je god is groot, Abdul-Majeed?' zei Waller, die de woorden kon verstaan. 'We zullen zien hoe groot hij voor jou is.'
Abdul-Majeed gaf geen antwoord, maar ging door met reciteren. Waller keek naar de gegevens op het scherm. 'Je hartslag zit al op achtennegentig, en je bloeddruk gaat omhoog. En dat terwijl ik nog niet eens ben begonnen. Je moet rustiger ademen. Breng je zenuwen tot bedaren, mijn vriend.'
'Je zult mij niet breken,' zei Abdul uitdagend.
Waller haalde ducttape uit de gereedschapskist en trok het strak om het voorhoofd, de kin en de schouders van de man en ook enkele malen om de tafel. Daardoor kon Abdul-Majeed zijn hoofd of bovenlijf nog geen centimeter ten opzichte van het hout bewegen.
'Weet je waarom ik dit doe?' vroeg Waller. 'Nu kun je jezelf niet bewusteloos maken als de pijn te erg wordt. Ik heb mannen gekend die hun eigen schedel kapotsloegen om eraan te ontkomen. Die fout heb ik één keer gemaakt, maar daarna nooit meer. Marteling werkt niet als je de pijn niet voelt.'
Waller haalde nog meer dingen uit zijn gereedschapskist, stopte ze in zijn zak en liep naar de tafel terug. 'Ze zeggen dat de pijn van één niersteen die door je lichaam gaat nog groter is dan de pijn bij een bevalling. Ik ben nooit bevallen, maar ik heb wel nierstenen gehad en die pijn is inderdaad verschrikkelijk.' Hij trok rubberen handschoenen aan, keek naar Abduls geslachtsdelen en hield toen een dun glazen buisje met een lengte van twintig centimeter omhoog.

'Dit zal als niersteen moeten dienen. Nou, haal maar diep adem. En ontspan je daarna.'
In plaats daarvan ging de man sneller ademhalen. Zijn wangen bolden op alsof hij zich schrap zette voor een dodelijke slag. 'Je zult me niet breken!' riep hij keer op keer.
Waller duwde het glazen buisje systematisch in de penis van de man omhoog en gebruikte ten slotte een rubberen hamer om het nog een beetje verder te krijgen. Abdul gilde van pijn bij elke millimeter dat het buisje in hem werd gestoken.
'Eigenlijk is het alleen maar een katheter, Abdul. Nu gaat het pas pijn doen.'
Hij haalde een kleine bankschroef uit zijn zak. 'We kunnen er nu mee ophouden. Ik hoef alleen maar namen te weten.'
'Loop naar de hel!' schreeuwde Abdul.
'Natuurlijk. Heel origineel van je.' Waller liet de bekken van het bankschroefje naar elkaar toe komen. Hij liet het zakken en zette het vast, zodat het glas binnen in de man versplinterde.
Ditmaal schreeuwde Abdul-Majeed nog harder. Wallers mannen, die buiten dicht bij de deur stonden te wachten, keken elkaar aan en schuifelden toen nerveus bij de geluiden vandaan. Alleen Pascal bleef dicht bij de deur. Hij was altijd alert.
'Je bloedt op een plaats waar je dat niet leuk vindt, Abdul,' zei Waller, neerkijkend op zijn werk.
Het antwoord bestond uit kreten in de moedertaal van de man.
'Ja, ja, mijn moeder en vader zijn al dood,' zei Waller.
De tranen rolden over Abduls gekwelde gezicht en zijn kaakspieren bolden op en trilden. Zijn vastgebonden hals trok zich helemaal strak; elke ader, elke slagader was zichtbaar. Zijn pijn was zo erg dat als Waller hem niet aan de tafel had vastgelegd hij inderdaad zijn schedel tegen het hout te pletter zou hebben geslagen om een eind aan de verschrikking te maken.
Waller ging rustig verder. 'Ik heb Pasjtoe en een beetje Farsi geleerd in de tijd van de rampzalige invasie van de Sovjets in jouw land. Het zijn moeilijke talen om te leren, maar niet zo moeilijk als Engels. Dat heeft zoveel uitzonderingen dat er geen regels meer overblijven.' Hij keek op de monitor. 'Hartslag honderdnegenendertig. Ik heb dat wel hoger gezien. Als ik zelf ga hardlopen, kom ik boven de honderdveertig, en ik ben drieënzestig. Jij bent jong, dus dit is nog niets. Nou, je bloeddruk is honderdvijftig om negentig. Een beetje riskant. Nou, we zullen zien.'
Hij zette de bankschroef op een nieuwe plek en het bekken van de man kwam met een ruk omhoog. Bulderend van pijn probeerde Abdul zich los te maken van het tafelblad.

'Hartslag honderdzevenenvijftig. Oké, ik geloof dat ik nu je aandacht heb. We hadden het over namen.'
Hijgend zei Abdul: 'Als ik het vertel, zul je me doden.'
'Kijk, we gaan vooruit, Abdul. Dat is goed. We komen dichter bij onderhandelen. Maar als je het me vertelt, wil je dan dat ik je laat gaan? Als ik dat doe, kun je degenen waarschuwen die mij hebben bedrogen. Dat is geen reële optie.'
'Dus ik ga dood?'
'Dat heb ik niet gezegd.'
Waller maakte de bankschroef los en zette hem wat hoger weer vast om een bijzonder gevoelig deel van Abduls anatomie te verbrijzelen.
Opnieuw schalden Abduls kreten naar alle hoeken van de kleine kamer. Hij dreigde Waller te vermoorden, hem te onthoofden, de darmen uit zijn lijf te trekken, terug te komen om bij hem te spoken, iedereen af te slachten om wie hij iets gaf.
'Ik heb begrip voor je woede, mijn vriend, maar daar komen we niet verder mee,' zei de Oekraïener. Hij keek omlaag. 'Je bloedt hevig, Abdul, maar het is niet levensbedreigend, dus maak je geen zorgen.'
Waller liep weer naar zijn gereedschapskist en haalde er een kleine scalpel uit. Hij liet het aan de moslim zien. 'Een chirurgisch mes, erg delicaat en erg effectief. Ik kan hier en daar een incisie maken.' Hij hield het mes tegen twee plekken op Abduls hals. 'En dan bloed je in enkele minuten leeg. Maar dat wil ik niet, dus in plaats daarvan doe ik dit.'
Enkele seconden later was Abduls rechter pupil opengesneden. De moslim probeerde zich in alle bochten te wringen van pijn en zijn kreten weerkaatsten in de kleine ruimte.
Waller keek naar de monitor. 'Hartslag honderdvijfennegentig. Dat is niet vol te houden, mijn vriend. En je bloeddruk baart me ook zorgen. Als je niet tot bedaren komt, krijg je vast en zeker een beroerte. Ik maak me grote zorgen over je gezondheid.'
Hij keek naar de snikkende en nu deels verblinde man. 'Zou je willen dat ik met slaapdeprivatie ging werken of de rapmuziek ging draaien, zoals ze dat noemen, Abdul-Majeed? Ik denk dat je zelfs liever waterboarding zou hebben dan dit.' Hij boog zich dichter naar hem toe. 'Wat zeg je? Smeek je me? Wat, om je te doden, mijn vriend? Nee, nee. Ik ben niet gewelddadig van aard. Ik ben redelijk ingesteld. En ik dood niet zomaar. In plaats daarvan doe ik mijn werk beetje bij beetje.' Het mes sloeg weer toe en een deel van het linkeroor van de gevangene viel op de vuile vloer.
Waller keek op het scherm van de monitor. 'Je hartslag is meer dan tweehonderd, en je bloeddruk is niet goed, helemaal niet goed. Ik zeg je dat je kalm moet zijn en toch ben je dat niet. Je bent te koppig.' Hij keek de moslim weer

aan. 'Ik zal je nu even laten rusten. En dan begint de échte ondervraging. Als je dacht dat dit pijn deed, Abdul-Majeed, staat je een teleurstelling te wachten. Dit was nog maar het voorspel.'
Waller haalde een instrument uit zijn gereedschapskist dat eruitzag als een grote kaasrasp, alleen waren de snijranden langer en zagen ze er dodelijk uit. 'Ik weet dat je kunt zien wat ik hier heb, maar misschien realiseer je je niet wat het is. Laat ik je daarom een vraag stellen. Wat is het grootste orgaan in het lichaam?' Waller deed alsof hij op een antwoord wachtte. 'Zeg je dat je het niet weet? Dan zal ik het je vertellen. Het is de huid. Ja, de huid is het grootste orgaan in het lichaam. Niet veel mensen weten dat. Volwassenen hebben gemiddeld twee vierkante meter huid op hun lichaam, en dat kan wel vier kilo wegen. Ja, vier kilo. Nou, met dit stukje gereedschap dat ik nu in mijn hand heb kan ik binnen een uur alle huid van je lichaam schaven. Dat is geen loze bewering. Ik heb het eerder gedaan. Je hebt er een vaste hand voor nodig en een efficiënte methode. Ik begin bij het gezicht en werk dan langzaam naar beneden. De huid laat het makkelijkst in lange stroken los, snap je? Het gezicht en de armen zijn een ander verhaal, dat ligt wat moeilijker en die plekken vergen wat meer aandacht. Het is me trouwens een keer gelukt de huid er bijna in één sliert af te krijgen, maar toen ging het mis bij de knieën. Die vrouw had namelijk erg knokige knieën. Ik was natuurlijk teleurgesteld, maar evengoed was ik trots op mijn prestatie. Omdat het natuurlijk niet meehelpt als je tegenspartelt terwijl ik bezig ben, zal ik je hiermee injecteren.' Hij haalde een klein flesje vloeistof en een injectienaald uit zijn gereedschapskist tevoorschijn. 'De Russen hebben dit in de jaren zeventig uitgevonden. Het verlamt het lichaam, maar laat de persoon volledig bij bewustzijn zodat hij precies meemaakt wat er gebeurt, begrijp je? Je zal er niks van voelen als ik je huid eraf strip, maar je zal het wel allemaal zien. Daarom heb ik je één oog laten houden. Zodat je geen seconde zal missen. Natuurlijk is het verlammende effect na een paar uur uitgewerkt. En dan, ja dan voel je natuurlijk een heleboel.'
'Alsjeblieft, alsjeblieft,' snikte Abdul-Majeed.
Waller keek hem glimlachend aan. 'Dus je hebt liever niet dat ik je huid weghaal? Nou, wist je dan dat iemand zijn eigen darmen urenlang in zijn handen kan houden, als ze op de juiste manier uit zijn lichaam zijn gesneden? Je zou denken dat je dan doodbloedt, maar dat gebeurt niet. Je sterft vast en zeker aan iets anders, maar niet door bloedverlies, want ik weet wat ik doe. Weet je, het is mijn gewoonte de darmen in de mond te proppen, tenminste voor zover dat gaat. Misschien ben ik te weekhartig, maar ik vind het slecht om te verwachten dat een stervende man zijn eigen darmen vasthoudt. Je hebt twintig seconden de tijd om te beslissen wat je wilt, anders neem ik de beslissing voor je. En om maar meteen open kaart te spelen: ik voel het meest voor de huid.'

Ten slotte zei Abdul-Majeed, snikkend en moeizaam ademhalend: 'Ik zal je vertellen wat je wilt weten.'
Waller lachte. 'Dat is ironisch, Abdul, want ik zal jou eerst iets vertellen. Ik weet al wie bevel tot mijn dood hebben gegeven. Die zijn al dood. Ik heb jou voor het laatst bewaard.'
'Waarom heb je me dit dan aangedaan?' riep de gevangene uit.
'Omdat het kon. En het is altijd goed om te oefenen. Om de handigheid op peil te houden.' Je zei dat ik je niet kon breken, maar kijk nu eens?' Waller klonk nu niet onverschillig meer. 'En als iemand je slaat, mijn vriend, moet je terugslaan, anders denken ze dat je zwak bent. En ik ben van alles, maar zwak ben ik niet.'
'Maak me dan dood,' brulde de verminkte man. 'Maak het af.'
Waller haalde de manchet, de hartslagmonitor en de bankschroef weg en legde alles in de gereedschapskist terug. 'Ik ga mijn tijd niet meer aan jou verspillen; daar ben je niet belangrijk genoeg voor. Doe Allah de groeten van me. En zeg tegen hem dat ik me afvroeg waarom hij je niet te hulp kwam. Misschien had hij net als ik iets beters te doen.' Hij hield de kleine scalpel nog één keer omhoog. 'Wat ik nu ga doen, is een daad van genade, Abdul-Majeed. Je zal binnen een paar seconden begrijpen waarom.' Hij haalde uit naar het goede oog van de moslim en maakte de man nu volledig blind. 'Het zou het toppunt van wreedheid zijn om je te laten zien wat er nu met je gaat gebeuren.'
Het geschreeuw van de man volgde Waller toen hij naar buiten liep. Wallers mannen sprongen in de houding toen ze hem het huisje uit zagen komen. Hij knikte. 'Ik ben klaar.'
Pascal en een andere man liepen vlug terug naar een SUV die kort daarvoor was komen aanrijden. Ze maakten de achterklep open en haalden er twee honden uit. Het waren grote pitbulls die aan metalen staven waren vastgemaakt. Met behulp van de staven lukte het de mannen uiteindelijk de woeste beesten naar de deur van het huisje te krijgen. Toen maakten ze de halsbanden los die met de staven verbonden waren, trokken de muilkorven weg en duwden de honden door de opening, waarna ze de deur achter hen dichtgooiden.
Terwijl Waller lenig in zijn auto stapte, waren boven het motorgeluid uit het gegrom van de aanvallende honden en de doodskreten van Abdul-Majeed te horen. Waller deed zijn oordopjes in en koos een vrolijk nummer op zijn iPod. Zijn gedachten keerden terug naar de mooie vrouw met wie hij die avond had gedineerd. Hij verheugde zich erop haar terug te zien.
Binnenkort.

•38•

De lucht was koel, maar vreemd genoeg ook benauwd. De duisternis was hier donkerder dan alles wat Reggie ooit had meegemaakt. Ze kon alleen maar elke paar seconden even met haar kleine zaklantaarntje schijnen om te zien waar ze liep. Twee keer liep ze tegen iets hards op. Ze schaafde haar arm en kneusde een teen. Ze vervolgde haar weg naar beneden en bleef elke paar seconden staan luisteren. Toen ze door een deuropening was gegaan, greep iets haar vast.

'Jezus christus!'

'Ssst. Je schreeuwt de hele wereld bij elkaar.'

Er flitste een licht op het gezicht naast haar, en ze zag dat het de grijnzende Whit was.

'Hoe haal je het in je hoofd om me op die manier te besluipen? Als ik een pistool had gehad, had ik je neergeschoten.'

Whit haalde het licht bij haar gezicht vandaan. 'Sorry, Reg, ik denk dat het door deze omgeving komt. Daar krijg je rare gedachten van.'

'Is het hier tenminste veilig?' vroeg ze streng. Haar ademhaling werd weer normaal.

'Er is hier niemand. Kijk zelf maar.' Hij scheen met zijn zaklantaarn om zich heen. Reggie keek naar de voorwerpen die in zicht kwamen.

Crypten.

Ze bevonden zich in de catacomben van de katholieke kerk van Gordes. Sinds Reggie in Harrowsfield haar plan aan professor Mallory uiteen had gezet, hadden ze de kerk als middelpunt van hun plannen gebruikt. Whit en Dominic hadden het hele interieur doorzocht en tot hun grote tevredenheid geconstateerd dat daar alles was wat ze nodig hadden om hun doelwit te grazen te nemen.

'Hoeveel denk je dat er zijn?' vroeg ze.

'Weet ik niet. Ik heb ze niet geteld. Maar het zijn er veel.'

'Laat me dan de doorgang zien die je hebt gevonden. Daar komt het op aan.'

Hij leidde haar terug naar een kruispunt van twee gangen: die waardoor ze gekomen waren en een gang die naar links ging. Ze volgden die lange gang, die zwak verlicht werd door flakkerende elektrische lampen, en toen liep Whit naar links en leidde haar een eeuwenoude lange trap af. Ze passeerden nog een deur en kwamen aan de andere kant van Gordes terecht, in de buurt van de villa's.

'Het is een briljant idee van je om het religieuze aspect te gebruiken.'

'Het is alleen briljant als het werkt. Waar is Dom?'

'In ons onderkomen. Zijn handen jeuken om die kerel te grazen te nemen.'
'Dan moet jij hem kalmeren. Ik heb al tegen hem gezegd dat er op die manier fouten worden gemaakt. En met iemand als Kuchin kunnen we ons geen fouten veroorloven.'
Ze liepen naar de ruimte met de crypten terug.
'Waar is Bill?' vroeg Whit.
'Hoezo?'
'Ik zag je eerder vanavond met hem praten. Ik vroeg het me alleen maar af.'
'Was je me aan het bespioneren?' vroeg Reggie.
'Nee, ik waakte over je. Dat doen partners, weet je.'
'Oké, pártner, we gaan morgen naar Les Baux om de Goya-tentoonstelling te bekijken.'
'Is dat wel verstandig?'
'Waarom zou het niet verstandig zijn?'
'Omdat je die tijd ook zou kunnen gebruiken om Kuchin nog meer in te palmen.'
Dat was waar, dacht Reggie. En toch wilde ze naar Les Baux. Of misschien wilde ze gewoon met Bill naar Les Baux.
Blijkbaar kon Whit haar gedachten lezen. 'Zei je niet dat we ons niet moeten laten afleiden, Reg? Als je je daar zelf ook eens naar zou gedragen,' ging hij opgewonden verder.
Ze keek boos naar hem op. 'Maak jij je nou maar druk om Dom en jezelf. Jij bent degene die de vorige keer over de schreef is gegaan.'
'Wat, door een nazi in zijn ballen te schieten en het teken van Hitler op zijn kop te schilderen? Dat heb ik je al eerder gezegd: ik ben kunstenaar.'
'Nou, je hebt daarmee ons werk wel veel moeilijker gemaakt.'
'O, dus je gelooft nu in de theorie van de professor dat we zo veel mogelijk op de achtergrond moeten blijven, omdat de toekomstige schoften anders nog dieper wegkruipen?'
'Ik zie dat niet als alleen maar een theorie.'
'Nou, denk hier dan eens over na. Dacht je dat die kerels op wie wij jagen niet al zo diep zijn weggekropen als het maar kan? Dacht je dat ze niet wisten dat mensen het op hen hebben voorzien? Wil de prof dat we op de achtergrond blijven? Ik vind dat iedereen mag weten wat we doen. Ik wíl dat die schoften weten dat we op ze jagen. Ik wil dat ze 's nachts wakker liggen en aan hun eigen gruwelijke dood denken. Ik wil dat ze in hun broek pissen van angst, net als de mensen die ze hebben afgeslacht. Voor mij hoort dat allemaal bij de pret.'
'Wat wij doen is geen pret, Whit,' zei ze, al kon hij aan haar gezicht zien dat zijn woorden haar hadden getroffen, dat ze iets in haar hadden losgemaakt waaraan ze nooit eerder had gedacht.

'Nou, misschien is dat het voornaamste verschil tussen jou en mij.'
Ze keken elkaar in het halfduister aan, totdat Reggie vroeg: 'Heb je het gif al?'
'Genoeg om tien Fedir Kuchins te doden.' Hij keek om zich heen. 'Dit lijkt me een geschikte plek. We binden hem vast op die stenen plaat daar. We lezen hem zijn levensverhaal voor, en dan gaat het van drup drup. Weet je al hoe je die klootzak zijn gruweldaden wilt laten zien? Dat is volgens mij het laatste onderdeel van de operatie.'
'Ik ben ermee bezig. En daarna?'
'Ja, dan moeten we op de achtergrond blijven.' Whit scheen met zijn zaklantaarn op een crypte die tegen de muur stond. 'Het deksel daarvan zit los. Het heeft Dom en mij heel wat zweetdruppeltjes gekost, maar we kregen het voor elkaar. Er liggen alleen maar wat botten op de bodem. Er is dus ruimte genoeg. Ik heb hier en daar in het dorp geïnformeerd, en het blijkt dat ze de catacomben niet meer gebruiken. Ik denk niet dat ze hem ooit vinden, tot hij ook een hoopje botten is. Lijkt het je wat?'
'Ja. Ik weet zeker dat de professor er ook heel tevreden over zal zijn.'
'Het is niet aan mij om hem tevreden te stellen.'
Ze greep zijn arm vast.
'We moeten één lijn trekken. Er staat te veel op het spel.'
Hij maakte haar vingers los. 'Misschien ben ik het niet altijd met iedereen eens, maar als het tijd wordt om het werk te doen, doe ik het werk. En daar zal je het mee moeten doen, oké?'
'Oké.'
'Nou, dan wens ik je veel plezier met je vrijer in Les Baux.'
Binnen enkele seconden was Reggie alleen.
Ze wachtte nog enkele minuten en liep toen terug naar de donkere straten. Zelfs na middernacht was Gordes mooi en voelde het veilig aan. Toen ze stilletjes naar haar villa terugging, was er niemand in de buurt. Ze wist dat er waarschijnlijk mensen naar haar keken als ze naar Kuchins huis toe liep. Zijn mannen waakten vierentwintig uur per dag over hun baas. Reggie had er echter niet op gerekend dat iemand naar haar keek toen ze de kerk verliet.
En deze keer was het niet Shaw.

•39•

Vanwege het tijdverschil was het in Engeland een uur vroeger dan in Frankrijk. In Harrowsfield zat professor Mallory volledig gekleed achter een bureau in de kleine werkkamer naast zijn slaapkamer. Hij was van plan de hele nacht door te werken aan een nieuw project dat op de succesvolle voltooiing van de operatie-Fedir Kuchin zou volgen. Hij nam trekjes van zijn pijp en joeg bittere rookwolken naar het vlekkerige plafond. Het was zachtjes gaan regenen toen de professor eindelijk het notitieboekje waarin hij zat te werken opzij legde. In gedachten verzonken leunde hij achterover in zijn stoel.

Er werd op de deur getikt.

'Ja?'

'Ik ben het, professor,' zei Liza.

Hij stond op toen ze binnenkwam. Ze droeg een lang nachthemd met daaroverheen een beige wollen ochtendjas. Haar haar hing tot op haar schouders. Aan haar voeten had ze pantoffels.

'Is er iets?' vroeg hij.

Ze liet zich op een versleten leren bankje tegenover hem zakken en hij ging ook weer zitten. 'Ik kreeg net bericht van Whit. Reggie en hij hebben de plaats van actie goedgekeurd en de bijzonderheden uitgewerkt voor de laatste fase.'

'Dat is uitstekend.' Hij keek haar aandachtig aan. 'Maar je kijkt zorgelijk.'

'Dat komt door iets in Whits stem. Hij klonk alsof hem iets dwarszat. En dus belde ik Reggie. Zij klonk ook verontrust, maar toen ik vroeg wat er aan de hand was, wilde ze er niet over praten. Later probeerde ik Whit weer te bellen, maar hij nam niet op.'

'Dus je denkt dat ze misschien ruzie hebben gehad?'

'Daar lijkt het op. En dat kunnen we nu echt niet gebruiken.'

Mallory legde zijn pijp neer, liep naar het raam en keek door het met regen bespatte glas. 'Heb je ook contact gehad met Dominic?'

'Nee, Whit en hij delen een kamer, en ik denk dus niet dat hij iets zou vertellen. Bovendien wil ik niet nog meer spanning creëren.'

Mallory vouwde zijn handen op zijn rug en keek somber de duisternis in. 'Ik had dit moeten verwachten. Ik had Whit moeten achterhouden en Caldwell of misschien David Hamish met Dominic mee moeten sturen. Whit koestert blijkbaar veel meer rancune dan ik dacht.'

'Je denkt toch niet dat hij zijn werk daardoor minder goed doet?'

'Als ik daar het antwoord op had, zou ik me geen zorgen maken, hè?'

Ze keek naar zijn bureau. 'Weer 's nachts aan het werk?'
'Het lijkt erop dat ik het best kan nadenken als het donker is.'
'Nog nieuws over de financiering?'
Hij keek haar verrast aan. 'Hoezo, wat heb je gehoord?'
'Onze mensen weten dat er veel geld voor nodig is om dit alles te laten functioneren. We doen dit niet voor het geld, maar we krijgen wel een salaris. En dan is er nog het onderhoud van dit huis. En de onkosten van de missies. De villa die Reggie heeft gehuurd is verschrikkelijk duur. Als je dat allemaal bij elkaar optelt...'
Mallory zweeg enkele ogenblikken. Toen slaakte hij een zucht en ging weer achter het bureau zitten. 'We zitten een beetje krap. Dat zal ik niet ontkennen. De huur van die villa is trouwens geen probleem. Een rijke medestander met Oekraïense achtergrond vergoedt ons die onkosten. En ik heb nog een paar mensen op het oog. Het moet natuurlijk wel discreet worden aangepakt.'
'Natuurlijk.' Ze vervolgde: 'Wanneer heb je voor het laatst vakantie genomen, Miles?'
'Vakantie?' Hij grinnikte. 'Nu zou ik kunnen zeggen dat wat ik hier doe ook vakantie is, maar dat zeg ik niet.'
'Serieus, Miles: wanneer voor het laatst?'
Hij staarde voor zich uit.
'Toen Margaret nog leefde, denk ik. Rome. En Florence. Ze heeft altijd van het beeld van David gehouden. Ze kon er uren naar zitten kijken. Mijn lieve vrouw was een grote fan van Michelangelo. Het was een mooie reis. Na onze terugkeer werd ze ziek. Zes maanden later was ze dood.'
'Als ik het me goed herinner, was dat acht jaar geleden.'
'Ja, ja, dat kan wel. De tijd vliegt, Liza.'
'We staan hier allemaal onder grote spanning, maar sommigen meer dan anderen. Jij bent onze leider. We mogen jou niet verliezen.'
'Ik voel me best. Tenminste, zo goed als een dikke oude professor met een zittend leven zich kan voelen.' Hij keek om zich heen. 'Ik ben heel graag in deze oude ruïne. Regina vindt het hier ook prachtig. Ik hoor haar vaak 's nachts rondlopen.'
'Ze gaat ook vaak naar de begraafplaats. Wist je dat?'
Mallory knikte. 'Vooral naar het graf van Laura R. Campion. Voor zover ik ooit heb kunnen nagaan, is er geen verband. Toch voelt ze zich blijkbaar aangetrokken tot die vrouw.'
Liza keek hem strak aan. 'Had je een bijzondere reden om Reggie te rekruteren?'
Hij keek haar scherp aan en zei toen: 'Geen andere reden dan bij de rest. Ze voldeed aan alle voorwaarden. Maar op een gegeven moment heb ik me gewoon een oordeel over haar gevormd. In dat opzicht was Regina Campion niet uniek.'
Ze keek hem even aan en wendde toen haar blik af.

'Nu die Amerikaan,' begon Mallory.
'Bill Young.'
'Dat is geen gunstige ontwikkeling. Het leidt af. Misschien is er nog meer aan de hand. Eigenlijk weten we niets van de man. Iedereen kan zich voordoen als ex-lobbyist.'
Liza streek met haar hand over het koord van haar ochtendjas. 'Dat is waar. Whit heeft trouwens ook gemeld dat ze morgen met Young naar Les Baux gaat.'
Mallory keek geschrokken. 'Les Baux? Waarvoor?'
'Whit wist niet waarom. Hij vond dat ze in plaats daarvan aan Kuchin zou moeten werken.'
'Dat vind ik ook. Ik denk dat ik haar meteen ga bellen.'
'Doe dat niet, Miles.'
'Maar...'
'Ze staat onder grote druk, maar Reggie heeft de beste intuïtie van iedereen die we in het veld hebben. Ik denk dat we haar kunnen vertrouwen. Dat heeft ze wel verdiend, denk je niet?'
Mallory keek even besluiteloos, maar toen ontspande zijn gezicht weer. 'Goed. Ik ben het grotendeels met die beoordeling eens.'
Liza stond op en keek nog eens naar het bureau. 'Je werkt zeker al aan de volgende missie?'
'Je moet de dingen nooit op hun beloop laten.'
'Nou, laten we hopen dat Reggie en de anderen levend terugkomen. Dan kunnen ze het nog eens doen.'
Ze deed de deur zachtjes achter zich dicht.
Mallory keek haar nog even na en boog zich toen weer over zijn bureau. Hij zocht in een la en haalde er de foto uit die hij van Whit had gekregen. Hij ging zitten en keek naar de foto van Bill Young.
Er was een onheilspellend voorgevoel bij hem opgekomen, en iets vertelde hem dat het met deze man te maken had. Hij vertrouwde Reggie, maar er waren altijd grenzen aan het vertrouwen dat je in iemand kon stellen. En niets mocht verhinderen dat ze Kuchin te pakken kregen. Dat ging boven alles. Hij zat een tijdje te dubben en besloot toen het te doen. Hij haalde een mobiele telefoon uit zijn zak en toetste een sms'je in. De professor was lang niet zo onhandig met elektronica als hij deed voorkomen. Hij stopte de telefoon weg en leunde in zijn stoel achterover. Hij hoopte dat hij hier goed aan had gedaan.
Soms kon je in dit werk alleen maar op je instinct afgaan. Als je dan gelijk kreeg, was alles in orde. Maar als je ongelijk bleek te hebben? Nou ja, soms gingen mensen dan dood.

•40•

Om bij de Goya-tentoonstelling te komen moesten Reggie en Shaw een kronkelende rit door de bergen maken, met duizelingwekkende haarspeldbochten. In het zuidwesten veranderde de omgeving radicaal. Het landschap werd beheerst door calcium- en kalksteengroeven. Het deed Shaw aan de witte kliffen van Dover in Engeland denken.

'Dit is heel bijzonder,' zei Reggie toen ze bij de tentoonstelling waren aangekomen en om de rotswanden heen keken. Ze bevonden zich in een oude steengroeve aan de rand van Les Baux-de-Provence, boven in de Alpilles-bergketen. De groeve bood een schitterend uitzicht op de Val d'Enfer, het dal van de hel. Het was een ongewone plaats voor een experiment met kunst.

Alle wanden die Shaw en zij konden zien, waren verlicht met geprojecteerde beelden. De meesterwerken van de Spaanse schilder Francisco José de Goya y Lucientes keken in volle pixelglorie naar hen terug. Er waren de bekende portretten van leden van de Spaanse koninklijke familie, maar ook de naakte en geklede *Maja*, die na hun onthulling veel ophef hadden veroorzaakt en door de Spaanse inquisitie in beslag waren genomen omdat ze obsceen zouden zijn.

De werken van de Spanjaard waren ook op de vloeren afgebeeld. Het was een beetje bevreemdend om over erkende meesterwerken te lopen, maar na een paar minuten liet je je vanzelf meeslepen door het schouwspel. Thematische muziek drong in de verduisterde ruimte tot hen door, maar er was geen bijbehorend commentaar. Op de muren waren teksten te zien, informatie over Goya's leven. De beelden veranderden voortdurend terwijl Shaw en Reggie daar liepen. Het ene moment waren ze omringd door felle kleuren, het volgende moment waren de tinten donkerder geworden en heerste er een ontnuchterende atmosfeer. Er waren enkele personeelsleden in uniform, maar ze waren er niet om de bezoekers rond te leiden, alleen om iedereen te waarschuwen die de wanden probeerde aan te raken.

Toen Reggie en Shaw in het deel van de grotten kwamen waar Goya's latere, veel donkerder werk te zien was, zwegen ze. Shaw keek in de folder die ze bij de ingang hadden gekregen, maar die beperkte zich tot enkele feiten en vertelde niets over de schilderijen zelf.

'Nogal somber,' zei hij tegen Reggie, terwijl er droefgeestige muziek te horen was.

'Dat is *De executie van de rebellen op 3 mei 1808*,' zei ze, wijzend naar het schilderij van Franse soldaten die op weerloze Spanjaarden schoten. 'Het gedenkt

het Spaanse verzet tegen Napoleons invasie van hun land.'
'Heb jij kunstgeschiedenis gestudeerd?'
Ze schudde haar hoofd. 'Nee, die dingen interesseren me gewoon.'
Reggie keek naar de man in het witte overhemd op het schilderij, die zijn handen omhoogstak. Misschien gaf hij zich over, maar waarschijnlijk was het een opstandig gebaar. In zijn ogen was niets dan afgrijzen te zien. Hij en alle anderen om hem heen stonden op het punt te sterven. 'Toen ik tegen Waller zei dat Goya niet bepaald een opbeurende kunstenaar was, zei hij iets vreemds.'
'Wat dan?'
'Hij was het ermee eens dat de schilderijen somber waren, maar hij zei dat ze ook een krachtig inzicht gaven in de menselijke ziel. En daarna zei hij iets waar ik echt de rillingen van kreeg.' Ze aarzelde even, alsof ze er eigenlijk niet verder op wilde ingaan.
'Wat zei hij, Janie?'
'Hij zei dat iedereen het kwaad in zich heeft.' Ze keek Shaw aan. 'Ik zei tegen hem dat ik dat niet geloofde. Geloof jij het?'
Toen Shaw niet meteen antwoord gaf, zei ze: 'Laat maar. Het doet er niet toe.' Ze keek weer naar het schilderij. 'Dit stuk vormde de inspiratie voor later werk van Manet en Picasso. Mensen die andere mensen vermoorden. Wat een inspiratie.' Reggie sloeg haar armen om zichzelf heen en huiverde. De temperatuur was dertig graden gedaald toen ze door de kunstmatige ingang van de groeve waren gelopen en in de Cathédrale d'Images kwamen, zoals de groeve genoemd werd.
Het volgende deel van de tentoonstelling was gewijd aan de tijd waarin de oudere Goya doof en ziek was geworden. Hij zou hebben geleden aan een ziekte die zijn geest aantastte. De zogeheten zwarte schilderijen zagen eruit als nachtmerries. Een serie aquatinten met de titel *De gruwelen van de oorlog* was al even gruwelijk. Daarna kwam het werk met de titel *Saturnus verslindt zijn zoon.* Daarop was een monsterlijk verminkte figuur te zien die een bloederige romp zonder hoofd opvrat.
'Zouden ze gratis valium uitdelen als je weer buiten komt?' zei Shaw half voor de grap.
'Het is belangrijk dat we dit zien, Bill,' zei Reggie.
'Waarom?'
'Als we er niet naar kijken, blijven we keer op keer dezelfde fouten maken. Oorlog, gewelddadige dood, ellende – allemaal door de mens veroorzaakt en te voorkomen.'
'Nou, blijkbaar blijven we evengoed dezelfde fouten maken.'
'Ben je ooit in militaire dienst geweest?' vroeg ze.
'Nee.' Met zijn gezicht volkomen in de plooi voegde hij eraan toe: 'Ik ben nooit

dichter bij het front gekomen dan met paintballgevechten in mijn studententijd.'
'Dan heb je geluk.'
'Ja, dat heb ik.'
Het laatste schilderij was *Binnenplaats met gekken*. Reggie legde uit dat het werk de onfortuinlijke bewoners van een zestiende-eeuws gekkenhuis weergaf. Ze bleef verstard naar het schilderij staan kijken en toen Shaw naar haar keek, zag hij dat er een traan over haar wang rolde.
'Hé, Janie, misschien kunnen we beter weer naar buiten gaan en lekker gaan lunchen in St.-Rémy.'
Blijkbaar had ze hem niet gehoord, maar toen hij op haar schouder tikte, schrok ze en keek hem aan. Haar ogen waren vochtig en rood.
Hij koos zijn woorden met zorg: 'Ken jij iemand, ik bedoel natuurlijk niet in zo'n gesticht als op het schilderij, maar iemand die... problemen had?'
Ze gaf hem geen antwoord, maar draaide zich om en liep door de groeve terug. Even later kwam hij vlug achter haar aan. Ze bleef staan voor het eerste schilderij van de tentoonstelling, *De naakte Maja*. De naakte brunette lag onderuitgezakt op een chaise longue, haar handen achter haar hoofd gevouwen.
'Ik moet zeggen dat ik daar meer van hou,' zei Shaw. 'Tenminste meer dan van het vleesetende monster daarachter.'
'Het is verbazingwekkend hoe goed ze die schilderijen op de muren kunnen projecteren.' Reggies ogen waren opgedroogd en haar stem klonk weer normaal.
'Nou, waarschijnlijk gebruiken ze alleen maar elementaire projectieapparatuur, misschien zelfs zoiets als die powerpoint-techniek van computers.'
'Dus het is eigenlijk vrij gemakkelijk?'
'Ik denk van wel, maar ik ben geen deskundige.' Hij glimlachte. 'Hoezo? Had je plannen voor een eigen expositie?'
Ze wierp hem een vreemde blik toe. 'Je weet het maar nooit.' Ze stak haar arm door die van hem. 'Zullen we dan nu gaan lunchen?'
Op de terugweg kwamen ze langs een oud fort dat uit de berg was gehakt. Reggie wees ernaar. 'Het Koningsfort. Uitgehakt op de ideale plek om je te verdedigen.'
'Oké, ben jíj ooit in militaire dienst geweest?' vroeg Shaw.
'Ik lees gewoon veel. En in die intensieve cursus Frans zat ook een historisch overzicht van de Provence. Het fort keek uit op het Koningsdal daar beneden. De plaatselijke vorsten heersten van hieruit over hun gebieden.'
'De heersers zitten altijd boven en alle anderen beneden. Het draait om scheiding. Die voorkomt anarchie, of democratie – dat hangt ervan af of je heerser of onderdaan bent.'

'Dat was erg filosofisch, Bill.'
'Ik heb zo m'n momenten.'
Ze aten op het terras van een café in St.-Rémy. Daarna bekeken ze het pauselijke paleis in Avignon, en toen ze op de terugweg waren naar de auto, die in de ondergrondse parkeergarage bij het paleis stond, werden ze overvallen door een stortbui. Lachend en drijfnat renden ze over de keistenen binnenplaats naar de garage. Shaw gebruikte zijn jasje als paraplu om hen beiden te beschermen.
'Daarom hou ik van grote mannen, denk ik,' zei Reggie, opkijkend naar het grote jasje dat over haar heen hing.
Toen ze in Gordes terugkwamen, waren hun haar en kleren grotendeels opgedroogd. Op het moment dat ze voor Shaws hotel stopten, maakte Reggies mobieltje een geluid om te laten weten dat er een sms'je was binnengekomen. Ze liet het uit haar zak glijden en keek naar het scherm. Daarna stopte ze het telefoontje weer weg zonder iets te zeggen.
'Laat me eens raden. Evan Waller wil weten waar je de hele dag bent geweest?' zei Shaw.
'Worden we een beetje jaloers?'
'Nee, ik ben niet bezitterig. Maar dat kun je vast niet van hem zeggen.'
'Zoals ik al zei, je kent hem niet eens.'
'Ik heb veel kerels als hij gekend. En hebben we dit gesprek niet al gehad?'
'Ja, maar het doet me goed dat je iets om me geeft.'
Shaw legde zijn hand op haar arm. 'Serieus, Janie. Wees voorzichtig met die kerel. Hij geeft me helemaal geen goed gevoel.'
'Ik zal voorzichtig zijn. Zullen we vanavond samen eten?'
'Ben je me nog niet zat dan?' vroeg hij met een grijns.
'Nog niet, nee,' antwoordde ze gevat.
'Goed. In het dorp of ergens anders?'
'Als ik nu eens voor je ging koken?'
Hij keek lichtelijk verrast. 'Bij jou thuis? Goed. Maar alleen als ik de wijn mag meebrengen.'
'Afgesproken. Zullen we zeggen, om een uur of acht?'
Shaw liep de trap op naar zijn kamer, maakte zijn deur open en verstijfde.
De man die in de stoel naast zijn bureau zat, ontmoette zijn blik.

•41•

Nadat ze Shaw bij zijn hotel had afgezet, ging Reggie niet naar haar villa terug. Ze reed Gordes uit en nam de grote weg. Twintig minuten later kwam ze op haar bestemming aan. Onderweg had ze er goed op gelet dat ze niet werd gevolgd. Dominic had haar zien aankomen en stond bij de deur op haar te wachten. Toen ze het huisje binnenliep en de rommel zag, zei ze: 'Ik zie dat Whit zich hier al helemaal thuis voelt. Waar is hij eigenlijk?'

'Hij is weg, werkt ergens aan de missie. Hij zei dat ik hier moest blijven.'

'Ik heb net een sms'je van de professor gekregen. Daarom ben ik hier. Hij wilde weten of er problemen waren. Zijn die er?'

Dominic trok aan de mouwen van zijn sweatshirt. 'Ik hoorde dat Whit en jij ruzie hadden.'

Reggie ging op de rand van een stoel zitten. 'Hoezo, wat heeft hij tegen jou gezegd?'

'Wil je zijn verhaal of de gekuiste versie?'

'Wat zei hij, Dom?'

'Letterlijk zei hij: "Ze is verdomme verkikkerd op die kerel en nou helpt ze misschien alles naar de kloten." Alleen gebruikte hij het woord "kloten" niet.'

'Denk jij dat ook?'

'Je bent vandaag met hem op stap geweest, hè?'

'En we hebben ook voor vanavond afgesproken.'

'Reg,' begon hij.

Ze onderbrak hem meteen. 'En weet je waarom?'

'Nee, leg het me maar eens uit,' zei hij sarcastisch.

'Ik kan merken dat je te veel met Whit omgaat. Die toon is niets voor jou, Dom.'

'Misschien ben je het niet in alle opzichten met hem eens, maar als hij in het veld opereert, heeft hij een goed instinct.'

'Nee, dan heeft hij een gewéldig goed instinct. Maar dat heb ik ook. En deze keer zit hij er gewoon naast.'

'En waarom dan wel?'

Ze draaiden zich allebei geschrokken om en zagen Whit in de deuropening van het keukentje staan.

'Ik dacht dat je weg was,' zei Reggie.

Whit liep de kamer in en liet zich naast Dominic op de bank zakken. 'Dat was ik, en nu ben ik terug. Dus praat maar verder. Dit is heel informatief.'

'Tussen haakjes: hij wist dat iemand zijn kamer had doorzocht.'

'O ja? Die kerel is beter dan ik dacht. Dat moet ik onthouden.' Whit bleef haar aankijken.
'Doe dat. In elk geval voor toekomstige missies.'
'Nu even terug naar déze missie. En je relatie met kleine Billy.'
'Oké. Ik zal het jullie uitleggen. Ik heb weinig tijd voordat ik naar Kuchin terug moet. De hele missie is erop gebaseerd dat hij op een bepaalde dag om een bepaalde tijd naar de plaats gaat waar ik hem wil hebben.'
Whit trok zijn jasje uit en gooide het op een tafeltje in een hoek. 'Vertel ons nou maar wat we niet weten en waar we het ergste van denken, namelijk jou en die verrekte Bill!'
'Jaloezie,' zei Reggie simpelweg. 'Dat is de snelste manier om een man in te palmen. Hij vindt dat ik te veel met Bill omga. Kuchin wordt onrustig. Hij heeft al op die manier gereageerd. Dat geeft mij een voordeel. Hij zal er nu hard tegenaan gaan: "Janie, kom met me mee naar die mooie plaats, en dan naar die mooie plaats, en laten we heerlijk gaan dineren en die verrukkelijke wijn drinken." En dat zal zo ver gaan dat hij naar alle plaatsen gaat die ík voorstel, zonder te aarzelen. Het feit dat Bill er is, heeft mijn werk dus veel gemakkelijker gemaakt. Ik hoef me niet openlijk voor Kuchins voeten te werpen, en dat is heel goed, want in negen van de tien gevallen doorziet zo'n man zoiets meteen. Als hij denkt dat hij achter mij aan zit, is het een heel ander verhaal. Dan is hij niet op zijn hoede.' Ze zweeg even. 'Maar als jullie experts op het gebied van man/vrouw verhoudingen het beter weten, zal ik luisteren.'
Dominic keek Whit aan, die nog naar Reggie keek. 'Dus dit alles heeft met de missie te maken?' vroeg Whit.
'Het heeft altijd met de missie te maken gehad, Whit. Alles wat ik in mijn leven doe heeft met de missie te maken. Als je nou niet de hele tijd achter je pik aan zou lopen, zou je dat misschien begrijpen. Of heb ik je vorige opmerking in Harrowsfield verkeerd begrepen? Wat zei je ook alweer?'
'Een stukje blote dij en een mooi gezichtje. Zoiets was het,' zei Whit grijnzend.
'Waar hebben jullie het over?' vroeg Dominic, die van de een naar de ander keek.
'Niets, Dom,' zei ze.
'Hebben jullie soms een verhouding?' drong Dominic aan.
Whit lachte. 'Ik zou ervoor tekenen, jongen, maar zuster Reggie hier wil er niet aan.' De glimlach verdween snel van zijn gezicht. 'Oké, Reg, wat je zegt, is logisch. Jaloezie.'
'Jaloezie,' herhaalde ze terwijl ze hem strak bleef aankijken. 'Dat werkt bij de meeste mannen.'
Whit wendde zijn ogen af. 'Ik heb honger. Wil je ook iets eten?'
'Nee, maar ik heb een verzoek.'

Hij ging rechtop zitten en keek geïnteresseerd. 'Zeg het maar.'
'Ik heb nieuwe apparatuur nodig.'
Dominic keek haar behoedzaam aan. 'Wat voor apparatuur?'
'Iets om beelden op een muur te projecteren. Kun je daar aankomen?'
'Ik zou niet weten waarom niet,' zei Dom. 'Er zijn grote elektronicawinkels in Avignon.'
'Zorg daar dan voor, en zo snel als je kunt.'
Whit keek verbaasd. 'Wat ben je van plan?'
Ze stond op. 'Dat zul je wel zien.'
Toen ze bij haar villa terugkwam, stond Fedir Kuchin midden op het smalle weggetje. Hij spreidde zijn armen om haar te verwelkomen.
Ze zou een kogel tussen zijn ogen willen schieten. In plaats daarvan dwong ze zichzelf weer te glimlachen en stapte ze uit de auto.

•42•

Shaw deed de deur achter zich dicht en zei woedend: 'Wat doe jij hier, Frank? Zolang een operatie aan de gang is, mogen wij elkaar niet ontmoeten. Dat weet je.'

Frank Wells bleef in de stoel zitten. Hij keek niet erg blij. 'Je bent vandaag naar Les Baux-de-Provence geweest.'

'Dat weet ik,' snauwde Shaw. 'Nou, en?'

'Waarom deed je dat?'

'Omdat Janie door Waller was uitgenodigd voor een privérondleiding, en dat kon ik niet laten gebeuren.' Hij stak zijn hand op toen Frank iets wilde zeggen. 'Het heeft niets met haar persoonlijk te maken. Ze zou ons bij de ontvoering voor de voeten hebben gelopen. Het zou een groot logistiek probleem zijn geweest.'

'Ja, nou, wat dat betreft heb ik slecht nieuws. Daarom ben ik hier. Ik wilde het je niet door de telefoon vertellen.'

Shaw liet de sleutel van de kamer op de tafel vallen en ging op het bed zitten. 'Wat voor slecht nieuws?'

'Ze blazen de operatie af. Amy Crawford en haar eliminatieteam zijn het land alweer uit.'

Shaw stond zo snel op dat hij bijna zijn hoofd stootte tegen het lage plafond. 'Wat? Waarom?'

'De dingen zijn veranderd.'

'Veranderd! Hoe kunnen ze nou veranderd zijn? Waller wil nucleair materiaal verkopen. Een stel krankzinnigen probeert dat van hem te kopen om een stukje van de wereld op te blazen. Hoe kan dat nou veranderen?'

'Het is veranderd omdat hij het materiaal niet meer probeert te verkopen. Bovendien is het heel goed mogelijk dat hij de mensen heeft vermoord met wie hij zaken wilde doen.'

'Hoe weet je dat?'

'In een meer zijn twee lijken gevonden die voldoen aan de signalementen van de islamitische kerels die zakendeden met Waller. Ze vertoonden allebei tekenen van extreme marteling. Verder hebben we telefoongesprekken opgepikt waaruit blijkt dat de moslims niet meer met onze Canadese psychopaat samenwerken en zelfs alle banden met hem hebben verbroken.'

'Hoe weet je dat hij ze heeft vermoord?'

'We weten het niet zeker, maar we hebben ook net ontdekt dat een huis waar

Waller een terrorist van middenkaderniveau heeft ontmoet de lucht in is gevlogen. Misschien is hij een paar kerels kwijt. In elk geval zijn de mensen die hij hier bij zich heeft anderen dan degenen die hij tot nu toe bij zich had. We denken dat de islamieten hem misschien hebben bedrogen, dat ze hebben geprobeerd hem te vermoorden en dat hij heeft teruggeslagen. Tenminste, dat is één theorie, en waarschijnlijk de juiste. Het is heus niet zo dat hij die atoombomfanaten heeft geëlimineerd om de wereld te redden. Hij geeft alleen om geld.'

'Maar Frank, hij kan het toch opnieuw proberen met een andere groep kopers?'

'Dat denk ik niet. De hele zaak heeft te veel aandacht getrokken van de verkeerde mensen. Hij is te slim om nu iets te proberen. De komende jaren houdt hij zich gedeisd en beperkt hij zich tot seksslavernij. En daarna is zijn bron van U-235 opgedroogd. We denken dat hij het uit de voorraad heeft die de Russen in het kader van een ontwapeningsverdrag ontmantelen en naar de Amerikanen sturen. Over een paar jaar is die voorraad op. Daarom vinden onze superieuren de operatie niet meer de moeite waard.'

'Maar we zouden hem ontvoeren om hem te laten praten. Hij zou ons nog steeds naar die terroristische cel kunnen leiden.'

'Niet als hij ze allemaal heeft vermoord. De enige in wie we echt geïnteresseerd waren, Abdul-Majeed, is trouwens spoorloos verdwenen. Onze mensen denken dat Waller hem ook te pakken heeft gekregen. Het komt erop neer dat er niemand meer over is die hij aan ons kan verraden.'

'Maar hij is een schurk. Je zei net dat hij zich nu weer op zijn sekshandel gaat storten. We moeten hem tegenhouden.'

Frank stond op. 'Dat is ons probleem niet. We trekken ons officieel uit deze zaak terug.' Hij hield Shaw een pakje papieren voor. 'Hier heb ik onze nieuwe opdracht. Morgenvroeg vlieg je naar Madrid, en dan ga je een tijdje naar Rio. Je wordt onderweg precies op de hoogte gesteld, maar het gaat om Chinese banden met gewelddadige antidemocratische leiders op dat halfrond. Mijn collega in Zuid-Amerika vangt je daar op en neemt de bijzonderheden met je door.' Toen Shaw de papieren niet aanpakte, liet Frank ze op het bureau vallen.

Shaw schudde zijn hoofd. 'Morgenvroeg? Dan heb ik niet genoeg tijd om de zaken hier af te wikkelen.'

Frank, die al op weg was naar de deur, bleef staan en draaide zich naar hem om. 'De zaken afwikkelen? Wat valt er nou af te wikkelen?'

'Geef me een extra week hier, Frank.'

'Een week! Vergeet het maar. Je orders staan in die papieren. Je gaat morgen. Het is allemaal geregeld.'

'En als ik het niet doe?'

Frank kwam dichter naar hem toe. 'Wil je het echt zover laten komen?'
'Ik moet wel.'
'Vanwege haar? Je zei toch dat er niets tussen jullie was?'
'Ik zei dat we niets met elkaar hadden. Maar ik kan haar niet alleen laten met Waller. Dan zou ik in feite haar doodvonnis tekenen.'
'O, kom nou. We hebben dit gesprek al eerder gehad. Die kerel doet haar niets. We zijn hier in de Provence. En de dame is geen verwaarloosd jong meisje uit een lemen hut in de provincie Guangdong om wie niemand iets geeft. Hij is niet echt in haar geïnteresseerd.'
'Als die kerel haar wil hebben, neemt hij haar. Dat weet ik. En ik ben er vrij zeker van dat hij haar wil. Dus praat nou namens mij met de kerels aan de top. Zorg dat ik een beetje extra tijd krijg.'
Maar Frank had zich al omgedraaid. 'Zorg dat je morgen in dat vliegtuig zit, Shaw. En speel niet langer voor beschermengel. Dat staat je niet.'
Shaw schopte de deur achter de man dicht.

•43•

‘Ik heb je gemist, Janie.’ Waller pakte haar hand.
‘Je had vast wel genoeg om je mee bezig te houden.’
‘Als ik vragen mag: waar ben je vandaag heen geweest?’
Reggies adem stokte even en toen zei ze: ‘Ik ben naar Les Baux-de-Provence geweest om de Goya-tentoonstelling te bekijken.’
Zijn glimlach verdween. ‘Dat is heel jammer. Zoals ik je al zei, hoopte ik daar zelf met je naartoe te gaan.’
‘Het is jammer,’ zei ze kortaf.
‘En ging je alleen?’
‘Evan...’
‘Ik begrijp het. Jullie hebben je vast wel uitstekend geamuseerd,’ zei hij met een zweem van bitterheid.
‘Luister, ik vind het jammer. Ik deed het in een opwelling. Er zijn hier in de omgeving nog veel meer dingen die we kunnen bekijken.’
Dat gaf hem blijkbaar nieuwe moed. ‘Je hebt gelijk. Wil je dan vanavond met me dineren? Bij mij thuis? Het zou me een eer zijn. Ik heb een kok hier uit de omgeving ingehuurd.’
‘Nou, ik heb al plannen. Bill komt hierheen en we gaan zelf koken bij mij thuis.’
‘Dus Bill komt. Ik begrijp het. Je kunt Bíll zeker niet afzeggen?’
‘Nee, maar ik heb geen plannen voor morgen of overmorgen.’
‘Laat me die tijd dan nu meteen reserveren, en ook elke dag daarna. We kunnen morgen naar Roussillon.’
Reggie deed alsof ze erover nadacht. ‘Dat is goed, maar laten we het per dag bekijken.’
‘Uitstekend.’ Hij bukte zich om haar hand te kussen.
Reggie draaide zich om toen ze een slanke man uit Kuchins villa zag komen en naar hen toe zag lopen. Ze zag dat hij een beetje mank liep. Hij droeg een blauwe broek met een mouwloze gele trui over een wit overhemd.
Kuchin richtte zich op. ‘Hé, Alan, laat me je voorstellen aan deze charmante jongedame. Alan Rice, Jane Collins.’
Ze gaven elkaar een hand.
‘Alan is mijn naaste medewerker. Hij werkt altijd, maar ik heb hem kunnen overhalen hierheen te komen, al is het maar voor korte tijd.’
‘Dat was een goede beslissing, Alan,’ zei ze. ‘Er zijn weinig plekken zoals de Provence.’

'Dat zegt Evan ook steeds tegen me.'
'Nou, ik hoop dat je je hier amuseert.'
'Dat ben ik wel van plan.'
Later die avond zat Reggie op haar bed en staarde ze naar de tegelvloer. Over een paar dagen zou het gebeuren. En in de tussenliggende tijd mocht ze geen fouten maken, moest ze alles precies zo doen als de bedoeling was, en dan kon het evengoed nog misgaan. Ze wist dat ze Fedir Kuchin nu had waar ze hem wilde hebben, maar ze deed dit werk al lang genoeg om te weten dat alles niet altijd was zoals het leek. Zonder enige twijfel was hij erg slim, en ze mocht er dan ook niet van uitgaan dat ze hem helemaal in haar zak had. Hij speelde de rol van oudere aanbidder heel bewonderenswaardig, maar meer was het ook niet: een rol. Reggie liet haar gezicht in haar handen zakken. Het leven waarvoor ze had gekozen was niet gemakkelijk. Je kon letterlijk niemand vertrouwen. En er hield haar nog iets anders bezig.
Iedereen heeft het kwaad in zich.
Hoewel ze Kuchin openlijk had tegengesproken, vond Reggie dat er wel enige waarheid in die woorden zat. Sterker nog: in zekere zin kon je de dingen die zij deed ook als het kwaad beschouwen. Ze speelde voor rechter, jury en beul. Wie was zij om al die beslissingen te nemen? Wie gaf haar dat recht? En dan was er nog de reden waarom ze voor dit leven had gekozen. Het beeld van haar dode broer flitste opeens door haar hoofd. Nog maar twaalf jaar oud, zo onschuldig. Een tragisch verlies.
Ze liep vlug naar de badkamer, draaide de kraan open en liet water over haar gezicht stromen. Ze moest niet meer aan zulke dingen denken. Ze moest zich concentreren.
Ze speelde Bill omwille van de missie tegen Kuchin uit. Als ze bij een van beide mannen was, was dat omwille van de missie, zei ze tegen zichzelf. Bill Young was een bruikbaar stuk op het schaakbord – niet meer en niet minder dan dat. Even leken de verbindingen in haar geest niet meer te werken, als het effect van een bliksemschicht op een tv-toestel. Toen haar synapsen weer functioneerden, drong er iets tot haar door wat haar bijna misselijk maakte.
Als Kuchin denkt dat ik echt in Bill geïnteresseerd ben, zal hij misschien...
Een deel van Reggie was koud en berekenend. Dat deel zei dat bijkomende schade soms niet te vermijden was en dat offers gerechtvaardigd waren als de missie maar slaagde. Een ander deel van haar vond het een verschrikkelijk idee dat een onschuldige misschien zou sterven opdat zij haar doel kon bereiken. Dat was voor haar het summum van het kwaad waartegen ze juist beweerde te strijden.
Breng dat met elkaar in evenwicht, Reggie.
Toch had ze alles al in beweging gezet. Hoe zou ze het nu nog stop kunnen zetten?

•44•

Reggie kleedde zich uit en nam een douche. Ze boende zo hard dat het was of haar huid van haar botten loskwam. Daarna trok ze een spijkerbroek en T-shirt aan, ging naar beneden, pakte haar boodschappenmand en liep de heuvel op naar het dorp. Om haar buurman niet tegen te komen nam ze een achterdeur die op het keienpad uitkwam.

Een uur later kwam ze terug met haar mand vol ingrediënten voor het eten. Ze zette alles klaar in de keuken, friste zich op in de badkamer en trok een witte rok en een lichtblauw topje aan. Ze bleef op blote voeten lopen. Het was een prettig gevoel om de koele tegels onder haar voetzolen te hebben. Ze stond een hele tijd voor de spiegel om haar haar te doen en zich op te maken en nam zelfs vijf minuten de tijd om een armband en oorhangers uit te kiezen.

Ineens verstijfde ze. Ze keek naar haar opgemaakte gezicht en grote ogen, die nog groter leken door de magie van eyeliner en mascara.

Het is jaloezie. Je speelt de een tegen de ander uit. Dat is alles.

Opeens klonk Whits stem in haar hoofd: 'Dus dit heeft allemaal met de missie te maken, Reg?'

Ze bleef naar zichzelf in de spiegel kijken. 'Het heeft altijd met de missie te maken.' Weer een monster doorstrepen dat op de lijst stond. Meer wilde ze niet. En het maakte niet uit hoe ze het voor elkaar kreeg.

Haar hart sloeg over toen ze de deurbel hoorde. Ze keek op haar horloge. Acht uur precies. Ze wierp een laatste blik in de spiegel en liep vlug de wenteltrap af. Toen ze de voordeur openmaakte, hield Shaw twee flessen wijn omhoog. 'De wijnhandelaar in het dorp zwoer dat dit de twee beste rode wijnen waren die hij had, als het mijn doel was schaamteloos indruk te maken op een bijzonder verfijnde welgestelde dame.'

Reggie nam een van de flessen aan en keek naar het etiket. 'Hij had gelijk. Ik ben onder de indruk. Ze moeten je een klein fortuin hebben gekost, zelfs in de Provence.'

'Als ik plezier wil hebben, laat ik me nooit door geld weerhouden. En als lobbyist ben ik gewend af te dingen.'

Ze ging op haar tenen staan en kuste hem op zijn wang. Hij volgde haar naar de keuken en liet zijn blik over de beweging van haar heupen gaan.

'Mis je het werk?' vroeg ze.

'Eigenlijk niet. In feite verdiende ik buitensporig veel geld om nog meer geld te verdienen voor mensen die er al te veel van hadden.'

'Ik heb alles al voorbereid. Je instrumenten liggen op je te wachten.' Ze wees naar een kartelmes en een houten hakblok naast een berg groente en tomaten.
'Oké, maar eerst een dorstlesser.' Hij pakte de kurkentrekker van het aanrecht, werkte de kurk eruit en schonk twee glazen in. Hij gaf haar er een. Ze klonken en namen een slokje. Hij zette het glas neer en pakte het mes op. 'Nou, wat gaan we eten?' vroeg hij terwijl hij begon te snijden.
'Het hoofdgerecht is een stoofschotel met kip, tomaten en groente, en een kruidenmengsel waarvan de samenstelling streng geheim is. Ik heb een kaasplankje en crackers met dikke, gevulde olijven als voorafje. Dan hebben we salade, brood en olijfolie, en tot slot hebben we een romig dessert dat ik bij de bakker heb gekocht omdat ik niet kan bakken. De koffie komt natuurlijk uit een cafetière.'
'Klinkt geweldig.'
'Weet je, hoe deprimerend Goya ook kan zijn, ik heb vandaag toch echt genoten.'
Hij keek naar haar terwijl ze in de pan aan het roeren was. 'Ik ook. Dat moet aan het gezelschap hebben gelegen.'
Reggie fronste haar wenkbrauwen. 'Oké, nu we toch zo openhartig zijn: Evan heeft me gevraagd morgen met hem naar Roussillon te gaan.'
Shaw was klaar met het snijden van een tomaat en begon aan de selderij. 'Ga je?'
'Ik heb tegen hem gezegd van wel, maar ik denk dat ik met mijn eigen auto ga.'
'Goed.'
'Je klinkt niet alsof je het goedvindt.'
'Als ik het voor het zeggen had, zou je je verre van die kerel houden.'
'Maar je hebt het niet voor het zeggen.'
'Daar ben ik me heel goed van bewust.'
'Denk je echt dat hij een schurk is?'
'Laat me het zo stellen: ik wil niet dat je aan den lijve ondervindt dat ik daarin gelijk heb.'
Ze glimlachte. 'Nou, dan put ik troost uit het feit dat jij hier bent om me te beschermen.'
Hij hakte opeens zo heftig in de groente dat ze vroeg: 'Is er iets mis?'
Hij liet het mes vallen en veegde zijn handen af aan een vaatdoek. 'Mijn plannen zijn veranderd. Ik moet... ik moet morgen weg. Naar huis.'
De kleur trok uit haar gezicht weg. 'Weg? Waarom?'
'Er is iets met mijn zoon.'
'O god, wat erg. Is het ernstig?'
'Hij is niet ziek of zo. Het is meer emotioneel dan fysiek, maar ik ben zijn vader

en het is belangrijk dat ik er ben. Daarom moet ik weg, hoe heerlijk ik het hier ook vind.'
'Ik zie nu waarom ik je zo aardig vind. Je geeft prioriteit aan de juiste dingen.'
Shaw wendde zich af, beschaamd omdat ze hem die onverdiende lof gaf. 'Dus ik zal hier niet zijn om je te beschermen.'
'Dat was maar een grapje. Het is niet jouw taak om mij te beschermen.'
Toen hij weer een blik op haar wierp, keek ze naar het fornuis. Shaw had het gevoel dat er nog iets anders op haar gezicht te zien was. Was het opluchting? Was ze misschien blij dat hij wegging?

Tijdens het eten praatten ze over onbeduidende dingen, en ze namen geen koffie of dessert.
'Ik hoop dat het goed komt met je zoon,' zei ze toen hij haar hielp de tafel af te ruimen.
'Ik hoop dat alles ook goed komt met jou.'
'Kijk niet zo bezorgd. Met mij komt het wel goed.'
Shaw kon niet weten dat ze dacht. *En met jou nu ook.*
Na het eten zei Reggie bij de voordeur: 'Nou, dit was het dan.'
'Pas goed op jezelf.' Hij zweeg even en voegde eraan toe: 'De tijd die we bij elkaar zijn geweest betekende meer voor me dan jij je waarschijnlijk kunt voorstellen.'
'O, misschien toch wel. Ik heb een heel goed voorstellingsvermogen.'
Hij dacht dat ze het daarbij zou laten, maar toen liet ze haar armen om hem heen glijden. Shaw beantwoordde de omhelzing en dacht dat ze hem misschien een beetje te lang en een beetje te stevig vasthield. Maar misschien dacht zij dat ook van hem, besefte hij.
Ze kuste hem verontrustend dicht bij zijn lippen en Shaw merkte dat hij aanstalten maakte bij de volgende poging haar mond te bereiken. Toen hoorden ze een kuchje. Ze keken allebei om en zagen dat een van Wallers mannen naar hen stond te kijken.
Hard genoeg om verstaanbaar te zijn voor de man zei Reggie: 'Nogmaals, jammer dat je morgen weg moet, Bill. Ik wens je een goede reis naar Amerika terug.'
Toen deed ze de deur dicht. Shaw keek nog even naar de klopper in de vorm van een leeuwenkop. Waarom had ze dat nou gezegd? Hij keek om en zag de triomfantelijke glimlach van de lijfwacht. Het nieuws van Shaws naderende vertrek zou ongetwijfeld snel aan zijn baas worden doorgegeven.
'Mooie avond,' zei de man.
Shaw liep over het donkere pad naar Gordes terug. Hij ging binnendoor en nam de eeuwenoude treden met twee tegelijk. Het vliegtuig vertrok de volgende morgen om acht uur uit Avignon. Omdat het ongeveer vijftig minuten rijden

was naar Avignon, zou hij 's morgens in alle vroegte uit Gordes moeten vertrekken. En Janie Collins zou naar Roussillon gaan met een man die rijk geworden was door tienermeisjes als seksslavinnen te verkopen en ook nog nucleair materiaal aan fanaten wilde slijten.
Hij kon ervoor kiezen niet te gaan, maar dan zouden Franks mannen hem komen halen. Dan zou hij moeten vluchten en kon hij Janie helemaal niet meer helpen. Er was geen uitweg uit dit dilemma. Aan de andere kant was hij ook niet Janies beschermengel, zoals Frank had opgemerkt. Hij was hier om een operatie uit te voeren. De operatie was afgeblazen en hij werd ergens anders ingezet. Hij had Katie James de rug toegekeerd, een vrouw die haar leven op het spel had gezet om het zijne te redden. Waarom zou hij hier dan blijven om de eer en misschien het leven te beschermen van een vrouw die hij amper kende? Het was irrationeel gedrag, en als Shaw iets was, was het rationeel. Aan de andere kant kon hij onmogelijk zijn gevoelens ontkennen.
Toen drong alles in een flits tot hem door. De villa ernaast, het pistool, de trap tegen zijn nieren, en dat ze baantjes bleef trekken in het zwembad terwijl ze wist dat er mensen keken. En ten slotte dat ze hem tegen Waller uitspeelde. Want dat deed ze, besefte Shaw opeens. Ze wilde iets tegen die man ondernemen. Maar ze had aan Wallers lijfwacht laten weten dat Shaw wegging. Dat kon ze alleen maar hebben gezegd om er zeker van te zijn dat haar buurman Shaw geen kwaad zou doen. Ze beschermde hém.
Hij was zo in die nieuwe, verontrustende gedachten verdiept dat hij geen tijd had om de stomp af te weren die op hem afkwam. Iemands vuist dreunde recht op zijn achterhoofd. Zijn voeten vlogen onder hem vandaan en hij viel op het pad en schaafde zijn knieën en ellebogen aan de ruwe keien. Toen hij overeind probeerde te komen, gooide een volgende stomp hem met zijn gezicht tegen de vlakte. Hij merkte dat hij werd vastgebonden, opgepakt en in een kleine ruimte werd gegooid.
Toen werd alles zwart voor zijn ogen.

•45•

Reggie stond vroeg op; de nachtelijke hemel was nog bezig in de dageraad over te gaan. Ze maakte het raam van haar slaapkamer open en keek naar buiten. Uit gewoonte keek ze naar de villa naast de hare, maar daar zag ze niemand. Toch was ze er zeker van dat Kuchins mannen buiten de wacht hielden. Een dag naar Roussillon en daarna dineren in zijn villa – ze zag er vreselijk tegenop, al zou het haar onnoemelijk veel helpen bij het in de val lokken van Kuchin. Ze telde de minuten af tot aan het moment waarop ze een eind aan het leven van de man zou maken. Dat moment kon voor haar niet gauw genoeg komen.
Ze nam een douche, kleedde zich aan en verliet haar villa door de zijdeur. Ze wilde iets doen. Nee, ze móést iets doen. Ze liep de heuvel op naar Gordes. Daar waren al een paar mensen, zoals de man die met een waterslang de straten schoonspoelde. Hij knikte naar haar toen ze voorbijliep. Ze liep over het dorpsplein en sloeg een bocht om. Het hotel bevond zich aan de linkerkant en had een dubbele glazen deur. Ze sprak een slaperig kijkende receptionist aan.
In het Frans zei ze: 'Wilt u naar de kamer van Bill Young bellen? Zegt u tegen hem dat Jane Collins er is.'
De receptionist, een oudere, magere man met pluizig wit haar en slappe wangen, keek een beetje geërgerd en zelfs argwanend. 'Het is erg vroeg, jongedame. Ik denk dat hij nog niet eens op is.'
'Hij verwacht me,' loog ze.
'Om deze tijd?'
'We gaan samen ontbijten.'
De receptionist keek niet overtuigd, maar hij belde naar de kamer.
'Er wordt niet opgenomen,' zei hij, en hij legde de telefoon neer.
'Misschien staat hij onder de douche,' zei Reggie.
'Misschien,' zei de receptionist voorzichtig.
'Wilt u hem over een paar minuten nog eens bellen?'
'Ja, als het nodig is.'
'Het ís nodig,' zei Reggie beleefd, maar resoluut.
Vijf minuten later probeerde de receptionist het opnieuw.
'Er wordt nog steeds niet opgenomen,' zei hij op een toon alsof daarmee het gesprek beëindigd was.
'Hebt u hem zien uitgaan?'
'Nee.'
Plotseling kwam er een gedachte bij Reggie op. 'Hij is toch niet vertrokken?'

'Waarom zou hij dat doen als hij met u ging ontbijten?'
'Soms veranderen plannen.'
'Hij is niet vertrokken. Tenminste niet terwijl ik dienst had.'
'Kunt u in het register kijken of hij misschien al eerder is vertrokken?'
Zuchtend zocht de man het op. 'Hij is niet vertrokken.'
'Wilt u dan naar zijn kamer gaan?'
'Waarom?'
'Om te kijken of het wel goed met hem gaat. Hij zou ziek kunnen zijn, of misschien is hij gevallen.'
'Ik betwijfel sterk dat...'
'Hij is Amerikaan. Die procederen over alles. Als hij ziek of gewond is en u hebt niet gekeken, ook al heb ik het gevraagd, dan kan het hotel een proces aan zijn broek krijgen.'
Haar woorden hadden het gewenste resultaat. De man schrok, pakte een sleutel en ging de trap op. Reggie volgde hem.
'Wat doet u nu?' vroeg hij.
'Ik heb een opleiding tot verpleegkundige gehad. Als hij gewond is, kan ik helpen.'
Ze liepen vlug de trap op. De receptionist klopte aan, riep een keer en klopte opnieuw aan.
'Maak de deur open!' drong Reggie aan.
'Dat is in strijd met het beleid van dit hotel.'
'O, in godsnaam.' Ze pakte de sleutel, duwde hem opzij en maakte de deur open. Ze liep naar binnen, op de voet gevolgd door de receptionist. Reggie zag meteen dat de kamer leeg was, maar dat al Shaws spullen er nog waren.
'Het bed is niet beslapen,' zei ze, en ze keek de receptionist verwijtend aan.
'Het is niet mijn taak om vast te stellen of alle gasten in hun kamer slapen,' zei hij verontwaardigd.
Reggie dacht vlug na. De man was om twaalf uur de vorige avond aan zijn dienst begonnen en Bill was om ongeveer elf uur bij haar weggegaan. Het was vijf minuten lopen. Maar als hij nu eens nooit bij het hotel was aangekomen? Maar ze had duidelijk aan Wallers man laten horen dat Bill vertrok. Hij zou geen reden hebben om...
'Pardon?' zei de receptionist.
Reggie schrok uit haar gedachten op en zag dat hij zijn hand naar de sleutel had uitgestoken. Ze gaf hem terug.
'U zou dit aan de politie moeten melden,' raadde ze hem aan.
'Dat denk ik niet. Misschien is hij gisteravond niet naar het hotel teruggekomen omdat hij iets beters te doen had.' Hij keek haar veelbetekenend aan. 'Per slot van rekening is dit de Provence.'

'Mag ik zijn kamer doorzoeken? Misschien vind ik iets waaruit blijkt waar hij naartoe is.'
'Als u dat probeert, bel ik zéker de politie.'
Geërgerd duwde Reggie hem opzij en rende de trap af.
Ze verliet het hotel en was al haastig op de terugweg naar haar villa toen ze gierende banden achter zich hoorde. Ze keek om en zag de auto voor het hotel stoppen. Meteen dook ze een portiek in en zag drie mannen, een met een ouderwetse hoed, uit de auto springen en het hotel binnenrennen. Ze waagde zich niet dichterbij, want ze zag dat de bestuurder in de auto was blijven zitten.
Enkele minuten later kwamen de mannen weer naar buiten, maar nu had een van hen iets bij zich. Reggie zag meteen dat het de koffer uit de kamer van Bill Young was. Toen de auto met grote snelheid langs de plaats reed waar zij zich schuilhield, kon ze de man aan de passagierskant zien. Hij was aan het bellen, praatte snel en keek helemaal niet blij.
Reggie liep vlug terug naar het hotel. De receptionist zat zwijgend achter zijn balie.
'Ik zag die mannen komen,' begon Reggie.
'Dit is de ergste ochtend van mijn leven,' klaagde de oudere man.
'Wat wilden ze?'
Hij stond op. 'Wat ze wilden? Wat ze wilden? Hetzelfde wat u wilde. Wie is die man die iedereen zoekt?'
'Zeiden ze niets tegen u?'
'Ze zeiden niets.'
'Waarom liet u ze dan zijn spullen meenemen?'
Met bevende stem zei hij: 'Omdat ze pistolen hadden. En gaat u nu weg!'

•46•

Shaw werd langzaam wakker en was meteen gespannen. Hij had al eens een gebarsten schedel gehad en blijkbaar was het nu weer raak. Hij wilde zijn armen en benen bewegen, maar hij was vakkundig vastgebonden. Hoe meer hij aan de touwen trok, des te strakker gingen ze zitten. Ten slotte probeerde hij het maar niet meer.

Toen zijn ogen aan het donker wenden, merkte hij dat hij zich, alleen, in een kleine kamer bevond. Omdat er geen ramen waren, moest het in een kelder zijn, of misschien in een oud pakhuis. De vloer was een betonplaat. Het enige licht kwam onder de deur vandaan die zich recht tegenover hem bevond.

Met elke hartslag klopte er iets in zijn hoofd. Dit was zijn verdiende loon. Dan had hij zich maar niet zo gemakkelijk moeten laten besluipen. Maar hij was niet op zijn hoede geweest omdat hij aan dingen dacht waaraan hij niet had moeten denken.

Evan Waller kon twee redenen hebben om hem te ontvoeren. Ten eerste omdat hij jaloers was en zijn rivaal wilde uitschakelen. Ten tweede kon hij hebben ontdekt wie Shaw werkelijk was. De eerste reden leek Shaw niet zo geloofwaardig, want Janie had laten weten dat Shaw zich uit het strijdperk terugtrok. Maar als Waller had ontdekt wie Shaw was, vroeg hij zich af waarom hij nog niet dood was. Misschien wilde Waller zich eerst verkneukelen. Misschien wilde hij Shaw martelen, zoals hij met de terroristen had gedaan voordat hij ze vermoordde.

Hij bracht zijn hoofd enigszins omhoog toen de deur openging en er een man binnenkwam, afstekend tegen het halfduister, die vroeg: 'Ben je wakker?'

'Ja.'

'Heb je honger of dorst?'

'Ja.'

Shaw dacht dat hij misschien kon ontsnappen als ze hem losmaakten om hem te laten eten en drinken. De man kwam naar voren. Shaw herkende hem niet als een van Wallers mannen. De man had een fles water in zijn ene en iets anders in zijn andere hand. Hij schroefde de fles open, maar hij maakte Shaw niet los. Hij hield de fles alleen bij zijn lippen en liet Shaw drinken.

'En dat je het maar weet: we hebben je onder schot.'

Shaw keek over de schouder van de man en voelde aan dat er nog iemand in het donker stond.

De man haalde de fles weg en hield hem een stuk brood voor.

‘Water en brood?’ vroeg Shaw.
‘Beter dan niets.’
‘Wil je me vertellen waarom jullie mijn schedel hebben ingeslagen en me hebben ontvoerd?’
‘In feite voor je eigen bestwil.’
‘Waarom geloof ik dat niet?’
‘Het maakt mij niet uit wat je gelooft.’
‘Oké, wat nu?’
‘Nu blijf je daar rustig zitten. We zullen je goed behandelen. Je krijgt eten en water wanneer je maar wilt.’
‘Na al dat water moet ik op een gegeven moment pissen.’
Hij wees naar links. Shaw zag het toilet in de schaduw. ‘Geef maar een seintje.’
‘Zomaar?’
‘Zoals ik al zei: wacht maar rustig af, dan ben je gauw genoeg weer vrij.’
‘Waar is Waller?’ vroeg Shaw op scherpe toon.
‘Wie?’
‘Nu geloof ik je weer niet.’
De man deed de deur achter zich op slot en Shaw dacht nog eens over alles na. Hij schommelde op zijn stoel heen en weer en merkte algauw dat die met bouten aan de betonnen vloer vastzat. Deze mensen hadden hierover nagedacht. Hij vroeg zich af hoe ver hij bij Gordes vandaan was. Hij wist niet hoe lang hij buiten westen was geweest. Misschien was hij niet eens meer in Frankrijk.
Als deze kerels niet bij Waller hoorden, wie waren ze dan wel? Nee, natuurlijk moesten ze bij hem horen, al had de man gedaan alsof dat niet zo was. Shaw vroeg zich ook af wat Frank nu dacht. Hij wist niet hoeveel tijd er was verstreken, maar als Shaw niet op het vliegveld kwam opdagen, zou Frank naar zijn hotelkamer gaan. En dan zou hij tot de conclusie komen dat Shaw hem had bedrogen en gedeserteerd was.
Hij leunde in de stoel achterover en haalde diep adem. Hij kon niets beginnen. En waarschijnlijk was Janie op dat moment bij Waller. Of misschien wel dood.

•47•

'Je bent in gedachten.'
Reggie keek Waller aan terwijl ze door de straten van Roussillon liepen. Ze waren daar ieder met hun eigen auto heen gegaan; zij had achter de colonne van de man aan gereden. Roussillon bezat alle charme van een typisch Provençaals stadje, maar met wat meer okergeel op de meeste huizen.
'Ik ben moe. Ik heb vannacht niet veel geslapen.'
'Ik hoop dat je niet door zorgen uit de slaap bent gehouden.'
Waller droeg een gestreken spijkerbroek, een wit katoenen overhemd dat hij over zijn broek liet hangen en leren sandalen. Op zijn kale hoofd had hij een panamahoed om zijn huid tegen de zon te beschermen. Die hoed maakte dat hij er zwierig en ontspannen uitzag, en om de een of andere reden had Reggie daar moeite mee.
'Het zal wel vertraagde jetlag zijn. Dit stadje is echt heel mooi. De kleuren zijn anders dan alles wat ik ooit heb gezien.'
'Mijn moeder is hier geboren,' zei hij trots. 'Ik kan me dit stadje nog goed herinneren uit mijn kindertijd.'
Reggie bleef staan om naar een schilderij in een etalage te kijken, maar in werkelijkheid dacht ze aan iets anders. Ze vroeg zich af hoe Fedir Kuchin vanachter het IJzeren Gordijn had kunnen ontsnappen om hier als kind naartoe te komen, of beter gezegd, hoe zijn ouders dat voor elkaar hadden gekregen met hem bij zich. In die tijd kreeg je daar niet gauw een vergunning om te reizen. Zijn vader moest wel een erg hoge functie in de Communistische Partij hebben bekleed, anders had hij nooit zoveel vrijheid gekregen. Ze vroeg zich ook af hoe een Franse vrouw uit een stadje in de Provence een Oekraïense communist had leren kennen. Maar misschien was dat wel een leugen. Dat was eigenlijk veel waarschijnlijker.
'Vind je het een mooi schilderij?' vroeg Waller over haar schouder.
Reggie keek nog even naar de vreedzame havenscène op het doek. 'Het ziet er veel vriendelijker uit dan de werken van señor Goya.'
'Ja, maar deze schilder zal nooit de reputatie van Goya hebben. Goya heeft de wereld een grote dienst bewezen.'
Ze keek hem aan. 'Welke dan?'
'Hij leefde in een moeilijke tijd. Oorlog, armoede, wreedheid. En dus schilderde hij nachtmerries. Zoals ik je al eerder vertelde, heeft hij de wereld er met zijn schilderijen aan herinnerd dat het kwaad bestaat. Dat is een belangrijke les

die we nooit moeten vergeten, maar jammer genoeg doen we dat steeds weer.'
'Heb jij zulke dingen meegemaakt?'
'Ik heb erover gelezen en ik weet dat je ze zo veel mogelijk uit de weg moet gaan.'
'Maar soms kan dat niet, zou ik denken.'
'Jij bent Amerikaanse, dus het is begrijpelijk dat je zulke dingen zegt. Jullie zijn een supermacht. Jullie kunnen doen wat jullie willen.'
Reggie wist niet of ze iets van verlangen in zijn ogen zag toen hij dat zei, of dat ze het zich verbeeldde. Hij pakte haar bij haar arm vast.
'Ik hoorde dat onze vriend Bill ons heeft verlaten.'
Reggie trok bijna haar arm weg. 'Hij moest naar huis. Problemen in zijn familie.'
'Dan zal ik mijn best doen om de leegte op te vullen.'
Ze keek hem onderzoekend aan en dwong zichzelf te glimlachen. 'Je moet geen beloften doen die je niet kunt nakomen.'
'Dat doe ik nooit.'
'Waar woonden jij en je ouders toen jullie hier waren?'
'Ik zal het je laten zien.'
Ze liepen door het centrum van het stadje. Een kwart kilometer verderop leidde Waller haar een versleten trap af en ze bleven staan bij een huisje met een houten voordeur en twee ramen aan de voorkant.
'Daar,' zei hij.
'Het is erg schilderachtig.'
'Mijn vader is in dat huisje gestorven.'
'God, wat erg.'
'Dat vond hij zelf vast ook.'
Hij pakte haar arm weer vast. 'Nu gaan we lunchen. Deze kant op. Het is allemaal geregeld. We moeten licht eten, want vanavond wordt het een stevige maaltijd.'
'Ik begrijp dat jij graag de leiding hebt.'
'Er zijn leiders en er zijn volgelingen. Dat is de natuurlijke gang van zaken. Wil je een volgeling zijn die leidt of een leider die volgt?'
'Dat hangt af van waar je me naartoe leidt.'
'Je bent een vreemde jonge vrouw.'
'Ik heb wel ergere dingen gehoord.'
'Ik bedoelde dat als compliment.'
Hij verstevigde zijn greep op haar arm. Terwijl ze daar liepen, maakte Reggie zich ernstige zorgen over Bill Young. Wat was er met hem gebeurd? Als Kuchin hem nu eens iets had aangedaan? Dan zou het zelfs niet genoeg zijn dat ze de man doodden. Niets zou genoeg zijn als een onschuldige man voor haar was gestorven.

•48•

'Ik moet naar de wc,' riep Shaw de duisternis in. 'Nu meteen.'
Er ging een minuut voorbij en hij dacht dat niemand zou reageren. Toen ging de deur open en verscheen dezelfde man. 'Ik heb je verteld over de wc in de hoek daar.'
'Ik geloof niet dat ik zo ver kan mikken.'
De man kwam naar voren. 'Dan zal ik je moeten losmaken.'
'Daar ziet het wel naar uit.'
'Onder schot,' zei de man voor alle zekerheid.
'Ja, ik begrijp het.' Shaw hield zijn blik strak op de man gericht toen die dichterbij kwam. Intussen dacht hij aan alle mogelijke invalshoeken en aanvalspunten ten opzichte van zijn primaire en secundaire doelwit. Hij moest ervoor zorgen dat de man tussen hem en de schutter kwam en dan iets ondernemen. Een beter plan kon hij onder de omstandigheden niet bedenken.
Jammer genoeg kreeg hij niet de kans het uit te voeren.
De man stak een injectiespuit in zijn arm, dwars door zijn overhemd heen.
Toen Shaw bijkwam, lag hij op de vloer met zijn armen onder zich. Hij kwam langzaam overeind en bewoog zijn armen en benen om de bloedsomloop weer op gang te krijgen. Hij liep naar de wc, deed wat hij moest doen en keek om zich heen. De kamer was leeg, afgezien van de stoel die aan de vloer geschroefd stond, een matras in een hoek en de wc. Hij paste de lengte en breedte af. Tweeenhalf bij tweeënhalve meter. Zes vierkante meter, met een plafond dat niet veel hoger was dan hij lang was. Het waren dikke muren van natuursteen, zonder barsten in de specie, en de vloer was van beton. Hij stak zijn hand omhoog. Het plafond was van gips.
Toen hij een ratelend geluid achter zich hoorde, draaide hij zich snel om en zag nog net dat er een dienblad met eten door een gescharnierd luikje in het onderste deel van de deur werd geschoven. Hij had dat luikje nog niet opgemerkt.
Hij pakte het dienblad op en liep ermee naar de matras. Toen ging hij zitten en dronk de waterfles met een paar grote teugen leeg. Hij keek naar wat er verder op het dienblad stond. Geen bestek, dus geen scherpe randen. Plastic bord, plastic fles.
Een paar minuten later riep een stem: 'Schuif het door het luik.'
Hij stond op en stak het dienblad door het luik. Dat was nog geen tien centimeter hoog, zodat hij de waterfles op zijn kant moest leggen. Hij begon weer heen en weer te lopen en onderzocht elke vierkante centimeter van zijn gevangenis.

Toen keek hij weer naar de wc. Hij liep erheen, tilde het deksel van het waterreservoir op en tastte daarin rond. Even later had hij een lang stuk metaal losgemaakt. Hij liep naar de deur en bestudeerde het slot.

Een nachtslot. Dat maakte de dingen problematisch, maar niet per se onmogelijk.

Hij ging op de stoel zitten en begon het stuk metaal te veranderen in een instrument dat hij kon gebruiken om het slot te lijf te gaan. Nou ja, eigenlijk in twee instrumenten, omdat het een nachtslot was. Hij wist niet hoe laat het was, dag of nacht. Ze hadden hem zijn horloge afgenomen. Maar in zijn hoofd telde hij de seconden af. Hij zou ervan uitgaan dat de maaltijd die hij had gekregen het middag- of avondeten was geweest en vandaar verder tellen. Het was niet ideaal, maar het was beter dan niets.

Nadat hij het metaal in tweeën had gebroken en de stukken met behulp van de harde muren in de juiste vorm had gebogen om ermee te kunnen werken, liep hij geruisloos naar de deur. Hij luisterde even met zijn oor tegen het hout, dat vijf centimeter dik was, als hij op de breedte van het slot mocht afgaan. Aan de scharnieren had hij niets, want die zaten aan de andere kant van de deur. Hij had alleen het slot.

Hij ging op handen en knieën zitten en schoof het luik een paar centimeter open. Hij luisterde of hij iemand hoorde ademhalen of bewegen, of een hart dat te snel sloeg, afgezien van zijn eigen hart.

Daar was het. Een voet die over de vloer schraapte. Hij liep naar de stoel terug en ging zitten. Al die tijd telde hij de seconden. Hij moest hier snel weg, maar dat zou blijkbaar niet lukken.

Rustig aan. Neem de tijd. Haastige spoed is zelden goed.

Hij had één bezwaar tegen die houding: misschien had Janie niet veel tijd meer. Zelfs als Waller niets met zijn ontvoering te maken had, kon die kerel nu met haar doen wat hij wilde. En Shaw werd misselijk bij de gedachte aan wat de man zou willen als hij naar de jonge vrouw keek.

Geduld, Shaw. Geduld.

Hij streek met zijn vingers over de stukken metaal en bleef de seconden tellen.

•49•

'Hoe lang werk je al samen met Evan?' vroeg Reggie.
Ze stond op het terras van Wallers villa en keek naar de ondergaande zon. Alan Rice stond naast haar. Hij droeg een kaki broek en een wijd overhemd met een rode doek om zijn hals. Als hij er nonchalant uit wilde zien, was hem dat niet gelukt, vond ze. Hij dronk een glas wijn, terwijl Reggie een mineraalwater had. Ze had voor deze avond een rok uitgekozen die tot haar knieën reikte, en verder een blouse en schoenen met lage hakken. Haar haar was vochtig en hing tot op haar schouders. De trip naar Roussillon was zonder problemen verlopen. Waller was charmant en onderhoudend geweest en had haar als een prinses behandeld. Ze zag nu hoe een nietsvermoedende vrouw zich in de luren kon laten leggen. Maar telkens wanneer ze naar de man keek, zag ze de hulpeloze slachtoffers van zijn zieke geest. En toch glimlachte ze en flirtte ze zelfs een beetje met hem, want dat moest ze nu eenmaal doen.
'Bijna vier jaar,' zei Rice. Hij zette zijn glas op een tafel en leunde met zijn armen op de terrasmuur, die tot hun borst reikte. 'Hij is een briljant zakenman.'
'Hij lijkt me erg goed in alles. Een man van de wereld.'
'Dat is een goede omschrijving. Een man van de wereld.'
'Hoe hebben jullie elkaar leren kennen?'
'Ik werkte voor een andere onderneming in New York. Hij kwam daar voor zaken. We ontmoetten elkaar. Hij charmeerde me, zoals hij met iedereen doet. Van het een kwam het ander. En toen ging ik voor hem werken.'
'Ik neem aan dat het uitdagend is.'
'Absoluut. Waller kan weinig mensen om zich heen verdragen, en al helemaal geen domme mensen. De druk om te presteren is erg groot. Maar je leert veel.'
'Nou, dan heb je waarschijnlijk wel behoefte aan een beetje vakantie. Ik zie dat je alweer wat beter loopt. Was je gewond?'
'Een tijdje geleden ben ik onder de douche gevallen en kwam ik verkeerd op mijn knie terecht. Het geneest goed.'
Even later kwam Waller naar buiten. Reggie zag dat Alan Rice vlug weer in het huis verdween. Waller nam een slokje van zijn cocktail en zei: 'Ik neem aan dat Alan je goed gezelschap heeft gehouden.'
'Absoluut. Hij vindt het geweldig om voor jou te werken.'
Waller ging op een bank zitten en nodigde Reggie met een gebaar uit bij hem te komen zitten. 'Ik ben blij met hem.'

Ze ging naast hem zitten; hun knieën raakten elkaar bijna. 'Wat voor zaken doe je?'
'Het soort dat geld opbrengt.'
'Dus je laat je leiden door het winstmotief,' zei ze koeltjes.
'Als je zonder geld opgroeit, ja, dan kan dat een motiverende factor zijn.'
'Maar je bent als kind in de Provence komen wonen. Zo arm zullen jullie niet geweest zijn. Het kan niet goedkoop zijn geweest om van Canada hierheen te reizen, zelfs toen niet.'
Hij keek haar met een ondoorgrondelijke blik aan. Toch dacht Reggie gedurende één verschrikkelijke seconde dat ze te ver was gegaan. 'Het gaat me natuurlijk niets aan,' voegde ze er vlug aan toe.
'Nee, het geeft niet. Zoals ik al zei, was mijn moeder Frans. We hoefden dus niet te betalen om hier ergens te logeren. We hadden het huisje van de familie. En in die tijd gingen we met de boot, derde klas tussendek. En daarna derde klas in de trein. Het was erg goedkoop, al was het niet erg comfortabel.'
'Natuurlijk.'
'En als je eenmaal in de Provence bent, doet het er niet meer toe hoe je daar gekomen bent.' Hij stond op en genoot van het adembenemende uitzicht op het Lubéron-dal. 'Het is schitterend.'
Ze kwam bij hem staan. 'Ja, dat is het zeker.' Ze voegde eraan toe: 'Mijn moeder zou hebben gezegd dat God in vorm was toen hij de Provence schiep.'
'Ze was godsdienstig, begrijp ik?'
'Een goed katholiek, net als ik.'
'Op haar sterfbed zei mijn moeder tegen mij: "Geef je geloof in God nooit op. Dat beschermt je in goede en vooral ook in slechte tijden." Ze was een wijze vrouw.'
'En heeft het jou in goede en slechte tijden beschermd?'
'Een leven is nooit zonder verdriet. Ik ben nu rijk, maar ooit was ik dat niet. Ooit was ik...' Hij glimlachte. 'Ik denk dat het eten klaar is. Jij zit naast mij. Alan eet ook mee. Je moet hem maar eens naar zijn theorie over Franse en Californische wijnen vragen. Die is heel interessant. Hij zit er natuurlijk volkomen naast, maar het is de moeite waard om ernaar te luisteren.' Hij liep met haar de eetkamer in.
Na het eten namen ze nog een drankje en toen het dessert op de patio naast het zwembad. Rice hield hen nog even gezelschap en ging toen abrupt weg. Reggie wist niet of hij dat uit eigen beweging of op een teken van zijn werkgever deed. Waller keek somber naar het water.
'Je hebt een zwembad bij je villa, nietwaar?'
Reggie knikte. 'Ik zwem veel. Na deze maaltijd moet ik waarschijnlijk een paar kilometer zwemmen om de calorieën weer weg te krijgen.'

Hij maakte een ontkennend gebaar. 'Belachelijk. Je hebt een prachtig figuur.'
'Jij hebt ook niet veel vet.'
'Ik doe wat ik kan,' zei hij bescheiden. 'Amerikanen eten te veel troep, maar jij bent daar tenminste niet voor bezweken.'
'Als je rijk bent, heb je bepaalde voordelen die veel Amerikanen niet hebben. Ik kan het me veroorloven goed te eten, en ik heb de tijd om te trainen.'
'Hier kunnen eenvoudige mensen naar de markt gaan en voor een paar euro alle verse ingrediënten krijgen. En omdat ze dat lopend doen, krijgen ze ook genoeg lichaamsbeweging.' Hij zweeg even en voegde eraan toe: 'Maar ik oordeel over niemand.'
Reggie voelde dat ze een behoorlijke kleur kreeg bij die woorden. Gelukkig keek Waller haar niet aan. *Je hebt alleen maar honderdduizenden mensen ter dood veroordeeld.*
Ze stond op. 'Bedankt voor deze heerlijke dag.'
'Je gaat nog niet weg,' zei hij.
Ze kromp even ineen, want het klonk meer als een bevel dan als een vraag. 'Het is een lange dag geweest.'
'Maar het is nog vroeg.'
'Voor jou misschien wel.'
'Ik zou heel graag willen dat je bleef.'
'Ik zie je vast wel gauw terug. En niet ieders wensen gaan in vervulling.'
Hij stond op. 'Wil je niet van gedachten veranderen? Ik wil je graag beter leren kennen.'
'Ik moet zwemmen.'
'Je kunt hier zwemmen.'
'Goedenavond, Evan. Ik kom er zelf wel uit.'
'Niet veel mensen durven het met mij oneens te zijn.'
'Ik ben het niet oneens met jou.'
'Maar...'
Ze ging op haar tenen staan en gaf hem een kus op zijn wang. 'Alles op zijn tijd.'
Nadat ze de deur van haar villa stevig achter zich dicht had gedaan, spuwde Reggie op de vloer en veegde haar mond af.

•50•

'Ja, Whit, ik begrijp de situatie volkomen, misschien wel beter dan jij.'
Professor Mallory zat aan zijn goedkope bureau in zijn werkkamer in Harrowsfield en probeerde zijn pijp aan te steken terwijl hij de telefoon met zijn linkerarm tegen zijn wang gedrukt hield.
'Ik heb het besluit genomen dat me het verstandigst leek.' Mallory zweeg, want er kwam een hele woordenstroom van de duidelijk opgewonden Ier over de lijn.
Mallory had de pijp eindelijk aan en zoog enkele ogenblikken gretig aan de steel. Hij sloeg de lucifer uit en liet hem op zijn bureau vallen, waar hij bleef smeulen.
'Volgens mij kost dit je geen mankracht, maar als je versterkingen nodig hebt, kan ik die morgen naar je toe sturen. Ja, ja, ik kan ook rekenen. Je hebt er vier voor de buitenkant en drie van jullie aan de binnenkant. Als je dat niet genoeg vindt...' Hij luisterde even. 'Ja, ik heb met Regina gepraat, en nee, ze weet het niet. Wat zou dat voor zin hebben? Heb je de laatste details uitgewerkt? O. Projectieapparatuur?' Hij luisterde nog even. 'Ja, dat lijkt me een goed idee. Goed. Ja, laat het me maar weten.'
Mallory legde de telefoon neer en nam trekjes van zijn pijp. Hij keek op en zag Liza in de deuropening staan.
'Problemen?' vroeg ze.
Mallory schraapte zijn keel. 'Niets ernstigs. Whit ziet het even niet zitten, maar daar komt hij wel overheen.'
Liza fronste haar wenkbrauwen. 'Het is wel kort dag om het niet te zien zitten.'
'Het komt wel goed, Liza. Maak je geen zorgen.'
'En je maakt je zelf geen zorgen?'
'Ik maak me altijd zorgen, totdat mijn mensen veilig terug zijn. Maar ze hebben de situatie volkomen in de hand en het plan is goed. Regina is zelfs met iets nieuws gekomen waarvan ik denk dat het heel goed zal gaan.'
'Er zit een zwak punt in je plan,' merkte Liza op.
'Geen enkel plan is volmaakt en we moesten dit in korte tijd uitdenken.'
'Maar ze weten niet eens van de mogelijke valkuil af. Je weet dat ik het niet met je eens was.'
'Anders zouden we geen schijn van kans maken Kuchin te pakken te krijgen.'
'Ja, maar het zou weleens het verschil kunnen zijn tussen "veilig terug" en niet.'

‘Ik ken de risico’s,’ zei Mallory een beetje verontwaardigd.
‘Jij wel, maar zij niet helemaal.’
‘Er zit risico in alles wat we doen.’
‘Soms vraag ik me iets af.’
‘Wat?’
‘We zitten hier in ons gezellige oude Engelse landhuis en maken onze plannen en sturen hen erop uit om onze plannen uit te voeren.’
‘Ze werken zelf ook mee aan het maken van de plannen.’
‘Goedenavond, professor.’
Ze liet Mallory achter. Hij trok verwoed aan zijn pijp, tot hij de tabak uit de kop klopte, de pijp in de zak van zijn jasje liet glijden en somber in zijn oude leren stoel bleef zitten.

Whit staarde naar de telefoon. Soms kon hij Mallory gewoon niet begrijpen. Nee, zo was het niet. Hij begreep de man bijna nooit. De professor had Whit in een kritieke fase van hun missie een andere taak gegeven en de Ier was daar heel slecht over te spreken. Hij had er niet voor getekend om als oppas van Bill Young te fungeren. Hij stopte de telefoon in zijn zak en liep door de gang.
‘Geef me de sleutel, Niles,’ zei hij tegen de man die daar geposteerd was.
Niles Jansen gaf Whit de sleutel, klopte op de deur en riep: ‘Weg!’ Toen trok hij zijn pistool en richtte het op de deur. Whit stak de sleutel in het slot, de deur ging met een klik open en Whit ging in de deuropening staan.
Shaw stond tegen de achterste muur naar hem terug te kijken.
‘Kan ik eindelijk gaan?’
‘Ga zitten,’ beval Whit.
Shaw keek naar het pistool dat op hem gericht was. Hij liep langzaam naar de stoel en ging zitten. Whit kwam een klein stukje dichterbij.
‘Je komt me bekend voor,’ zei Shaw.
‘Ik lijk op een hoop mensen.’
‘Nou, wat kan ik voor je doen?’
‘Je kunt me vertellen wat je werkelijk in Frankrijk doet.’
‘Ik ben op vakantie. Waarom ben jij hier?’
Whit leunde tegen de muur. ‘Een lobbyist uit Washington die over muren kan klimmen en mensen kan ontwapenen? Dacht je nou echt dat we daarin trapten?’
Shaw zei een hele tijd niets. ‘Ik ben lobbyist gewéést. En het was de bedoeling dat ik naar Amerika terugging om bij mijn zoon te zijn. Jullie dachten daar blijkbaar anders over.’
‘Je ziet er te jong uit voor iemand die met pensioen is.’
‘Ik had mijn geld verdiend en ik wilde ermee ophouden. Is dat een misdaad? Is

dat de reden waarom jullie me op mijn kop hebben geslagen en me hier gevangenhouden?'
'Zoals al eerder tegen je is gezegd: als je je rustig houdt, komt het wel goed met je.'
'Ja, maar hoe zit het met Janie Collins?'
'Wie?'
Shaw sloeg zijn armen over elkaar en keek de andere man onderzoekend aan. 'Wat zijn jullie van plan?'
'Ik weet niet waar je het over hebt.'
'Maar jullie werken samen.'
Whit schudde langzaam zijn hoofd. 'Nogmaals: ik weet niet waar je het over hebt.'
'Natuurlijk wel. Ik heb Janie verteld dat ik lobbyist ben geweest. Ik ben over haar muur geklommen en heb haar ontwapend. Niemand anders wist daarvan.'
'Die dingen zijn gemakkelijk te ontdekken.'
'Nee, dat zijn ze niet. En waarom zouden jullie ze willen ontdekken?'
'Dus je gaat me niet vertellen waarom je hier bent?'
'Jij eerst.'
'Dan rot je hier maar weg.' Whit maakte aanstalten om weg te gaan.
Shaw aarzelde en zei: 'Wees voorzichtig met Waller. Hij is niet degene die je denkt dat hij is.'
Whit draaide zich langzaam om. 'Wat weet jij daar nou van?'
'Blijkbaar meer dan jij. O ja, ik herinner me net waar ik jou eerder heb gezien. Bij het kajakken. Jullie volgden ons. Jullie zitten achter Waller aan, nietwaar?'
'Ik weet niet waar je het over hebt.'
'Het is een gevaarlijke man.'
'En?'
Shaw wist dat hij niet verder moest gaan, maar zijn bezorgdheid om Janie was sterker dan zijn professionele intuïtie om zijn mond te houden.
'Waller staat aan het hoofd van een wereldwijde prostitutiebende. Hij haalt vrouwen uit Azië en Afrika en verkoopt ze als slavinnen in het Westen.' Toen Shaw zag dat Whit toch geïnteresseerd was in zijn onthulling voegde hij toe: 'Hij probeerde ook uranium te verkopen aan een stel islamitische fundamentalisten, maar toen kregen ze blijkbaar bonje en heeft hij ze vermoord.'
'Terroristen?' riep Whit uit.
'Ze zullen hem wel hebben bedrogen en daar heeft hij ze voor laten boeten. Hij is een door en door slecht mens. En hij heeft een oogje op Janie, al begrijp ik nu dat het niet haar echte naam is. Wat jullie ook van plan zijn, jullie moeten er rekening mee houden dat Waller er van tevoren iets over te weten komt. En pas

ook maar op dat Janie niet verdwijnt voordat jullie in actie kunnen komen.'
'En waarom vertel je me dit allemaal?'
'Ik denk dat je wel weet waarom. Als hij Janie te pakken krijgt, is het allemaal voorbij.'
Whit smeet de deur achter zich dicht en deed hem op slot. Shaw hoorde de twee mannen snel praten. Toen hoorde hij hun voetstappen wegsterven.
Hij ging op de stoel zitten. Zijn eerste gevoel was zowel goed als verkeerd geweest. Janie Collins was niet degene die ze zei dat ze was, maar ze was hier niet om Shaws missie te torpederen; ze had blijkbaar niet eens van die missie geweten. Ze vertrouwden Shaw niet, maar wisten niet waarom hij hier was. Ze hadden langs elkaar heen gewerkt. Nu was duidelijk om welke vragen het draaide. Waarom zaten ze achter Waller aan? En hoe wilden ze het aanpakken?
Shaw keek naar de vier muren om hem heen. Het was nu nog belangrijker dat hij ontsnapte. Hij had het sombere gevoel dat hun plan, wat het ook was, niet goed genoeg zou zijn. En in dat geval was de kans groot dat Waller hen zou vermoorden.

•51•

Reggie telde haar slagen, keerde en zwom de andere kant op. Ze zwom sneller dan normaal, zo snel zelfs dat ze de tel kwijtraakte en met haar hoofd tegen de zijkant van het zwembad stootte. Ze liet zich naar boven drijven, wreef over haar hoofd en keek om zich heen. Wallers villa was donker. Ze keek naar de muur tussen de twee percelen, maar zag daar ook geen spionnen. Ze watertrappelde een tijdje, zwom toen naar het trapje en klom uit het zwembad. Ze droogde zich af, pakte haar telefoon en ging het huis in. Toen ze op het schermpje van haar telefoon keek, hield ze even haar adem in. Ze had een sms'je gekregen. Het bestond uit één woord: 'NU.' Het was hun belangrijkste waarschuwingsboodschap.

Ze liep vlug naar binnen en naar haar slaapkamer om daar te bellen.

'We moeten elkaar ontmoeten,' zei Whit.

'Ontmoeten? Wanneer?'

'Nu meteen.'

'Het is één uur 's nachts.'

'Nu, Reg.'

'Wat is er?'

'Een nieuwe ontwikkeling waarvan je moet weten.'

'Jezus, Whit...'

'De gebruikelijke plaats.' Hij verbrak de verbinding.

Ze schoot wat kleren aan en deed alle lichten uit alsof ze naar bed ging. Vervolgens ging ze naar de onderste verdieping van de villa, maakte de achterdeur open, keek of de kust veilig was en liep vlug over het donkere pad.

Een paar minuten later, nadat ze zich er zorgvuldig van had vergewist dat niemand haar volgde, kwam Reggie op het ontmoetingspunt. Toen er een hand op haar schouder werd gelegd, schreeuwde ze het bijna uit.

Whit dook op uit de duisternis. Hij keek ijzig.

'Wat moet dit voorstellen?' vroeg Reggie, en ze drukte haar armen tegen haar borst. 'Elke keer dat ik naar buiten glip, bestaat de kans dat ze achterdochtig worden.'

'Het was niet te vermijden,' zei Whit, terwijl hij op de stenen bank ging zitten.

'Oké, blijkbaar is het belangrijk. Zeg het maar.'

'We hebben nieuwe orders van de professor.'

'Wat?'

'Laat me het anders formuleren: ík heb nieuwe orders van de professor gekregen en ik heb ze al uitgevoerd.'
Reggie keek hem verbijsterd aan. 'Waar heb je het over?'
'Hij heeft ons opdracht gegeven je vriendje uit de circulatie te halen.'
'Mijn vriendje?'
'Bill Young.'
'Wat? Jullie hebben hem toch niet...'
'Hij is ongedeerd. We hebben hem alleen ontvoerd. Verder gaat het goed met hem.'
'Zijn jullie gek geworden? Hij is...'
'Het was niet mijn beslissing, oké? En de professor wilde niet dat jij het wist. Maar dat stond me niet aan. En dus vertel ik het je nu.'
'Waarom zou Mallory willen dat jullie Bill ontvoeren? Hij zou uit Frankrijk vertrekken.'
Whit keek terneergeslagen. 'Dat wist ik niet.'
'Ik had niet de kans het je te vertellen.'
'Waarschijnlijk zou het niet hebben uitgemaakt. De professor wilde hem uit de weg hebben, en het was waarschijnlijk wel een goed besluit, als je nagaat wat ik zojuist heb gehoord.'
'Wat heb je dan gehoord?' vroeg Reggie langzaam.
'Je vriendje is niet wat hij leek te zijn.' Whit zweeg even. 'Ik denk dat hij bij de politie of zoiets is. Misschien contraspionage, Interpol, iets in die sfeer.'
Nu ging Reggie naast hem op de stenen bank zitten. 'Waarom?'
'Dingen die hij zei.'
Reggie wendde haar ogen af.
'Je reageert niet erg geschokt.'
'Ik wist dat Bill uit zijn hotel was verdwenen. Toen ik ging kijken, zag ik mannen naar zijn kamer gaan en zijn spullen ophalen. De receptionist zei later tegen me dat ze pistolen hadden.'
'Nou, bedankt voor de informatie.'
'Vertel me alles. Vanaf het moment dat jullie hem ontvoerden.'
Whit vertelde het hele verhaal. Tot slot zei hij: 'Hij zei dat we voorzichtig moesten zijn met wat we ook maar van plan zijn. En dat Kuchin aan het hoofd staat van een internationale seksslavernijbende. Hij ontvoert meisjes in Azië en Afrika om ze in het Westen te verkopen. Hij heeft ook geprobeerd zaken te doen met een stel islamitische terroristen. Hij wilde ze atoombommen verkopen of zoiets.'
'Wacht eens even. Weet hij dat Waller in werkelijkheid Kuchin is?'
'Nee, ik denk van niet. Hij heeft die naam tenminste niet gebruikt. Nou, Young zei dat Kuchin die moslims uiteindelijk heeft vermoord. Ze kregen zeker ruzie

of zoiets. Maar hij zei ook dat Kuchin duidelijk een oogje op jou had en dat we moesten oppassen dat jij niet verdween voordat we in actie konden komen. Volgens hem is de kans vrij groot dat Kuchin op zijn minst voor een deel ontdekt wat wij van plan zijn.' Whit zweeg even en leunde achterover. 'Ik denk dat ik de man verkeerd heb beoordeeld. Het blijkt dat we min of meer aan dezelfde kant werkten, alleen wisten we het niet.'

'Maar als hij niets van Kuchins verleden weet, waarom zit hij dan achter hem aan?'

'Misschien vanwege die terroristen, of die seksslavernij.'

'En met Bill gaat het goed?'

'Ja, afgezien van een bult op zijn kop gaat het goed met hem. Een taaie kerel, maar dat wisten we al, hè?'

'Ik stel het op prijs dat je me dit vertelt, Whit.'

'We hebben toch geen geheimen voor elkaar? Maar luister, Reg, een van de dingen die Young vertelde bracht me op een idee.'

'Wat dan?'

'Dat Kuchin al die moslims heeft vermoord. Dat kunnen we in ons voordeel gebruiken.'

'Hoe doen we dat?'

Hij boog zich naar voren. 'Als volgt.'

•52•

Shaw boog zich gefrustreerd bij de deur vandaan. Zo'n poging om in bijna volslagen duisternis een nachtslot te forceren met als instrumenten een paar stukjes metaal uit een toiletreservoir, kon alleen maar tot frustratie leiden, zei hij tegen zichzelf. Er zaten maar 86.400 seconden in een dag. Nadat hij in zijn hoofd meer dan honderdduizend seconden had afgeteld, en daar bijna gek van was geworden, kon Shaw alleen maar veronderstellen dat het of midden in de nacht of midden op de dag was. Hij liep naar voren en luisterde bij de deur. Geen voetstappen, geen ademhaling. En toch zat er een massieve deur tussen hem en de vrijheid. Als hij die deur probeerde te slopen, zouden ze met vuurwapens op hem wachten. Hij liet zich in de stoel zakken en probeerde een andere manier te bedenken.

Zijn motivatie om vrij te komen was veranderd, al was het maar een klein beetje. Als deze mannen met Janie Collins samenwerkten, wilde dat zeggen dat ze niet in haar eentje met Waller te maken had. Dus als hij haar iets wilde aandoen, zou ze tenminste ondersteuning hebben. Toch was hij er zeker van dat deze mensen niet van de politie waren. De man met wie hij had gepraat, had verrast gereageerd toen hij over de seksslavernij en de nucleaire terroristen begon. Dus als ze niet van zijn illegale activiteiten wisten, wat was dan hun motief om iets tegen Waller te ondernemen? En als ze niet voor een overheid werkten, waarom hielden ze Shaw dan in leven? Het zou logischer zijn geweest een kogel in zijn hoofd te pompen en hem in een ondiep graf te gooien.

In grote verwarring zat Shaw op de stoel en speelde met de twee stukjes metaal die hij had gemaakt. Twee nutteloze stukjes metaal uit een toiletreservoir. Frank zou hem eens moeten zien. Toen hij naar de wc keek, schoot hem iets te binnen. Hij keek naar de deur en toen nog eens naar de wc. Toen keek hij nog eens naar het geïmproviseerde gereedschap in zijn hand en bedacht dat er misschien toch iets mogelijk was.

'Lekker gezwommen?' vroeg Waller.

Het was de volgende middag en ze liepen naar het dorp.

'Het was verfrissend. Vond je het leuk om te kijken?'

Hij keek verrast. 'Pardon?'

'Ik dacht dat ik iemand over de muur zag kijken. Ik nam aan dat jij het was, maar het kan ook een van je mannen zijn geweest.' Ze keek om naar de twee lijfwachten die hen volgden.

'Ik was het niet,' zei Waller stijfjes. 'En het was ook niet een van mijn mannen.'
'Dan heb ik me misschien vergist.'
'Ja, dat denk ik ook.'
Reggie wist niet waarom ze zo'n provocerende opmerking tegen de man had gemaakt. Nee, misschien wist ze het wel. Het was beter dan dat ze hem zijn ogen zou uitkrabben. Handelaar in seksslavinnen. Nucleair terrorist. Ze haalde diep adem om zichzelf te kalmeren en forceerde een glimlach. 'Morgen is de grote markt. Die is nog veel uitgebreider dan degene die jij hebt gezien.'
'Ik verheug me erop,' zei Waller.
Toen ze hun boodschappen hadden gedaan, kwamen ze weer langs de kerk.
'Ben je daar al geweest?' vroeg Reggie.
'Nog niet. Ik ga zondag naar de mis.'
'Ik ben er al in geweest. Het is mooi. Zullen we gaan kijken?'
Waller keek onzeker en wierp even een blik op de twee lijfwachten. 'Goed. Een paar minuten. En dan moeten we eten. Ik heb honger. En morgen wil ik na de markt met je naar het aquaduct van Pont du Gard. Dan kunnen we daar in de buurt dineren in een geweldig goed restaurant. En de volgende dag gaan we naar Gigondas.'
'Je hebt het al helemaal uitgedacht?'
'Natuurlijk.' Deze botte woorden werden verzacht door een glimlach.
Ze liepen door het smalle straatje en trokken de kerkdeur open. Binnen was het veel koeler. Ze liepen naar voren en zagen de trap die naar de klokkentoren leidde. De top daarvan was het hoogste punt van Gordes. De twee lijfwachten, onder wie Pascal, bleven bij de deur staan wachten.
Toen ze het altaar naderden, maakte Reggie een kniebuiging en sloeg een kruis; Waller deed dat ook. Een oude priester kwam tevoorschijn en zag hen. Hij sprak hen in het Frans aan en Reggie gaf antwoord. De priester liep door.
Ze zei tegen Waller: 'Hij vroeg...'
'Ja, dat weet ik. Mijn Frans is even goed als mijn Engels, misschien zelfs beter. De kerk is dicht, maar we blijven niet lang.'
Reggie keek om zich heen. 'Eeuwenlang zijn hier gelovigen geweest. Dat is ontzagwekkend.'
Met gedempte stem zei Waller: 'Het is verheffend om zoveel macht om je heen te hebben.'
'Macht om goed te doen,' vulde Reggie aan, terwijl ze naar het kruis op het altaar keek.
'Wat anders, in een kerk?'
'Ik ga niet zo vaak naar de mis als zou moeten.'
'Dan gaan we zondag samen.'
'Dat kan niet, want ik ga zaterdagavond weg.'
Hij keek verbaasd. 'Waar ga je dan heen?'

'Naar huis, naar Amerika.'
'Kun je je plannen niet veranderen?'
'Waarom?'
'Omdat ik het je vraag. Ik wil hier graag meer tijd met je doorbrengen.'
'Maar de huurtermijn van mijn villa is dan voorbij.'
'Dat regel ik wel. Ik verleng de huurtermijn, of anders kun je in mijn villa logeren.'
'Evan, ik geloof niet...'
Hij pakte haar arm vast. 'Ik zal ervoor zorgen.'
Ze huiverde van de kracht die hij gebruikte.
Hij liet haar langzaam los. 'Je hebt me betoverd. Als jij bij me bent, verlies ik mijn verstand. Ik moet oppassen.'
'Misschien moet ik ook oppassen,' zei ze, en ze probeerde te glimlachen.
'Maar ik meen het, we moeten meer tijd met elkaar doorbrengen. En als ik naar Canada terugkeer, zijn de Verenigde Staten niet ver. We kunnen elkaar daar ontmoeten.'
'Je kent me nauwelijks.'
'Ik kan mensen snel beoordelen. Ik kijk zelfs dwars door ze heen.' Hij lachte op een manier waar Reggie een droge keel van kreeg. Toch moest ze nog één ding doen. Het was de reden waarom ze hem hierheen had gebracht.
'Het is tijd om terug te gaan. Ik moet na de lunch nog een paar boodschappen doen met de auto,' zei ze.
Waller maakte aanstalten om terug te lopen langs dezelfde weg als ze daar gekomen waren.
'Nee,' zei Reggie. Ze keek ondeugend, iets wat ze in de villa voor de spiegel had geoefend. 'Ik heb een binnenweggetje gevonden.'
'Wat?'
'Volg me maar.' Ze liep naar de trap die naar beneden leidde.
'Waar ga je heen?' vroeg hij.
Ze draaide zich om. 'Een binnenweggetje, zoals ik zei.' Ze keek naar Pascal, die haar aandachtig gadesloeg. 'Hij mag ook meekomen,' lachte ze. 'Kom nou, ik leid je niet in een hinderlaag.' Ze huppelde de trap af.
Waller knikte Pascal toe, en ze volgden. Reggie stond beneden op hen te wachten. Ze leidde hen dieper het heilige gebouw in. Reggie keek nog eens naar Pascal en zag dat hij zijn hand bij zijn pistool had. Een minuut later duwde Reggie de deur open en stapte het daglicht in. Ze wees naar links. 'Kijk, een sluiproute door de rotsen. De villa's zijn daar beneden.'
Waller keek verrast. Hij was onder de indruk. 'Ik ben langs deze deur gekomen en vroeg me af waar hij heen leidde.'
'Nu weet je het,' zei ze.

•53•

'Ik wil hem zien,' zei Reggie.
'Dat is beslist geen goed idee,' vond Whit.
Ze spraken elkaar weer in de boekwinkel van de abdij van Sénanque.
'Het kan me niet schelen of jij het een goed idee vindt of niet. Ik wil dat je me naar hem toe brengt.'
'Weet de professor...'
'Ik kan op dit moment geen warme gevoelens voor die man opbrengen. Nou, breng me naar Bill toe.'

Shaw zat in de stoel toen er werd geklopt.
'Weg van de deur!' riep een stem.
Toen de deur openging, knipperde Shaw met zijn ogen om aan het licht te wennen. Toen zag hij haar daar staan.
Reggie zei: 'Ik vind dit erg jammer. Ik wist niet wat er met je was gebeurd.'
'Laat me dan gaan.'
'Dat gebeurt niet, vriend,' zei Whit. Hij kwam naar voren en bleef naast Reggie staan.
Shaw zag de twee andere mannen in de deuropening. Ze hadden hun pistool niet in hun hand, waarschijnlijk op haar verzoek. Maar hij ging ervan uit dat de wapens niet ver weg waren.
'Vertel me dan wat er aan de hand was,' zei Shaw. 'Misschien kan ik je helpen.'
'Hetzelfde antwoord als de vorige keer,' zei Whit.
Shaw wierp hem een blik toe. 'Heb je haar over Waller verteld, over zijn achtergrond?'
Reggie antwoordde: 'Ja, dat heeft hij. En iets wat je ons hebt verteld, zal ons helpen.'
'Wat dan?'
'Dat kan ik niet zeggen.'
'Waarom zitten jullie achter hem aan?'
'Waarom zat jij achter hem aan?' was Reggies wedervraag.
Shaw zei niets.
'Nucleair terrorisme?' opperde ze.
'Hij is een slecht mens,' zei Shaw. 'Hij moet verdwijnen. Dat is alles wat ik jullie kan vertellen.'

'Waarom ging je dan het dorp uit?' vroeg Reggie. 'Voordat hij verdwenen was?'
'Waar werken jullie voor? Interpol? De Mossad? Misschien MI-6?' Shaw keek Whit aan. 'Ik kan aan je accent horen dat je uit Groot-Brittannië komt.'
Reggie wilde iets zeggen, maar Whit gromde nadrukkelijk. 'Je zou het niet begrijpen,' antwoordde ze ten slotte. 'Maar waarom ging je weg?'
'De operatie werd afgeblazen,' zei Shaw ten slotte.
'Omdat hij die terroristen heeft vermoord? Hij kan het best nog een keer proberen.'
'Ik geef de bevelen niet. Ik volg ze alleen maar op.'
'Wij ook,' snauwde Whit.
'Hoe heb je mij doorzien?' vroeg Reggie.
'Vlak voordat ze mij de schedel insloegen, drong het tot me door. Vooral nadat je Wallers lijfwacht had laten weten dat ik niet meer meespeelde.'
'Ik wilde niet dat jou iets overkwam.'
'Wanneer gaan jullie het doen?' vroeg Shaw.
'Oké, het bezoekuur is om,' zei Whit.
Shaw negeerde hem en bleef Reggie aankijken. 'Waarom ben je me komen opzoeken?'
'Om tegen je te zeggen dat het me spijt.'
'Zeg, als Waller erachter komt dat...'
Ze onderbrak hem. 'Hij is ongetwijfeld erg goed. Maar dat zijn wij ook. Dit is ons werk.'
'Wat is jullie werk?' vroeg hij meteen.
'Zodra het voorbij is, word je ongedeerd vrijgelaten,' zei Reggie. Ze zweeg even. 'Ik zag een paar mannen je hotel uit komen met je spullen. Een van hen had een hoed op en keek niet erg blij.'
'Hij is vast niet erg blij met mij.'
'We kunnen contact met hem opnemen en tegen hem zeggen dat je ongedeerd bent. Dat dit niet jouw schuld is.'
'Dat regel ik zelf wel. Maar zeg eens: als jullie falen en als Waller jullie allemaal vermoordt, wat gebeurt er dan?'
Whit grijnsde. 'Dan moet je zelf maar zien dat je hieruit komt. Dat zal niet te moeilijk zijn voor zo'n harde kerel als jij.'
Shaw gaf het niet op. 'Vertel me wat jullie van plan zijn en ik vertel jullie wat de zwakke punten zijn.'
Whit schudde zijn hoofd. 'En dan ontsnap je misschien en verknoei je alles? Mooi niet.'
'Maar...' begon Reggie.
'Nee, Reg,' snauwde Whit, en toen vertrok hij zijn gezicht, geschrokken van zijn fout.

Shaw keek haar aan. 'Reg, van Reggie?'
'Nogmaals bedankt,' zei ze. Ze stak haar hand uit. Whit wilde haar tegenhouden, maar Shaw pakte haar hand al vast. Het was alsof zijn vingers in brand stonden. Toen hij haar aankeek, merkte hij dat zij hetzelfde voelde.
Voordat de deur dichtging, riep Shaw: 'Ik hoop dat jullie die schoft te pakken krijgen.'
Het laatste wat hij van de vrouw zag, was dat ze hem nog even aankeek voordat de deur tussen hen dichtging.
Shaw liep vlug naar de deur en luisterde. Hij kon één woord goed verstaan. 'Markt.'
Shaw kreunde en sloeg tegen de deur.

•54•

'Hé, is Evan niet bij je?'
Reggie draaide zich om en zag Alan Rice naar haar kijken. Hij liep door de hoofdstraat van Gordes en kwam naar haar toe. 'Ik dacht dat hij beslag wilde leggen op elke minuut van je tijd. En toch ben je hier helemaal alleen.'
'Ik denk dat hij op dit moment iets beters te doen had. Bovendien heb ik boodschappen te doen. Ik ben naar het dorp gekomen om een paar dingen te kopen.'
'Tijd voor een kop koffie? Met de zon achter de wolken is het een beetje fris geworden. Ik kan wel wat koffie gebruiken.' Hij wees achter haar naar een café in een zijstraat, bij het Pol Para-museum aan het plein.
Ze gingen binnen zitten, bestelden hun koffie en Rice verbrak zijn stilzwijgen pas toen ze allebei hun kopje hadden. 'Evan is helemaal weg van je. Dat zul je vast wel weten.'
'Ik ben graag in zijn gezelschap. Hij is een aardige man.'
'Nee, hij is niet echt een aardige man,' zei Rice.
'Pardon?' zei Reggie verbaasd. 'Ik dacht dat je voor hem werkte.'
'Dat is ook zo, en dus ken ik hem heel goed. Hij is een enorm succesvol zakenman. Maar aardig kun je hem niet noemen.'
'En waarom vertel je me dit?'
'Ik wil er zeker van zijn dat je weet waar je aan begint.'
'Ik wist niet dat ik aan iets begon.'
'Ik kan je verzekeren dat Evan er anders over denkt.'
'Wat stel je voor dat ik doe?'
'Je kunt uit de Provence vertrekken.'
'Ik ben inderdaad van plan zaterdag weg te gaan. Bedoel je dat die enorm succesvolle zakenman met een bezitterig karakter het daar gewoon bij zal laten?'
Rice nam een slok koffie en speelde met zijn lepeltje. 'Misschien.'
'Dus dit is Evan al een keer eerder overkomen?'
'Met andere vrouwen, bedoel je? Ja.'
'En wat is er met die andere vrouwen gebeurd?'
'Dat weet ik niet.'
'Je bent niet erg overtuigend.'
'Dat is merkwaardig, want ik spreek de waarheid.'
'Wie bescherm je nu? Mij of je baas?'
'Dat leek me wel duidelijk. Ik bescherm Evan. Jou ken ik eigenlijk niet.'
'Ik stel je openhartigheid op prijs. Dus je beschermt hem tegen zichzelf?'

'Zo zou je het kunnen stellen.'
'Nou, zo stel ik het.'
'Dus je gaat weg? Nu? Wacht niet tot zaterdag.'
Reggie stond op en legde een paar euro neer voor haar koffie. 'Nee, ik denk dat ik nu nog niet vertrek.'
Rice stond op. 'Het zou echt heel verstandig zijn. Geloof me.'
'Dat is het nou juist, Alan. Het kost me op dit moment grote moeite wie dan ook te geloven.'

Even later stond Alan Rice naast een loopband waarop zijn baas aan zijn dagelijkse training werkte. Waller droogde zijn gezicht met een handdoek af, dronk uit een waterfles en maakte de helling van het apparaat groter.
'Je kijkt zorgelijk, Alan.'
'Ik heb net met onze jonge vriendin gepraat.'
'Onze jonge vriendin?'
'Jane Collins.'
Waller liet de loopband langzamer gaan en maakte de helling kleiner. 'Waarom deed je dat?'
'Ik maak me zorgen.'
'Waarover? We hebben de vrouw toch laten natrekken?'
'Natuurlijk, je hebt zelf de rapporten gezien.'
'Wat is dan het probleem?'
'Ik zie hoe je naar haar kijkt.'
Waller vertraagde zijn pas op de loopband. 'Zie jij hoe ik naar haar *kíjk*?' zei hij vragend.
'Alsjeblieft, word nou niet kwaad, Evan. Maar in het verleden heb je...'
Het volgende moment lag Rice op de vloer. Het bloed liep uit zijn mond. Waller stond bij hem. Hij had zijn hand aan een tand van de andere man gesneden toen hij hem sloeg.
Waller bukte zich en trok Rice overeind. 'Doe er ijs op voordat het gaat zwellen,' zei Waller rustig.
'Ik wilde je alleen maar beschermen,' stamelde Rice, met zijn hand op zijn kin.
'Als ik bescherming nodig had, zou dat in je te prijzen zijn, maar dat is niet zo.' Waller keek de andere man fel aan. 'Je bent mijn medewerker, Alan. Je bent mijn ondergeschikte. Je moet nooit je plaats vergeten. Je bent niet mijn gelijke en zult dat ook nooit worden. Begrijp je precies wat ik bedoel?'
'Ik begrijp het.'
Waller legde zijn arm om zijn schouders. 'Goed, dan praten we hier niet meer over.'

Rice ging weg om ijs op zijn pijnlijke kaak te leggen en Waller bleef somber uit het raam staan kijken. Hij zou nooit toestaan dat iemand zijn gezag of beoordelingsvermogen in twijfel trok. Het had heel weinig gescheeld of Rice had beide gedaan. Als er iemand anders in de kamer was geweest die dat had gehoord, zou Waller waarschijnlijk bevel hebben gegeven zijn 'rechterhand' te doden. In elk geval had de man een schrikbarende mate van onafhankelijkheid aan de dag gelegd, en dat was bijzonder alarmerend.

Maar zat er niet ook een zekere waarheid in zijn woorden? Had hij behoefte aan bescherming, vooral tegen zichzelf? Ja, hij was verliefd op Jane Collins; dat zouden veel mannen zijn. Zijn verliefdheid was aangewakkerd doordat ze zo dicht bij hem was. Toch was er meer aan de hand. De vrouw bood weerstand aan hem, en dat was een uitdaging. Ze was onafhankelijk, openhartig, koppig, niet bereid zich te laten leiden of manipuleren. Waller merkte dat hij haar enorm graag wilde bezitten.

En dat zou hij ook. Daar was hij van overtuigd.

•55•

Reggie stond vroeg op en lag al in het zwembad voordat de zon was opgekomen. Zo ging het meestal op de laatste dag van een missie. Ze deed altijd iets aangenaams, want misschien was het de laatste dag van haar leven. Het water voelde koel aan toen ze erdoorheen gleed. Ze telde haar slagen en haalde systematisch adem. Ze keek niet of iemand haar vanuit de tuin van de andere villa bespioneerde, want dat deed er niet meer toe.

Toen ze klaar was, ging ze naar binnen, nam de wenteltrap naar haar badkamer en trok haar bikini uit. Het volgende moment draaide ze zich bliksemsnel om en keek naar een hoek van het vertrek.

Ze was er zeker van dat ze iets had gehoord, een schaduw had zien bewegen... Maar er was niets.

Ze deed de deur op slot en nam een douche. Ze liet het hete water over zich heen spoelen in de hoop dat het haar rillingen kon bedwingen. Voor het eind van elke missie, als degene die ze van plan was te doden zou ontdekken wie ze werkelijk was, was ze altijd nerveus.

Ze dacht nu aan Bill Young. Ze wist dat ze niet naar hem toe had moeten gaan. Toch had iets in haar, iets wat misschien zo diep zat dat ze er een hele tijd niet naar had willen kijken, haar gedwongen dat te doen. Het maakte nu niet meer uit. Na deze dag zou niets van dit alles nog iets uitmaken. Wat zij voelde. Wat hij voelde. Ze zouden elkaar nooit meer zien. Ze bekeek zichzelf in de spiegel en herinnerde zich de vonk die tussen hen was overgesprongen toen hun handen elkaar hadden aangeraakt. Hoe hij haar had aangekeken. En dat ze haar best had moeten doen zich te beheersen.

Hou op, Reggie. Hou daarmee op.

Ze droogde haar haar af, trok een broek, sportschoenen en een wijd shirt over een tanktopje aan en deed een bandana om. Die schoenen waren een praktische keuze voor het geval ze moest hardlopen. De bandana kon misschien als wurgkoord worden gebruikt. Maar als ze haar toevlucht tot zulke wanhoopsdaden moest nemen, was haar overlevingskans erg klein. In gedachten zag ze de slachtoffers van Fedir Kuchin aan haar voorbijtrekken; ze zaten nu al weken in haar hoofd.

Ik doe dit voor jullie allemaal, dacht ze.

Ze keek uit het raam naar het keienpad beneden. Er liepen al mensen de heuvel op om naar de markt te gaan. Ze keken blij, enthousiast, opgewonden. Zij was dat ook, alhoewel, misschien niet blij, nog niet. Kleine auto's en bestelwagens reden langzaam voorbij, hun waren in de kleine ruimte gepropt. Toen ze daar stond, zag ze eerst Whit en toen Dom met grote plunjezakken lopen. Geen van beide mannen keek naar haar op. Algauw waren ze weer uit het zicht verdwenen. Het nieuwe element dat Whit had toegevoegd, was briljant, bedacht ze. Nu hoefde ze het alleen maar goed uit te voeren.

Ze deed het raam dicht en ging naar beneden om koffie te zetten. Ze deed lang over haar ontbijt, dat uit toast, gebakken eieren en koffie bestond. Ze haalde regelmatig adem om haar zenuwen tot bedaren te brengen, en nam steeds weer het plan door, zowel om zichzelf gerust te stellen als om de kans op fouten zo klein mogelijk te maken. Ze had Whit en Dom een laatste keer ontmoet en ze hadden het herziene plan met haar doorgenomen. De apparatuur die Dom in Avignon had gekocht, zou perfect werken. Alle voorbereidingen waren getroffen. Beide mannen zeiden dat het een geweldig idee van haar was.

'De ideale voorstelling voor die ouwe Kuchin,' had Whit gezegd.

'De ideale voorstelling,' herhaalde Reggie terwijl ze haar ontbijtspullen afwaste en in de kast terugzette.

Ze liep naar het terras en keek naar de opkomende zon die de hemel in vuur en vlam zette. De bergketen en de vlakte van het dal kwamen tot leven alsof de zon een transfusie van vers bloed had toegediend. Reggies zenuwen kwamen tot bedaren, haar ademhaling werd rustig en haar gezicht kreeg een onbewogen, vastberaden uitdrukking. Het was tijd.

Als dit de laatste dag van Reggies leven was, zou ze alles op alles zetten om ervoor te zorgen dat het ook de laatste dag van Fedir Kuchin was. Sommige dingen waren de prijs die je ervoor betaalde gewoon waard.

In Harrowsfield was Miles Mallory aan het telefoneren. Het telefoontje kwam van een paar kilometer buiten Gordes. De beller was niet Whit of Dom. Het was Niles Jansen en hij vertelde Mallory dingen die hij niet wilde horen.

'Is ze echt naar die man toe gegaan?' snauwde Mallory in de telefoon. 'En hij weet dat we het op Kuchin hebben voorzien?' Jansen antwoordde. Mallory riep uit: 'En hij werkt voor een of andere overheidsdienst?' Weer zei Jansen iets.

'Wacht tot ik terugbel,' beval Mallory. 'Ik moet hier goed over nadenken.'

Hij legde de hoorn op de haak en leunde in zijn stoel achterover. Het was ongelooflijk roekeloos van Whit geweest om Reggie te vertellen dat ze Bill Young gevangen hadden genomen. Ze waren van plan geweest hem vrij te laten als de missie volbracht was, maar Mallory wist niet of ze dat nu nog wel konden doen. Stel je voor dat bekend werd wat ze deden... Peinzend haalde hij zijn pijp uit zijn zak. Hij keek ernaar en gooide hem door de kamer. De steel brak af tegen de schoorsteenmantel.

Hij belde Jansen terug en sprak hem kortaf toe. 'Of de missie nu slaagt of niet,

hij mag niet blijven leven. Doe het nu.' Hij legde de telefoon neer, boog zich naar voren en liet zijn gezicht in zijn handen zakken.
'Miles?'
Hij keek op en zag Liza naar hem kijken. 'Wat is er?'
Hij schudde zijn hoofd, wilde iets zeggen, maar sloeg zijn ogen neer en keek naar de vloer. Zijn handen bungelden omlaag alsof hij zojuist een beroerte had gehad.
'Miles!'
'Niet nu, Liza, niet nu.'

•56•

Niles Jansen controleerde het magazijn van de Glock 17, dat negentien kogels had in een dubbele rij. Hij had Whit en Reggie tijdens drie missies bijgestaan, maar had nog nooit een opdracht als deze gekregen. Hij was zenuwachtig, maar vastberaden. Hij laadde een patroon door en haalde een injectiespuit met een gifetiket uit zijn zak. Omdat hij alleen was, zou hij de gevangene bevel geven zichzelf met handboeien aan de stoel vast te maken en hem dan het gif toedienen. De man zou denken dat het weer een slaapmiddel was. Het zou gemakkelijk gaan, dacht hij. Daar vergiste hij zich in.

Hij liep langzaam door de gang en bleef toen staan, want hij kon niet geloven wat hij zag. Er stroomde water onder de afgesloten deur vandaan, en ook door het etensluikje.

Hij liep vlug door en riep: 'Wat is er gebeurd?'

'De buis van het toilet is gebroken en de hele kamer is ondergelopen. Ik sta tot mijn reet in het water,' riep Shaw terug. 'Waar zit de afsluitkraan?'

'Ga bij de deur vandaan.'

'Bij de deur vandaan? Ik sta tegen een muur gedrukt. Straks stort het hele gebouw in. Ik sta al een uur te schreeuwen dat er iemand moet komen.'

Jansen kwam bij de deur en haalde zijn sleutels tevoorschijn. Hij was van plan de deur open te maken en vlug opzij te stappen als het water naar buiten stroomde. Maar het ging niet volgens plan.

De deur werd uit zijn scharnieren gegooid. Dat was het eerste teken dat er iets mis was. De deur kwam boven op Jansen terecht: dat was het tweede teken. Shaw liet de zware toiletpot vallen die hij had gebruikt om zich een weg naar de vrijheid te beuken, greep het pistool van de man en trok de geschrokken Jansen overeind. Toen er een voorwerp op de vloer viel, raapte Shaw het op. Het was de injectiespuit. Hij keek de man aan.

'Was dit voor mij bestemd?'

Jansen zei niets. Shaw schudde de man heen en weer. 'Ik sta op het punt een kogel door je hoofd te schieten. Was dit voor mij bestemd?' Hij drukte de loop tegen het voorhoofd van de man. 'Geef antwoord.'

Jansen zei: 'Ik volgde alleen maar bevelen op.'

'Van wie? Van een van de andere mannen hier? De vrouw?'

De man schudde zijn hoofd. 'Nee. Die weten het niet.'

Shaw sloeg de man bewusteloos met een keiharde stomp waarin zo ongeveer alle pure woede besloten lag die de laatste tijd bij hem was opgekomen. Hij legde de man op zijn rug, stopte de injectiespuit in zijn zak, liep vlug de kamer weer in om het water af te sluiten op de plaats waar de toiletpot had gestaan, en rende de kamer uit. Het water had natuurlijk niet tot zijn zitvlak gestaan, maar het was wel hoog genoeg gekomen om het luikje te bereiken en naar buiten te stromen. Shaw had een plastic waterfles gebruikt om het gat in de vloer te dichten dat was ontstaan toen hij met zijn handige zelfgemaakte gereedschap de toiletpot had verwijderd.

Hij gooide Jansen over zijn schouder en stak het pistool naar voren voor het geval er nog iemand was die het op hem had voorzien. Met het snoer van een lamp bond hij de man vast, pakte zijn mobiele telefoon en zijn autosleutels, trapte de voordeur open en stapte in een kleine grijze auto die voor het huis geparkeerd stond.

Tien seconden later reed hij met grote snelheid over de weg. De auto had gps en hij drukte op de toetsen om zijn bestemming in te voeren.

Gordes.

Hij keek op de klok van het dashboard, die ook de datum aangaf.

Marktdag.

Hij had nog tijd. Hij gaf flink gas en kwam op een grotere weg. Hij toetste een telefoonnummer in. Frank nam op. Toen hij Shaw hoorde, begon hij te schreeuwen.

'Hou je kop, Frank, en luister.'

'Ik luisteren? Shaw, ik laat je...'

'Ze gaan Waller te grazen nemen.'

Nu had hij Franks aandacht. 'Wat? Wie?'

Hij vertelde Frank alles wat er was gebeurd. 'Ik ben er vrij zeker van dat het vandaag gaat gebeuren. Ik heb assistentie nodig.'

'Er is niemand. We hebben al onze mensen uit de omgeving gehaald.'

'Is er niemand?'

'Ik ben druk bezig geweest jouw hachje te redden bij mijn bazen. Ze denken dat je verkikkerd bent op die meid. Ze zijn laaiend.'

'Ik kan dit niet in mijn eentje. Ik heb hulp nodig. Waller heeft veel lijfwachten.'

Frank zweeg.

'Hé,' riep Shaw uit. 'Zeg eens wat.'

'Er is één persoon in de omgeving.'

'Wie?'

'Ik.'

'Waarom ben jij hier nog?'

'Doet er niet toe. Ik ben er.'

'Waarom, Frank?'

'Omdat ik je gezocht heb. Daarom. Tevreden? Nou, hoe wou je dit aanpakken?'

'Als volgt.'
Shaw praatte snel.
Toen hij klaar was, zei Frank: 'Vertrouw je die vrouw echt?'
'Ja, tenminste voor zover ik iemand kan vertrouwen.'
'Nou, ik hoop dat je gelijk hebt.'
Shaw verbrak de verbinding en trapte het gaspedaal nog dieper in. De gierende motor van de auto werd tot het uiterste gedreven. Intussen vloog het landschap van de Provence voorbij.
Hij bereikte de afslag naar Gordes, zag dat het verkeer daar stilstond, zette de auto aan de kant en rende over de bochtige weg. Hij bereikte de weg die naar de twee villa's leidde en stak die over. Hij zag geen bewaker voor Wallers villa staan. Dat betekende dat Waller er waarschijnlijk niet was. Shaw keek naar de mensen die naar de markt gingen, en de rij auto's en bestelwagens met goederen die te koop zouden worden aangeboden. Hij liep naast een langzaam rijdende bestelwagen met op elkaar gegooide rekken kleren en hoeden achterin. Hij haalde een paar euro tevoorschijn en even later had Shaw zich vermomd met een kleurrijke poncho, een breedgerande canvashoed en een goedkope zonnebril die de bestuurder van de auto er gratis had bij gedaan.
Hij sprong achter in de bestelwagen en kreeg een lift naar het dorp. Daar liep hij vlug tussen de mensen door, voorovergebogen om zijn lengte te camoufleren. Hij keek in alle richtingen, op zoek naar Reggie, Waller of iemand anders van belang. Ten slotte werd zijn moeite beloond: hij kwam langs een zijstraatje, keek erin en trok zich terug. Shaw wachtte enkele ogenblikken, haalde toen zijn telefoon tevoorschijn en belde Frank om hem instructies te geven.
Toen dat gebeurd was, keek hij naar het pistool dat hij had gestolen. Je ging nooit een mogelijk gevecht aan zonder eerst je wapen na te kijken. De Glock 17 was in de jaren tachtig ontworpen door Gaston Glock. Die Oostenrijker had nooit eerder een vuurwapen gemaakt, maar wist wel veel van de nieuwste synthetische polymeren. En dus maakte hij in feite het eerste plastic handvuurwapen ter wereld. Hij sleepte een contract van het Oostenrijkse leger in de wacht en won het daarmee van H&K, SIG-Sauer, de Italiaanse Beretta, de Browning en de voortreffelijke Steyr waaraan de Special Forces de voorkeur gaven. Het wapen werd meteen een wereldwijd succes. Zeven van de tien politieagenten in de Verenigde Staten hadden het in hun holster. Desondanks was het niet onfeilbaar, net zomin als welk wapen dan ook. Shaw vond het verbazingwekkend dat hij dat niet eerder had gemerkt.
Er zat een barst in de loop. Dat moest gebeurd zijn toen de zware deur tegen het polymeren frame van het wapen klapte, gevolgd door de nog zwaardere toiletpot. Goddank had hij niet met het pistool hoeven te schieten. Waarschijnlijk zou het in zijn hand geëxplodeerd zijn. Met een Glock kon je ook de hele

dag blijven schieten als hij nat was, maar geen enkel wapen kon veilig schieten met een beschadigde loop. Nu had hij geen wapen en geen mogelijkheid er een te bemachtigen. Frank was minstens dertig minuten bij hem vandaan en Shaw had geen tijd meer.

Hij kon nu nog maar in één richting bewegen: naar voren. En dat deed hij.

•57•

'Dit is inderdaad een drukbezochte markt,' zei Waller, die naast Reggie door de mensenmassa in de smalle straten van Gordes liep. 'Maar je krijgt hier wel een claustrofobisch gevoel.' Waller keek achterom. Zijn twee forse lijfwachten duwden kraamhouders en klanten opzij om hen bij te houden. Reggie had haar boodschappenmand in haar rechterhand en liep in een pittig tempo. Ze had al een paar dingen gekocht, waaronder zes met de hand geborduurde servetten van een man die zijn waren had uitgestald in een oeroud busje met versleten banden. Hij had haar een goede prijs gegeven, en zelfs een extraatje, dat op de bodem van de mand lag, maar toch gemakkelijk bereikbaar was: een Beretta-pistool.
'Ja, de zaterdagmarkt is de grootste.'
'Dat zie ik. Zal ik je mand voor je dragen?' bood Waller aan.
'Dat moet je nooit aan een vrouw vragen die aan het winkelen is,' zei Reggie, en Waller schoot in de lach. Hij hield zijn handen omhoog en zei: 'Ik buig voor de deskundigheid van de schone sekse.'
'Dank je.'
Reggie keek over Wallers schouder en zag het teken. Op dat moment reed een auto langzaam door de mensenmassa, die traag opzij ging om hem door te laten. Reggie telde de seconden aan de hand van haar voetstappen. De timing was van het grootste belang.
'Dat is vreemd,' zei ze. Ze bleef staan om naar een paar sandalen aan een rek in een kraam te kijken.
'Wat?' vroeg Waller.
Ze wees over zijn schouder. 'Ik heb hier nooit eerder moslims gezien.'
Waller draaide zich bliksemsnel om en keek naar de overkant van de straat, waar twee bebaarde mannen die een gesteven gewaad en een tulband droegen uit een gedeukte auto stapten waarin ze waren komen aanrijden.
'O mijn god, zijn dat pistolen?' riep Reggie uit.
Waller keek waar zijn lijfwachten waren, maar op dat moment waren er harde knallen te horen en vulde de straat zich met dichte rook. Mensen schreeuwden en stoven weg, botsten tegen marktkramen en tegen elkaar op. Waller riep om zijn lijfwachten. Hij zag ze nergens. Dat kwam doordat ze beiden bewusteloos op de grond lagen nadat ze elk een harde, welgemikte klap tegen hun achterhoofd hadden gekregen. Een jonge vrouw rende hen schreeuwend voorbij, waarbij ze haar mand liet vallen en de inhoud daarvan over straat vloog. Overal werd geschreeuwd, en de rook in de straat werd dichter. Uit de mist doken de

twee mannen in moslimdracht op. Ze bleken ook een bivakmuts te dragen. Ze hadden de straat volledig geblokkeerd.
'Shit!' riep Waller uit toen hij hen zag aankomen.
'Evan, ken je die mannen?'
'We moeten hier weg. Nu meteen!'
Ze greep zijn hand. 'Vlug. Ik weet iets.'
Ze renden een zijstraat in, kwamen op een binnenplaats en namen een steegje. Dat liep dood. Waller keek omhoog en zag de klokkentoren van de kerk.
'Er is geen uitweg,' riep Waller woedend uit.
'Die is er wel, maar dan moeten we door de kerk. Dan komen we aan de andere kant van het dorp. Weet je nog wat ik je eerder heb laten zien? Het is de enige uitweg.'
Daarom had ze hem de route al eerder laten zien. Zodat hij zou weten dat er een veilige weg bestond. Het was riskant geweest, maar het was de enige mogelijkheid om hem haar op dit moment te laten volgen. Alleen zou ze hem deze keer niet in veiligheid brengen.
Als om hen aan te sporen floot er precies op dat moment een kogel over hun hoofd. Waller keek om en zag een van de moslims door het steegje rennen.
'O mijn god, ze schieten op ons,' riep Reggie uit.
'Doorlopen,' drong Waller aan. Hij greep haar bij haar schouder vast en duwde haar voor zich uit. 'Naar de kerk. Vlug.'
Reggie duwde de deur open en Waller volgde haar naar binnen. Hij schoof een zware kast tegen de deur en draaide zich om naar het altaar.
'Wie zijn die mannen?' vroeg Reggie hijgend.
'Niet nu. Lopen!'
Reggie en Waller renden de trap naast het altaar af. Ze passeerden een deur, die hij achter hen op slot deed. Vervolgens renden ze nog een trap af en kwamen in een open, maar donkere ruimte. Dit was het kritieke moment, wist Reggie. Om de kerk te verlaten waren ze de vorige keer door de gang gegaan die naar links ging. Ze rekende erop dat Waller zich dat onder deze extreme omstandigheden niet zou herinneren. Ze ging naar rechts. Waller keek langs de trap omhoog. Boven dreunde iets tegen de deur.
'Ze zijn in de kerk,' zei hij.
'Kom, Evan.' Ze trok hem door de gang, de kamer in.
De muren, het plafond en de vloer waren een en al licht. Waller schermde zijn gezicht af tegen de schittering. Toen hij Reggie aankeek, trok ze het pistool uit haar mand en richtte het op hem.
'Welkom in de hel, Fedir Kuchin,' zei ze.

•58•

Kuchin werd vastgegrepen, naar een crypte getrokken en daarbovenop vastgebonden. Hij keek langzaam om zich heen. Whit, Dom en Reggie stonden bij hem.
'Wie zijn jullie?' vroeg Kuchin kalm.
Whit zei: 'Ik vind het een beetje teleurstellend dat hij niet meer onder de indruk is.'
'Wij zijn mensen die weten wie je werkelijk bent,' antwoordde Reggie, die de Oekraïener strak aankeek. Aan haar toon en houding was te merken dat ze niet meer de rol van de naïeve Amerikaanse Janie Collins speelde. Ze was Reggie Campion en ze was erop gebrand deze man af te maken.
'Fedir Kuchin,' voegde Dominic daaraan toe. 'De echte beul van Oekraïne.'
'En we gaan je een paar van je slachtoffers laten zien,' zei Reggie.
'Voordat we met jou doen wat jij met hen hebt gedaan,' zei Whit. 'Normaal gesproken zijn wij heel aardige mensen, maar voor jou doen we extra ons best om wreed en slecht te zijn.'
Whit spreidde zijn armen. Kuchin keek op naar het plafond en naar de muren, die baadden in het licht van Dominics projectieapparatuur. Goya had nooit iets kunnen bedenken wat zo gruwelijk was als de beelden die hij nu te zien kreeg. De beelden van de dode of stervende mannen, vrouwen en kinderen staarden hem aan. Op een van de muren was een foto te zien van het massagraf met de botjes van de kinderen die daarin lagen.
'De ene gruweldaad na de andere,' zei Reggie. 'Neem de tijd. We willen dat je het verleden opnieuw beleeft.'
'Wie zijn jullie?' vroeg Kuchin opnieuw.
'Waarom doet dat er iets toe?' kaatste Whit terug.
'Ik wil weten wie ik in de toekomst ga doden. In de nabije toekomst.'
'Dat zie ik niet gebeuren,' zei Whit.
'Dan ben je blind.'
Reggie wees naar een muur waarop een afbeelding van een stapel lijken als brandhout op elkaar gestapeld, was geprojecteerd. 'De slachting in Sebastopol.'
Ze wees naar een projectie op het plafond: broodmagere, bijna dode gezichten die tussen prikkeldraad door keken. 'Het martelkamp in de oblast Ivano-Frankivsk in het westen van Oekraïne.'
Een derde projectie liet de gezichten van vrouwen en kinderen zien die met gezichten als doodshoofden in het stof lagen. 'Kotsuri in de oblast Volyn,' zei

Dominic. 'Dat was wel een heel grote bijdrage van jou aan de Holodomor, hè? Boeren die omkwamen van de honger.'
Kuchin keek op naar de afbeeldingen, waarvan de kleuren op het stenen plafond glinsterden, als hitte die opsteeg van een woestijnbodem. Toen hij hen weer aankeek, was er geen spoor van wroeging op zijn gezicht te lezen. 'Jullie hoeven me dat alles niet te laten zien. Ik kan het me heel goed herinneren.' Hij glimlachte. 'Tot en met het laatste skelet.'
'Oké, laat die foto's maar,' snauwde Whit. 'Laten we het nu meteen doen en hem in die doodkist gooien.' Hij wees naar de crypte die met het deksel eraf langs de wand stond. 'Daar komt jouw skelet in terecht, Fed. Hopelijk vind je het leuk om tot in de eeuwigheid weg te rotten in het oude Gordes.'
Fedir ging daar niet op in en bleef Reggie aankijken. 'Ik had voorzichtiger moeten zijn. Vertrouw nooit een mooie vrouw die doet alsof ze moeilijk te krijgen is.'
'Kijk naar de afbeeldingen,' zei Reggie. 'En als je echt zo gelovig bent als je zegt, probeer je dan met je god te verzoenen.'
'En hoe word ik gedood? Met een pistool, met een mes?' Kuchin hield zijn hoofd schuin. 'Ga je me wurgen met je blote handen? Maar durf je nu wel zo dicht bij me te komen? Ik ruik de angst die je voor me hebt. Nee, ik denk dat je op een afstand blijft.'
'Jij bent niet het eerste monster dat ik dood, en ook zeker niet het laatste.'
'Gooi me niet op een hoop bij anderen,' blafte Kuchin. 'Ik ben uniek.'
Whit keek naar de open crypte. 'Nou, niet in die zin dat je daar in je eentje komt te liggen. Er ligt daar al een stel botten. Het zit me eigenlijk helemaal niet lekker dat een of andere arme stumper die kist nu met een type als jij moet delen.'
Op dat moment klikten er verschillende wapens. Whit verstijfde en vloekte binnensmonds.
Reggie draaide zich langzaam om en zag de mannen die daar stonden en wapens op hen gericht hielden. Ze herkende twee van hen als de andere lijfwachten van Kuchin.
Pascal richtte zijn pistool op Reggies voorhoofd. 'Wapen laten vallen. Nu.'
Reggie bukte zich en legde het op de vloer.
'Schop het weg.'
Ze deed het.
Alan Rice kwam uit zijn schuilplaats vandaan. Hij keek Reggie ondoorgrondelijk aan en zei: 'Maak hem los. Nu.'
Toen ze naar voren wilde komen, zei Whit: 'Nee, ik doe het wel.'
Hij maakte de riemen los waarmee Kuchin was vastgemaakt. Kuchin stond langzaam op, wrijvend over zijn polsen en enkels, en toen hij stond, knikte hij

Whit toe en pompte vervolgens een vuist in zijn buik, zodat Whit dubbelklapte. Met een schop tegen zijn hoofd liet Kuchin hem tegen de crypte dreunen, waar zijn bloed zich vermengde met eeuwenoud beenderstof. Dominic en Reggie wilden naar voren komen, maar Pascal schoot een kogel voor hen langs en ze verstijfden.

Kuchin stak zijn hand uit en Pascal gooide hem een extra pistool toe. Hij draaide zich om naar Reggie. 'Blijkbaar weet jij ook een heleboel van mij. Genoeg om twee moslimterroristen achter me aan te sturen. Ik neem aan dat het geen echte moslims waren? Dat hun enige doel was om mij hierheen te leiden?'

Reggie zei niets. Ze haalde oppervlakkig maar beheerst adem.

'Wil je geen antwoord geven?' Kuchin wees naar de beelden op de muur. 'Je brengt me hier onder valse voorwendsels heen om me dit allemaal te laten zien. En om me dan te vermoorden? En evengoed wil je niets zeggen?' Zijn ontspannen glimlach verdween en hij greep haar bij haar keel en drukte op een punt bij de linkerhalsslagader. Reggie beet op haar lip, maar gaf geen geluid. Hij voerde de druk op en ze voelde hoe het bloed en zuurstof uit haar hersenen verdwenen. Ten slotte greep ze zijn arm vast, precies op een plek waardoor zijn hand verzwakte. Hij liet los en ze hapte naar adem en viel achterover. Ze drukte met haar hand tegen de muur en richtte zich op. Haar ogen bleven al die tijd op hem gericht.

'Indrukwekkend,' zei hij, 'maar als je zo'n kleine hoeveelheid pijn niet kon verdragen, zou je dit soort werk niet moeten doen.' Hij keek Dominic aan. 'Je had het over een beul? Denk je dat ik gevaarlijk ben? De wederkomst van de Holodomor? Ik vind dat eigenlijk wel een mooie beschrijving.'

Hij zette de loop van zijn pistool tegen Dominics voorhoofd en haalde de trekker over. Reggie gaf een schreeuw en Dominic kromp ineen, maar deed toen zijn ogen open. Er was geen ingangswond. De voorkant en achterkant van zijn hoofd waren nog intact. Geen bloed. Geen dood. Hij keek verbaasd op van het feit dat hij nog leefde.

Kuchin keek woedend. 'Geef me nooit een pistool zonder een patroon in de kamer, Pascal.'

Kuchin corrigeerde de fout en wilde weer vuren. Hij nam de tijd, want hij dacht dat hij de situatie volledig in de hand had. Dat bleek een grote misrekening te zijn.

Kuchin zag een vage beweging rechts van hem, en toen hij die kant op keek, leverde dat Dominic een levensreddende seconde op. Shaw schoot uit zijn schuilplaats tevoorschijn, met beide ellebogen horizontaal. Met een stoot van het harde gewricht gooide hij een van de lijfwachten met zo veel kracht tegen de stenen muur dat de man op de vloer in elkaar zakte, verdoofd en versuft. Shaw profiteerde van het verrassingselement door naar voren te springen en

Pascal in zijn keel te treffen met een stoot waardoor de kleinere man plat op zijn gezicht viel, kokhalzend en happend naar lucht. Zijn pistool stuiterde over de vloer. Hij hield op met kokhalzen toen Shaw zijn voet op Pascals achterhoofd liet neerdreunen, zodat hij tegen de stenen vloer klapte en het bewustzijn verloor.

Alan Rice beging de fout dat hij naar de gevolgen van de aanval keek en niet naar de bron. Hij schreeuwde en schoot net iets te laat. Zijn ongerichte kogel vloog langs Kuchins hoofd en kwam onfortuinlijk genoeg in Dominics onderarm terecht, om daar bot te verbrijzelen en weefsel te verbranden. Dominic viel grommend op de vloer.

Whit ging in de aanval en trof Kuchin in zijn borstbeen, zodat de Oekraïener tegen de vlakte ging. Zijn wapen vloog een eind weg.

Shaw stortte zich op Rice, draaide hem om en gooide hem tegen een crypte. Rice gleed bewusteloos op de vloer; het bloed liep uit zijn verbrijzelde neus.

Kuchin kwam overeind terwijl iedereen naar wapens of dekking zocht – dat alles in het licht van de beelden die op de wanden werden geprojecteerd. Met menselijke bewegingen erbij leek het hele schouwspel op een bizarre vorm van *performance art*. Reggie deed een uitval naar haar pistool, maar Kuchin schopte in haar gezicht en haalde haar wang open met de hak van zijn schoen. Toen Whit zich voor de tweede keer op de man stortte, was Kuchin daarop voorbereid. Hij ontweek de stomp behendig en had blijkbaar geleerd van Shaws aanvalsmethode, want hij stootte met zijn harde elleboog in Whits gezicht, waardoor de Ier prompt in elkaar zakte.

Kuchin pakte vlug Reggies Beretta op, draaide zich om, mikte en zou op een afstand van enkele centimeters een kogel in het hoofd van de op de vloer liggende vrouw hebben geschoten als Shaw hem niet met zo'n harde uppercut had getroffen dat de meer dan honderd kilo zware Oekraïener volledig zijn evenwicht verloor. Hij viel achterover en sloeg tegen de vloer, spuwde een tand uit en probeerde weer op te staan, maar hij was te zeer verdoofd door de keiharde stoot die hij had gekregen.

Shaw stak een pistool achter zijn riem en pakte een ander pistool van de vloer. Hij gooide het naar Whit, die wankelend overeind kwam, met zijn handen tegen zijn gezicht. Shaw bukte zich, greep Reggies arm vast en trok haar overeind. Met zijn andere hand trok hij Dom van de vloer. 'We moeten hier weg. Nu!'

'Niet voordat we die klootzak hebben gedood,' schreeuwde Whit.

Op dat moment wist Kuchin op te krabbelen en de catacomben te ontvluchten.

'Hé!' schreeuwde Whit. Hij rende Kuchin achterna, gevolgd door de anderen.

'Stop,' blafte Shaw en hij greep Whit vast die aanlegde voor een schot. 'Hij heeft nog meer lijfwachten en die zijn waarschijnlijk op weg hierheen.'

Shaw was amper uitgesproken, of er kwamen nog eens drie gewapende mannen de trap afgerend. De mannen zagen hen en openden het vuur. Het slaperige Gordes had waarschijnlijk niet meer zoveel geweld meegemaakt sinds de Romeinen tweeduizend jaar daarvoor in het dorp waren.
'Deze kant op!' riep Reggie. Ze leidde hen de gang in die ze naar de deuropening bij de villa zou brengen.
Kuchin rende naar zijn mannen en riep: 'Erachteraan, maar laat de vrouw in leven!'
Shaw draaide zich om en schoot op de mannen. Terwijl de kogels tegen de stenen wanden ketsten, zochten de lijfwachten dekking. Whit trok een dun busje uit zijn zak, trok aan een lipje en gooide het busje de kamer in. Dichte rook vormde een muur tussen Kuchins mannen en hen. Maar het schieten ging door.
Ze draaiden zich om en vluchtten door de gang, door kogels achtervolgd bij elke stap die ze zetten.
Zoals het in een kerk betaamde, zeiden ze allemaal een stil gebed tijdens hun vlucht.

•59•

'Deze kant op,' zei Reggie tegen Shaw. 'Er is nog een uitgang.'
'Die bij de villa's uitkomt?' vroeg Shaw.
Reggie keek hem tijdens het rennen aan. 'Hoe wist je dat?'
'Ik ben op verkenning geweest. Die deur komt uit op een openbare straat.
'En Kuchin weet ervan,' zei Reggie. 'Ik moest hem die route laten zien om hen ervan te overtuigen vandaag naar de kerk te gaan. Toen heb ik hem de catacomben in geleid.'
Shaw zei: 'Dan is het om twee redenen niet goed.' Hij keek naar Dominic, die voorovergebogen rende en zijn gewonde arm vasthield. 'Red je het wel?'
Reggie deed haar bandana af en wikkelde hem om de wond heen.
'Ik red het wel,' zei Dominic met een grimas.
Whit keek Shaw aan. 'En dan? We kunnen niet terug, tenzij we schietend willen ontkomen, en die kerels hebben veel meer kogels dan wij.'
Shaw wees naar links. 'Die kant op.'
Whit pakte zijn arm vast. 'Er is daar niets. Ik ben het nagegaan.'
'Aan het eind van de gang is een deur in de wand verwerkt. Een gang naar het oude fort.'
'Hoe weet je dat?' vroeg Whit.
'Ik heb over de geschiedenis gelezen.'
'Wat?'
'Katholieke priesters moesten vaak rennen voor hun leven. Net als wij. Kom op!'
Ze kwamen aan het eind van de gang. Shaw trok aan een steen in de onderste helft van de muur en er ontstond een kleine opening. Hij trok aan het stuk van de muur en de deur zwaaide open aan krakende oude scharnieren. Ze vluchtten erdoorheen en Shaw deed de deur achter hen dicht.
Terwijl hij hen door een donkere, muffe gang leidde, toetste Shaw een bericht in op zijn mobiele telefoon. Via een andere deur kwamen ze in een ruimte waar het zonlicht ver boven hun hoofd naar binnen viel door spleten in de stenen muur. Ze waren nu in het oude fort.
Hij liep naar nog een deur, trok hem open en ze kwamen op een binnenplaats. Een auto kwam gierend voor hen tot stilstand en Whit richtte zijn pistool op de bestuurder.
'Hij hoort bij mij,' zei Shaw, en hij legde zijn hand op Whits arm.
Frank maakte het raam aan de passagierskant open en zei: 'Het hele dorp wordt gek.'

Shaw en Reggie hielpen Dominic op de achterbank en gingen naast hem zitten. Whit sprong voorin naast Frank, die zo snel optrok dat er zwarte rubbersporen op de oude keistenen achterbleven.
'Oké, Shaw, vertel maar,' zei Frank, terwijl hij door de smalle straatjes manoeuvreerde.
'Shaw?' zei Reggie, en ze keek hem aan.
Hij keek in het spiegeltje en zag Frank naar hem kijken. 'Ze kregen Waller te pakken, maar zijn mannen overvielen hen. Ik kon een handje helpen.'
'Een handje helpen?!' riep Whit uit. 'Zonder jou zouden we allemaal dood zijn.'
'Die kans bestaat nog steeds,' snauwde Frank.
Hij had dat nog maar net gezegd of een van Wallers mannen rende uit de deuropening die naar de kerk leidde. Het was de route die Reggie en Kuchin hadden genomen toen ze de kerk voor het eerst bezochten. De man zag hen en richtte zijn pistool op de voorruit. Iedereen dook weg toen hij schoot. Er sprong een barst in de ruit. Er volgde een dreun, en de man werd door de botsing met de auto in de lucht geslingerd en kwam op de grond neer. Frank keek op.
'Hé, Shaw?'
'Ja?'
'Kun jij rijden?'
'Waarom?'
'Omdat die schoft me geraakt heeft!'
Shaw zag het bloed uit Franks jasje sijpelen. Hij duwde hem opzij, klom over de rugleuning heen en ging achter het stuur zitten. Hij gaf gas en keek naar Frank, die ineengezakt naast Whit zat.
'Hoe erg is het?'
Frank frommelde aan zijn overhemd en keek. 'De kogel heeft mijn buik gemist, ik denk dat hij dwars door me heen is gegaan. Het is moeilijk te zeggen.'
Whit keek in de rugleuning. 'Dat is zo. Hier is de kogel.' Hij hield hem omhoog.
'Hou vol, Frank, en zeg waar we heen moeten.'
'Een particulier vliegveld, zestig kilometer ten zuiden van hier. Er staat een toestel klaar.' Hij vertelde Shaw precies hoe hij moest rijden en zweeg toen. Hij haalde moeizaam adem en zijn gezicht werd grijs.
Reggie en Whit trokken Franks jasje uit, scheurden zijn overhemd open en keken nog eens goed naar de wond. Reggie zei: 'Kijk of er een EHBO-kistje in het dashboardkastje ligt.'
Dat was er niet, maar er was wel een doos met gesteriliseerde watten. Daarmee maakte ze de wond schoon, en vervolgens gebruikte ze repen van Franks over-

hemd om het bloeden tegen te gaan en de wond te verbinden. Toen leunde ze achterover. 'Meer kan ik nu niet doen. Hij moet naar een dokter.'
'Er is een dokter in het vliegtuig,' mompelde Frank. Shaw keek naar hem en zag dat Frank zijn blik op hem liet rusten. 'Jou kennende, leek me dat een goed idee.' Shaw pakte een antiseptisch verband en gooide het naar Reggie toe. 'Voor je gezicht. Waller heeft je lelijk geraakt met zijn schoen.'
Ze maakte haar gezicht zo goed mogelijk schoon en werkte toen aan Dominics gewonde arm.
Toen ze een sirene hoorden, keken ze allemaal om.
'Politiewagen achter ons,' zei Whit, die in het spiegeltje keek.
'Shit, dit kunnen we nooit uitleggen,' zei Shaw. Hij gaf nog meer gas.
Tien kilometer later, toen het geluid van de sirene in het Provençaalse landschap was verdwenen, zei Whit: 'Jij bent een verdomd goeie coureur.'
'Laten we blij zijn dat ze hier niet de middelen hebben om via de centrale een wegafzetting te organiseren. Dan was ik nu een verdomd goeie gedetineerde.'
Ten slotte kwamen ze bij het particuliere vliegveld aan. Naast het vliegtuig stond een glanzend zwarte Range Rover geparkeerd. De arts aan boord van het toestel maakte Franks wond schoon en zette Dominics gebroken bot recht, waarna hij het op zijn plaats hield met een kleine houten spalk en veel verbandgaas. 'Dat moet in het gips,' zei de arts. 'Daar heb ik hier niet de goede spullen voor.'
Shaw hielp Reggie haar gezicht te verbinden, terwijl Whit met een onbewogen gezicht toekeek vanuit een hoek van de luxueuze cabine. De tweede piloot kwam naar hen toe. 'We kunnen opstijgen wanneer u maar wilt,' zei hij tegen Frank, die langzaam overeind ging zitten en over zijn arm wreef, waarin de arts hem een injectie met een pijnstillend middel had gegeven.
'Dat gaat niet gebeuren.'
Ze draaiden zich allemaal om en zagen Whit met een pistool staan. 'Jullie twee kunnen vertrekken,' zei hij, wijzend naar Shaw en Frank. 'Maar wij drieën nemen die auto daar en gaan verder.'
'Dat is geen goed idee,' zei Shaw.
'Voor ons wel,' kaatste Whit terug. 'Ik weet niet wie jullie zijn, en dat wil ik ook niet weten. Bedankt voor de hulp, maar jullie gaan jullie weg en wij de onze. We gaan als vrienden uit elkaar.'
'Jullie komen nooit weg,' zei Frank. Hij wilde opstaan, maar Shaw legde zijn hand op zijn schouder.
'Ik geef ons een goede kans.'
'Jullie moeten een gijzelaar hebben,' zei Shaw. 'Want anders maken jullie geen schijn van kans tegen deze man.' Shaw wees naar Frank. 'Hij heeft meer middelen dan jullie aankunnen. Maar daarentegen wil hij mij niet verliezen. Dat geeft jullie een kans.'

Whit keek sceptisch. 'Dus je wilt dat wij jou gijzelen? Dat gaat dus mooi niet gebeuren.'
'Dan gaat het jullie niet lukken,' antwoordde Shaw.
Whit gaf Shaw een duw. 'Had je gedacht!'
Reggie ging tussen Whit en Shaw in staan. 'Hij heeft gelijk.'
Whit kookte inmiddels van woede. 'Dacht je nou echt dat ik je vriendje meenam, alleen omdat jij...'
Shaw duwde Reggie opzij en ging een stap naar Whit toe. 'Jullie hebben die kerk niet eens goed verkend. Jullie lieten je overvallen, en zonder mij zouden jullie nu dood zijn. Dat heb je zelf gezegd. Nu moeten we het land uit. Zonder vliegtuig moet het op een andere manier. Ik kan dat, want ik heb het al honderd keer gedaan. Kunnen jullie het ook?'
Nu keek Whit ongemakkelijk in Reggies richting.
'Hij heeft gelijk, Whit,' zei Dominic. 'Wij zijn hier niet op toegerust.'
'Goed, maar de eerste keer dat je iets probeert...'
'Mij best.' Shaw liep hem voorbij naar de uitgang van het vliegtuig.
'Shaw!' riep Frank. 'Dit kun je niet doen. Je weet niet eens wie ze zijn.'
'Ik neem contact op, Frank. Ik hoop dat je gauw geneest.'
De anderen liepen achter hem aan het vliegtuig uit.
Toen ze in de Range Rover stapten, vroeg Whit aan Shaw: 'Hé, hoe ben je eigenlijk vrijgekomen?'
'Met een toiletpot, een beetje water en een beetje inspanning. En misschien moet je iemand bellen om je vriend los te maken, nadat ze hem eerst hebben bijgebracht.'
'Allemachtig,' zei Whit geïmponeerd.

60

De villa van Fedir Kuchin was leeg. Er stonden geen SUV's aan de voorkant, alle ramen waren dicht en er werden geen sigaren gerookt in de achtertuin. De tassen waren gepakt, de gehavende mannen verzameld, en ze waren vertrokken. Er was een telefoongesprek gevoerd en zijn privéjet had ze opgepikt, niet op het commerciële vliegveld van Avignon, maar op een kleine luchthaven voor zakenvliegtuigen. Kuchin keek nu vanaf zesduizend meter hoogte neer op het Franse landschap, terwijl zijn privévliegtuig zich door plateaus van kalme lucht naar kruishoogte toe werkte.

Naast hem zat Alan Rice, die een pak ijs aan zijn rechterknie had vastgemaakt en nog zo'n pak tegen zijn gezicht hield. Pascal en twee andere lijfwachten, die door de zogenaamde moslims waren aangevallen, verzorgden hun eigen wonden. De man die door de auto was geraakt had een gebroken been. Kuchins mond en kaak waren lelijk opgezwollen door Shaws vuistslag en er zaten twee nieuwe lege plekken in zijn tandvlees. Hij had elke medische behandeling geweigerd, wilde zelfs geen pijnstiller slikken. Hij zat simpelweg op zijn stoel en keek omlaag naar het snel verdwijnende Franse terrein.

Ze zijn ergens daar beneden en ze weten wie ik werkelijk ben.

Hij wierp een blik op Rice. 'In alle opwinding heb je nog niet verteld hoe je me kon redden, Alan,' zei hij. Zijn beschadigde mond kon alleen langzaam bewegen.

Rice haalde voorzichtig het pak ijs weg en keek zijn baas aan. 'Ik ben die vrouw op een avond naar de kerk gevolgd.'

'Waarom?'

'Omdat ik haar niet vertrouwde,' zei hij eenvoudigweg. 'Daarom stelde ik haar op de proef.'

'Hoe bedoel je?'

'Toen ik deed alsof ik haar waarschuwde, loog ik tegen haar en zei ik dat je wel vaker verliefd op vrouwen was geworden. Ik wilde nagaan of ze de logische conclusie trok en je zou verlaten. Dat deed ze niet. En toen ze ook nog zo laat op stap ging, werd ik extra achterdochtig. Het stond me ook niet aan dat ze jou uitspeelde tegen die andere man.'

'Dus je volgde haar? Maar hoe kwam het dan dat je in die catacomben al op ons stond te wachten?'

'Ik zag ook wie ze die avond ontmoette. Ik liet hem volgen.'

'Heb je dat allemaal gedaan zonder het mij te vertellen?'

'Ik wilde zekerheid hebben, Evan. Het was altijd mogelijk dat ik me vergiste. Ik kijk wel uit, ik wil jou niet weer razend maken.'
Kuchin leunde in het leer van zijn stoel achterover. 'En toen?'
'En toen zagen we ze de kerk in gaan en naar de catacomben afdalen. Toen ze naar buiten kwamen om iets te halen, slopen wij naar beneden en namen onze posities in. Ik was wel erg bang, want ze hadden wapens en ik heb nog nooit met zo'n ding geschoten. Dat bleek wel uit mijn slechte schot van vandaag.'
'Je hebt mijn leven gered.'
'Ik ben blij dat ik je kon helpen. Als ik had geweten wat er allemaal achterzat, had ik je vandaag niet met haar naar de markt laten gaan. Toen ik besefte wat er aan de hand was, was het te laat. Ze waren slim. Ik nam aan dat de twee lijfwachten die je bij je had genoeg zouden zijn, maar blijkbaar vergiste ik me.'
'Dus toen ik je sloeg, had ik het mis?'
'Je had het volste recht. Het leek er sterk op dat ik buiten mijn boekje was gegaan.'
'Dat verbaasde me.'
'Natuurlijk, maar ik wilde je alleen maar beschermen.'
Kuchin wendde zich af en keek naar een wolk. 'Het spijt me, Alan. Ik heb je verkeerd beoordeeld. Ik heb ook jouw leven gered. Wat dat betreft, staan we nu quitte.'
'Nou, gelukkig is het goed afgelopen.'
'Afgelopen? Nee. Dit is niet afgelopen.'
'Ga je achter ze aan?'
'Twijfelde je daaraan?'
'Nee, dat niet,' zei Rice nerveus.
'Die lange man. Waarom heb ik het gevoel dat hij niet bij hen hoorde?'
'Maar hij was daar ook.'
Kuchin zei: 'Ik denk dat hij jóú de kerk in is gevolgd.'
'Mij?'
Kuchin streek met zijn vinger over zijn gehavende kin. Praten deed pijn, maar hij dacht nu aan iets anders. 'Heb je gehoord hoe ze me noemden?'
'Die naam?'
'Fedir Kuchin.'
'Ja. Dat heb ik gehoord.' Rice legde het pak ijs weer op zijn gezicht en probeerde normaal adem te halen.
'Weet je wie dat is?'
'Nee, dat weet ik niet.'
Kuchin was zowel tevreden als teleurgesteld. Hij bukte zich en haalde een voorwerp uit zijn aktetas. Het was een zak die in plastic was gewikkeld. Er zat een pistool in.

‘Dit is het pistool dat de vrouw in de kerk heeft laten vallen. Ik wil dat er naar vingerafdrukken wordt gezocht, maar ik denk niet dat die te vinden zijn. Toen ik het opraapte, heb ik eventuele afdrukken waarschijnlijk weggewreven. Maar het is een relatief nieuw model en we kunnen naar serienummers op de slede, de loop en het staartstuk kijken.’
‘Ze zullen het wel hebben gesteriliseerd. De nummers met zuur of een boortje verwijderd.’
‘Jij weet meer van wapens dan je laat blijken, Alan. Ja, dat is waar, maar er bestaat zoiets als micro-stamping. Daarbij wordt een laser gebruikt om de nummers microscopisch klein op onder andere het staartstuk en de slagpin te zetten. Die nummers zijn niet zo gemakkelijk te verwijderen. Als we de herkomst van het pistool kunnen nagaan, vinden we misschien ook de vrouw.’
‘Je wilt haar echt heel graag hebben, hè?’
‘De informatie die we over haar hebben ingewonnen, was blijkbaar ondeugdelijk. Ik wil dat je zo veel mogelijk informatie vindt over haar.’
Kuchin hield op over zijn kaak te wrijven. Hij haalde de laptop tevoorschijn die ze in de catacomben hadden gevonden en waarop de foto’s zaten die op de muren waren geprojecteerd. Hij zette hem aan en drukte op een paar toetsen. Even later keek hij naar duidelijke beelden van zijn werk in Oekraïne. Hij wierp een blik op Rice, die over zijn schouder meekeek. De jongere man wendde zich vlug af. Toen Kuchin blijkbaar genoeg beelden op de computer gezien had, borg hij hem op. Hij haalde een boekje uit zijn tas en sloeg het open. Op een van de bladzijden was hij met een tekening begonnen. Kuchins hand bewoog zich met een stukje houtskool over het papier en daarop verscheen het gezicht van Janie Collins.

•61•

'Nou, om te beginnen: waar wil je heen?'
Shaw reed, met Whit naast hem. Reggie en Dominic zaten op de achterbank van de Range Rover. Dominic was in slaap gesukkeld door de pijnstillers die de dokter hem had gegeven.
Reggie en Whit keken elkaar aan.
'Het is een redelijke vraag,' zei Shaw, en hij klopte op het stuur. 'Het zou handig zijn als ik wist in welke richting ik moet rijden.'
'Naar het noorden,' zei Reggie. Whit keek haar fel aan.
'Het noorden?' zei Shaw. 'Parijs? Normandië? Calais?'
'Nog meer naar het noorden.'
Shaw keek Whit aan. 'Het Kanaal? De Noordzee? Wonen jullie op een boot?'
'Heel grappig.'
'Je bedoelt dat jullie Britten zijn?' ging Shaw sarcastisch verder. 'Jezus christus.'
'Ik ben Ier,' zei Whit. 'Je hebt me dus beledigd, maar ik zal het door de vingers zien. Deze keer. Dus je weet hoe je ons over het Kanaal kunt krijgen? Hé, misschien is deze Rover een amfibievoertuig.'
'Hebben jullie paspoorten?'
Whit wees achter hen. 'Achtergelaten. Maar een paar telefoontjes zijn genoeg om aan papieren te komen. Eigenlijk weet ik niet waar we jou voor nodig hebben.'
'Omdat ik weet wat ik doe. En onderschat de Franse politie niet.'
Whit knikte langzaam. 'Ik onderschat niemand, zeker jóú niet.'
'Bel maar. Zeg tegen hem dat we hem over vier uur in Reims ontmoeten. Als we er bijna zijn, bellen we en kiezen we de ontmoetingsplaats uit.'
'Dus je kent Frankrijk?' vroeg Whit.
'Ik spreek zelfs de taal vrij goed,' antwoordde Shaw.
'Bravo.'
Whit regelde een ontmoeting met een van hun mensen die hen aan valse papieren kon helpen om het land uit te komen.
'Oké, dat is gebeurd. Wat nu?'
'Nu wachten we rustig af.'
Whit hield zijn pistool in zijn hand. 'En na Reims?'
'Omdat een vliegveld te riskant voor ons is, ligt het voor de hand de Kanaaltunneltrein naar St. Pancras in Londen te nemen. Daarom hebben we paspoorten nodig. Als dat niet lukt, gaan we naar het oosten en proberen we met de boot over het Kanaal te komen. Misschien via België of Amsterdam.'

'De paspoortcontrole op het Gare du Nord in Parijs is ook vrij grondig,' merkte Reggie op.
'Ja, maar de beveiliging op de luchthavens is nog strenger. En als het misgaat, is het veel moeilijker om van een vliegveld weg te komen. Dan moet je vaak langs een heleboel gewapende kerels in uniform.'
'Oké, de trein. En daarna?'
'Dan zien we wel verder.'
'Voor wie werk jij?' vroeg Reggie. Ze boog zich vanaf de achterbank naar voren.
'Ik werk voor Frank daar in het vliegtuig. Meer hoeven jullie eigenlijk niet te weten.'
'Dus politie,' zei Whit.
'Nee, zo zou ik het niet willen noemen.'
'Spionage.'
'Geen commentaar.'
'Wat blijft er over?'
'Ik.'
Whit grijnsde en keek Reggie aan. 'Die grote jongen begint me te bevallen, Reg,' zei hij sarcastisch. 'Echt waar. Nou, we spreken het volgende af, Shaw-leger-van-één-man. Als we veilig en wel in Engeland komen, ga jij jouw kant op en wij de onze.'
'Wie gaat jullie dan beschermen tegen, hoe heet hij ook weer, Kuchin?'
'Blijkbaar weet je niet wie dat is,' zei Reggie.
'Zou ik dat moeten weten?'
'Er was eens een zekere Mikola Tsjevtsjenko. Die was van de KGB. Hij wordt de beul van Kiev genoemd, maar Kuchin was zijn voornaamste assistent, en hij was ook de man die honderdduizenden onschuldige mensen op verschrikkelijk wrede manieren heeft afgeslacht. Tsjevtsjenko is na de val van de Muur geëxecuteerd door een vuurpeloton, maar Kuchin ontkwam.'
'Tja, de geschiedenis herinnert zich alleen de hoogste bazen, niet degenen die de trekkers overhaalden,' zei Shaw. 'Dus daarom zaten jullie achter hem aan. Wat is jullie connectie? Komen sommigen van jullie uit Oekraïne?'
'Ja, van moederskant,' zei Whit met een grijns. 'En om je andere vraag te beantwoorden: wij kunnen onszelf beschermen.'
Shaw keek hem aan. 'Tot nu toe hebben jullie er niet veel van terechtgebracht.'
'Soms gaan plannen niet goed. Dingen werken niet. Er gebeurt iets onverwachts.'
'Het was knoeiwerk van begin tot eind,' vond Shaw.
'Nou,' snauwde Whit, 'jullie waren hier ook om hem te grazen te nemen, en toen gingen jullie weg zonder zelfs maar een schot op hem te hebben gelost. Wij hebben het tenminste geprobeerd.'

'Dat was niet mijn beslissing.'
'Waar wilden jullie tegen hem in actie komen?' vroeg Reggie.
Shaw aarzelde. 'In Les Baux. In de grotten.'
Ze dacht daarover na. 'Dat is waarschijnlijk beter dan de plaats die wij kozen.'
'Hé,' blafte Whit. 'Wij hebben ons best gedaan met de middelen die we hadden. En het hielp niet mee dat jij er opeens ook was,' voegde hij er met een woedende blik op Shaw aan toe. 'Wij hebben misschien geen dure straaljagers, maar meestal krijgen wij het wel voor elkaar.'
'Wat dat betreft, moet ik je maar op je woord geloven. Maar als je denkt dat jullie je zonder hulp tegen die kerel kunnen beschermen, zit je ernaast. Vraag het maar aan een stel dode moslims.'
'Het kan me niet schelen of hij een paar van die kerels koud heeft gemaakt,' zei Whit. 'En zal ik je nog eens wat zeggen? Ik ga opnieuw achter hem aan. En deze keer krijgen we hem te pakken.'
'Het enige wat je krijgt, is je eigen dood.'
'Als je nou eens gewoon je kop houdt en doorrijdt.'
Whit keek chagrijnig door de voorruit.
Shaw keek in het spiegeltje en zag Reggie naar hem kijken.
'Het komt wel goed,' vormde hij met zijn lippen.
Maar terwijl hij dat zei, wist Shaw al dat hij tegen haar loog.
Hij richtte zijn blik weer op de weg.

•62•

Kuchins vliegtuig was halverwege de Atlantische Oceaan. Rice zocht op internet naar de Facebook-pagina van Reggie die zich als Jane Collins voordeed, en bekeek de informatie die ze verder over haar hadden gevonden. Alles bleek te zijn gewist. Beschroomd stelde hij Kuchin daar in zijn stoel van op de hoogte.

'We hebben ook geen uitdraai gemaakt,' zei Rice en zijn stem trilde. 'Dus we hebben niet eens haar foto.'

'Ik heb een foto van haar,' zei Kuchin opeens. 'Die heb ik gemaakt toen jullie samen op het terras zaten te praten voor het eten.'

'Had je verdenkingen?'

'Nee, ik wilde een foto van een mooie vrouw. Maar nu, ja nu heb ik verdenkingen,' voegde Kuchin er sarcastisch aan toe.

'We hebben niets over Bill Young.'

Inmiddels had Kuchin tekeningen gemaakt van Reggie, Shaw, Whit en Dominic. Hij bleek een bijzonder scherp oog te hebben, en een niet minder verbijsterend geheugen. Hij liet de tekening aan Rice zien, die goedkeurend knikte.

'Helemaal raak, Evan. Je bent een kunstenaar.'

'Ik wil dat de drie portretten van de mannen in digitaal formaat worden gezet, of hoe dat ook heet. Kan dat op een zodanige manier gebeuren dat er in een fotodatabase kan worden gezocht?'

'Ja, ik geloof van wel.'

'Laat dat dan doen. En natuurlijk ook de foto van haar. In elke database waar we met geld binnen kunnen komen.'

'Begrepen. Maar als je een foto van de vrouw hebt, waarom heb je haar dan ook getekend?'

Kuchin gaf daar geen antwoord op. In plaats daarvan zei hij: 'Ik vind het maar niets dat we uit Europa weggaan. Die mannen hadden een onmiskenbaar accent, vooral die Ier.'

'Maar die lobbyist niet?'

'Nee. Hij is een ander geval.' Kuchin wreef over zijn pijnlijke kaak. 'Ik ben in mijn leven wel vaker geslagen, maar nooit zo hard. Een wonder dat mijn kaak niet is gebroken. Een sterke man. Een gevaarlijke man.'

Rice voegde daaraan toe: 'Hij sloeg Manuel buiten westen of het niets was. En toen stelde hij Pascal buiten gevecht alsof die van karton was, en je weet hoe goed Pascal is. En hij tilde mij op alsof ik een kind was. Ik voelde zijn arm; die was hard als staal.'

‘Ik was nog niet eens het meest onder de indruk van zijn kracht,’ zei Kuchin. ‘Er zijn veel sterke mannen, nog wel sterkere dan hij. Maar zijn snelheid, zijn bekwaamheid... Drie gewapende mannen, vier als je jou ook meerekent, Alan. Maar drie gewapende mannen die goed zijn met wapens, en toch kreeg hij het voor elkaar.’
‘Hij zal ook wel geluk hebben gehad.’
‘Geluk komt er altijd bij kijken. De vraag is: was dat geluk er vanzelf of heeft hij het tot stand gebracht? Ik neig tot het laatste. Hij kwam met horizontale ellebogen tevoorschijn, een klassieke techniek voor gevechten in beperkte ruimte. Het gaf hem de kans om snel en met maximale kracht te stoten, want hij kon zijn hele gewicht erin leggen en bliksemsnel met zijn heupen en bovenlijf draaien. En met een gekromde elleboog kun je beter stoten dan met een vuist. In een hand zitten veel kleine botjes die kunnen breken. Als je daar ook maar eentje van breekt, kun je niets meer met die hand doen. Een elleboog daarentegen bestaat uit maar drie botten die om elkaar draaien, en die zijn alle drie relatief groot. De elleboog loopt het meeste gevaar te breken als hij gestrekt is. Je valt, steekt je handen uit, houdt je arm recht, en het lichaamsdeel dat de grootste dreun krijgt is je elleboog. Die knapt.’ Kuchin maakte een V met zijn arm. ‘Maar als je je arm buigt, gaat die spanning eraf. Je elleboog breekt niet zo gauw en je kunt er ontzaglijk hard mee stoten.’
‘Je weet veel van die dingen.’
‘Ik weet genoeg. En hij bleef bewegen, bleef steeds maar bewegen, waardoor het moeilijk was hem onder schot te nemen.’
‘Als hij zo goed is, kunnen we het misschien beter vergeten.’
Kuchin keek hem duidelijk teleurgesteld aan. ‘Ze hebben me op een crypte vastgebonden. Ze wilden me bij een stel oude botten in een kist leggen. Ze hebben heilige grond in een katholieke kerk geschonden. En ik moet ze nu veel harder terugslaan dan ze mij geslagen hebben. Daar ga ik me nu dus helemaal op concentreren.’
‘Maar de zaken...’
‘Daar heb ik jou voor.’ Hij sloeg zijn arm om de smalle schouders van de andere man en kneep er even in. Rice kreunde enigszins, want zijn hele lichaam deed nog pijn van zijn kortstondige maar pijnlijke ontmoeting met Shaw. ‘Je zult het goed doen. En als ik merk dat je je boekje te buiten gaat of mijn plaats in de top probeert in te nemen... Nou, vergeet niet dat de honden die ik voor Abdul-Majeed heb gebruikt nog steeds beschikbaar zijn.’
Nerveus zei Rice: ‘Evan... Die naam waarmee ze je aanspraken?’
‘Als ik jou was, zou ik daar maar niet meer aan denken.’
Het vliegtuig landde niet in Montréal. Kuchin had opdracht gegeven tot een verandering van het vluchtplan. Ze landden op een lange strook vlak asfalt die

hij in het verre oosten van Canada had laten aanleggen, aan de Labrador-kant van de provincie Labrador en Newfoundland.
Terwijl het vliegtuig over de baan taxiede om tot stilstand te komen, keek Rice uit het raam.
'Evan, wat is er aan de hand? Waarom landen we hier op jouw baan?'
'Ik ga niet naar Montréal. Het vliegtuig wel.'
Hij stond op en trok een lange jas aan.
'Maar waarom hier?'
'En jij gaat trouwens ook niet verder met dit vliegtuig.'
Rice verbleekte. 'Ik begrijp het niet.'
'Helaas, niets aan te doen. Mijn jet is te gemakkelijk te volgen.'
'Je bedoelt dat ik helemaal naar Montréal moet rijden? Dat is een heel eind.'
'Meer dan vijftienhonderd kilometer. Maar je hoeft niet zelf te rijden en ook niet het hele eind. In Goose Bay staat een ander vliegtuig voor je klaar, en dat brengt je verder naar Montréal. Je bent daar op tijd voor een laat diner. Maar je gaat niet naar je huis of naar kantoor. Je blijft in het safehouse buiten de stad. Je doet van daaruit je werk. En er zullen altijd twee van mijn mannen bij je zijn. Begrepen?'
'Ja, natuurlijk. Denk je dat die maatregelen echt nodig zijn?'
'Als je nagaat dat ik bijna in een crypte onder een kerk in Gordes ben gedumpt, ja, dan denk ik dat ze nodig zijn.' Hij legde zijn hand op de schouder van zijn assistent. 'Ik hou precies bij waar je bent. Je kunt in het vliegtuig blijven. Ik stuur een wagen om je op te halen.'
De deur van het vliegtuig ging open, de trap ging omlaag en Kuchin liep naar beneden. Hij stapte in een wachtende Escalade, die meteen wegreed.
Kuchin keek niet achterom naar zijn vliegtuig, maar strak naar voren. Als ze wisten dat hij Fedir Kuchin was, wat zou dan hun volgende stap zijn? Omdat ze bereid waren hem te doden, geloofde hij niet dat ze voor een officiële organisatie als Interpol of de FBI werkten. Of zelfs voor de opvolger van de oude KGB, de Russische Federale Veiligheidsdienst. Die had in het verleden weleens oude Sovjetkopstukken opgepakt en gevangengezet of geëxecuteerd na een erg openbaar proces dat tot doel had Rusland goodwill op te leveren. Dat deden ze, dacht Kuchin met minachting, terwijl een vroegere KGB-officier nu aan het hoofd van het land stond. Het was walgelijk wat er allemaal uit democratie kon voortkomen.
Maar als hij zich nu eens vergiste en ze wel voor een overheid werkten? Dan konden ze zijn hele organisatie oprollen en ontmantelen. Misschien wachtten ze het vliegtuig in Montréal op. Nou, dan zouden ze merken dat het leeg was, en hij kon erop rekenen dat zijn piloten niet vertelden waar hij was. Dat was niet omdat hij ze klakkeloos vertrouwde. Ze werkten al jaren voor hem en wisten dat Kuchin wist waar hun familie woonde.

Op een afgelegen plaats, hier bijna veertig kilometer vandaan, had hij een onderkomen gebouwd. In de loop van de jaren had hij duizenden hectaren gekocht en zijn huis precies in het midden van de ruigste, meest vergletsjerde toendra buiten Siberië gebouwd. Het was onherbergzaam terrein en toch voelde Kuchin zich daar volkomen op zijn gemak. Rice en hij hadden daar in de afgelopen vier jaar heel wat succesvolle zakelijke tactieken uitgedacht. Hij kon daar goed nadenken. En nu zou hij er plannen maken voor zijn tegenaanval.

•63•

'Je wordt bedankt, Frank,' mompelde Shaw, terwijl hij zijn blik door het station liet dwalen.
Met een hoed, een zonnebril en ondanks het warme weer een dikke trui had hij zich in de enorme drukte op het Gare du Nord in Parijs gestort. Daar zag hij nu politieagenten met een foto van hem rondlopen. Reggie, Whit en Dominic waren hem ieder afzonderlijk naar binnen gevolgd, ook in vermomming. Ze zagen hetzelfde als hij.
Toen wees hij naar een agente die bij een ingang liep. In haar hand had ze een kleurenfoto van een andere persoon.
Reggie herkende zichzelf meteen. 'Shit.'
Nadat hij had geconstateerd dat blijkbaar alleen die twee foto's waren verspreid, verliet Shaw het station. Buiten kwamen de anderen naast een rij bagagewagens bij hem staan.
'Wat nu?' vroeg Dominic.
Whit gaf antwoord: 'Ik stel voor dat wij drieën het erop wagen. Jij,' zei hij, wijzend op Shaw, 'kunt het ergens anders proberen.'
'Daar ben ik het niet mee eens,' zei Shaw.
'Het kan me geen moer schelen of jij het ermee eens bent.'
'Gebruik nou je verstand, Whit. Met zijn drieën lopen jullie veel meer in de gaten. Ze hebben daar foto's van Reggie en mij, niet van jullie twee. Jullie twee nemen de trein en gaan naar Londen terug. Reggie en ik komen daar op een andere manier.'
'Vergeet het maar,' zei Whit meteen.
'Hij heeft gelijk, Whit,' zei Reggie. 'We kunnen ons beter opsplitsen. Als ze ons te pakken krijgen, is dat pech, maar het zou stom zijn als we ze de kans gaven ons allemaal tegelijk op te pakken.'
Whit liet zich niet vermurwen. 'Je zoekt wel erg ijverig naar redenen om bij hem te kunnen blijven.'
Shaw leunde tegen de muur van het station en zei: 'Als je haar nu eens zelf liet beslissen, Whit, of is dat in strijd met jullie ondernemingsbeleid?'
'Als jij nou eens je bek houdt? Jij weet niets van ons.'
'Aan belangstelling ontbreekt het me niet.'
'Als wij op de trein stappen, hoe komen jullie dan in Engeland terug?' vroeg Whit aan Reggie.
'Via Amsterdam,' antwoordde Shaw. 'We nemen daar een veerboot. Ik ken

daar iemand. Ze stellen geen vragen en ik denk niet dat de politie daar ook naar ons uitkijkt.'
Reggie zei: 'Whit, stap nou maar met Dom in die trein. Hij moet zo gauw mogelijk met die arm naar de dokter. Een paar uur met de trein is veel beter dan in een boot dagen op het Kanaal dobberen.'
'Je meent dat echt, hè? Je gaat met die kerel mee, al weet je niet eens wie hij is?'
'Ik weet dat hij onze levens heeft gered. Ik weet dat hij bevelen heeft genegeerd om met ons mee te komen. Moet ik nog meer weten?'
Whit keek eerst haar en toen Shaw aan en zocht ten slotte steun bij Dominic, maar die sloeg zijn ogen neer.
'Goed,' zei Whit. 'Doen jullie twee maar wat jullie willen. Misschien zie ik je in Engeland terug, misschien niet. Ik stuur je wel een kaartje als ik Kuchin heb afgemaakt.' Hij draaide zich om en liep het station weer in, op de voet gevolgd door Dominic.
Shaw keek Reggie aan. 'Is hij altijd zo goedgehumeurd?'
'Zoals hij zelf zei: hij is een Ier. Het ligt niet in hun aard om goedgehumeurd te zijn: als ze hun zin niet krijgen!' Ze riep Whit die laatste woorden met een Iers accent na, maar Dominic en hij waren al in het Gare du Nord verdwenen.
Vijf minuten later reden Shaw en zij in een kleine donkerblauwe Ford weg. Die had Shaw kunnen stelen omdat de bestuurder zo attent was geweest de sleutels op de stoel te laten liggen. Nadat ze drie blokken hadden gereden, stopte Shaw en verwisselde hij de nummerborden voor die van de Range Rover, die hij daar eerder van had verwijderd.
'Politieagenten kijken eerst naar het merk en het model en dan pas naar het nummer,' zei hij tegen Reggie. 'Een Range Rover, geen Ford. En deze auto die we hebben gestolen...'
'Die heeft nu een ander nummer. Dus we gaan nu naar Nederland?'
'Ja. Ga maar wat slapen.'
'En als jij slaperig wordt?'
'Dat word ik niet.'

•64•

Whit had net alles verteld. Dominic zat naast hem, zijn gewonde arm in het gips. Professor Mallory en Liza zaten tegenover hen in de bibliotheek van Harrowsfield. Mallory tikte peinzend met de steel van zijn nieuwe pijp op de oude tafel, terwijl Liza geconcentreerd haar lippen op elkaar perste en naar haar handen keek.

'Je weet zeker dat die lange kerel, hoe heet hij ook weer?' begon Mallory.

'Shaw,' zei Whit.

'Ja, die Shaw – dat hij niet degene kan zijn die jullie in de val heeft laten lopen?'

'Hij heeft ons gered, professor. Het zou vreemd zijn als hij de aanslag saboteerde en ons daarna kwam redden.'

'Misschien is hij precies wie hij zegt dat hij is,' zei Liza. 'Een agent van een andere organisatie die om een andere reden achter Kuchin aan zat.'

'Die handel in nucleair materiaal,' zei Mallory. 'Ja, dat zou de meest logische verklaring zijn. Wel een heel ongelukkig toeval dat ze tegelijk met ons, maar om andere redenen op dezelfde schurk joegen.'

'Zo toevallig is het niet,' zei Liza. 'Ze hadden natuurlijk hetzelfde idee als wij. Je valt de man in zijn vakantie aan, want zo'n kans krijg je misschien nooit meer.'

'En geen nieuws van Regina?' vroeg Mallory.

Whit schudde zijn hoofd. 'Nee, nog niet. Ze zullen nu wel op de boot van Nederland naar Engeland zitten.'

'Maar ze zijn toch niet op weg naar Harrowsfield?' zei Mallory geschrokken. 'Ze zou hem toch niet hierheen brengen?'

'Ze is niet achterlijk,' zei Whit, maar hij wendde zijn ogen af toen hij dat zei.

'Je moet contact met haar opnemen, Whit, en tegen haar zeggen dat ze alleen moet komen,' zei Mallory. 'Ze mag die man niet meenemen.'

'Ik heb geprobeerd contact met haar op te nemen, maar ze neemt verdomme de telefoon niet op.'

'Dan moet je meer je best doen. Je moet haar gaan zoeken.' Mallory maakte een gebaar in de richting van het raam.

Whit keek kwaad op. 'Haar zoeken? Waar dan? Hier op het terrein van Harrowsfield of op de hele wereld? Ze heeft zich zelf in de nesten gewerkt. Nu moet ze ook maar zelf zien dat ze eruit komt.'

'Ik denk niet dat we met die houding veel verder komen,' vermaande Mallory hem.

'Nou, op dit moment kan het me niet schelen wat je denkt,' kaatste Whit terug.

'Ik vind dat we allemaal kalm moeten blijven,' zei Liza. 'Zullen we thee gaan drinken?'
Whit snoof. 'Thee? Verdomme, Liza, geef me een fles Locke's acht jaar oude single malt en ik word misschien kalm genoeg om nog eens naar die man hier te luisteren.'
Nu nam Dominic het woord. 'Ik denk dat we erop moeten vertrouwen dat Reggie doet wat goed is.' Hij keek de anderen aan, die nu ook allemaal naar hem keken. 'Ik heb vertrouwen in haar.' Hij leunde achterover en wreef over zijn gewonde arm. Zo te zien was hij moe van dit kleine toespraakje.
'Ik denk dat Dominic gelijk heeft,' zei Liza.
'Wil je dat risico echt nemen?' vroeg Mallory. 'Alles opofferen waarvoor we hebben gewerkt? Je weet hoeveel twijfels je had over haar en die Shaw,' voegde hij eraan toe, terwijl hij Whit aankeek. 'Misschien haalt hij haar over. Misschien is ze verblind... Je weet wel wat ik bedoel.'
De Ier keek nu ongemakkelijk. 'Dat heeft ze vrij duidelijk ontkend. En het is een feit dat we de schoft bij zijn lurven hadden. De missie had moeten slagen.'
'En toen werden jullie overvallen?' vroeg Mallory.
'Weet je, prof,' zei Whit, 'die kerels wisten precies waar we waren. Ze waren er zelfs al eerder dan wij. Ze hadden vrij spel. Ik wil weten hoe dat kon gebeuren. Nee, ik móét weten hoe dat kon gebeuren.'
'Misschien hebben jullie een fout gemaakt,' zei Liza. 'Misschien werden ze achterdochtig, volgden ze jullie en zijn ze er op die manier achter gekomen.'
'Tot aan D-Day kon niemand weten dat Dom en ik er iets mee te maken hadden. Als Reggie ons in het huisje kwam opzoeken, kon ze onmogelijk worden gevolgd.'
'Jullie hebben elkaar een keer 's avonds laat in de kerk ontmoet,' merkte Dominic op.
'Dat zou een zwak punt kunnen zijn,' gaf Whit toe, 'maar we moeten zekerheid hebben.'
'En Kuchin loopt nog rond,' zei Mallory.
'Het is nog niet afgelopen, prof. Ik kan niet blijven ademhalen in de wetenschap dat hij nog leeft.'
'En Fedir Kuchin denkt natuurlijk hetzelfde over ons,' zei Liza.
'Dat zei Shaw ook,' voegde Dominic eraan toe. 'Hij wilde ons tegen Kuchin beschermen.'
'Ik heb tegen hem gezegd dat we zijn bescherming niet nodig hebben,' zei Whit scherp. 'En zo is het.'
'En jullie weten niet voor wie hij werkt?' vroeg Liza.
'Ze hebben hun eigen vliegtuig, dus het zijn geen armoedzaaiers zoals wij,' zei Whit tegen haar met een lichte ondertoon van jaloezie.

'Dit staat me helemaal niet aan,' zei Mallory na een lange stilte. 'Ik weet niet over wie ik me meer zorgen moet maken, over Fedir Kuchin of over die Shaw.'
'Weet je wat? Ik stel voor dat we ons zorgen maken over béíden,' zei Whit.

•65•

Reggie drukte haar handen tegen haar maag. Ze stapte de kade op, knielde neer en kuste de vuile planken. Intussen maakte de boot zich van de kade los en voer de woelige zee weer op. De kapitein was een Nederlander die Shaw al jaren kende, maar waarvan zou hij Reggie niet vertellen. Ze waren afgezet op een allang vergeten landingsplaats die de marine in de Tweede Wereldoorlog had gebruikt, ver van de bewoonde wereld. Ze hadden er bijna drie dagen over gedaan om in Engeland terug te komen. Een groot deel van die tijd hadden ze op de boot doorgebracht, die langzaam door het woelige water had geploegd.
'Godzijdank,' kreunde Reggie.
'Dat boottochtje was inderdaad een beetje ruw,' beaamde Shaw terwijl hij haar overeind hielp.
'Een beetje ruw?' Reggies keel trok zich samen. Ze zag eruit alsof ze weer ging overgeven, maar richtte zich uiteindelijk op, zuchtte diep en legde haar arm op Shaws schouder om in evenwicht te blijven. 'Ik dacht dat we nergens meer heen gingen, behalve naar de zeebodem.'
'Mijn vorige boottocht was over de Ierse Zee. Toen was het water ook nogal woelig. De vrouw die ik bij me had moest steeds overgeven, net als jij. Het moet iets van vrouwen zijn.'
'Wie was dat?' vroeg Reggie, terwijl ze snel maar voorzichtig naast Shaw aan wal stapte.
'Het was lang geleden.'
'Hoe wist je hiervan?'
'Het is vroeger een paar keer van pas gekomen.'
'Het is nogal een gat in onze grensbeveiliging.'
'Elk land heeft minstens één zo'n gat.'
Toen ze op het veldje naast de pier kwamen, keek Reggie naar haar mobiele telefoon. Die was zo goed als leeg en had niet één streepje bereik. Ze had niemand kunnen vertellen hoe het met haar ging en kon dat nog steeds niet. 'Verdomme. Ik heb niks aan dat ding.'
'Ik heb wel bereik. Als je mij het nummer geeft, bel ik voor je.'
'Liever niet. Dan heb jij het nummer in je telefoon zitten.'
'Dit is niet mijn telefoon. Hij is van een van jouw jongens. Die kerel die ik met een toiletpot buiten westen heb geslagen.'
'Heb je gekeken welke contactpersonen erop staan?'
'Nee.'

'Je liegt.'
'Misschien wel,' zei hij.
'Mag ik hem hebben? Ik heb een telefoon nodig.'
'Later misschien.'
Omdat hij meer dan een kop langer en minstens vijftig kilo zwaarder was dan zij, drong ze niet aan. Ze keek in het donker om zich heen. 'Waar zijn we?'
'Een paar uur buiten Londen. Ik heb vervoer geregeld. Waar wil je nu heen?'
'Ik denk dat we nu ieder onze eigen weg gaan.'
'Dat is geen goed idee. Kuchin kan...'
'Hij kan een heleboel, maar ons te pakken krijgen kan hij niet. Whit had gelijk. Wij gaan weer achter hem aan.'
Shaw pakte haar arm vast alsof hij haar heen en weer wilde schudden. 'Het wil er maar niet in bij jou, hè? Hij heeft jullie bijna vermoord toen hij niet eens wist dat jullie kwamen. Nu hij gewaarschuwd is, maken jullie geen schijn van kans.'
'We hadden hem bijna te pakken.'
'Heb je er nooit bij stilgestaan waarom het niet is gelukt?'
'Wat?'
'Hoe konden die kerels jullie overvallen?'
Reggie trok zich van hem los. 'Hoe moet ik dat weten?'
'Je moet dat weten. Ze hadden informatie van binnenuit. Ze wachtten op jullie. Jullie hebben ergens een mol.'
'Dat kan niet.'
'Geef me dan een andere logische verklaring.'
'Op de een of andere manier hebben we fouten gemaakt en hebben ze ons daardoor in de gaten gekregen. Ik was al eens naar de kerk geweest om het plan met Whit te bespreken. Toen moet iemand me zijn gevolgd.'
'Waarom zouden ze jou verdenken?'
'Jij roept altijd hoe goed Kuchin is. Waarschijnlijk verdenkt hij iedereen.'
'Ik heb naar hem geluisterd toen hij op die crypte lag vastgebonden, en jij waarschijnlijk ook. Hij blufte dat hij jullie zou vermoorden, maar verwachtte in werkelijkheid dat hij die dag zou sterven. En als hij jou verdacht, waarom was hij dan met je meegegaan naar die kerk?'
'We gebruikten de informatie over moslims die jij ons had gegeven om hem daarheen te loodsen.'
'Zomaar?'
'Zomaar,' zei ze, in de verdediging gedrongen. 'En het werkte.'
'Als iemand je al eerder naar de kerk was gevolgd en wist wat daar ging gebeuren, waarom lieten ze jullie dan jullie gang gaan? Waarom sloegen ze geen alarm? Dan had Kuchin nooit in gevaar verkeerd.'

Ze keek een tijdje naar de donkere zeegolven die kwamen aanrollen en zei toen: 'Ik weet niet waarom. Daar heb ik geen antwoord op.'
'In elk geval kan het antwoord niet gunstig voor jullie zijn. Als jullie een verrader in jullie midden hebben, is het voor Kuchin niet zo moeilijk om jullie te pakken te krijgen.'
Ze deed haar ogen even dicht en wreef vermoeid over haar slapen. 'Hé, je zei dat je vervoer had geregeld. Kun je me gewoon naar Londen brengen? Het is midden in de nacht en ik ben nu te moe, te vuil en veel te misselijk om helder over dit soort dingen na te denken.'
Hij keek haar even aan en haalde toen zijn schouders op. 'Ja. Het vervoer staat daar verderop.'
'Daar verderop' hield in dat ze bijna een kilometer in het donker over ruig terrein moesten lopen om bij een weg te komen. Aan de rand van een bosje stond een motor met de sleutels onder de zitting. Hij gooide haar de extra helm toe. 'Het is niet de Vespa, maar we redden ons er wel mee.'
Het hele eind naar de stad klampte ze zich aan hem vast. Toen ze in Londen aankwamen, verschenen er al roze slierten aan de hemel. De eerste forensen bewogen zich door de nog grotendeels lege straten. Ze zagen een paar taxi's en een harmonicabus.
Reggie tikte op zijn schouder en wees naar een hoek. Hij ging langzamer rijden en stopte bij de ingang van een metrostation. Ze stapte af en gaf hem de helm terug.
'Weet je zeker dat je niet bij mij wilt blijven?' vroeg hij.
'Dan zou ik door het wc-raampje ontsnappen zodra we ergens gingen tanken. Je kunt je beter tijd besparen en me gewoon laten gaan.'
Hij haalde de telefoon uit de zak van zijn jasje en gaf hem aan haar. '*Bonne chance.*'
'Dus dat is alles? Probeer je me niet meer over te halen? Wens je me alleen succes?'
Shaw had het idee dat ze eigenlijk bij hem wilde blijven, maar hij was niet in een verzoeningsgezinde stemming.
'Het was een missie als vele.'
Hij gaf gas.
'Bedankt dat je m'n leven hebt gered, Shaw,' zei ze enigszins schuldbewust.
'Zoals ik al zei: het was een missie als vele. *Reg.*'
Hij schakelde, liet de koppeling los en reed weg. Toen ze alleen was achtergebleven, sjokte ze het metrostation in.

•66•

Reggie keek in haar kleine, groezelige kamer in Londen om zich heen. Ze had daar een bultig hemelbed, een oude kist die van haar moeder was geweest, een gerafeld vloerkleed, een tafel met twee rechte stoelen, een kookplaatje, een kleine koelkast die onder het aanrecht stond, een rek van een meter hoog, vol boeken, en twee vuile ramen die uitkeken op de achterkant van een ander groezelig gebouw. Haar enige potplant was dood, want tijdens haar afwezigheid was Londen getroffen door een onverwachte hittegolf en was het gloeiend heet geweest in haar kamer, die uiteraard geen airconditioning had. Het toilet en de douche waren op de gang. De andere bewoners van het huis stonden altijd vroeg op, en als ze nog met tenminste redelijk warm water wilde douchen, moest ze er om zes uur bij zijn.

Ik ben achtentwintig en leef nog steeds als een student.

Omdat ze laat was thuisgekomen, had ze gedoucht met koud water, en daarna had ze de enige schone kleren aangetrokken die ze in haar kast had. Ze had haar vuile kleren in een zak gedaan om ze later in de machine te wassen die beneden stond. Omdat ze een tijdje weg was geweest, zat er niets eetbaars in de koelkast. Ze ontbeet in een café in de straat en nam alle tijd voor haar eieren, koffie en croissant met boter. Ze had haar telefoon opgeladen en een sms'je naar Whit gestuurd. Die had onmiddellijk geantwoord. Al hun mensen waren veilig weggekomen. Een van hen was zelfs naar de villa gegaan en had haar persoonlijke spullen mee naar Engeland genomen. Whit wilde ook weten waar Shaw was. 'Zorg ervoor dat hij Harrowsfield niet kan vinden,' had hij gestuurd. Ze liet hem op haar beurt weten dat Shaw niet meer bij haar was en dat ze er goed op had gelet dat hij haar niet gevolgd was.

Toen ze door de straat liep, strekte Reggie haar armen en werkte ze de knopen uit haar beenspieren. De overtocht was afschuwelijk geweest; de boot had aan één stuk door gestampt en gedeind. Shaw had er geen enkele moeite mee gehad. Hij had zelfs niet overgegeven. Hij had gewoon aan een tafel gezeten, een boek gelezen en zelfs gegeten, en hij had haar handdoeken en een emmer gegeven als ze die nodig had, en dat was vaak geweest.

Ze had af en toe naar hem opgekeken hopend op een blijk van medeleven, maar die kreeg ze niet. Daarna had ze zich schuldig gevoeld omdat ze medelijden van hem had verwacht. Er was niets aan te doen en je moest er gewoon doorheen. Hij kon dat, maar zij bleek geen zeebenen te hebben. In elk geval was ze nu veilig terug in Engeland, net als de rest van haar team. Hoewel het

waar was dat Kuchin hun was ontglipt, had het veel slechter kunnen aflopen.
Ze nam de metro naar Knightsbridge. Later zou ze naar Harrowsfield gaan om de anderen op de hoogte te stellen, maar eerst had ze iets anders te doen. Ze had een kleine safe in een bedrijf waar particulieren kostbaarheden konden bewaren. Het bedrijf beschikte over de nieuwste beveiligingstechnologie, zoals biometrische scanners en toegangskaarten. Elk kluisje was rechtstreeks verbonden met het dichtstbijzijnde politiebureau en de hele ruimte had camerabewaking. Dit hoge beveiligingsniveau kostte bijna honderd pond per jaar en was haar elke cent waard.
Ze liep het gebouw in en passeerde de verschillende beveiligingsposten. Toen ze alleen in de kluiskamer was, maakte ze haar safe open en schoof ze de inhoud eruit. Ze ging aan de tafel zitten, waarbij ze er goed voor zorgde dat ze de inhoud van de metalen doos met haar lichaam afschermde tegen de plafondcamera, en begon dingen te lezen die ze al uit haar hoofd kende.
Dit was haar ritueel. Na elke missie kwam ze hierheen en deed ze dit. Alle andere keren had ze succes gehad. Dit was haar eerste mislukking, haar eerste fiasco, de eerste keer dat ze op haar donder had gekregen. Toch was ze hier nu. Dit was belangrijk.
De krantenberichten waren oud en vergeeld. In de loop van de tijd zou het papier helemaal uit elkaar vallen, maar de informatie op het papier zou nooit uit haar geheugen verdwijnen, hoe graag ze dat op sommige dagen ook wenste. Robert O'Donnell, zesendertig jaar oud. Het was maar een zwart-witfoto, maar Reggie herkende hem meteen. Per slot van rekening was hij haar vader. Hij was gestorven op haar zevende verjaardag. De kop van de *Daily Mail* bevatte alle elementaire gegevens, met nog een fraaie overdrijving op de koop toe.
LONDENS BERUCHTSTE SERIEMOORDENAAR SINDS JACK DE RIPPER IS DOOD!
Dat was niet precies wat een klein meisje op haar verjaardag over haar vader wilde lezen.
Vierentwintig slachtoffers, allemaal tienermeisjes en vrouwen van in de twintig, waren door haar sadistische vader vermoord. Tenminste, dat waren degenen die bekend waren. Ze hadden hem zelfs vergeleken met de Amerikaanse seriemoordenaar Ted Bundy, die in die tijd was geëxecuteerd. Een charmante, aantrekkelijke jongeman die jonge vrouwen naar hun dood had gelokt. Alleen had Bundy geen vrouw en kinderen gehad. Hij was een eenling geweest. Reggies vader had een goede baan, een liefhebbende vrouw en een zoon en dochter. Toch had hij in de loop van de jaren kans gezien minstens vierentwintig mensen zo gruwelijk af te slachten dat zelfs de ervaren politiemensen die de lijken hadden gevonden jaren therapie nodig hadden gehad om de afgrijselijke dingen te verwerken die ze onder ogen hadden gekregen.
Zelfs nu de waarheid onomstotelijk was vastgesteld, kon ze niet helemaal ac-

cepteren dat de man die haar had verwekt de man uit die afgrijselijke verhalen was. Ze keek naar een andere krant, een bericht dat geschreven was toen haar vader precies vier jaar dood was. Bijna een hele pagina werd in beslag genomen door een foto van hem in zijn laatste dagen. In dat gezicht zag Reggie een man die bezeten was door iets wat helemaal niet menselijk was. Ze zag ook iets anders, en dat joeg haar nog meer angst aan.

Mijn ogen. Mijn neus. Mijn mond. Mijn kin.

In fysiek opzicht leek ze veel meer op haar vader dan op haar moeder. In fysiek opzicht.

Het einde van het gewelddadige leven van haar vader was verpletterend geweest, omdat het ook een eind maakte aan het leven van de twee mensen om wie ze het meest gaf. Haar moeder. En haar dierbare oudere broer.

Haar twaalfjarige broer was de held geweest. Toen Lionel O'Donnell had ontdekt wat zijn vader had gedaan, was hij naar de politie gegaan. Eerst hadden ze de verhalen van het kind niet willen geloven. Ze werden bedolven onder aanwijzingen, waarvan de meeste tot niets leidden, en stonden onder enorme druk om de ergste seriemoordenaar sinds mensenheugenis te pakken te krijgen.

Pas later beseften ze dat hij gelijk had. Maar toen was het te laat. Haar hele gezin was op één dag om het leven gekomen. Toen haar vader ontdekte dat zijn zoon hem aangegeven had, was zijn woede niet meer te stoppen. Hij vermoordde zijn zoon en zou ook Reggie te pakken hebben genomen als de politie niet net op tijd gearriveerd was. Ze had er nog steeds nachtmerries over, iets wat nooit meer zou verdwijnen.

Reggie pakte een ander krantenbericht en beefde zodra ze de foto en het bijschrift zag. Het haar van het meisje was in staartjes gevlochten. De ogen waren leeg. De kleine mond vormde een strakke, emotieloze streep. Geen blijdschap, geen verdriet, helemaal geen gevoelens. Nu, meer dan twintig jaar later, kon Reggie zich niet meer herinneren wat voor gevoel het was geweest om op die dag gefotografeerd te worden. Waar ze toen was, wat ze dacht.

Ze keek naar het bijschrift: HET ENIGE OVERLEVENDE GEZINSLID JANE REGINA O'DONNELL, ZEVEN JAAR OUD.

De weken, maanden, zelfs jaren daarna waren een koortsachtige warboel geweest. Ze was opgenomen door familie van haar moeder. Ze gingen het land uit. Er werden nieuwe levens opgebouwd. Niemand zei meer iets over het verleden. Niets over haar moeder, haar broer, en zeker niet over dat monster van een vader van haar. Toch was Reggie, die de achternaam van haar moeder had aangenomen, uiteindelijk naar de stad teruggekeerd waar haar vader zijn gruweldaden had begaan. Haar identiteit was diep begraven. Ze was niet meer zeven, had geen lege ogen meer. Ze was Reggie Campion, een volwassen vrouw met een missie, een vrouw die haar leven opbouwde uit de catastrofale ruïnes van haar verleden.

Toch vroeg ze zich vaak af of professor Miles Mallory wist wie ze werkelijk was. En of dat de reden was waarom hij haar had benaderd. Hij had nooit laten blijken dat hij haar werkelijke voorgeschiedenis kende, maar hij was ook het soort man dat daar nooit iets over zou zeggen.

Er lagen nog meer dingen in de metalen doos, en ze bekeek er twee van. Er was een foto van haar moeder, een tengere blonde vrouw die in Reggies herinnering voortleefde als onschuldig, zij het niet erg intelligent of nieuwsgierig, en toch ook als iemand die onvoorwaardelijk van haar kinderen hield. Het tweede voorwerp was een foto van haar broer Lionel, die naar de politie was gegaan en een eind had gemaakt aan de gruweldaden van het monster in Londen, al had het hem zelf het leven gekost. Al op twaalfjarige leeftijd was hij lang geweest, net als zijn vader, die een meter negentig was geweest en meer dan negentig kilo woog. Lionel leek op hun moeder, niet qua postuur, maar in zijn gezicht. Hij had licht haar, dofblauwe ogen en een mond die meestal glimlachte. Maar niet op deze foto. Op deze foto was haar broer dood in zijn kist te zien. Reggie wist niet waar de foto vandaan kwam, maar toen ze hem jaren geleden tegenkwam, wist ze dat ze er nooit meer afstand van zou doen. Het was misschien ziekelijk en macaber, maar het was ook een aandenken aan haar broers ultieme offer: hen verlossen van het kwaad.

Ze legde alles terug in de doos, deed hem op slot en schoof hem weer in het kluisje. Daarna ging ze naar haar kamer terug, pakte een tas, stapte in haar autootje en reed naar Harrowsfield.

Onderweg dacht ze aan niets anders dan aan een nieuwe kans om Fedir Kuchin te pakken te krijgen. Nou, dat was niet helemaal waar. Een andere lange man met donker haar drong ook steeds haar gedachten binnen.

Waar was Shaw nu?

•67•

Zodra Reggie de plaats Leavesden voorbij was en over de bochtige wegen naar het landgoed begon te rijden, verdween de zon al achter de donkere wolken. In elk geval pasten de weersomstandigheden goed bij haar humeur. Ze reed door de poort, parkeerde haar auto, haalde diep adem en liep naar binnen.

Omdat ze haar vermoedelijke aankomsttijd van tevoren had doorgegeven, zaten ze al in de bibliotheek op haar te wachten. De professor, Whit, Liza en Dominic. Toen ze door de gang liep, zag ze Niles Jansen, de collega die in het huisje in de Provence door Shaw onder de voet was gelopen. Ze wierp hem zijn mobiele telefoon toe, die door Shaw was meegenomen.

'Hoe gaat het ermee?' vroeg ze, wijzend naar de grote blauwe plek op zijn gezicht.

'Alsof ik door een tank ben overreden,' zei Jansen.

'Zoiets is je ook echt overkomen.'

Ze haalde diep adem om rustig te worden en maakte toen de deur van de bibliotheek open. Ze ging aan de ene kant van de lange tafel zitten, terwijl alle anderen op een rij daartegenover zaten. Heel zorgvuldig vertelde ze alles wat ze zich van haar tijd in Gordes herinnerde. Ze stelde hen ook op de hoogte van de dagen die ze met Shaw had doorgebracht.

'En je bent niets meer over hem te weten gekomen dan dat?' vroeg Mallory, die niet eens een poging deed zijn ongeloof te verbergen.

'Het is moeilijk om iemand vakkundig te ondervragen als je aan één stuk door aan het kotsen bent,' antwoordde ze. 'En hij komt niet vrijwillig met zulke informatie. Hij is duidelijk ervaren. Afgezien daarvan kunnen we alleen maar speculeren.'

'Maar het is ook duidelijk dat hij wél voor een officiële organisatie werkt,' merkte Mallory op.

'Dat betekent dat we na al het goeds wat we hebben gedaan allemaal van moord beschuldigd kunnen worden,' zei Whit. 'Kuchin kan ons zelfs vervolgen om wat we hebben gedaan, en nog winnen ook. Misschien moeten we allemaal een advocaat nemen.'

'Dit is niet grappig, Whit,' snauwde Liza. 'Onze hele operatie verkeert misschien in groot gevaar.'

'Shaw weet niet waar we zijn,' zei Reggie. 'Ik was echt niet van plan hem hierheen te brengen.'

'Zie je wel?' zei Whit. Hij keek Reggie aan. 'En Dom heeft ons er nadruk-

kelijk aan herinnerd dat je ons vertrouwen had verdiend.'
Reggie keek Dominic dankbaar aan en wendde zich toen weer tot Mallory. 'Maar daarmee is het probleem niet opgelost. Met alle middelen waarover ze beschikken kunnen ze ons misschien opsporen. In elk geval weten ze hoe wij drieën eruitzien.'
'Ik stel voor dat jullie tot nader order alle drie op Harrowsfield blijven,' zei Mallory.
Whit en Dominic knikten langzaam.
Maar Reggie zei: 'Ik heb dingen te regelen, maar daarna kom ik hier logeren.'
Mallory knikte. 'Goed, dat is dan afgesproken. Laten we het nu over belangrijker dingen hebben, namelijk Fedir Kuchin en het feit dat hij jammer genoeg nog in leven is.'
'We gaan weer achter hem aan. Daar hebben we het gisteren al over gehad,' zei Whit.
'Ik heb er nog eens over nagedacht en ik ben het eigenlijk wel eens met jullie meneer Shaw,' zei Mallory verrassend genoeg.
Reggie, die niet bij dat gesprek was geweest, vroeg: 'In welk opzicht ben je het met hem eens?'
Whit zei: 'Hij bedoelt de verwachting van je vriend dat Kuchin achter ons aan komt. In plaats van achter hem aan te gaan zouden we dus juist onszelf moeten beschermen.'
'Daar hebben we het ook over gehad, kort voordat we uit elkaar gingen,' zei Reggie.
Mallory stond op, liep naar de lege haard en klopte zijn pijp erin uit. 'Ongetwijfeld. Het lijkt er sterk op dat die andere organisatie beter geëquipeerd is om het tegen meneer Kuchin op te nemen dan wij.'
'Maar dat gaan ze niet doen!' riep Whit uit. 'Dat heb ik al gezegd. Ze hebben zich teruggetrokken. Blijkbaar kan het ze niet schelen dat hij meisjes als hoeren verkoopt. Toen die nucleaire deal niet doorging, vonden die kerels het verder wel best.'
'Dat was voordat ze wisten wie hij was.' Mallory keek Reggie aan. 'Je hebt het hem toch verteld? Dat Waller dezelfde is als Fedir Kuchin?'
'Ja. Maar hij wist niet wie dat was.'
Mallory nam even de tijd om zijn pijp op te steken. 'Dat doet er niet toe. Hij zal zich er nu in verdiepen en als hij weet dat de echte beul van Kiev vrij rondloopt, is de kans vrij groot dat ze achter hem aan gaan of een andere dienst inlichten, zodat die het kan doen.'
'Dus we laten het werk dat wij wilden doen gewoon aan hen over?' vroeg Reggie. 'Waarom zouden zij met hem moeten afrekenen?'

Mallory keek haar belangstellend aan. 'Vraag je je eigenlijk af waarom die Shaw met hem zou moeten afrekenen?'
Reggie kreeg een kleur. 'Dat zei ik niet, professor.'
'En het staat helemaal niet vast dat ze achter hem aan gaan,' protesteerde Whit. 'Misschien hebben ze andere dingen te doen.'
Mallory keek hem aan. 'Niets van wat wij doen staat vast, Whit. En ik denk dat dit het beste is wat we kunnen doen. Tenminste voorlopig.'
'Nou, daar ben ik het niet mee eens.'
'Je hoeft het niet met me eens te zijn, zolang je maar niet op eigen houtje iets gaat ondernemen.'
'En als Kuchin uiteindelijk buiten schot blijft?'
'Er lopen veel mannen als hij rond. Ik wil niet het risico lopen dat we die allemaal niet te pakken kunnen krijgen omdat we deze ene wilden uitschakelen.'
'Maar we hebben hem alle rottigheid uit zijn verleden laten zien,' snauwde Whit. 'We hoeven hem nu alleen nog maar te doden. Een geweerschot op grote afstand. Gif in zijn ochtendkoffie. We prikken de klootzak op straat met een vergiftigde paraplu, zoals ze met die Bulgaar hebben gedaan.'
Mallory schudde zijn hoofd. 'Omdat de autoriteiten dan vermoedelijk weten wie hij is, stellen ze een onderzoek in naar zijn dood en naar zijn verleden, en maken ze bekend dat hij inderdaad de beul van Kiev was. En dan zijn alle anderen gewaarschuwd.'
'Alle anderen?' zei Whit smalend. 'Denk je dat die klootzakken elkaar nieuwsbrieven sturen? Pas op, mede-schurk, de goeien willen je pakken? Ik heb daar nooit in geloofd, prof, en ik geloof er nu nog steeds niet in. Wat jij zegt, komt erop neer dat we hem voorgoed vrij laten rondlopen.'
'Nee, ik zei dat we het nu aan anderen kunnen overlaten.'
Reggie nam het woord. 'Ik denk dat ik het met Whit eens ben, maar het probleem is dat Kuchin nu zo diep zal wegkruipen dat we hem nooit kunnen vinden. Waarschijnlijk heeft hij safehouses over de hele wereld.'
'Omdat onze middelen beperkt zijn, is dat een reden te meer om op iemand anders over te gaan, maar voorlopig vind ik dat jullie je allemaal een tijdje moeten ontspannen. En Dominic genezen.' Mallory keek eerst Reggie en toen Whit aan. 'En jullie moeten ook genezen, maar in andere opzichten.'
'Ik kan nog volkomen helder denken,' mompelde Whit.
'Ik had het niet per se over jou,' zei Mallory.
'Over mij dus?' riep Reggie uit. Ze keek hem met een donkere blik aan.
'Als iedereen nu alsjeblieft een beetje rustig blijft...' zei Mallory geërgerd.
'Zelfs wanneer die Oekraïense psychopaat ons in het vizier heeft?' vroeg Whit.
'Ja, zelfs dan,' zei de professor scherp. Hij stond op en verliet de kamer.
'Hij staat onder veel druk,' verdedigde Liza hem.

'We staan allemaal onder extreme druk, Liza,' wierp Reggie tegen.
'De operatie in de Provence heeft veel geld gekost,' ging Liza verder. 'En het wordt steeds moeilijker om de financiering rond te krijgen. Miles is een groot deel van zijn tijd bezig met zoeken naar weldoeners.'
Whit keek haar smalend aan. 'Geweldig, fantastisch. Mijn salaris kon wel naar beneden. O nee, ik krijg al een schijntje voor het riskeren van mijn leven, hè?'
'Zo bedoelde ik het niet, Whit,' zei ze.
'Ik denk dat we nu allemaal dingen zeggen die we niet echt menen,' zei Dominic.
Whit stond op. 'Spreek namens jezelf, Dom. Ik meende alles wat ik zei.'
Voordat iemand nog iets kon zeggen, had hij de deur van de bibliotheek al achter zich dicht gegooid.

•68•

Reggie ging bij nader inzien toch maar niet naar de ondergrondse schietbaan, vooral omdat ze betwijfelde of haar nog steeds ontregelde maag tegen de scherpe kruitdamp in die benauwde ruimte bestand was. Maar ze had ook geen zin om in de kille atmosfeer van Harrowsfield te blijven, dus maakte ze een wandeling over het terrein. Zo kwam ze natuurlijk op de begraafplaats en bij het graf van Laura R. Campion. Ze had de graven van haar moeder en broer maar één keer bezocht, jaren geleden, en dat van haar vader nooit. En toch stond ze hier nu voor de honderdste keer bij wat bijna zeker de laatste rustplaats van een vreemde was.

Ben je gek aan het worden, Reg? Gaat dat op deze manier? Is het ook zo gegaan met mijn... vader?

Ze had zichzelf er lang geleden van overtuigd dat haar vader krankzinnig was geworden, want alleen zo kon ze verklaren wat hij had gedaan. Toch wist ze eigenlijk wel dat het waarschijnlijk niet waar was. En dat maakte haar doodsbang.

Hardop zei ze: 'Word je zomaar gek? Of word je slecht geboren? Of pleeg je moorden omdat de geschiedenis je de kans geeft?'

'Ja, op alle drie vragen,' zei een stem.

Reggie draaide zich zo abrupt om dat ze bijna haar evenwicht verloor. Ze herkende de stem, maar vroeg zich tegelijkertijd af hoe het mogelijk was.

Shaw stond bij de taxushaag die de begraafplaats bijna helemaal omgaf.

'Hoe...?' begon ze, maar Shaw legde een vinger op zijn lippen en liep naar voren.

Hij kwam naast haar staan. 'Ook goed om jou te zien.'

'Hoe ben je hier gekomen?'

'Die telefoon die ik je gaf, had gps.'

'Dat kan niet. Als we op een missie gaan, schakelen we alle gps-chips in onze telefoons uit, juist om dit soort dingen te voorkomen.'

'Dat weet ik. Daarom moest ik er op de boot eentje in zetten.'

Reggie kreunde en sloeg met haar hand tegen haar voorhoofd. 'Ik kan niet geloven dat ik zo ongelooflijk stom was.'

'Je bent niet stom; je bent juist erg goed. Maar ik ben ook erg goed in wat ik doe.'

Reggie keek nerveus om zich heen. 'Als ze je hier vinden...'

'Wat dan? Vermoorden ze me dan?'

'Dat doen we niet,' zei ze beslist.

'O nee?' Hij greep in de zak van zijn jasje en haalde er de injectiespuit uit die hij van Niles Jansen had afgepakt in het huisje waar ze hem gevangen hadden gehouden. Hij hield hem omhoog.
Reggie keek van de spuit naar Shaw. 'Wat is dat nou?'
'Ze wilden me hiermee vermoorden, Reggie.'
'Dat kan niet. We hebben nooit tegen iemand gezegd...'
'De man zei dat het bevel van iemand anders was gekomen.' Hij keek in de richting van het landhuis. 'Misschien iemand in het grote huis waar ik net langs ben gelopen?'
'Shaw, dat kan gewoon niet.'
'Dus jullie lopen voor de lol met dit soort spul rond?'
'Dat gif was bestemd voor Kuchin. Maar we hadden al een spuit bij ons.'
'Waarom dan een tweede?'
'Voor het geval er iets met de eerste gebeurde, denk ik.'
'Of voor het geval er iemand in de weg zat. Zoals ik.'
'Dat is absurd. Zei hij echt dat iemand hem had bevolen jou te doden?'
'Het is echt niet mijn gewoonte zulke dingen te verzinnen. Waarom zou ik dat doen?'
Reggie liep langzaam bij hem vandaan en liet zich op een verweerd stenen bankje aan de rand van de kleine begraafplaats zakken. Shaw kwam naast haar zitten. Hij trok zijn kraag omhoog tegen de kille lucht en de bewolkte hemel die in alle hevigheid weer naar Engeland waren gekomen, alsof ze de zeldzame hitte en zon wilden compenseren.
'We waren van plan je te laten gaan zodra we klaar waren met Kuchin.'
'Plannen veranderen, als de juiste persoon dat wil. Wie heeft hier zoveel macht?'
Reggie keek onwillekeurig even naar het huis.
'Dus ik had gelijk. Ze zijn daarbinnen. Kun je me een naam noemen?'
'Waarom? Ga je dan naar binnen om hem te arresteren?'
'Dus het is een hij? Weet je, ik heb helemaal niet de bevoegdheid om iemand te arresteren.'
'Wat dan? Hem doden? Als je hem te pakken wilt krijgen, zul je ook een heleboel andere mensen moeten doden.'
'Jou ook?'
'Ja,' zei ze zonder aarzeling.
'Nou, dan heb ik niet veel mogelijkheden.' Hij gaf haar de injectiespuit. 'Zorg ervoor dat je wel zeker weet dat iemand het verdient gedood te worden als je dit ding hier gebruikt. Zo'n daad is onherroepelijk.'
Reggie hield de spuit in haar open hand en keek op naar Shaw. 'Waarom ben je hier gekomen?'

‘Ik wilde zelf de concurrentie zien, denk ik. Mooi optrekje. Mijn kantoor is dan wel op tienduizend meter hoogte, dan wel op de grond met een heleboel opwinding om me heen.’
‘Is dat alles?’
‘O, er was nog iets. Ik wilde er zeker van zijn dat je niet nog steeds aan het kotsen was. Ik voel me daar namelijk een beetje verantwoordelijk voor. En toen we daar over het water stuiterden, was ik ook niet zo aardig als ik had moeten zijn.’
Dat leverde hem een zuur glimlachje van Reggie op. ‘Nou, eerlijk gezegd voel ik me nog steeds een beetje wiebelig, maar het gaat al veel beter.’ Ze zweeg even en deed de injectiespuit zorgvuldig in haar zak. ‘Weet je baas dat je hier bent?’
‘We houden elkaar niet altijd op de hoogte.’
Ze keek weer in de richting van het oude landhuis. ‘Daar kan ik me wel iets bij voorstellen. Hoe lang blijf je in Engeland?’
‘Dat hangt ervan af.’
‘Waarvan?’
‘Of je bereid bent vanavond met me te gaan eten. Zo ja, dan blijf ik hier nog minstens één dag. Zo niet, dan vertrek ik nu meteen.’
Reggie sloeg haar ogen neer.
‘Kun je moeilijk wegkomen?’ vroeg Shaw.
‘Nee, we hebben juist allemaal een tijdje vrij gekregen. Maar als iemand je ziet... Whit of...’
‘Niemand ziet me. Ik ga weg zoals ik gekomen ben. Het is zo’n beetje mijn beroep om stilletjes rond te sluipen. Maar laten we voor alle zekerheid in Londen afspreken. Vanavond om een uur of acht.’ Hij noemde haar een zijstraat van Trafalgar Square. ‘Als we daar zijn, zoeken we wel een eettentje.’
‘Kan ik het je straks laten weten?’
‘Nu meteen, of ik neem het vliegtuig. En ik denk niet dat ik dan terugkom, Reggie.’
‘Je geeft een meisje niet veel tijd om een besluit te nemen.’
‘Nee, inderdaad.’
‘Oké. Maar waar gaan we tijdens het eten over praten?’
‘O, we vinden vast wel iets wat ons beiden interesseert. En als we geluk hebben, beleven we er nog plezier aan ook.’ Hij keek over haar schouder naar de lager gelegen begraafplaats. ‘En misschien kan het je wat opvrolijken. Blijkbaar heb je daar wel behoefte aan.’
‘Je zult het wel raar van me vinden dat ik hier naar die graven sta te kijken.’
‘Nee.’
‘Waarom niet?’
‘Omdat ik het zelf ook doe.’

•69•

Fedir Kuchin wist niets, en omdat hij niets wist liep zijn frustratie hoog op. Hij liep met hoeken van negentig graden door zijn driehonderd vierkante meter grote huis, dat dicht bij de oceaan lag, waarvan het water zelfs in augustus nauwelijks boven de tien graden kwam. Kuchins stemming had rechtstreeks te maken met het falen van zijn ondergeschikte. Alan Rice had toegang tot meer dan tien databases gekocht, maar had niet één hit gevonden voor een van de digitale beelden die hij van de tekeningen en de foto had gemaakt. Ook alle andere mogelijkheden om onderzoek te doen waren op niets uitgelopen. Kuchin balde zijn grote handen telkens even tot vuisten, en intussen galoppeerde zijn levendige geest maar door, op zoek naar een mogelijke opening.

Ten slotte trok Kuchin een anorak aan en liep naar buiten. Hij had een geweer met vizier en enkele speciaal vervaardigde patronen meegenomen. Het was zomer, maar dat zou je niet zeggen als je naar het weer hier keek. Het was niet koud genoeg voor sneeuw, maar toen hij om zich heen keek, deed het grimmige landschap hem aan zijn geboorteland Oekraïne denken. Misschien had hij daarom hier een huis gebouwd, met geen enkel ander huis tot kilometers in de omtrek. Hij had twee lijfwachten bij zich, die in een ander gebouw verbleven, vijfhonderd meter bij zijn huis vandaan. Toch was hier niet veel gevaar. Afgezien van het risico door een eland of kariboe te worden vertrapt of aan een gewei te worden geregen, voelde Kuchin zich redelijk veilig.

Hij liep over grond die herinneringen bij hem opriep aan een kleine jongen die achter zijn zwaargebouwde vader aan liep als die naar zijn werk ging. Dat werk was visvangst op een commerciële trawler in de Zee van Azov. Die zee was veertigduizend vierkante kilometer groot, maar het diepste punt was verrassend genoeg nog geen vijftien meter. Het was dan ook de ondiepste zee ter wereld. Daardoor veranderde het water van de Zee van Azov snel van temperatuur. Niet dat het echt schoon bleef. Toen Kuchin een kind was, stroomden de vervuilende stoffen van fabrieken en olie- en gaswinning al onbelemmerd in het ondiepe water van de zee.

In de jaren zeventig spoelden de dode en gemuteerde vissen bij duizenden aan: slachtoffers van door de mens gemaakte gifstoffen en dodelijke radioactiviteit. Tegenwoordig stond zwemmen in dat water gelijk aan zelfmoord, maar alle kinderen uit Kuchins dorp hadden hun zomers in water doorgebracht waarvan de temperatuur in juli tot dertig graden kon oplopen. 's Winters was de zee maandenlang bevroren en hielden de kinderen wedstrijden met hun eigenge-

maakte schaatsen, tot hun moeders vanaf de wal naar hen riepen dat ze moesten komen eten. Kuchin herinnerde zich zelfs dat hij als zevenjarige op zijn buik op het ijs lag en er met zijn tong aan likte.
Nu had Kuchin gehoord dat de Azov het gevaar liep een dode zee te worden en dat de beroepsvisserij voor twintig jaar verboden moest worden. Dat was niet zo draconisch als het klonk. In veertig jaar waren de visserijopbrengsten gereduceerd tot bijna niets, gewoon omdat al het leven in de zee was uitgestorven. Toch zag hij nog levendig voor zich hoe zijn vader de vis die hij voor eigen gebruik had gevangen schoonmaakte met zijn grote mes. Behendig sneed hij baars, steur en makreel, en daarna werd de vis door zijn moeder gebakken in haar grote ijzeren steelpan, met geheime kruiden en ingrediënten die Franse vrouwen van nature leken te kennen.
Ten zuiden van dit huis lag de Strait of Belle Isle, met Newfoundland aan de andere kant. Kuchin was daar vaak heen gelopen om naar de vrachtschepen te kijken die door de smalle vaargeul kwamen. Een deel van zijn eigen menselijke lading was door datzelfde water gegaan. In zijn kinderjaren was Kuchins leven onlosmakelijk verbonden geweest met water – vervuild water, zoals zou blijken. Hij besefte dat het waarschijnlijk een wonder was dat hij niet was gestorven aan een gruwelijke kanker die uit het ondiepe water van de Azov was opgestegen. Aan de andere kant was het mogelijk dat er in zijn lichaam op dit moment tumoren groeiden, en dat ze zich stilletjes maar dodelijk om essentiële organen wikkelden, bloedvaten verpletterden of zijn hersenen binnendrongen.
Maar ondanks de milieugevaren had zijn jeugd in die vissersplaats hem een vuur gegeven dat onblusbaar was gebleken. Alles wat hij ooit had ondernomen, was gelukt en dat maakte de situatie waarin hij nu verkeerde volkomen onaanvaardbaar.
Hij liep naar de Strait of Belle Isle en keek naar het water. Voor schepen die uit de havens aan de St. Lawrence Seaway of de Great Lakes kwamen, lag deze zeestraat op de kortste weg naar Europa. Toch maakten mist, storm en ijs deze vaarroute tien maanden van het jaar tot een van de gevaarlijkste ter wereld. Maar je zag er soms ook fantastische dingen, zoals bultrugwalvissen die hun spectaculaire buitelingen maakten. En je zag afgedwaalde ijsbergen, afgekalfd van gletsjers in Groenland en door de Labradorstroom in grote hoeveelheden meegevoerd naar het zuiden, waar ze met enorme plonzen uit elkaar vielen in de warmere wateren voor de kust. En Belle Isle, waarnaar de zeestraat was genoemd, betekende Mooi Eiland. Het lag op het oostelijke eind van de waterweg, ongeveer halverwege Labrador en Newfoundland, die samen de gelijknamige Canadese provincie vormden.
Schoonheid te midden van niets, dacht Kuchin. Toch had hij even geloofd dat hij schoonheid had gevonden in de Provence. Een vrouw die hem fascineerde,

hem zelfs behekste; een vrouw van wie hij dacht dat hij misschien langer met haar samen wilde zijn dan één nacht, en zonder dat er na afloop een bloederige massa moest worden opgeruimd. Toch had deze schoonheid hem bijna gedood. Dat gevoel verraden te zijn – al was die vrouw hem eigenlijk helemaal geen loyaliteit verschuldigd geweest – wakkerde Kuchins smeulende woede aan.

Hij liep naar de top van een heuveltje, met achter hem de zeestraat en voor hem land dat vlak was zo ver als het oog reikte. Newfoundland werd ook wel 'De Rots' genoemd. Het oostelijke deel had ooit deel uitgemaakt van het noorden van Afrika. De laatste ijstijd had de meeste grond van de zuidoostelijke kust geschraapt, zodat bijna alleen rots was overgebleven, vandaar de bijnaam. Labrador, het oostelijkste deel van het Canadese Schild, was ongeveer drie keer zo groot als Newfoundland, maar had slechts vijf procent van het aantal inwoners van die provincie. Officieel heerste er een polair toendraklimaat; er zwierven ijsberen door de kustgebieden en er waren twintig keer zoveel kariboes als mensen. Kuchin kon er enorme bergen beklimmen, vissen in afgelegen baaien, skiën door kale toendra's en uitkijken over fjorden die door gletsjerijs in rotsen waren uitgesleten: een adembenemende, woeste aanblik. De hellingen waren vaak steil en de stroming van het water kon bedrieglijk snel zijn.

Kuchin legde zijn geweer aan en tuurde door een vizier dat gemaakt was door Zeiss, een bedrijf dat eerder leverancier van het Derde Rijk was geweest. Het had alles wat een ervaren jager op het gebied van geavanceerde wapens kon verwachten, inclusief O-ringen en een vulling van stikstofgas – dat alles in een lichtgewicht behuizing met groot gezichtsveld.

Bij de jacht op groot wild was de algehele opinie dat een patroon een kracht van minimaal honderdveertig meter-kilogram moest hebben. Voor het grootste wild, zoals elanden, ging dat omhoog naar ongeveer tweehonderd meter-kilogram op een afstand van vijfhonderd meter. Hij gebruikte gepunte boattailpatronen van honderdveertig grain, die zo ongeveer alles op vier hoeven en zeer zeker alles op twee benen konden neerleggen.

Kuchin had zijn geweer speciaal voor hem laten maken. Het was lichtgewicht, dus gemakkelijk te dragen en te hanteren, en hij had zijn ego bedwongen en gekozen voor iets minder kracht, want dat betekende minder terugslag, en dus een grotere nauwkeurigheid. Hij had veel extra's uitgegeven aan een speciale loop, want die speelde een grote rol bij het enige wat telde: of je je doel raakte of niet.

De kleine coyote liep ongeveer tweehonderd meter bij hem vandaan. Met lenige bewegingen rende het dier over het vlakke terrein. Het was vroeg voor een coyote om nu al naar voedsel te zoeken, dacht Kuchin, maar hier wist je het nooit. Doden wat je kon vinden: dat was waarschijnlijk een goed motto voor zo'n onherbergzaam gebied. Waarschijnlijk was het een wijfje, dacht Kuchin

toen hij door de kijker naar het kleine postuur en de smalle borst van het dier keek.
Hij lag op de grond en droeg het gewicht van het wapen op zijn ellebogen. Hij vond een goede houding, met zijn handen om de kolf en onderbuik van het geweer, en ontspande zijn spieren. Dat was een magisch recept voor de succesvolle sluipschutter en groteafstandsjager: stevig maar los, hartslag en ademhaling gedempt, ongehaast, zonder ook maar enige trilling. De kolf van het wapen drukte hard tegen de spieren van zijn bovenarm, en hij liet zijn wijsvinger naar de trekkerbeugel zakken en vandaar naar het slanke stukje gekromd metaal. Eén kleine beweging en de direct verhitte kogel zou uit de verlengde loop vliegen, met in zijn metalen huid de groeven van de snelle uitstoot. Het metalen projectiel van een kwart gram zou de afstand tussen mens en dier ongeveer zes keer sneller afleggen dan wanneer hij op een stoel in een commercieel straalvliegtuig had gelegen.
Maar hoewel hij de coyote recht in zijn vizier had en het dier min of meer recht voor hem langs rende, haalde Kuchin de trekker niet over. Hij liet het wapen zakken. Het dier, dat niet wist dat het bijna was gedood door een veel gevaarlijker roofdier, rende door tot het bijna uit het zicht verdwenen was. Kuchin liep de eenzame kilometers naar zijn huis terug. Hij had er nooit van genoten een wild dier te doden. Ook vissen deed hem niet veel, al had zijn vader er de kost mee verdiend.
Alleen levende wezens die er zo uitzagen als hijzelf hadden Fedir Kuchin ooit kunnen motiveren de trekker over te halen, de lucifer in een met benzine gevulde kuil te werpen, de kruk onder het opgeknoopte slachtoffer vandaan te schoppen of het mes in iemands borst te steken. Dat raakte de kern van zijn wezen.
Hij liep zijn huis in, hing de anorak aan een haak bij de deur, borg zijn geweer in zijn geweerkluis op en keerde terug naar zijn bureau. Er knipperde een lichtje op zijn telefoon. De ingesproken boodschap verdreef alle negatieve gedachten die het grootste deel van de dag door Kuchins hoofd waren gegaan.
Het was Alan Rice.
'We hebben hem gevonden.'

•70•

Reggie was dol op Trafalgar Square. Voor haar kwam alles wat Brits was samen op dat ene schitterende Londense plein. Lord Nelson stond er op zijn zesenveertig meter hoge granieten zuil, de redder van het Britse imperium, voor altijd geëerd om zijn heldhaftige dood in de slag bij Trafalgar. En ook al wist een gemiddeld kind allang niet meer precies wie Nelson was of wat hij voor Engeland had betekend, toch herinnerde zijn beeld er nog altijd aan dat het Britse volk niet klein te krijgen was.

En dan waren er die opdringerige grote duiven. Hoewel Nelson enkele jaren eerder was schoongeboend en de stad stappen had gezet om het plein te bevrijden van de koerende gevleugelde schepsels, vormden de vogels nu eenmaal een onstuitbare troepenmacht, zodat de arme admiraal dag in dag uit bedolven werd onder duivenpoep. Beneden was te zien hoe mensen in alle soorten en maten liepen, zaten, dansten, huilden, aten, dronken, optraden, foto's maakten, lazen, met naasten flirtten en soms laat op de avond seks hadden. Dat alles gebeurde terwijl kleurrijke taxi's vol reclame en rode harmonicabussen voorbij stoven met de intensiteit die nu eenmaal nodig was om stand te houden in een van de grote metropolen van de wereld. Het was de volmaakte mengeling van bezadigde historie en radicale vernieuwing, en Reggie zoog het allemaal in zich op. Ze vergat even dat ze een afspraak had met een man die haar zou kunnen vernietigen.

Omdat ze zoveel aan het hoofd had, was het eigenlijk absurd dat ze zich druk had gemaakt om haar kleding, maar toch had ze dat gedaan. Ze had al haar kleren gewassen, en daarna was haar keuze gevallen op een lichtgroene jurk van eenvoudige snit, die toeliep bij de taille, haar gebruinde huid goed liet zien en tot enkele centimeters boven haar knieën reikte. Het was een jurk met een decolleté, maar niet te diep. Ze had de enige push-upbeha die ze bezat tevoorschijn gehaald, maar ook weer teruggelegd en in plaats daarvan voor een bescheiden beha gekozen. Ze had besloten geen trui over de jurk te dragen, want zoals vaak het geval was, kwam het weer in Londen niet overeen met dat in Leavesden. De lucht was opgeklaard, de temperatuur was boven de twintig graden gekomen, wat mensen in de hele stad blij maakte, en de lichte bries uit het zuiden voerde nog meer warmte aan. Ze droeg hoge hakken, die het lengteverschil tussen haar en de man met wie ze straks zou gaan eten tot minder dan twintig centimeter terugbrachten. Ze had haar haar opgestoken en enkele lokken langs haar lange hals laten vallen. Het plaatje werd compleet gemaakt door grote, zeegroene oorhangers met bijpassend halssnoer, die ze jaren geleden in Thailand had gekocht.

Toen ze door de zijstraat liep waar ze hadden afgesproken, controleerde Reggie heimelijk haar make-up in het spiegeltje van een geparkeerde motor, terwijl ze deed alsof ze de machine bewonderde. Shaw zou door zijn lengte gemakkelijk te zien moeten zijn, ook met al die mensen op straat. Toch waren hier ook veel verborgen plaatsen vanwaar je de menigte kon gadeslaan. Waarschijnlijk stond hij op dat moment naar haar te kijken.

Ze dacht even na en dacht toen: wat maakt het ook uit? Ze draaide zich in een strakke cirkel om, haar ene hak stevig op het trottoir geplant, en draaide intussen in alle richtingen, als een schoonheidskoningin die zich aan publiek vertoont. Daardoor vergat ze even alle problemen die haar bezighielden op deze zeldzaam mooie zomeravond in deze stad, waar ze meer van hield dan van alle andere steden.

Ze schrok toen er op haar schouder werd getikt, stopte met ronddraaien en keek hem aan. Het eerste wat haar opviel, was dat hij zich ook speciaal voor deze avond had gekleed: gestreken grijze broek met scherpe vouw, wit poloshirt en blauwe blazer. Zijn korte haar had de glans van shampoo en hij had zich pas geschoren. Zijn geur deed haar denken aan het luxueuze strand in Thailand waar ze de oorhangers en het halssnoer had gekocht van een bleke man in een zwembroek die een aktetas droeg. Shaws geur was weldadig: zand, oceaan, het wuiven van exotische bomen, en nestelde zich net krachtig genoeg in haar neusgaten om haar een beetje op haar benen te laten wankelen.

'Je ziet er geweldig uit,' zei hij.

'Geen zeeziekte meer. Dat beloof ik.' Ze tikte met haar hoge hakken op het trottoir. 'Stevig op vaste grond.'

Shaw keek om zich heen en richtte zijn blik toen weer op haar. Reggie wist dat hij alle mogelijke bedreigingen had beoordeeld en ze had opgeslagen in een ordelijke databank in zijn hoofd.

'Hou je van zeevruchten?' vroeg hij.

'Heel erg zelfs.'

'Ik weet een restaurant in Mayfair.'

'Klinkt goed.'

Hij leek te aarzelen en bood haar toen zijn arm aan. Ze stak haar arm er vlug doorheen, voordat hij zijn aanbod kon intrekken. Die aarzeling van hem vond ze wel grappig. Onzekerheid kon iemand zo menselijk maken, dacht ze. Reggie oefende een beetje meer druk op zijn arm uit om hem te laten weten dat hij de juiste beslissing had genomen.

'Het is niet ver, ' zei hij. 'Het is een mooie avond, we kunnen lopen.' Hij keek naar haar schoenen. 'Red je het wel op die dingen? Als je wilt, kunnen we een taxi nemen.'

'Ik kan er op deze hakken heen lopen, maar misschien niet terug.'

'Ik kan je altijd dragen.'
Ze liepen door Haymarket Street, staken Piccadilly over en liepen Mayfair in.
'Het is nog maar een paar straten,' zei Shaw, terwijl ze daar in een rustig tempo liepen. 'Het is bij Grosvenor.'
'Het gaat prima.'
Hij keek naar haar. 'Die indruk weet je goed te wekken.'
Ze dacht even over zijn woorden na en keek intussen naar andere stellen die precies hetzelfde deden als zij. 'Het is prettig om de schijn op te houden, te doen alsof alles normaal is. Al is dat misschien wel vreemd.'
'Nee, dat is het niet. In ons beroep komen zulke momenten niet veel voor.'
Het restaurant bevond zich midden in het blok. Het had een groene luifel die twee grote mahoniehouten deuren in schaduwen hulde. Binnen was het plafond hoog en het hout donker. De stoelen hadden een leren bekleding, en de tafellakens waren gesteven en de servetten waren rechtop gezet in waterglazen van geslepen kristal. Op houten kasten van ruim een meter hoog stonden met ijs gekoelde schalen vol kreeftenstaarten, garnalen, mosselen in zwarte schelpen en grillige krabbenpoten in concentrische cirkels. Shaw had gereserveerd, en een jonge, weelderige Indiase vrouw in een zwarte jurk die strak genoeg was om te laten zien dat ze een string droeg, bracht hen naar hun tafel. Die stond achterin, schuin tegenover de ingang.
Shaw ging tegenover de mahoniehouten deuren zitten.
Dat ontging Reggie niet. 'Heb je een goed schootsveld?' vroeg ze ondeugend.
'Goed genoeg. Tenzij die schaal met gestoomde garnalen in de weg komt te staan.'
'Waarom denk ik nu dat je geen grapje maakt?'
Hij pakte het menu.
Zij deed dat ook. 'Kun je iets aanbevelen?'
'Zo ongeveer alles wat een vin, kieuwen of een schelp heeft kun je gerust een afrodisiacum noemen.'
Ze liet het menu zakken. 'Kies jij maar voor mij.'
Shaw keek over zijn menu heen. 'Besluiteloos?'
'Voorzichtig genoeg om de grotere deskundigheid van iemand anders te respecteren.'
'Die opmerking is op verschillende manieren uit te leggen,' zei hij openhartig.
'Ja. Maar laten we ons nu tot het eten beperken.'
Hij legde zijn menu neer. 'Dan nemen we allebei de *primavera frutti di mare*.'
Ze gaven hun bestelling op en kozen een witte wijn. De ober ontkurkte de fles en schonk iets in om te proeven. Shaw nam een slokje en knikte goedkeurend. De ober vulde hun glazen, plaatste een broodmand en een fles olijfolie tussen hen in, zette de wijn in een koeler en liet hen alleen.

Shaw hield zijn glas omhoog en Reggie klonk met hem.
'Is de periode waarin we doen alsof dit allemaal normaal is bijna voorbij?' vroeg ze met enige berusting.
'Bijna, maar niet helemaal.'
'Ik hou van Londen.' Reggie keek om zich heen.
'Er is veel om van te houden,' beaamde Shaw.
'Mag ik je iets vragen?' zei ze.
Hij zweeg, maar keek haar afwachtend aan.
'Op de begraafplaats van Harrowsfield zei je dat jij ook naar graven keek. Wat bedoelde je daarmee?'
'Niet graven. Graf. Enkelvoud.'
'Van wie?'
'Het is in Duitsland. Een uur rijden van Frankfurt, in een dorpje.'
'Dat is de locatie, maar naar wiens graf kijk je daar?'
'Van een vrouw.'
De spanning stond duidelijk op Shaws gezicht te lezen.
'Ik neem aan dat jullie een innige band met elkaar hadden?'
'Innig genoeg.'
'Wil je me haar naam vertellen?'
'Anna. En ik denk dat we nu wel kunnen ophouden te doen alsof alles normaal is.'

•71•

Fedir Kuchin was ongeduldig. Dat betekende dat hij prikkelbaar was, en dat op zijn beurt betekende weer dat hij opnieuw aan het ijsberen was, waarbij hij telkens een bocht van precies negentig graden maakte. Zojuist was zijn vliegtuig zestig kilometer daarvandaan geland. Hij stelde zich voor dat Alan Rice in een SUV stapte en op weg ging naar een ontmoeting met hem. Rice had informatie bij zich waarnaar Kuchin nu meer verlangde dan naar wat ook in zijn leven.
Maar hij moest wachten. Zestig kilometer over wegen van matige kwaliteit. Een uur, misschien nog langer, als het slechte weer kwam dat de hele dag al in de lucht hing.
'Alles in orde, meneer Waller?'
Hij bleef staan en keek op. In de deuropening stond Pascal, die een spijkerbroek, hoge schoenen, een flanellen overhemd en een leren jasje droeg. Altijd een jasje en altijd een pistool onder het jasje, wist Kuchin. Zijn moeder was klein en tenger geweest, en Pascal leek wat zijn postuur betrof meer op haar dan op zijn grote vader. Hij had ook haar trekken. Genetisch gezien had het Griekse element het van het Oekraïense gewonnen. Die trekken werden nu ontsierd door gele en paarse vlekken, dankzij de man die hen beiden in de catacomben van Gordes had verslagen.
'Ik denk alleen maar na, Pascal. De anderen zijn er over een uur.'
'Ja, meneer.'
'Hoe voel je je?'
'Het gaat wel.'
Het kleine mannetje was hard, dat kon Kuchin niet ontkennen. Al zou zijn arm alleen nog aan een sliertje huid hangen, dan nog zou hij alleen om een aspirientje vragen en waarschijnlijk zelfs dat niet.
Hij is hard, net als zijn vader.
Het was een korte, maar hevige relatie geweest. Kuchin was op vakantie in Griekenland geweest om zichzelf te belonen voor zijn goede werk in Oekraïne. In het stralende zonlicht dat in de Sovjet-Unie niet bestond – tenminste niet voor zover hij had ervaren – was Fedir Kuchin met een vrouw naar bed geweest en hadden ze samen een baby gemaakt. Kuchin was niet bij de bevalling geweest, maar hij had wel de naam voor zijn zoon uitgekozen. Pascal was een Franse jongensnaam. In het Latijn en het Hebreeuws was de naam een verwijzing naar Pasen en in de laatste taal werd hij ook wel gegeven aan een jongen die op een van de paasdagen geboren was. Kuchin had de jongen naar zijn ei-

gen Franse moeder genoemd, die Joods was hoewel ze op jonge leeftijd bekeerd was tot het katholocisme. Hij had nooit met iemand gesproken over haar afkomst of haar en zijn eigen geloof. In de machtige kringen van de Sovjet-Unie zou daar niet positief op gereageerd zijn.

'Je doet goed werk, Pascal,' zei Kuchin. Soms keek hij onderzoekend naar de trekken van zijn zoon en meende daar dan een zweem van zichzelf in te zien. Kuchin had hem als huursoldaat naar allerlei conflicten in de hele wereld gestuurd. Pascal was getraind door sommige van de beste onconventionele militaire geesten die er waren. Hij had gevochten in Kosovo en Slowakije, Bosnië en Honduras, Colombia en Somalië. Hij was altijd met een glimlach naar zijn vader teruggekeerd, en telkens was er weer een beetje extra ervaring op zijn DNA geënt. Kuchin had hem met enige vaderlijke trots ook de nodige kneepjes van het vak geleerd, maar ook weer niet te veel. Per slot van rekening was de jongen een bastaard. Maar hij was de enige nakomeling die Kuchin had. Niet slim genoeg om de onderneming te leiden, maar slim genoeg om degenen te beschermen die dat wel deden.

'Dank u, meneer. Als u iets nodig hebt, zegt u het maar.'

Pascal liep weg en Kuchin wreef over de littekens op zijn pols. Die waren, toen hij nog een kind was, veroorzaakt door een zware vislijn die zo diep in zijn huid had gesneden dat de sporen nooit waren verdwenen. Zo had zijn vader zijn zoon leren gehoorzamen. Die lessen waren meestal gepaard gegaan met dronken geschreeuw en beukende vuisten. Hij was opgehangen als een vis die zijn vader had gevangen, en zijn tenen hadden nauwelijks de ijskoude vloer geraakt. Dat ging uren zo door, totdat Kuchin had gedacht dat zijn knie- en achillespezen zouden bezwijken.

Ook op zijn rug waren de sporen van gewelddadigheden te zien. Een riem, een touw, een vissersmolen waarvan de metalen oogjes in zijn jonge huid hadden gevreten en die pijn hadden gedaan als de blitzkrieg van een leger van duizend wespen. Dat waren de keuzes van zijn vader geweest, de levenslessen die zijn vader zijn enig kind had geleerd.

Zijn goede moeder was altijd voor hem opgekomen en was zelfs haar veel grotere man te lijf gegaan, die zijn forse postuur uiteindelijk aan zijn zoon had doorgegeven. Die trouw aan haar kind was de vrouw vaak duur komen te staan. Nog uren daarna lagen moeder en zoon samen op de vloer in elkaars armen. Ze verzorgden hun wonden, deelden hun tranen en spraken op gedempte toon in het Frans, zo zacht dat Kuchins vader het niet kon horen, want dan zou hij opnieuw een woedeaanval krijgen.

Kuchin had tegen Alan Rice gelogen, en later ook tegen Janie Collins of hoe ze in werkelijkheid ook mocht heten. Zijn vader was niet om het leven gekomen door een val in het huisje in Roussillon. Kuchins vader was nooit in Roussillon geweest, zelfs helemaal niet in Frankrijk. Een arme familie uit een afgelegen dorp in Oekraïne zou nooit geld hebben gehad of toestemming hebben gekregen om naar het buitenland te gaan. Ze zouden niet eens de grens hebben bereikt. Ze hadden geen goede papieren en geen reden om het Sovjetimperium te verlaten. Ze zouden ter plekke zijn geëxecuteerd en hun lichamen zouden zijn achtergelaten als afval dat van een vrachtwagen was gegooid – een boodschap voor anderen die ook overwogen ongehoorzaam te zijn. En Kuchin moest toegeven dat die boodschap heel effectief kon zijn. Hij zou later zelf ook zulke boodschappen afgeven.

Pas nadat hij hoog in de KGB was opgeklommen, mochten er buitenlandse reizen worden gemaakt door de trouwste onderdanen, waartoe hij natuurlijk ook zelf behoorde. Hij had speciale toestemming gekregen om met zijn moeder naar haar geboortedorp te gaan. Inmiddels was ze oud voor haar leeftijd en had ze niet veel jaren meer voor de boeg. Het huis had leeggestaan, en hoewel Kuchin in die tijd niet veel geld had, had hij het voor haar kunnen kopen. Ze woonde er vijf gelukkige jaren tot aan haar dood. Kuchin bezocht haar wanneer hij kon. Ze sprak hem met een Franse naam aan en in haar verzwakte geestestoestand geloofde ze dat hij echt zo heette. Kuchin, die een Sovjet in hart en nieren was, zou iedereen die hem zo aansprak doodslaan, maar als zijn oude, afgetakelde moeder hem zo noemde, knikte hij alleen maar. Hij vergoot een paar tranen, hield haar rimpelige hand vast en beantwoordde haar vragen als een vriendelijke kleine Fransman die zijn dierbare moeder tevreden wilde stellen.

Kuchin staarde door het raam van zijn huis naar de kust die enkele honderden meters bij hem vandaan lag. Evengoed was zijn gehoor afgestemd op het geluid van rubber over grind aan de andere kant van het huis. Hij keek op zijn horloge. Alan Rice zou er over twintig minuten zijn. Hij keek weer naar de zee en er kwam een andere herinnering bij hem op. Dat was een mooie herinnering.

De Zee van Azov was natuurlijk veel te ondiep geweest voor zijn plan. Daarom had de volwassen geworden en heel sterke Kuchin, inmiddels een gewaardeerd lid van de alom gevreesde Komitet Gosoedarstvennoi Bezopasnosti, de KGB, in een donkere oktobernacht zijn vader uit zijn hut gesleurd en in een boot gelegd en koers gezet naar diep water. Door de Straat van Kertsj waren ze in de Zwarte Zee gekomen, die meer dan tien keer zo groot was als de aangrenzende Zee van Azov. En nog belangrijker: hij was meer dan tweeduizend meter diep.

Kuchin was voor anker gegaan en had met drie van zijn kameraden, die hem waren komen helpen, de sterkste vislijn die ze konden vinden gebruikt om de oude man vast te binden. De ogen van Kuchin senior puilden uit van angst toen hij merkte wat er met hem gebeurde. Aan de vislijn en aan de zware metalen kabels die ze over zijn hoofd en schouders hadden gelegd, waren twee metalen tweehonderdlitervaten met zand bevestigd. Dat was een favoriete manier

van de Sovjetveiligheidsdiensten om zich van iemand te ontdoen. Onder KGB-officieren werd zelfs wel van de 'gouden pantoffels' gesproken.
Kuchin had een laatste keer in de ogen van zijn vader gekeken. De rollen waren nu omgekeerd. De grote man was nu klein en het jonge kind was nu een sterke man die heel goed in staat was het monster te verslaan dat hem zo lang genadeloos had gestraft. Hij sprak hem in twee talen toe. Eerst zei hij de woorden in het Frans, want hij wist dat de oude man weliswaar een hekel aan die taal had, maar hem toch verstond. En toen in het Oekraïens, waarvan hij wist dat de woorden kristalhelder tot de ellendeling doordrongen.
Toen gingen de vaten de zee in en even later trokken de kabels zich strak en vloog de oude man ook overboord, schreeuwend van doodsangst. Binnen enkele seconden was het voorbij. Kuchin nam het roer en voer terug naar hun dorp. Hij had maar één keer omgekeken naar de plaats waar de man die hem had mishandeld de laatste seconden van zijn leven doorbracht. Toen keek hij weer voor zich en dacht niet meer aan hem.
De SUV kwam in zicht: Alan Rice kwam eraan, met de beloofde informatie.
Voor Fedir Kuchin was het nu tijd om opnieuw in actie te komen tegen een tegenstander die de euvele moed had gehad hem te na te komen.

•72•

'Je hebt toch niet het vliegtuig van de zaak gebruikt?' vroeg Kuchin.
'Nee. Zoals je me hebt opgedragen, heb ik een privévliegtuig gehuurd op naam van een van onze lege vennootschappen. Niet te herleiden tot jou of mij.'
'En je bent in het safehouse buiten de stad geweest?'
'Ja. Zoals je wilde. Ik heb mijn zaken via beveiligde telefoon- en computerverbindingen gedaan.' Hij zweeg even. 'Denk je dat er mensen achter mij aan zitten?'
'Nee, ze zitten achter mij aan, maar ze kunnen jou gebruiken om mij te vinden. Ik kon je doden of ik kon je verbergen. Ik heb voor het laatste gekozen.'
Rice keek alsof hij misschien moest overgeven.
Kuchin pakte zijn arm vast. 'Nu je verslag.'
'De manier waarop we dit te pakken konden krijgen was fascinerend. De technologie is heel bijzonder. We gebruikten eerst...'
Kuchin stak waarschuwend zijn hand op. 'Alan, kom ter zake.'
'We vonden niets in de databases waar we bij konden komen. Als we toegang hadden gehad tot die van Interpol of sommige Amerikaanse diensten, zou het een ander verhaal zijn geweest, maar daar kunnen we niet bij en dus moesten we iets anders verzinnen. Op die alternatieve plaatsen waren de datastromen immens groot en waren de server access-protocollen ingewikkeld, maar...'
'Kom ter zake,' snauwde Kuchin.
Rice ging vlug verder. 'We namen uiteindelijk onze toevlucht tot *after-market surveillance feeds*.'
'Wat zijn dat?'
'Tegenwoordig zijn er overal bewakingscamera's. Ik heb het dan niet over mensen die foto's met hun mobiele telefoon maken wanneer een beroemdheid iets ongelooflijk stoms doet, om dat dan online te zetten. Ik heb het over camera's bij geldautomaten, in straten, bij kantoren en gerechtsgebouwen, op vliegvelden, in stations en op miljoenen andere plaatsen. In feite is Londen één grote camera, vooral door de tolheffing van tegenwoordig. Als gevolg daarvan wordt er letterlijk voor biljoenen bytes aan beelden gemaakt, en die komen terecht op enorme servers. Dat maakt het werk van de politie veel gemakkelijker. Als er ergens in de openbare ruimte een misdrijf is gepleegd, is er een goede kans dat het door een camera is vastgelegd.'
'Maar wat hebben wij daaraan? Waren er zulke camera's in dat oude Gordes?' vroeg Kuchin sceptisch.

Rice klapte zijn laptop open en zette hem op een houten salontafel. 'Nee, we hebben het anders aangepakt. Je moet weten dat veel van die gegevens niet ter plaatse worden opgeslagen. Daar is vaak niet genoeg capaciteit, zeker niet als het om kleinere firma's en gemeenten gaat, en zelfs voor grote firma's en steden is het enorm duur om zoveel gegevens op te slaan en te bewaren. Dus wat doen mensen wanneer ze zelf niet in een behoefte kunnen voorzien of wanneer iets te kapitaalintensief is om het zelf te doen?'

'Dan besteden ze het uit aan bedrijven die daarin gespecialiseerd zijn.'

'Precies. Veel van die gegevens worden dus centraal opgeslagen in gigantische servercomplexen, verspreid over de wereld. Je moet dat zien als gigantische archiefkasten, ingedeeld per land, regio en plaats, of in tactische categorieën: overheidsgebouwen, banken, kantoorgebouwen, zelfs militaire faciliteiten en tientallen andere subcategorieën. Die beelden worden meestal jaren bewaard, en soms zelfs voorgoed. Je moet het niet zo zien dat er ergens miljarden foto's liggen opgeslagen. Dit is allemaal digitaal. Je hebt er relatief weinig vierkante meters voor nodig.'

'En je weet nooit wanneer sommige van die beelden nog van pas komen?'

'Precies. Laten we zeggen dat er beelden zijn van een werknemer die wekenlang bij hetzelfde gebouw dezelfde persoon ontmoet. Dat hoeft niets te betekenen, maar wanneer twee jaar later bedrijfsgeheimen worden gestolen en die persoon van bedrijfsspionage wordt beschuldigd, kunnen die beelden bijdragen aan de bewijsvoering.'

'Ik begrijp het. Ga verder.'

'Jaren geleden zagen ondernemers kansen op dit nieuwe terrein. Het feit dat we in zekere zin een Big Brother-samenleving zijn geworden, gebruikten ze om grote wereldwijde bedrijven op te zetten. En nu hebben wij daar het volgende mee gedaan. Sommige van die ondernemingen beseften algauw dat de opgeslagen beelden ook waarde hadden voor veel anderen dan de oorspronkelijke klant. Die camera's leggen namelijk veel meer dingen vast, dingen die niets te maken hebben met de reden waarom ze op een bepaalde plaats zijn opgehangen. Als je bijvoorbeeld weet dat iemand op een bepaalde tijd op een bepaalde plaats is geweest – dat hoeft dan niets te maken te hebben met de cliënt die de camera heeft opgehangen – en je wilt compromitterende beelden van die persoon hebben, dan is de kans erg groot dat er daar een elektronisch oog was en dat de beelden op een server zijn opgeslagen.'

'Dus in feite verkopen personeelsleden van die ondernemingen de beelden aan mensen die ze willen hebben om redenen die niets te maken hebben met de reden waarom die camera's zijn opgehangen?'

'Precies. Ze laten discreet weten dat ze voor de juiste prijs naar beelden kunnen zoeken en leveren die beelden dan voor een bepaald bedrag. Soms gaat het nog

een stap verder en verkopen die bedrijven zelf de beelden aan derden. De wet schijnt in sommige landen nogal onduidelijk te zijn over het gebruik dat die bedrijven van de opgeslagen informatie mogen maken, en die speelruimte wordt goed benut. De oorspronkelijke cliënten vinden het niet erg, en in de meeste gevallen weten ze niet eens dat de gegevens op die manier worden gebruikt.
En daar hebben wij op onze beurt gebruik van gemaakt. We namen een bekend serverplatform dat zijn diensten verleent aan een aantal landen in Europa, en stuurden het de gedigitaliseerde beelden die van jouw tekeningen en de foto van de vrouw zijn gemaakt. Die hebben ze door al hun bestanden gehaald. De eerste keer hadden we geen hit, maar de tweede keer wel.'
'En de hit?'
Rice toetste opdrachten in en keerde de laptop toen naar Kuchin toe. 'Het was maar één hit, maar het was beter dan niets. In Zürich. Bij een hotel, zeven maanden geleden,' vertelde Rice.
Kuchin boog zich naar voren en keek naar de afbeelding. Dat was inderdaad de lange man.
'Maar wie is hij?'
'Dat weten we nog niet.'
Kuchin sloeg met zijn vlakke hand op de tafel. 'Dan heb ik hier niets aan.'
'Wacht nou even, Evan, er is nog meer. Kijk eens naar de vrouw naast hem.'
Kuchin keek. Ze was lang, slank en blond. Toen zag hij dat de arm van de vrouw Shaws hand raakte. Hij keek Rice aan. 'Ze horen bij elkaar?'
'Ja, blijkbaar wel. We hebben contact met het hotel opgenomen. Ze wilden geen informatie verstrekken over die twee personen, en dus hebben we haar foto door de databanken met beelden gehaald.'
'En toen had je een hit?'
'Meer dan dat.' Rice gaf hem een map. 'Ik weet dat je liever papier hebt dan digitale informatie.'
Kuchin pakte de map aan, maar sloeg hem niet open. 'Hoe heet ze?'
'Katie James.'

•73•

‘Kunnen we niet de schijn van normaliteit ophouden tot na het eten?’ vroeg Reggie serieus.
‘Betekent het zoveel voor jou?’
‘Eerlijk gezegd wel.’
Shaw keek even naar de ober die in de buurt stond. ‘Oké. Dit is er waarschijnlijk toch niet de beste plaats voor.’
Hun eten kwam en ze praatten over dingen waarover ook andere mensen tijdens het eten praten. Ze bestelden nog een fles wijn, nu rode, en maakten hem helemaal op. Er volgde koffie en ze deelden een dessert met kokosnoot en linten van wit glazuur op de bovenkant. Shaw betaalde de rekening met zijn creditcard.
‘A. Shaw?’ zei Reggie toen ze de naam op het plastic zag. ‘Waar staat die A voor?’
‘Absoluut niets.’
Hij tekende op het stippellijntje, waarna ze opstonden en vertrokken. De avond was nog warm, tenminste voor Londense begrippen, al wenste Reggie nu dat ze haar trui had meegebracht. Toen Shaw zag dat ze kippenvel had, deed hij zijn jasje uit en hing het om haar schouders. Het hing zo laag als een jurk.
‘Maatje achtenvijftig extra lang?’ zei ze, en ze pakte de stof vast.
‘Zoiets. Hoe gaat het met je voeten?’
‘Dat hangt ervan af waar we heen gaan.’
‘Mijn hotel is die kant op. Tien minuten met een taxi.’
Ze keek geschrokken. ‘Jouw hotel?’
‘We kunnen ook naar jouw huis gaan.’
‘Waarom moet het een van beide zijn?’
‘We kunnen ook naar een openbare plaats gaan en erover praten en hopen dat niemand ons afluistert.’
Reggie dacht aan het bedrijvige stel in de kamer boven haar. ‘Bij mij thuis is het niet zo rustig,’ zei ze.
‘In mijn hotel wel.’
‘Waar is het?’
‘Het Savoy. Het is net weer open. Schitterend uitzicht op de rivier. Erg mooi.’
‘Wat zei je eerder over vrijpostigheid? Als we naar jouw hotelkamer gaan, valt dat volgens mij wel in die categorie.’
‘Dat was toen. Dit is nu. We kunnen een taxi nemen. Het is aan de Strand.’
‘Ik weet waar dat verrekte Savoy is.’
‘Laten we dan gaan.’

Een bekwame taxichauffeur met 'de kennis', zoals Londenaren de kaart noemden die taxichauffeurs in de loop van enkele jaren moesten leren, bracht hen via Piccadilly over Haymarket, langs lord Nelson en zijn leger van duiven, naar de Strand.
'Ik heb het altijd vreemd gevonden dat er in heel Groot-Brittannië maar één plaats is waar je rechts rijdt, en dat is het straatje naar de ingang van het Savoy.'
'Ja, omdat de ruimte voor het hotel zo smal is dat koetsiers niet bij de ingang konden stoppen als ze links moesten houden,' antwoordde Reggie.
Shaw keek haar geamuseerd aan. Op bitse toon zei ze: 'Wat is er? Ik ben toch Engelse?'
Ze liepen door de hal, gingen een trap op en namen de lift naar Shaws kamer. Hij deed de deur achter hen dicht, liet zijn sleutels op de tafel vallen en wees Reggie een stoel aan, terwijl hij zelf op de zijkant van het bed ging zitten.
'Die rothakken.' Ze trok haar schoenen uit en wreef over haar pijnlijke voeten. 'Wat nu?'
'Nu praten we over hoe in leven te blijven.'
'Ik of jij?'
'Wij allebei, als we geluk hebben.'
'Misschien verbeeldde ik het me, maar ik had het gevoel dat je baas het niet leuk vond dat je met ons samenwerkt. Het leek er meer op dat hij ons wilde arresteren.'
'Zou hij daar een reden voor hebben?'
Reggies gezicht verstrakte een beetje. 'Dat zoekt hij zelf maar uit.'
Shaw deed het kamerkluisje open, dat in een kast was ondergebracht, en haalde er een map uit. Hij bladerde hem even door. 'Fedir Kuchin. Ik heb onderzoek naar hem gedaan.'
'Je had je de moeite kunnen besparen. Wij hebben veel informatie over hem.'
'Ze dachten dat hij dood was, omgekomen in een opstand in Oekraïne, enkele jaren voor de val van de Muur.'
'Een zorgvuldig georkestreerde ontsnappingsstrategie. Sommigen van hen deden het op die manier.'
Shaw keek haar over de bovenrand van de map aan. 'Sommigen van hen? Een interessante woordkeuze. Wat doen jij en je wapenbroeders in Harrowsfield nu precies?'
'Iets waarover ik je niet kan vertellen. Nooit.'
'Je zult het iemand moeten vertellen.'
'Waarom? Heb je je baas al over het huis verteld?'
'Ik heb hem nergens iets over verteld. Ik vertel jou nu dat je misschien een vriend nodig hebt.'
'En jij bent die vriend? Waarom?'
'Ik heb niet gezegd dat ik die vriend was. Ik weet niet genoeg om te kunnen zeggen of ik je vriend wil zijn of niet.'

'Je bedoelt dat je uiteindelijk aan de andere kant zou kunnen staan?'
'Vertel me nou maar iets.'
Reggie stond op en liep op haar blote voeten over de zachte vloerbedekking.
'Zo gemakkelijk is dat niet. Niets aan dit alles is gemakkelijk, Shaw.'
'Het is zo moeilijk als je het zelf maakt.'
'Kom nou, dat is een dooddoener, en dat weet jij zelf ook.'
'Misschien wel, maar ik kan de woorden niet vinden om je duidelijk te maken dat je me moet vertrouwen. Ik dacht dat ik misschien een beetje van je vertrouwen had verdiend in Gordes.'
'Dat was toen. Dit is nu,' zei ze, zijn woorden herhalend.
'Tja, in deze tijd zegt het niet zoveel meer als je je leven op het spel zet.'
Reggie stond stil en ging naast hem zitten. Ze sloeg haar ogen neer en zuchtte.
'Nee, dat zegt nog wel veel.'
'Wat is dan het probleem? Ik weet dat Kuchin een schurk is.'
'Maar je weet ook wat we van plan zijn met hem te doen.'
'Dat lijkt me wel duidelijk.'
'Ik neem aan dat jij zulke dingen niet doet?'
'Tenzij het een kwestie is van zij of ik. Dan doe ik wat ik moet doen om zelf in leven te blijven.'
'Dat is niet bepaald hetzelfde. Het is een heel andere filosofie.'
'Zoals ik al eerder zei: ik heb niet de bevoegdheid om iemand te arresteren.'
'Ja, goed.' Ze stond op en liep naar het raam.
'Het mooiste uitzicht van Londen,' zei Shaw, die bij haar kwam staan.
Blij met deze tijdelijke verandering van onderwerp wees Reggie naar een verlicht gevaarte in de verte en zei: 'Ben jij op The London Eye geweest?'
'Dat reuzenrad? Eén keer, maar alleen omdat iemand die ik volgde zo nodig een ritje moest maken.'
Reggie wees naar een ander bouwwerk. 'Wist je dat Claude Monet vanaf een balkon van dit hotel een schilderij van Waterloo Bridge heeft gemaakt? En dat Fred Astaire hier op het dak heeft gedanst?'
'Nee, dat wist ik niet.'
Ze sloot het gordijn en keek hem aan. 'Het vreemdste verhaal dat ik ooit over het Savoy heb gehoord gaat over een kat die Kaspar heette.'
'Kaspar de kat?'
'Hij is hier de oudste bewoner. Als er een diner in het Savoy wordt gegeven en er dertien gasten zijn, komt Kaspar tevoorschijn om op de veertiende plaats te gaan zitten.'
'Heeft dat te maken met het bijgeloof dat de eerste die van een groep van dertien opstaat, zal sterven?'
'Precies. Heeft Agatha Christie daar niet zelfs een detective over geschreven?'

'Maar om nou te gaan eten met een kat...'
'Kaspar is van hout. Dat maakt hem een waardevolle disgenoot, al was het alleen maar omdat hij zijn mond weet te houden.'
'Mooi verhaal,' zei Shaw.
'Ja, hè?' zei Reggie zachtjes.
'Hoeveel andere Kuchins zijn er geweest, Reggie?' vroeg Shaw.
'Leid je dat af uit mijn vage bewoordingen? Dan maak je wel een grote sprong.'
'Dat is het niet.'
'Wat dan?'
'Als je zoiets voor het eerst doet, ben je niet zo goed.'
'Ik weet niet of we wel zo goed zijn. Per slot van rekening hebben we het verknoeid.'
'Hoe goed je een operatie ook voorbereidt, er kan altijd van alles gebeuren. Maar als ik het goed zie, hebben jullie twee grote problemen en staan die misschien met elkaar in verband.'
Ze leunde op het bed achterover en keek naar hem op. 'O ja? Welke dan?'
'Ten eerste liepen jullie in een hinderlaag. Dat betekent dat jullie je door iemand lieten besluipen of een mol in jullie gelederen hebben.'
'En het tweede probleem?'
'Kuchin loopt nog vrij rond.' Hij klopte op de map die hij uit het kluisje had gehaald. 'En tenzij de man in de loop van de jaren veel milder is geworden, laat hij het er niet bij zitten. En als hij die moslimterroristen heeft geëlimineerd, vermoordt hij blijkbaar nog steeds graag mensen. En als hij dan ook nog een mol in jullie organisatie heeft, is het probleem nog veel groter.'
'Maar als hij een mol heeft, hoe konden we hem dan in de val lokken in de catacomben?'
'Dat weet ik niet. Maar afgezien daarvan: wat gaan jullie eraan doen?'
'Eerlijk gezegd is dit onbekend terrein voor ons.'
'Ik zou jullie er graag mee willen helpen.'
'Geloof me, je zou niet weten waarmee je je inliet.'
'Ik vraag alleen maar van je dat je me vertrouwt.'
'Eigenlijk heb ik nooit iemand vertrouwd. Soms misschien ook mezelf niet,' voegde ze er op gespannen toon aan toe.
Hij ging naast haar op het bed zitten. 'Hoe ben je in zoiets als dit verzeild geraakt?'
Ze keek alsof hij haar had geslagen. 'Hoe ben jij verzeild geraakt in wat jíj doet?'
'Dat gebeurde eigenlijk tegen mijn wil.'
'Ja, nou, ik ben vrijwillig mijn weg gegaan.'
'Dan zal ik vrijwillig diezelfde weg met je gaan.'

'Waarom? Waarom wil je me helpen?'
'Ik kan niet vaak mensen helpen. Als ik eens de kans krijg, grijp ik die.'
Reggies woede trok weg en ze streek over zijn wang. 'Wie was Anna?'
'Een vrouw om wie ik gaf. Dat heb ik je verteld.'
'Ik vind het erg.'
'Ik ook.'
'Ik ben Anna niet, Shaw.'
Zijn ogen glansden. 'Dat weet ik. Niemand kan Anna zijn.' Hij wilde nog meer zeggen, maar ze legde haar hand over zijn mond.
'Alsjeblieft. Niet doen,' zei ze.
Hij keek haar aan. Reggies hand gleed van zijn mond naar zijn wang.
'Reggie?'
Ze schudde haar hoofd, stond op, maakte de rits van haar jurk los en stapte eruit. Ze stond nu in string en beha tegenover hem. Het was alsof ze wachtte tot hij zou zeggen dat ze moest ophouden. Shaw zei niets, keek haar alleen maar aan. Ten slotte legde hij zijn hand op haar heup en kneep zachtjes. Ze duwde Shaw voorzichtig achterover op het bed en ging schrijlings op hem zitten.
Reggie kuste hem heftig, beet in zijn onderlip, kuste hem op zijn hals en gezicht voordat ze gretig terugkeerde naar zijn mond. Ze trokken gejaagd hun kleren uit.
Ze gingen elkaar te lijf met felheid, woede, wanhoop en nauwelijks ingehouden geweld.
Het zweet droop van hen af. De nieuwe airco van het Savoy kon niet op tegen de hitte die door hun verwoede vrijpartij ontstond. Ten slotte lieten ze zich uitgeput zakken. Ze lagen helemaal verstrengeld, haar haar in zijn ogen, zijn knie tussen haar benen, haar arm om zijn hoofd. Ze wreef zacht over zijn gezicht en kuste het.
Shaw had zijn ogen dicht. Zijn ademhaling werd langzaam weer rustiger.
'Blijkbaar was het voor jou net zo lang geleden als voor mij,' zei ze.
Hij maakte zich van haar los en leunde tegen de hoofdplank.
'Heb ik iets verkeerds gezegd?'
'Het heeft niets met jou te maken, Reggie. Het was heerlijk.'
Ze drukte haar lichaam tegen hem aan en speelde met zijn borsthaar. 'Zou het niet fijn zijn als we gewoon een tijdje zo konden blijven liggen? Misschien een paar jaar?'
'Zou het dan niet gaan vervelen?'
'Dat zou ik dan eerst weleens willen ondervinden.'
Dat zal niet gebeuren, dacht Shaw.

•74•

Na een diepe slaap stonden ze de volgende morgen laat op en douchten samen, waarbij ze elkaar om beurten inzeepten. Binnen vijf minuten vreeën ze weer terwijl het warme water over hen heen stroomde. Daarna kleedde Reggie zich aan en ging naast Shaw, die alleen een ochtendjas droeg, op het bed zitten.
'Nou, hoe gaan we nu verder?' Ze keek hem onderzoekend aan.
'Dat weet ik niet. We hebben het probleem-Kuchin nog niet opgelost. En jij hebt me nog steeds niet zoveel verteld dat ik je kan helpen.'
'Ik bedoelde eigenlijk de seks.'
Hij keek haar een beetje verbaasd aan.
'Het zal wel iets van meisjes zijn om te willen weten hoe het verdergaat. Jongens nemen de dingen zoals ze zijn.'
'Het was geweldig, maar ik moet nog steeds weten hoe jullie organisatie werkt.'
'Wat gevoelig van je, maar als ik het jou vertel, moet jij het anderen vertellen. Dat kan ik niet toestaan.'
'En hoe zit het met je vertrouwen?'
'Zoals ik al zei, vertrouw ik niet gauw iemand.'
'Ik ook niet, maar ik geloof dat ik jou vertrouw.'
'Dat geloof je?'
'Nou, blijkbaar ben ik verder op de weg van het vertrouwen dan jij.'
'Dus je denkt dat Kuchin achter ons aan komt en dat we misschien een mol in ons midden hebben?'
'Ook als jullie geen verrader hebben, kan hij achter jullie aan komen.'
'Daar zou ik maar niet zo zeker van zijn. Onze dekmantel was heel goed.'
'Je weet pas hoe goed je dekmantel is als hij op de proef wordt gesteld. En deze man zál hem op de proef stellen. Bovendien hebben jullie de plek niet leeg achtergelaten. Jullie hadden haast. Misschien zijn er dingen achtergebleven. Mensen hebben iets gehoord of gezien. En nu zoekt hij naar manieren om jullie te pakken te krijgen. Hij is daar onafgebroken mee bezig.'
'Hoe weet je dat?'
'Omdat ík dat zou doen.'
'Het is een hele geruststelling dat jij en hij op dezelfde manier denken. En hij gaat ook achter jou aan.'
'Ja, dus moeten we samenwerken. Misschien zijn we hem dan voor.'
'Jouw club is niet meer geïnteresseerd. Bedoel je dat je buiten je eigen mensen om wilt gaan?'

'Ja, als dat nodig is.'
'Die Frank leek me geen zachtmoedig of begrijpend type.'
'Dat is hij ook niet.'
'Waarom doe je dit dan allemaal?'
'Omdat ik niet steeds op mijn hoede wil zijn voor die kerel.'
Reggie keek hem vragend aan. 'Is dat je enige reden?'
'Eén stap tegelijk.'
'Je denkt dat iemand aan mijn kant jou dood wilde hebben. Wat gaat dat voor gevolgen hebben? Ik ga je niet helpen wraak te nemen.'
'Ook niet als ze me wilden vermoorden?'
'Zoals je zei: één stap tegelijk,' zei ze.
'Harrowsfield.'
'Wat is daarmee?'
'Breng me daarheen.'
Reggie keek geschrokken. 'Wat?'
'Breng me daarheen.'
'Ben je gek geworden? Wil je dat ik daar naar binnen loop en zeg: "Hallo, iedereen, hier is Shaw. Ik weet eigenlijk niet wie hij is, maar zullen we met zijn allen een kopje thee drinken en het gezellig maken?"'
'Ik laat het aan jou over hoe je het uitlegt.'
'Dat kun je niet menen.'
'Ik meen het wel degelijk.'
'En als ik weiger?'
'Dan voer ik een telefoongesprek en geef ik het daarmee uit handen. Dan gaan jullie allemaal voor de bijl.'
Ze stond langzaam op en keek woedend op hem neer. 'Zou je me dat echt aandoen? Na alles wat er hier in bed is gebeurd? En onder de douche?'
'Je weet wat regel nummer één is in het soort werk dat wij doen: privézaken blijven overal buiten. Alleen amateurs vergeten dat, of misschien hebben ze het nooit begrepen.'
'Dus je hebt me eerst geneukt, om me daarna te bedreigen? Schoft.' Ze kwam naar hem toe om hem een klap te geven, maar hij ving haar hand op.
'Wat jij niet schijnt te begrijpen, Reggie, is dat ik mijn leven helemaal op het spel zet om jóú te helpen. De kans is veel groter dat hij jou en je mensen eerst te pakken krijgt. Ik wil alles op alles zetten om hem tegen te houden, maar dan moet je me wel vertrouwen. Ik denk niet licht over wat er in deze kamer tussen ons is gebeurd. Als die verklaring niet goed genoeg voor jou is, moet je me maar slaan. Maar sla dan wel zo hard als je kunt, want het is de enige kans die je krijgt.'
Hij liet haar hand los en wachtte af.
Ze keken elkaar secondenlang zwijgend aan.

Ten slotte zei Reggie: 'Ga je aankleden. Ik moet naar huis om andere kleren aan te trekken. En geef me dan ten minste een stevig Engels ontbijt, voordat ik in dat verrekte Harrowsfield de boel op zijn kop ga zetten.'

•75•

Shaw dronk drie koppen koffie, terwijl Reggie waarschijnlijk het grootste ontbijt van haar leven at.
'Seks maakt hongerig?' zei Shaw.
'Het komt niet door de seks.'
'Waardoor dan?'
'Schuldgevoel.'
'Dat is niet nodig.'
'Voor jou misschien niet, maar ik heb genoeg om me beroerd over te voelen.'
Ze namen de metro naar haar kamer, waar Shaw beneden wachtte tot zij een witte spijkerbroek en een denimblouse had aangetrokken. Toen haalden ze de City-Coupé uit haar garage en reden naar Leavesden. Shaws hoofd kwam tegen het plafond van de auto en zijn knieën zaten opgevouwen tegen het dashboard. Het deed Reggie goed dat hij zo ongemakkelijk zat.
Toen ze over het weggetje naar de twee oude zuilen reden, zei ze: 'Shaw, ik weet niet of dit zo'n goed idee is.'
'Diep ademhalen en gewoon doorrijden.'
Ze parkeerden voor het huis en stapten uit. Toen ze naar de deur liepen, voelde Shaw dat er ogen op hen gericht waren. De deur ging open voordat Reggie haar hand op de knop kon leggen.
Whit keek alsof hij op het punt stond hen beiden neer te schieten.
'Ik kan niet geloven dat je die kerel hierheen brengt. Ben je nou helemaal gek geworden?'
Shaw gaf antwoord: 'Ze had geen keus. Het was mij of de politie.'
'Hoe wist je eigenlijk van dit huis af?' wilde Whit weten.
'Het is tegenwoordig moeilijk iets geheim te houden.'
'Whit,' begon Reggie, 'we moeten allemaal bij elkaar gaan zitten om dit te bespreken.'
'Je bent nu echt over de schreef gegaan.' Hij wees naar Shaw. 'Die kerel wordt de ondergang van ons allemaal.'
'Gebruik je verstand, Whit,' zei Shaw. 'Als dat mijn bedoeling was, waarom zou ik hier dan zijn? Ik had ook gewoon de politie kunnen sturen.'
Whit keek hem aan, toen Reggie en toen weer Shaw. 'Wat wil je dan?'
'Helpen.'
'Ja hoor, jij bent de toverfee die de wensen van brave kindertjes in vervulling laat gaan.'

'Eigenlijk kan het me niet schelen wat je denkt. Ik ben hier gekomen om met de mensen te praten die de leiding van deze operatie hebben, en ik weet dat jij dat niet bent. Dus ga opzij of probeer me tegen te houden.'
Whit keek naar de breedgeschouderde Shaw van een meter vijfennegentig, wiens spieren duidelijk te zien waren onder zijn overhemd.
'Oké, vriend, kom binnen. Maar zeg niet dat ik je niet heb gewaarschuwd.'
Zodra Shaw naar voren kwam, trok Whit zijn pistool, tenminste, dat probeerde hij. Shaw gooide hem met zijn schouder tegen de muur, trok het pistool los, schopte de benen onder de Ier vandaan en drukte een schoen, maat achtenveertig, tegen de zijkant van zijn hoofd. Shaw haalde het magazijn uit het wapen en trok de slede terug. Hij verwijderde de doorgeladen patroon, stopte het magazijn en de patroon in zijn zak en gooide het lege pistool toen naar Whit terug. Hij greep de man bij zijn schouder vast en trok hem overeind.
'Als jullie Kuchin te pakken willen krijgen, moeten we deze operatie in gang zetten.'
'Welke operatie?'
Reggie zei: 'De operatie die we blijkbaar met hém op touw gaan zetten.'
'Zo te horen ben jij niet zo blij met de gang van zaken,' zei Whit, wrijvend over zijn pijnlijke schouder.
Reggie keek Shaw aan. 'Zoals hij al zei: ik had geen keus. Waar is de professor?'
'Hier.'
Ze keken allemaal de gang in. Professor Miles Mallory hield een pistool op Shaw gericht.
'Wilt u deze kant op komen, meneer Shaw?' zei Mallory. 'Ik denk dat we een praatje moeten maken. En voor de goede orde: dit wapen is volledig geladen en ik kan vrij behoorlijk schieten.'
Shaw aarzelde niet. Hij liep naar binnen. 'Met alle genoegen, professor. Hopelijk krijg ik dan ook te horen waarom u een van uw soldaten opdracht hebt gegeven mij genoeg botulinum in te spuiten om een neushoorn voorgoed te laten inslapen.'

•76•

Kuchin had zich een hele dag in de map met informatie over Katie James verdiept. Toen hij bij de laatste bladzijde was aangekomen, liet hij Rice bij zich komen. 'Veel informatie, maar heel weinig waaruit af te leiden is waar ze nu is.'
'Ze had een appartement in New York, maar toen ze haar baan kwijtraakte, kon ze de huur niet meer betalen en werd ze eruit gegooid. Ze heeft geen nieuw adres achtergelaten. Ze schijnt steeds een paar dagen of weken bij vroegere collega's over de hele wereld te logeren.'
'Natuurlijk herinner ik me het verhaal waaraan ze het laatst heeft gewerkt,' zei Kuchin.
'Het was voor een groot deel het werk van Katie James dat die hele samenzwering aan het licht kwam. Zelfs nu is de hele waarheid nog steeds niet bekend.'
'Begraven,' zei Kuchin met verstand van zaken. 'Omdat de waarheid belangrijke mensen in verlegenheid zou brengen. Zo gaat het altijd.'
Rice tikte op de stapel papieren. 'Nou, ik denk dat ze het niet in haar eentje heeft gedaan, hoe goed ze als journaliste ongetwijfeld ook is.'
'Je bedoelt Bill Young, de lobbyist? En dat ze daarom kort daarna bij elkaar waren in Zürich?'
'Dat is een mogelijkheid.'
Kuchin zei: 'Misschien zijn er nog meer plausibele theorieën. Maar eigenlijk kan dat me niet schelen. We moeten haar vinden.'
'Ik kan er mensen aan laten werken. Ze kunnen naar gegevens van vliegreizen en creditcards kijken.'
'Nee, ik doe het zelf.'
'Maar...'
Kuchin stond op en woog het dossier in zijn rechterhand. 'Ik heb je al gezegd dat jij je op de zaken moet concentreren, Alan. Ik hou me hiermee bezig tot het is opgelost.' Hij keek zijn assistent aan. 'Nou, ik neem aan dat er geen ongewone activiteiten rondom het kantoor zijn geweest?'
'Ongewone activiteiten?'
'Ongewone belangstelling voor mijn verblijfplaats van de kant van derden, of die nu voor een overheid werken of niet?'
'Niet dat ik persoonlijk van iemand heb gezien of gehoord. Alles gaat gewoon zijn gangetje.'
'Dan kan ik met het vliegtuig teruggaan.' Kuchin sprak meer tegen zichzelf dan tegen Rice.

'Goed, Evan, natuurlijk. Per slot van rekening is het jouw vliegtuig.'
'Alsof ik dat niet weet. Ik vertrek over een uur. Waarschuw de piloten.'
Kuchin stopte zijn spullen in een kleine tas. Dat was een van de vele voordelen van een privévliegtuig: je kon alles aan boord meenemen. Wapens, explosieven, slachtoffers. Hij had alle drie weleens meegenomen.
Toen hij zijn tas had dichtgemaakt, pakte Kuchin een telefoon op en drukte op een toets. 'Pascal?'
'Ja, meneer Waller?'
'Ik ga naar Montréal. Ik wil jou bij me hebben.'
'Ja, meneer. Ik kan meteen vertrekken.'
'Hoe wist je dat?'
'Dat is mijn werk, meneer.'
De trouwe kleine dienaar.
'Vijf minuten.'
'Ja, meneer.'
Rice stond bij de deur te wachten toen Kuchin met zijn bagage naar buiten kwam.
'Het vliegtuig staat klaar. De vlucht naar Montréal duurt niet veel langer dan de autorit van hier naar het vliegveldje.'
'Uitstekend. Ik bel je als ik ben geland.'
'Mij bellen?' zei Rice geschrokken.
'Ja, want jij blijft hier.'
'Maar ik dacht... De zaken.'
'Je hebt computertoegang, en hier in de buurt staat een zendmast, dus de telefoonverbindingen zijn goed. Je kunt ook van hieruit werken, nietwaar?'
'Ja, maar...'
'Ik bel je.' Kuchin liep hem voorbij, op de voet gevolgd door Pascal.
Na iets meer dan een uur stegen ze op. Toen de Gulfstream door de lucht sneed, ging Kuchin achter zijn bureau zitten en legde de map met gegevens van Katie James voor zich neer. In zijn carrière bij de KGB had Kuchin vaak opdracht gekregen mensen te vinden. Die mensen wilden nooit gevonden worden, want dan werden ze gemarteld of gedood, waarschijnlijk beide. Daardoor wist Kuchin nu veel van de trucs die mensen toepasten als ze wilden 'verdwijnen'. Dat was jaren geleden. De tijden waren veranderd. Er waren nieuwe manieren om je sporen uit te wissen. Toch dacht Kuchin dat hij in minstens één opzicht in het voordeel was. Katie James wist misschien niet dat iemand naar haar zocht. In dat geval was het mogelijk dat ze zich helemaal niet schuilhield.
Zeven maanden geleden in Zürich. Laatst bekende adres in New York. Als ze van New York naar Zwitserland was gegaan, had ze moeten vliegen. Kuchin

wist niet waar ze daarna heen kon zijn gereisd of hoe ze dat had gedaan. Maar het aantal middelen waarmee ze kon hebben gereisd was beperkt. Vliegtuig. Trein. Auto. En dan waren er natuurlijk de betalingen. Creditcardtransacties, e-mailactiviteit. In al die gevallen zouden er gegevens zijn opgeslagen.
Ze landden, en onderweg naar de stad voerde Kuchin een telefoongesprek met een man in wie hij meer vertrouwen had dan in wie ook. Hij ging niet naar zijn penthouse, want het was altijd mogelijk dat het in de gaten werd gehouden. Hij had een schuiladres in de stad. Toen hij klaar was met het telefoontje, keek hij Pascal aan.
'Ik heb je hulp hierbij nodig, Pascal,' zei Kuchin.
'Ik doe alles wat u maar wilt, meneer Waller.'
'Die lange man?'
'Ja, meneer, ik verontschuldig me ervoor dat hij me heeft uitgeschakeld. Ik had het moeten zien aankomen, al hadden we niet veel tijd om het te organiseren.'
'Ja, dat is interessant. Ik wil graag van je horen hoe het precies was georganiseerd.'
'Een paar uur voordat u met de dame naar de markt ging, kwam meneer Rice. Hij zei tegen Manuel en mij dat er misschien een probleem was. Hij wilde er zeker van zijn dat alles in orde was.'
'Zei hij ook waarom hij dacht dat er misschien een probleem was?'
'Alleen dat hij de vrouw niet vertrouwde. Ik zei dat we dat in dat geval tegen u moesten zeggen.'
'En wat zei hij daarop?'
'Dat hij zekerheid wilde hebben. Hij wist dat u, nou, dat u de dame graag mocht, en omdat hij zich zou kunnen vergissen, wilde hij niets bederven. Hij wilde niet dat u kwaad op hem werd. Hij zei dat u hem daar al de les over had gelezen.'
'Ja, daar kan ik inkomen. Ga verder.'
'We gingen naar de kerk. Keken bij het altaar en zo. Toen zei meneer Rice dat we in de kelder moesten kijken.'
'De catacomben?'
'Ik geloof dat het zo heet. In elk geval gingen we daarheen. Eerst vonden we niets, maar toen zag meneer Rice dat een van de deksels van zo'n crypteding af was. En toen zagen we dat daar apparatuur was neergezet. Een batterijgenerator en lampen en zo. Meneer Rice zei dat we daar zouden blijven om te kijken of er iets gebeurde.'
'En er gebeurde iets.'
'Ja. Maar die grote kerel hadden we niet gezien. Hij dook uit het niets op.' Pascal wreef over zijn hoofd. 'Hij kan een flinke stoot uitdelen. Ik zou hem dat graag betaald zetten.'

‘Maar dan moeten we hem eerst vinden.’ Kuchin hield een foto van Katie James omhoog. ‘Deze vrouw is de enige connectie die we hebben. Ze is journaliste. Een beroemde ook, en toch heeft niemand haar de laatste tijd gezien. Maar als we haar opsporen, vinden we hem misschien ook.’
‘Wilt u dat ik ga zoeken?’
‘Ik ga eerst wat inlichtingen inwinnen om het zoekgebied te beperken en dan kan je gaan zoeken.’
‘Oké, meneer.’
Kuchin keek naar de foto. Het was een mooie vrouw. Te oud en te blank naar zijn smaak maar evengoed aantrekkelijk. Hij vroeg zich af wat de band tussen haar en die man was. Een hechte band, hoopte hij, zo hecht dat ze haar konden gebruiken om hem te krijgen.

•77•

Shaw ging in een stoel in de bibliotheek zitten. Er brandde geen vuur in de haard, want het was een warme dag en er hing onweer in de lucht. Reggie en Whit bleven bij de deur staan. Professor Mallory, die het pistool nog in zijn hand had, ging tegenover Shaw zitten. Liza stond naast de lange tafel en had haar hand daarop gelegd. Dominic, die zijn arm nog in het verband had, leunde tegen een muur. Alle blikken waren op Shaw gericht.

'Ik zou het op prijs stellen als u die loop omlaag hield tot u het wapen gaat gebruiken,' zei Shaw. 'Het heeft een schuifje als veiligheidspal en staat erom bekend dat de trekker erg gevoelig is.'

Mallory bracht de loop iets omlaag.

Whit keek Mallory aan. 'Wat bedoelde hij nou met dat botulinum?'

Voordat Mallory antwoord kon geven, kwam Reggie naar voren. Ze haalde de injectiespuit uit haar tasje en legde hem naast de professor op de tafel.

Toen ze terugliep, keek Mallory ernaar. 'Lange tijd werd dat als de giftigste stof ter wereld beschouwd,' zei hij op pedante toon. 'Al zijn er ook eindeloos veel medische toepassingen, waaronder natuurlijk cosmetische, onder de naam botox.'

'Het is een snelle, maar pijnlijke dood,' zei Shaw, die zijn blik strak op het gezicht van de andere man gericht hield.

'U zou geen pijn hebben geleden,' zei de professor. 'Zoals u ziet, bevat de spuit twee vloeistoffen in verschillende vakjes, maar met een half doorlatende wand ertussen. Het extra element was een krachtig verdovend middel. U zou bewusteloos zijn geweest. U zou niets hebben gevoeld.'

'Maar dood was ik wel.'

'Eh, ja,' gaf Mallory toe. 'Dat was uiteindelijk de bedoeling.'

'Miles!' riep Liza uit. 'Wat haalde je in je hoofd? We doen dat niet met onschuldige mensen.'

'Nou, ik wist niet hoe onschuldig meneer Shaw was, of beter gezegd, ís. Ik wist wel dat hij over onze operatie en onze plannen met Fedir Kuchin had gehoord. Het zou op zijn minst een probleem opleveren als we hem vrijlieten.'

'Maar om hem nou te laten doden,' zei Reggie ijzig. 'Wij zijn geen moordenaars...' Ze zweeg, verbleekte en wendde haar ogen af. Whit, Dominic en Liza keken elkaar niet aan. Aan hun gezichten te zien dachten ze allemaal hetzelfde. *In feite zijn we wel moordenaars.*

'Ik nam die beslissing in het vuur van de strijd,' snauwde Mallory. 'Ik nam hem niet lichtvaardig en ik had ook mijn bedenkingen.'
'Nou, ik voel me al een stuk beter,' zei Shaw. 'Maar hier ben ik dan: levend en wel.'
'Ja, nou, soms gaan plannen verkeerd.'
'Maar ik zal u vertellen waardoor ik me nog beter zou voelen.'
Mallory en de anderen keken elkaar aan. 'Wat?' vroeg hij.
'Als u dat pistool neerlegt. Voordat ik er iets aan moet doen.'
De twee mannen keken elkaar aan. Reggie had het idee dat ze naar twee rammen keek die op het punt stonden op elkaar in te stoten. Toch legde Mallory uiteindelijk het pistool naast zich op de tafel. De loop was nu op een muur gericht.
'Kuchin,' zei Shaw. 'Hij leeft, en hij is op jacht.'
'Onze dekmantel was erg goed,' zei Mallory.
'Erg goed is niet goed genoeg. Ik heb het rapport over die kerel gelezen. Iemand met zo'n geestesgesteldheid heeft vaak een redeloze, onvoorspelbare obsessie. We moeten ervan uitgaan dat hij naar ons op zoek is en ons op een gegeven moment zal vinden. Wat wilt u daar in dat geval aan gaan doen?'
'Hem doden,' antwoordde Whit. 'Wat we direct al hadden moeten doen. Ik zou een kogel in zijn kop hebben gepompt als jij me niet had tegengehouden.'
'In alle eerlijkheid, we zouden zelf ook zijn omgekomen als hij daar niet was geweest,' merkte Reggie op.
Whit keek haar duister aan. 'Dat hoort bij het risico. Ik accepteerde dat. Jij ook, neem ik aan.'
'We kunnen natuurlijk blijven praten over wat er is gebeurd, maar we kunnen beter aan de toekomst denken,' zei Shaw. Hij keek Mallory nog steeds aan. 'Bent u bereid maatregelen te nemen?'
Mallory leunde achterover. 'Wat stelt u voor?'
'Ik heb alle informatie nodig die u over Kuchin hebt. Als wij hem eerst vinden, regel ik het verder wel.'
'Wat bedoel je daar precies mee?' vroeg Whit.
'Ik neem aan dat jullie kunnen bewijzen dat hij Fedir Kuchin is en al die misdrijven heeft begaan?'
'Ja.'
'Dan wordt hij berecht en veroordeeld.'
'Dat is niet precies de manier waarop wij hier de dingen aanpakken, meneer Shaw,' zei Mallory.
'Nou, ik doe de dingen een beetje anders. Maar ik denk dat er in Oekraïne een rechtbank is die zich graag met de man zou bezighouden. En dan denk ik niet dat hij dat land levend uit komt.'

'Dat kan wel zo zijn, al weet ik eerlijk gezegd niet of onze bewijzen stand zullen houden voor een rechtbank. Ik weet dat de zaak in moreel opzicht volkomen duidelijk is, maar het recht neemt daar tegenwoordig geen genoegen meer mee. Maar nu dit: als hij wordt berecht en veroordeeld, wordt dan ook bekend dat wij erbij betrokken zijn?'
Shaw keek Reggie even aan. 'Nee, dat lijkt me niet nodig.'
'Het komt dus neer op de vraag of we u kunnen vertrouwen of niet.'
'O, in godsnaam, Miles,' zei Liza. 'Als hij op onze ondergang uit was, had hij daar allang de gelegenheid voor gehad.'
'Ze heeft gelijk,' zei Reggie. 'Hij hoefde niet met mij hierheen te komen. Hij had het huis zelf al gevonden.'
Mallory keek geïnteresseerd op. 'Mag ik vragen waarom u ons wilt helpen?'
'Dat is eigenlijk heel eenvoudig. Ik vind dat Kuchin moet worden gestraft,' zei Shaw. 'Als ik jullie kan helpen hem te pakken te krijgen, zal dat me een groot genoegen zijn.'
'En de mensen voor wie u werkt vinden dat prima?'
'Ik heb ze niet om toestemming gevraagd.'
'En is dat geen probleem?'
'Nee, tenzij u er een probleem van maakt.' Shaw stond op. 'Zo, nu hebben we genoeg tijd verspild. Zijn we het eens? We sporen Kuchin op en hij komt voor de rechter?'
Mallory keek de anderen aan. 'Tenzij iemand bezwaar heeft, denk ik dat we u wel in ons team kunnen verwelkomen.'
Shaw haalde Whits magazijn uit zijn zak en gooide het hem toe. Toen keek hij Reggie weer aan. 'Ik zie het liever als een tijdelijke detachering.'

78

'Bedankt voor je hulp, mijn vriend,' zei Kuchin. Hij schudde de hand van de andere man en pakte zijn schouder vast. Ze ontmoetten elkaar op Kuchins schuiladres aan de rand van Montréal. De andere man had de bouw en zelfverzekerde houding van iemand die in een onbekende stad waarschijnlijk zonder ook maar enige angst in zijn eentje door donkere straten van onbekende steden liep. Vijftien jaar geleden had hij de positie bekleed die Pascal nu had.
'Je klonk dringend, Evan. We kennen elkaar al heel lang.'
Kuchin schonk hem een drankje in en schoof het glas over de tafel. De man nam een slokje, hield het glas in beide handen en zei: 'Ze heeft een spoor achtergelaten. Niet een heel zuiver spoor, maar we kunnen er iets mee doen.'
Kuchin keek hem afwachtend aan.
De man dronk zijn glas leeg, veegde zijn mond af en sloeg een map open. 'Creditcard- en reisgegevens. Van Zürich vloog ze met Swiss Air naar Frankfurt. In Frankfurt huurde ze een auto. Uit de kilometerstand blijkt dat ze niet meer dan een uur bij Frankfurt vandaan is geweest. Evengoed is dat een groot gebied. Ze logeerde in een hotelletje in Wisbach. Het is niet bekend waarom ze daar was en wat ze daar deed. Om dat na te trekken, zou ik daar mensen moeten hebben.'
'Laat me eerst de rest horen.'
'Van Frankfurt ging ze naar Parijs. Daar bleef ze vier dagen. Van Parijs nam ze de trein naar Londen. Het is niet duidelijk waar ze in Londen heeft gelogeerd. Er zijn geen creditcardgegevens van die tijd.'
'Misschien logeert ze zo nu en dan bij vrienden, als die niet thuis zijn.'
'Dat zou kunnen. Daar zouden geen gegevens van zijn. Ze keerde terug naar de Verenigde Staten. New York, Washington, San Francisco. Als ze in die tijd voor iemand werkte, hebben we daar niets over kunnen ontdekken.'
'En haar mobiele telefoon? Die dingen zijn tegenwoordig met gps te volgen.'
'Dat hebben we geprobeerd. Blijkbaar heeft ze haar gps-chip uitgeschakeld. En driehoeksmeting aan de hand van zendmasten is onder zulke omstandigheden moeilijk. Als ik de middelen had van de FBI of de NSA, zou het niet zo moeilijk zijn, maar die heb ik niet. Het lijkt erop dat ze niet gevonden wil worden.'
'Wat zijn je recentste gegevens?' vroeg Kuchin.
'Ik kan je vertellen dat ze een paar weken geleden in Parijs was.'
Kuchin boog zich naar voren. 'Wat nog meer?'

'Verder is er niets. Geen hotel. Geen aankopen met haar creditcard. Ze betaalt alleen contant, tenzij ze als een vogeltje uit vuilnisbakken eet. Ze bleef niet lang. De volgende dag reisde ze terug naar de Verenigde Staten. Ik heb de vluchtreservering en bijbehorende documentatie zelf gezien. En ze is te zien op bewakingsbeelden van het vliegveld Charles De Gaulle.'
'Dus ze ging terug naar San Francisco?'
'Nee. Naar Washington. Ik heb gekeken naar vliegtuigen, treinen, bussen en autoverhuurbedrijven, en niets wijst erop dat ze Washington heeft verlaten. Ze kan natuurlijk met valse papieren onder een andere naam hebben gereisd, maar het is ook heel goed mogelijk dat ze daar nog is.'
'Maar weer niet in een hotel?'
'Nee. Misschien heeft ze daar ook iemand bij wie ze kan logeren.'
'Misschien,' zei Kuchin peinzend.
'Eigenlijk is Washington niet zo groot. Ik kan er mensen heen sturen die wat rondkijken. Misschien duikt ze op.'
Kuchin schudde al zijn hoofd. 'Nee. Dat hoeft niet. Ik neem de jacht nu zelf over.'
De andere man stond op. 'Ik geef je alle nieuwe informatie die binnenkomt. Ik laat het systeem signalen afgeven. Als ze een vliegticket koopt, een auto huurt, haar creditcard of bankpasje gebruikt of haar gps-chip weer aanzet, krijg ik het te horen, en jij ook.'
Toen de man weg was, bleef Kuchin peinzend op zijn stoel zitten. Hij had verschillende dingen aan zijn hoofd. Daar was hij wel aan gewend, al mocht hij ook graag systematisch te werk gaan en zich op één ding concentreren. Maar ja, dat had je niet altijd voor het zeggen.
Maar hij moest zich nu vooral op Katie James richten. Zij was de enige connectie die ze hadden. Hij moest die vrouw vinden.

•79•

Er waren twee dagen verstreken. Shaw had elke vierkante centimeter van Harrowsfield onderzocht, de mensen geobserveerd die daar research deden naar nieuwe doelwitten en lange gesprekken gevoerd met professor Mallory, Liza, Reggie, Whit en Dominic. Hij was zelfs met Reggie naar de ondergrondse schietbaan geweest. Daar had hij haar in negentig procent van de gevallen raak zien schieten, zelfs met een muur van rook tussen haar en het silhouet waarop ze schoot.
'Ik ben onder de indruk,' zei hij toen ze de frisse lucht weer in gingen. 'Hoe lukt je dat?'
'Ik herinner me vooral waar het doel was voordat de rook kwam.'
'Nou, levende doelen zitten bijna nooit stil.'
Op de terugweg naar het huis kwamen ze langs de begraafplaats. Shaw bleef voor het graf van Laura R. Campion staan.
'Familie van je?' zei hij. Reggie had hem haar achternaam genoemd.
'Dat betwijfel ik.'
'Kom je hier vaak?'
'Waarschijnlijk vaker dan goed voor me is,' gaf ze toe.
Ze ging op de oude bank zitten. Hij kwam naast haar staan. 'Dus je komt hier kijken naar het graf van iemand van wie je misschien wel, maar misschien ook geen familie bent. Doe je dat omdat je denkt dat het goed is voor je geestelijke gezondheid?'
'Doe niet zo lullig. Iedereen heeft zo zijn eigenaardigheden.'
'Oké, hoe zit het met je echte familie?'
'Wat is daarmee?' vroeg ze een beetje te scherp.
'Leven je ouders nog?'
'Nee. Hoe gaat het met jouw kinderen? Heb je dat probleem met je zoon in Amerika nog opgelost?'
'Het eerste wat ik me van mijn jeugd herinner is een dikke oude non in een weeshuis. En ik ben nooit getrouwd. Ik heb geen kinderen.'
'Is het deze keer de waarheid?'
'Ja.'
'Maar er is een graf bij Frankfurt. Anna?'
Shaw boog zijn hoofd naar de lagergelegen begraafplaats. 'Maar ik heb de vrouw in dát graf goed gekend.'
Reggie keek in die richting. 'Zoals ik al zei: eigenaardigheden. Toch zou ik meer over haar willen weten.'

‘Over wie? De vrouw in mijn graf of die in het jouwe?’
‘Beiden.’
Shaw wendde zijn ogen af. Hij keek naar een vogel die zich hoog in de lucht liet meevoeren door de wind. ‘Wat is er met je ouders gebeurd?’
‘Ze zijn dood,’ zei ze scherp. ‘Gewoon doodgegaan,’ voegde ze er zachter aan toe. Ze keek hem aan. ‘Dat gebeurt met mensen, weet je. Elke seconde van elke dag.’ De uitdrukking op haar gezicht veranderde. ‘Nou, wat ben je tot nu toe over ons te weten gekomen?’
‘Dat je blij mag zijn dat je nog leeft.’
Reggie fronste haar wenkbrauwen. ‘Wat bedoel je?’
‘Misschien zijn jullie goed in het veld, al heb ik alleen maar het debacle in Gordes gezien, maar dit terrein heeft geen beveiliging langs de rand. Er zijn weinig maatregelen zodra je binnen bent en de meeste mensen die ik hier heb ontmoet zouden nooit door een elementaire screening komen. Whit bijvoorbeeld is een wrak dat alleen nog maar wacht tot er een trein overheen dendert. En jullie onverschrokken leider professor Mallory lijkt me een reïncarnatie van de schrijver C. S. Lewis, maar dan met een moorddadig trekje.’
‘Ik geloof dat hij meer een liefhebber van Tolkien is.’
‘Dat doet niets aan de vergelijking af. Jullie bevinden je op dun ijs.’
Reggie stond op. ‘Nou, weet je wat? We deden het helemaal niet slecht. Totdat jij verscheen.’
‘Als ik niet was verschenen, zouden jullie nu dood zijn,’ merkte hij op.
‘Goed. Moet ik op mijn knieën gaan en je superioriteit erkennen? Wij hebben geen grote budgetten en vliegtuigen en al die dingen, maar we krijgen het werk gedaan.’
‘Mééstal krijgen jullie het gedaan,’ verbeterde hij.
Nu kreeg ze een kleur en wendde haar ogen af. Toen ze hem weer aankeek, zei ze: ‘Wou je nog meer beledigingen mijn kant op sturen, nu je zo in vorm bent?’
‘Het zijn geen beledigingen. Het is kritiek. Je vroeg me wat ik ervan dacht en dat heb ik je verteld. Als je het niet wilde weten, had je het niet moeten vragen.’
‘Je doet wel moeilijk.’
‘Is er een probleem dat ik niet zie? Want je houding is een beetje vijandig.’
‘Er zijn geen problemen. Zoals je al eerder zei, het is gewoon werk. Daarvoor ben je hier. Om werk te doen. Ja? “Een tijdelijke detachering”, zei je, geloof ik, met de nadruk op “tijdelijk”, zou ik denken.’
‘En ik heb je ook verteld dat ik niet zomaar met iedereen naar bed ga.’
‘Ja, dat heb je me vertéld.’
‘En ik meende het.’
‘Ja. Vast wel.’
‘Ik ben hier om je te helpen. Betekent dat dan niets?’

'Ik denk dat je hier ook bent om Kuchin te pakken te krijgen en ervoor te zorgen dat je niet de rest van je leven over je schouder hoeft te kijken. Doe nou maar niet alsof je het alleen uit menslievendheid doet.'
'Eerlijk gezegd moet ik toch al over mijn schouder kijken. En hij is niet eens de ergste schurk die ik heb moeten opsporen.'
'En heb jíj altijd succes gehad?'
Shaw wierp een blik op het graf. 'Nee, niet altijd.'
Er ging een minuut van stilte voorbij. Toen keek Reggie eindelijk wat milder. 'Zeg, ik geloof dat ik een beetje te ver ging. Ik weet het allemaal niet zo goed meer, en eerlijk gezegd zit die hele zaak me niet lekker.' Ze keek om zich heen. 'Eigenlijk heb ik niets anders in mijn leven dan Harrowsfield en wat we hier doen, Shaw. Je zult het wel treurig vinden, maar zo is het nu eenmaal met mij gesteld. En als ik dit kwijtraak, weet ik niet wat ik overhou.'
'Dan moeten we ervoor zorgen dat je het niet kwijtraakt.'
'Daar kom ik gauw genoeg achter, hè?'
'Ja, wij allebei.'

•80•

Fedir Kuchin keek door het raam van zijn hotelkamer naar de lichten van de stad. In gedachten verdeelde hij de stad in sectoren. Washington was ingedeeld in vier kwadranten. Toeristen kenden het noordwesten het best, want daar stonden het Witte Huis en de meeste grote monumenten. Dat deel van de stad was relatief veilig. In de rest van de stad daarentegen waren er kleine maar hardnekkige broeinesten van geweld. Hij had gehoord dat drie procent van de postcodes van de stad verantwoordelijk was voor zeventig procent van de geweldsmisdrijven. Dat geweld had in veel gevallen met drugs en bendes te maken en zorgde ervoor dat de politie steeds meer mensen in die wijken moest inzetten.
Kuchin leunde achterover en keek naar zijn kaart van de stad, die hij in sectoren verdeelde, zoals hij met andere gevechtsterreinen had gedaan. Washington was een vrij grote stad, maar lang niet de grootste van het land. Toch woonden er bijna zeshonderdduizend mensen en waren er nog veel meer mensen die elke dag vanuit de omringende plaatsen naar de stad kwamen. Hij geloofde niet dat Katie James in een van de wijken met veel misdaad te vinden zou zijn. Dat maakte zijn zoekgebied kleiner. In de zakenwijk stonden vooral hotels. Als ze daar haar intrek zou nemen, zou ze een creditcard moeten gebruiken, dus dat deel van de stad kon hij ook wel uitsluiten. In de buurt van het Capitool, waar de vier kwadranten samenkwamen, lagen woonwijken waar ze misschien verbleef. Er waren ook dure wijken in Georgetown in het westen en langs Massachusetts Avenue, of Embassy Row, zoals die ook wel werd genoemd, en langs Connecticut Avenue en Sixteenth Street, de kant van de staat Maryland op. Hij beschikte maar over een beperkte hoeveelheid mankracht en wilde daar efficiënt gebruik van maken.
Hij logeerde in het Hay Adams Hotel aan de achterkant van Lafayette Park, dat tegenover het Witte Huis aan Pennsylvania Avenue lag. Hij was hier met Pascal en vijf andere mannen, met wie hij op zoek zou gaan naar de moeilijk vindbare journaliste. Dat laatste was voor hem de sleutel bij het zoeken. Ze was journaliste. Wat deden journalisten? Ze reisden, schreven verhalen, interviewden mensen en namen van tijd tot tijd contact op met hun werkgevers. Nu was er het probleem dat Katie James op dat moment blijkbaar geen baan had.
Hij keek naar zijn lijst. Op een gegeven moment kon ze natuurlijk weer gaan werken. In dat geval waren er enkele mogelijkheden.
The Washington Post was de bekendste krant van de stad. Katie James had jaren geleden voor hen gewerkt, en daarna nog weleens als freelancer, al was dat al-

weer jaren geleden. Het kantoor was gevestigd in Fifteenth Street in het noordwesten. Kuchin had daar iemand staan met een foto van Katie James. Een andere man lette op het redactiekantoor van de *New York Tribune*, twee straten bij de *Post* vandaan. James had twee keer de Pulitzerprijs gewonnen toen ze voor de *Tribune* werkte, maar Kuchin had gehoord dat er onmin was ontstaan tussen de journaliste en de krant. Toch moest hij rekening houden met die mogelijkheid.

The New York Times had zijn Washingtonse redactie in First Street, ook in het noordwestelijke kwadrant. Het televisiestation CNN was ook gevestigd in First Street, maar dan in het noordoosten. Zowel *The Times* als CNN bevond zich in het zicht van het Capitool. Volgens haar dossier had James ook voor *The Times* gewerkt en had ze in de eerste jaren van de oorlog in Afghanistan zowel voor de camera als daarbuiten voor CNN gewerkt. Er waren veel andere media in de stad, maar deze kwamen volgens Kuchin het meest in aanmerking voor een journaliste van het kaliber van Katie James.

Kuchin liep door zijn hotelkamer te ijsberen. Hij zou deze strategie een paar dagen de tijd geven om te kijken of er iets uit voortkwam. Hij hoopte ook dat Katie James een creditcard of bankpasje zou gebruiken of misschien de gpschip in haar telefoon weer zou inschakelen. Als ze dat deed, zou Kuchins 'vriend' hem vast en zeker waarschuwen. Hij had van dezelfde bron nog een lijst gekregen. Die bevatte vier namen, allemaal vrienden van James, die ook in de journalistiek werkten en in Washington en omgeving woonden. Twee van hen, Roberta McCormick en Erin Rhodes, woonden buiten de stad zelf, en het was dan ook niet waarschijnlijk dat Katie James bij hen thuis zou bivakkeren. De twee anderen waren het land uit. Kuchin had zijn overgebleven mannen naar die adressen gestuurd.

Hij dacht nog eens over alles na. Zijn schaakstukken waren zo goed mogelijk ingezet. Het was nu een kwestie van afwachten, en ondanks al zijn gevechtservaring had Kuchin het nooit prettig gevonden om te wachten. Hij ging een eindje wandelen. Hij kwam langs het Witte Huis, bleef staan en keek door het smeedijzeren hek. Dertig jaar geleden hadden Kuchin en zijn mede-Sovjets al het mogelijke in het werk gesteld om de persoon die in dat huis woonde ten val te brengen. Het kapitalisme was slecht en persoonlijke vrijheden waren nog contraproductiever. Marx had gelijk gehad, Lenin had nog meer gelijk gehad, en Stalin en zijn volgelingen hadden het systeem vervolmaakt. Toch hadden ze het natuurlijk allemaal bij het verkeerde eind gehad. De muur van het communisme was omgevallen, Kuchin was gevlucht, en nu woonde hij als een vorst in het land van zijn vroegere vijand en gebruikte hij dezelfde vrije markt waartegen hij zo lang had gevochten. Nou ja, je paste je aan of je ging dood, redeneerde hij.

Hij keek naar een geüniformeerde agent van de geheime dienst die zo te zien een ongezonde belangstelling voor hem had. Hij ging bij het hek vandaan en liep naar Fifteenth Street. Hij zoog de frisse, warme lucht in zijn longen en keek met enige interesse naar de groepjes toeristen en hun stomme camera's.
Zijn telefoon zoemde.
'Ja?'
'Ze heeft zojuist haar bankpasje gebruikt,' zei zijn vriend. 'Hoek van M en Thirty-first in Georgetown. Ik wacht op de beelden van de camera bij de geld-automaat.'
Kuchin belde meteen zijn man die het dichtst bij die locatie was en draafde toen naar zijn hotel terug. Vijf minuten later zat hij achter het stuur van een gehuurde SUV en reed in de richting van Georgetown. Er was veel verkeer en hij werd telkens opgehouden bij kruispunten. Kuchin tikte ongeduldig tegen de ruit. Zijn mobiele telefoon ging weer. Hij was nog minstens tien minuten bij de plaats vandaan.
'Ja?'
'Ze is nergens te bekennen, meneer,' zei Manuel.
'Roep de rest van de teams op. Omsingel een gebied van tien blokken met de geldautomaat in het midden. Vier mannen onderzoeken die straten, te beginnen bij dat punt. Twee mannen rijden rond langs de buitenrand van het gebied, een met de klok mee en de ander daartegenin. Ik kom zo snel mogelijk. Omdat ze net geld heeft opgenomen, mogen we aannemen dat ze het aan iets gaat uitgeven. Kijk dus ook in winkels en restaurants waarvan je denkt dat ze in aanmerking komen.'
Hij liet de telefoon weer in zijn jasje glijden. Hij geloofde niet dat ze haar met deze actie zouden vinden. Dat zou te gemakkelijk, te mooi zijn. Zulke dingen gebeurden in films, niet in het echte leven. Maar ze hadden nu een zoekgebied. En Kuchin had daar ervaring mee zoals maar weinig mensen op de wereld dat hadden.

•81•

'Vertel me over Kuchins vriend,' zei Shaw.
'Welke vriend?' vroeg Reggie.
'Die magere met wit haar die Dominic in zijn arm schoot.'
Het was laat op de avond en ze zaten in de kleine kamer op de eerste verdieping van Harrowsfield die Reggie samen met Whit als kantoor gebruikte. Het was een kleine, rommelige kamer. Reggie zat op de enige stoel en Shaw had zich ongemakkelijk op een kleine kartonnen doos laten zakken. Buiten regende het een beetje.
'Alan Rice. Hij is een naaste medewerker van Kuchin.'
'Wat nog meer?'
'Ik heb hem maar een paar keer gesproken. Al was er wel iets vreemds.'
Shaw ging rechtop zitten. 'Woord voor woord.'
'Nou, ik weet het niet meer woord voor woord, maar hij waarschuwde me voor Kuchin. Nou ja, natuurlijk gebruikte hij de naam Evan Waller.'
'Hoe waarschuwde hij je?'
'Hij zei dat zijn baas zich een beetje vreemd kon gedragen bij vrouwen. Dat hij dat vroeger had gedaan. Dat hij geobsedeerd raakte. In feite zei hij tegen me dat ik er beter vandoor kon gaan.'
'Dus hij maakte zich zorgen over je veiligheid?'
'Ja, blijkbaar wel, ook al zei hij dat hij dat vertelde om zijn baas te beschermen.'
'Dat is interessant.'
'Waarom is het interessant?'
'Omdat ik denk dat Rice probeerde zijn baas in de catacomben in Gordes te vermoorden.'
Reggie keek hem geschokt aan. 'Wat? Waarom denk je dat?'
'In een crisissituatie schiet je met je wapen op een primaire bedreiging, Reggie, niet op een secundair doel.'
'Ik kan je niet volgen.'
'Rice had zijn pistool op Whit gericht, die helemaal niet in de buurt van Kuchin stond. Dominic daarentegen stond rechts van Rice' baas. Toen ik de eerste kerel trof, draaide Rice zich snel om en zag mij. Een seconde later trof ik de tweede kerel, die kleine. Toen had Rice me kunnen neerschieten. Hij stond maar anderhalve meter bij me vandaan en had een vrij schootsveld. In plaats daarvan draaide hij zich om en schoot op Waller.'
'Maar hij raakte Dominic.'

'Waarschijnlijk raakte hij Dominic omdat hij een slechte schutter is. Zelfs op drie meter afstand is het veel moeilijker iemand te raken dan het lijkt. Toch scheelde het niet veel of die kogel had zich in Kuchins hersenen geboord. Dus hij schoot mij niet neer toen hij dat kon, maar probeerde zijn baas te doden.'
'Maar dat zou absurd zijn. Waarom zou hij Waller willen vermoorden? Hij was daar om hem te redden.'
'Of om het daarop te laten lijken.'
'Wat zou het uitmaken waar het op leek, als Waller dood was?'
'Denk eens na. Wallers mannen zouden nog in leven zijn. Ze zouden slecht te spreken zijn als de nummer twee hun baas overhoop had geknald waar zij bij stonden. Het moest een ongeluk lijken. En dan was er ook nog de mogelijkheid dat Waller de schietpartij overleefde.'
'Denk je dat hij wist dat jij daar was? En ook wist dat je zou proberen te voorkomen dat Kuchin ons zou doden?'
'Dat lijkt me heel onwaarschijnlijk. Misschien ging hij inderdaad daarheen met het idee dat hij zijn baas ging redden. Misschien zag hij jou op een avond uit de kerk komen en kreeg hij toen in de gaten wat je deed. Hij gaat naar de catacomben, ziet mij opeens tevoorschijn komen en gaat binnen enkele seconden over op plan twee. In de verwarring door mijn plotselinge verschijning schiet hij met zijn pistool. Iedereen stuift weg, er vallen schoten en Waller is dood. Dan zou hij de onderneming hebben geërfd.'
'Het zou kunnen.'
'Jullie hebben onderzoek naar Kuchin gedaan. Hoe?'
'Dit huis zit vol mensen die dat doen. Onderzoekers, taalkundigen, wetenschappers.'
'Nee, ik bedoel niet de manier waarop jullie ontdekten dat Evan Waller in werkelijkheid Fedir Kuchin was. Ik bedoel, hoe wisten jullie dat hij in Gordes zou zijn, en wanneer?'
'Onze mensen achterhaalden die gegevens en gaven ze aan ons door, voor de missie. Zo werken we. Ik weet niet hoe ze aan de informatie kwamen. Een tipgever misschien?'
'En dan deze vraag: zou Alan Rice jullie tipgever kunnen zijn?'
'Ik heb je net gezegd dat ik niet weet hoe we aan die informatie zijn gekomen. Hoe wist jij dat Kuchin in Gordes zou zijn? Hadden jullie een tipgever in Kuchins kamp?'
'Nee. Al onze informatie kwam van satellietsurveillance van telefoongesprekken, elektronische creditcardtransacties en andere technologische snufjes.'
Reggie keek jaloers. 'Dat is mooi.'
'Het is alleen mooi als het werkt. Zou Mallory weten wie de bron in Kuchins kamp was?'

Ze keek twijfelend. 'Misschien wel, maar ik denk niet dat hij jou zoiets zou vertellen. Hij houdt de dingen graag voor zichzelf.'
'Misschien moet hij ze toch vertellen, als hij wil blijven doen wat hij doet.'
'Je bedoelt dat je ons anders gaat aangeven? Dat je ons terecht laat staan?'
'Ik kom steeds weer terug op wat ik in het begin al zei. Als wij Kuchin niet eerst te pakken krijgen, krijgt hij jullie allemaal te pakken.'
'Waarom gaan we het dan niet aan de professor vragen?'
Shaw keek op zijn horloge. 'Het is bijna één uur 's nachts. Denk je dat hij nog op is?'
'De professor slaapt nog minder dan ik. Hij zal wel in de bibliotheek zijn.'
'Lijdt hij aan slapeloosheid?'
'Nee, aan een vergrote prostaat.'
Shaw kon alleen maar zijn hoofd schudden.

•82•

Mallory bleek niet in de bibliotheek te zijn. Ze troffen hem in zijn werkkamer aan. De professor zat volledig gekleed achter zijn bureau, zijn handen zelfverzekerd gevouwen. Toch keek hij onrustig tussen Reggie en Shaw heen en weer toen Shaw hem de vraag stelde.

'Ik weet niet wie het is,' zei Mallory kortaf.

'Maar er was wel een bron in Kuchins kamp?' zei Shaw.

'Ja. Soms moeten we met informanten werken.'

'Maar als u niet wist wie de bron was, hoe wist u dan dat die persoon te vertrouwen was?'

'Ik had genoeg vertrouwen om ermee verder te gaan. Dit was waarschijnlijk onze enige kans om de man te pakken te krijgen.'

'Genoeg vertrouwen?' riep Reggie uit. 'Om ons leven op het spel te zetten als u het mis had?'

'Ik heb je gezegd dat je hier last mee zou krijgen, Miles.'

Ze draaiden zich allemaal om en zagen Liza in de deuropening staan. Ze droeg een broek en een lange trui. Blijkbaar was zij ook niet naar bed gegaan. Ze wierp een vernietigende blik op de professor en ging toen in een stoel tegenover hem zitten. Ze keek op naar Shaw en Reggie. 'Miles en ik hebben hier al verscheidene keren woorden over gehad, nietwaar?'

'Je hebt je mening duidelijk onder woorden gebracht,' merkte hij diplomatiek op.

'Ik vond het absurd om een team naar de Provence te sturen op grond van informatie uit een anonieme bron.'

'Die anonieme bron bleek goed te hebben voorspeld waar Kuchin heen ging,' merkte de professor op. 'Kuchin ging inderdaad naar Gordes, naar die villa, en met de lijfwachten die ons waren genoemd.'

'Maar om zo iemand te vertrouwen...'

'Welk motief zou die persoon kunnen hebben om ons te bedriegen?' onderbrak de professor haar.

'Misschien was hij erachter gekomen dat u op zoek was naar zijn baas en wilde hij u vermoorden voordat u zijn baas zou doden,' zei Shaw.

'Zo ging het niet. Die persoon benaderde ons voordat wij met Kuchin bezig waren.'

'Hoe wist hij ons te bereiken?' vroeg Reggie.

'Daar zijn mogelijkheden voor,' antwoordde Mallory.

'En wie creëerde die mogelijkheden?' vroeg Shaw.
'Ik.'
'En u vond het niet nodig ons daarover te vertellen?' wilde Reggie weten.
'Het leek me niet relevant. Het is nooit misgegaan. Je werkt met het model dat resultaten oplevert. En als we iemands voorgeschiedenis hebben achterhaald, zijn we er nog niet. We moeten die persoon dan ook nog te pakken krijgen. En daarvoor hebben we informatie nodig.'
'Nou, na wat er in Gordes is gebeurd, zou ik zeggen dat het eindelijk is misgegaan, Miles,' zei Liza.
'Daar is nog geen sluitend bewijs voor,' wierp hij tegen.
'Iemand wist dat we met Kuchin naar de catacomben gingen.'
'Je zult je herinneren dat jij me dat zelf had voorgesteld, Reggie, omdat Kuchin zo gelovig is. Maar de keuze voor de exacte locatie, de catacomben, heb je gemaakt toen je in Gordes was. Onze anonieme bron kan daar niets van hebben geweten.'
'Ze kunnen ons daarheen zijn gevolgd,' zei Reggie. 'Als ze wisten dat we achter Kuchin aan zaten en ons wilden tegenhouden.'
'Nogmaals: ik zie niet waarom iemand ons zou helpen de man te doden en dan op het laatste moment zou proberen ons tegen te houden.'
'Misschien was het geen van beide,' zei Shaw. De anderen keken hem verrast aan.
'Leg dat eens uit,' zei Mallory.
'Misschien was Alan Rice uw bron. Hij wil Kuchin dood hebben, maar om zijn eigen redenen, namelijk om het criminele imperium van de man over te nemen. Ik heb Reggie al de theorie voorgelegd dat hij misschien impulsief besloot zijn baas te vermoorden toen ik tevoorschijn kwam en alles in de war schopte. Maar nu ben ik daar niet meer zo zeker van.'
'Als dat zijn bedoeling was, waarom liet hij ons dan niet gewoon Kuchin doden?' zei Liza nieuwsgierig. 'Waarom kwam hij daarheen en probeerde hij het tegen te houden?'
'Als je hem vermoordt en hem in een crypte stopt, weet niemand wat er met hem is gebeurd. Dat schept onzekerheid. De onderneming kan niet met een nieuwe leider verdergaan, want iedereen wacht tot de baas terugkomt. Of misschien grijpen dan anderen naar de macht. Het is geen zuivere oplossing. Als Rice daar ook is en zijn baas probeert te redden, stijgt hij in aanzien bij de troepen. En dan is de zaak duidelijk. De koning is dood en Rice is de logische opvolger.'
'Erg logisch klinkt dat niet,' snoof Mallory.
'Ik was in die catacomben,' zei Shaw. 'Ik heb Rice op Kuchin zien schieten. Hij probeerde zijn baas te vermoorden.'
'Zou uw informant Rice kunnen zijn?' vroeg Reggie.
De professor haalde zijn schouders op. 'Ja, het zou kunnen. Zoals ik al zei: de bron bleef anoniem.'

'Als het waar is wat je zegt, Shaw,' zei Liza, 'hoe helpt dat ons dan om bij Kuchin te komen?'
'Als Rice de bron was, kunnen we dat tegen hem gebruiken om bij zijn baas te komen. Hij voelt zich vast niet op zijn gemak, want Kuchin leeft nog.' Hij keek Reggie aan. 'Jullie noemden die nacht zijn echte naam. Dat moet Rice hebben gehoord. Ik denk niet dat Kuchin dat leuk vond. Misschien denkt Rice dat zijn dagen toch al geteld zijn.'
'Maar hoe komen we bij Alan Rice?'
'Kuchin heeft een heleboel legale ondernemingen. Rice zal wel in de leiding daarvan zitten. Kuchin heeft zijn hoofdkantoor in Montréal. Hij heeft daar ook een penthouse in de binnenstad. Ik stel voor dat ik naar Canada ga en daar de nodige druk uitoefen.'
'Jij?' vroeg Reggie.
Hij keek haar aan. 'Ja, ik.'
Reggies blik ging vanzelf naar de professor. 'Wat vindt u ervan?'
'Als Whit nu eens ook ging?' zei de professor, maar Shaw schudde al zijn hoofd.
'We kunnen niet goed met elkaar opschieten. En hij is een heethoofd en houdt zich vast niet aan mijn instructies.'
'Ik ga wel,' zei Reggie.
'Geen goed idee,' zei Shaw meteen.
'Waarom niet?'
'Zomaar niet. Geloof me.'
'Ik ben het daar niet mee eens,' zei Mallory. 'Ik vind dat ze moet gaan.'
'Ik geloof niet dat u het hier voor het zeggen hebt,' zei Shaw. 'Dat heb ik.'
'Wij hebben er belang bij dat deze zaak tot een goed eind wordt gebracht,' zei Mallory. 'En vooral: u kunt weliswaar een eind aan onze organisatie maken, maar het zwaard snijdt aan twee kanten.'
'Wat bedoelt u?'
'Ik bedoel dat u blijkbaar ook voor een uiterst geheime organisatie werkt. Als het bestaan van onze organisatie in de openbaarheid komt, zal dat ook met de uwe gebeuren. Geloof me.'
Shaw dacht daarover na. Hij verborg zijn ware gevoelens achter een ondoorgrondelijk masker. 'Ik zal erover nadenken.'
'Denkt u niet te lang na,' zei Mallory. 'Zoals u al zei: Kuchin heeft het nu ook op ons voorzien.'

Shaw en Reggie reden terug naar Londen. Ze zette hem af bij het Savoy.
'Wil je dat ik meega naar je kamer?' vroeg ze. 'Alleen om te praten,' voegde ze er vlug aan toe.

'Niet vanavond. Ik heb veel om over na te denken. Misschien een andere keer.'
Teleurgesteld reed ze weg.
Shaw ging met de lift naar zijn kamer. Hij deed de deur open en knipte het licht aan.
'Hoe gaat het, Shaw?'
Frank zat aan het bureau. De bult van het verband om zijn middel was duidelijk zichtbaar onder zijn overhemd.
Shaw was niet verrast hem te zien. Hij trok zijn jasje uit en legde het op het bed. 'Het kon weleens misgaan, Frank.'
'De dingen gaan niet volgens plan?'
Shaw liet zich op het bed zakken. 'Beslist niet.'

•83•

Katie James nam een paar happen van haar Chinese afhaalmaaltijd, maar had toen geen trek meer. Dat was dus een verspilling van twintig dollar uit de geldautomaat geweest. Ze gooide de bakjes in de afvalemmer, legde haar vork in de vaatwasmachine, spoelde haar handen af en liep de huiskamer in. Het was donker in het huis. De afgelopen dagen had ze het graag donker.

De afgelopen dagen? Zeg maar maanden.

Ze ging in een stoel zitten en keek somber naar de muur tegenover haar, waaraan foto's van haar vriendin en het gezin van de vrouw hingen. Ze stond op, liep erheen, raakte elke foto aan en streek met haar vinger over het haar van de kinderen. De foto's hingen op chronologische volgorde en ze zag hoe de kinderen zich ontwikkelden: eerst baby's, toen kleuters met bolle wangen, toen lange scholieren en uiteindelijk volwassenen met eigen kinderen, want op de nieuwste foto's waren kleine kinderen te zien.

Katie was nooit getrouwd geweest, behalve met haar werk. Ze had nooit kinderen gehad, ook niet bijna. Ze had twee Pulitzerprijzen en een lelijk litteken van een kogelwond op haar bovenarm. Op andermans kosten had ze de wereld gezien. Misschien zou ze door haar werk nog een hele tijd in de herinnering voortleven. Ze had in haar werk uitgeblonken en in haar privéleven jammerlijk gefaald. Dat was een oud verhaal, en ze was bepaald niet het enige slachtoffer, als ze al slachtoffer was. Toch had ze op haar dertiende maar één ding van het leven verlangd: moeder worden en in een huisje wonen met een grasveldje en een boom, bij voorkeur een appelboom, want ze had altijd van appels gehouden.

In plaats daarvan had ze er ergens op haar levensweg voor gekozen om verslag uit te brengen van de ene crisis na de andere in de wereld en daarvoor miljoenen vliegkilometers te maken. Opeens had ze het koud, al was het buiten een typische Washingtonse zomeravond, dus zo warm en vochtig dat je meteen zweette als een otter als je alleen maar een wandelingetje maakte. Ze schoot een trui aan en bleef in het donker staan.

Ze was tenminste wel met drinken gestopt. Geen druppel in maanden. Zelfs niet op de ochtend dat Shaw haar zonder een woord te zeggen in Zürich had achtergelaten. Daarmee had ze zichzelf verbaasd. Als ze weer voor de drank zou zijn bezweken, zou het op dat moment zijn gebeurd, nam ze aan. Ze was twee extra dagen gebleven, had hem herhaaldelijk gebeld en had daarna Frank wel tien keer gebeld, totdat hij eindelijk had gereageerd.

'Hij heeft het moeilijk,' had Frank tegen haar gezegd. 'Je moet hem wat tijd geven.'
En Katie had hem tijd gegeven. Weken. En toen twee maanden. En ze had opnieuw geprobeerd hem te bellen, maar hij had zijn nummer veranderd.
Toen belde ze weer naar Frank, die zei dat hij zou helpen. En dat had hij ook gedaan. Hij had haar informatie over Shaw gegeven, inclusief het feit dat hij weer aan het werk was, wat betekende dat hij zijn leven op het spel zette in extreem gevaarlijke situaties over de hele wereld. Telkens wanneer de telefoon ging, dacht Katie dat het Frank was, met het nieuws van Shaws dood. Ze verwachtte dat omdat ze niet meer geloofde dat Shaw haar ooit terug zou bellen.
En toen was Frank haar weer te hulp gekomen. Hij had Shaw het nummer gegeven van een telefoon die zij van Frank had gekregen. Shaw had gebeld en opgehangen toen hij haar stem hoorde. Dat had haar niet zo erg verbaasd, maar ze was wel een beetje teleurgesteld geweest. Toen had hij opnieuw gebeld. Het was een kort gesprek geweest, maar ze hadden tenminste even met elkaar gepraat.
Frank had haar een tip gegeven en ze was naar Parijs gegaan. Toen ze Shaw in zijn eentje aan die tafel had zien zitten, was ze gewoon blijven staan. Hij had haar nog niet gezien en ze had naar hem staan kijken. Ze had gezien hoe hij het restaurant in sectoren verdeelde, op zoek naar mogelijke gevaren. Het was een tweede natuur geworden. Natuurlijk was dat voor hem de enige manier. Ze waren nooit met elkaar naar bed geweest, al hadden ze wel een keer een slaapkamer met elkaar gedeeld. Ze hadden elkaar niet eens gekust. Ze waren zelfs niet in de buurt van zoiets gekomen, in elk geval niet van zijn kant, veronderstelde ze weer. Wat haarzelf betrof, was ze er niet zeker van. Nou ja, misschien ook wel. Eigenlijk was het allemaal erg verwarrend.
In werkelijkheid wist Katie niet precies wanneer ze verliefd op hem was geworden. In elk geval voordat hij haar in Zürich alleen had gelaten. Misschien op die laatste avond in Wisbach, Duitsland, bij de begraafplaats waar Anna lag. Toen had hij haar liefde niet kunnen beantwoorden. Misschien zou hij dat nooit kunnen.
Ze keek weer naar de foto's aan de muur. Als ze nu eens niet zo abrupt uit het restaurant was weggelopen? Maar hij had niet geprobeerd haar tegen te houden, haar niet bij hem aan tafel uitgenodigd. Als hij haar naar buiten was gevolgd, zou ze zijn teruggekomen, want ze had verschrikkelijk graag met hem willen praten. Maar ze was de straat uitgelopen en hij was niet achter haar aan gekomen.
Ze liep naar het raam en keek naar buiten. Er waren een paar voorbijgangers, vooral stelletjes die hand in hand liepen. Er drong gelach tot haar door. Een auto ronkte voorbij, te snel voor de smalle straten in deze woonwijk. Katie wist niet hoe lang ze hier zou blijven. Of waar ze hierna heen zou gaan.

Ze haalde haar mobiele telefoon uit haar zak en dacht erover Frank weer te bellen om te horen of hij nieuws over Shaw had. Haar vinger hing boven de toetsen, maar ze deed het niet.
Dat was het nou juist, dacht ze. Het was onwaarschijnlijk dat het goed zou komen; waarom zou ze zich nog meer ellende op de hals halen? In plaats daarvan ging ze naar bed met de redelijke zekerheid dat de volgende dag niet beter zou zijn dan deze was geweest.

•84•

'Bij mij ging het ongeveer zoals we hadden verwacht,' zei Frank. 'Nou ja, behalve dan dat ik door die kogel werd geraakt. Ik liet foto's van jou en de dame op het station verspreiden, zoals we hadden afgesproken. Dat had tot gevolg dat jullie groepje zich opsplitste, zoals we wilden, omdat die Ier een ongericht projectiel was. Je zette de gps-chip in de telefoon die je had meegenomen, nam de boot naar Engeland, kreeg nog wat informatie uit haar los, gaf haar de telefoon terug, gaf haar een beetje tijd, volgde haar naar haar hoofdkwartier en infiltreerde daar. Heel eenvoudig.'

'Dat heb ik allemaal gedaan, en ik heb verslag aan je uitgebracht.'

'Dat weet ik. En je bent daar nu twee dagen. Breng dus maar opnieuw verslag uit.'

Shaw vertelde hem wat hij in de afgelopen achtenveertig uur had gezien en gehoord.

'Dus ze zijn hier echt al een hele tijd mee bezig.' Frank veegde stofjes van zijn gekreukte pak. 'We vermoedden al dat er zoiets aan de gang was.'

'Hoe dan?' vroeg Shaw.

Frank maakte de minibar van de kamer open, die in een grotere kast verborgen zat, en pakte er een flesje cola uit. Hij trok de dop eraf en nam een slok. 'Dode nazi's,' zei hij.

'Wat?'

'Nou, het is nooit van onze kant bevestigd dat het nazi's waren, maar in de afgelopen vijf of zes jaar is een heel stel kerels van in de negentig op verschillende plaatsen in de wereld op een raadselachtige manier aan hun eind gekomen. Twee in Zuid-Amerika, waar kopstukken uit het Derde Rijk vaak heen gingen toen Hitler zelfmoord had gepleegd in die bunker.'

'Hoe kwamen jullie daarachter?'

'Omdat sommige van die kerels na de oorlog dingen hebben gedaan die verdomd dicht bij ons domein kwamen. Bij twee gelegenheden vonden we hun spoor terug tot hun tijd in Berlijn. Maar die kerels waren al dood en we vonden het niet nodig ons nog in hen te verdiepen. In elk geval lijkt het erop dat die organisatie die klootzakken een voor een heeft geëlimineerd.'

'Je bedoelt dat ze het recht in eigen hand namen?'

'Ik bedoel dat ze voor gerechtigheid zorgden die er tot dan toe niet was geweest. Dat doen wij ook min of meer, Shaw.'

'Wij hebben nooit opdracht gekregen iemand te vermoorden.'

'Nee, maar denk je dat alle kerels die wij vinden en aan de autoriteiten overdragen een eerlijk proces krijgen?'
'Ik weet dat het niet zo is.'
'Laten we het weer over deze zaak hebben. Hoe staat het er nu voor?'
Shaw vertelde hem over Mallory's ultimatum. 'Of Reggie gaat met me mee als ik op jacht ga naar Kuchin, óf ze ontmaskeren ons ook.'
Frank dronk zijn cola op. 'Is dat alles? Dan zie ik eigenlijk het probleem niet. Neem haar gewoon mee.'
Shaw keek zorgelijk. 'Ik wil niet met haar op sleeptouw achter die kerel aan. Dat is te gevaarlijk.'
'Maar als je haar achterlaat, krijgt Kuchin haar misschien te pakken terwijl jij naar hem op zoek bent. Dan maakt hij het karwei af.' Frank gooide het lege colaflesje in de afvalbak, viste een pakje gezouten amandelen uit zijn zak en stopte ze in zijn mond. Hij kauwde luidruchtig.
Shaw keek ongemakkelijk.
'Ben je het daar niet mee eens?' zei Frank.
'Misschien wel, maar wat is ons uiteindelijke doel?'
'Vertel jij maar wat je denkt dat het doel is. Dan zeg ik of je gelijk hebt of niet.'
'Kuchin te pakken krijgen? Maar ik dacht dat die kerels in dure pakken dat niet meer nodig vonden? Hij gaat nu gewoon weer tienermeisjes laten hoereren om zijn geld te verdienen. Geen paddenstoelwolken meer. Dat heb je zelf gezegd.'
Frank slikte de laatste nootjes door en zei toen: 'Nou, ik kan eigenlijk niet zeggen dat ze daar anders over zijn gaan denken. Maar ze interesseren zich nu vooral voor die organisatie in Engeland.'
'Waarom?'
'Waarom?' zei Frank verbaasd. 'Een andere organisatie die dingen doet die wereldwijde gevolgen kunnen hebben? Hmmm, zullen we daar eens over nadenken?'
'Het heeft niets met ons te maken,' zei Shaw zwakjes.
'Denk je dat, Shaw? Dan zal ik het je uitleggen. We vinden het vooral interessant dat die kerels het niet alleen op "monsters" uit het verleden hebben voorzien, maar ook op monsters van deze tijd. Je zei dat ze op dit moment onderzoek doen naar dingen in Afrika, Azië en Zuid-Amerika, al wilden ze je niet vertellen om wie het ging.'
'Nou, en?'
Frank gooide de verpakking van de amandelen in de afvalbak en veegde zijn handen af aan zijn broek. 'Dat zal ik je vertellen. Afgezette schurken komen soms weer aan de macht. Als die Britten een kortgeleden afgezette dictator vermoorden, kan dat in geopolitieke termen snel uit de hand lopen.'

'Wie kan het wat schelen of ze zulke mensen koud maken? Zei je daarnet niet dat het wat jou betreft een goede zaak is?'
'Toen had ik het over de nazi's. Die komen niet meer aan de macht.'
'Ik zie het verschil niet.'
'Doe niet zo naïef. Als je het zwart-wit wilt zien, moet je naar een film met Bogart en Bacall gaan kijken. Als die lui een monster in het Midden-Oosten of Zuid-Amerika elimineren, kunnen we revoluties krijgen op plaatsen waar we ze niet kunnen gebruiken. Begrijp je wat ik bedoel?'
'Nee, eigenlijk niet. Want ze zijn toch al afgezet?'
'Zoals ik al zei, soms komen ze terug. En dan ligt het eraan wie ze heeft afgezet, maar soms is het in ons belang om ervoor te zorgen dat ze terugkomen, omdat de schurk die ze van de troon heeft gestoten nog erger is. Ik zou je daar wel tien historische voorbeelden van kunnen geven. Maar als ze dood zijn, hebben we die mogelijkheid niet.'
'Jezus, dit is krankzinnig.'
Frank stond op. 'Misschien vind ik dat ook wel, maar eigenlijk doet het er niet toe wat wij ervan vinden. Wij knappen alleen maar het werk op. Dus ga nou maar achter Kuchin aan en neem die meid mee. Op die manier blijf je binnen hun organisatie en kom je nog meer te weten over wat ze doen. We geven je primaire ondersteuning, alles wat je maar nodig hebt.'
'En als we hem te pakken krijgen?' vroeg Shaw aarzelend.
'Dan krijgt hij wat hem toekomt.'
'En Reggie en haar mensen?'
Frank zette zijn hoed op en liep naar de deur. 'Die krijgen ook wat hun toekomt.'
'Frank, er moet een andere manier zijn.'
Frank keek hem aandachtig aan. 'Je bent al met haar naar bed geweest, hè?'
'Wat?' zei Shaw verbaasd.
'We houden dit hotel in de gaten, Einstein. Jullie twee zaten de hele tijd aan elkaar toen jullie hier aankwamen en jullie kwamen pas bij het ontbijt weer tevoorschijn.' Verbitterd voegde hij eraan toe: 'Jij verdiende Anna niet. En Katie James ook niet, hufter.'
'Frank...'
'Ik heb je lang genoeg ontzien. Ga nu je werk doen, Shaw.'
Frank gooide de deur achter zich dicht en was weg.

•85•

Acht uur later waren Shaw en Reggie met een particulier vliegtuig op weg naar Montréal. Op twaalfduizend meter hoogte haalde Shaw papieren tevoorschijn. Hij spreidde ze uit over de eettafel en nodigde Reggie met een gebaar uit tegenover hem te komen zitten.

Ze waren allebei informeel gekleed. Zij droeg een spijkerbroek en een shirt met lange mouwen, en Shaw droeg een kaki broek en een donker shirt met korte mouwen.

'Leuke manier om te reizen,' zei ze, terwijl ze vol bewondering naar het interieur van de Gulfstream V keek.

'We hebben veel werk te doen en niet veel tijd, dus laten we beginnen,' zei hij op een toon die niets vriendelijks had.

Ze ging zitten. 'Heb jij een probleem of zo?'

'Ik heb er op dit moment te veel om op te noemen. Dus laten we ons op dit probleem concentreren.'

Hij wees op de bouwtekeningen die voor hem lagen. 'Kuchins penthouse in de binnenstad van Montréal.'

'Wat, gaan we daar inbreken?' zei ze voor de grap.

'Heb je daar een probleem mee?'

Ze keek hem ongelovig aan. 'Ik dacht dat we Alan Rice gingen zoeken om hem onder druk te zetten met het feit dat hij de informant is. Daarna kunnen we hem gebruiken om bij Kuchin te komen.'

'Dat is een mogelijkheid. Maar als hij nu eens niet de informant is? Wat dan?'

'Maar hij moet het zijn.'

'Nee, dat hoeft niet. En als we al onze plannen daarop baseren, zijn we idioten. Nee, dan zijn we dóde idioten. We hebben Rice' adres, maar als we eerst naar hem toe gaan, en hij is niet de informant, dan wordt Kuchin gewaarschuwd.'

'Wacht eens even. Hij is toch al gewaarschuwd? Ik zou denken dat onze ontmoeting in de catacomben genoeg is om de man de rest van zijn leven op zijn hoede te laten zijn.'

'Je analyseert de situatie niet diep genoeg, Reggie,' zei hij neerbuigend.

'Nou, proféssor, leg jij het me dan maar eens uit, want mijn arme hersens kunnen het niet zelf bedenken.'

'Uit het feit dat Interpol nog niet op zijn deur heeft geklopt kan Kuchin afleiden dat jullie geen officiële instantie zijn. Waarschijnlijk denkt hij hetzelfde van mij. Interpol en de FBI hebben insignes en veel mankracht. Jullie hadden dat niet, en wij evenmin. Daarom heeft hij voorlopig niet het gevoel dat zijn vrijheid op het spel staat, alleen zijn leven. Dat zal bepalen wat hij gaat doen. Hij zal onderduiken, maar niet zo diep als wanneer hij de FBI of een officieel gemachtigd eliminatieteam achter zich aan had.'

'Oké, dat begrijp ik.'

'Goed. Toch moeten we voorzichtig te werk gaan. Terwijl hij plannen tegen ons smeedt, zal hij er ook van uitgaan dat wij op zoek zijn naar hem.'

'Denk je dat echt?'

'Zo'n man kan zich niet al die jaren in de KGB standhouden zonder te weten hoe hij op de volgende zetten van zijn tegenstander moet inspelen. In de Sovjet-Unie liep je in die tijd niet zozeer gevaar te worden neergeknald door iemand uit het Westen, maar door iemand van je eigen kantoor die het voorzien had op je baan, je flat en je auto, ook al was het een barrel. Reken maar dat hij een tweede aanval van ons verwacht.'

Reggie keek naar de papieren. 'Nou, wat gaan we doen?'

'Een aanval op twee fronten. Eerst Kuchin.'

'Hoe?'

'We dringen in zijn penthouse binnen, doorzoeken het en vinden hopelijk informatie over de plaats waar hij op dit moment is.'

'Hoe weten we dat hij niet in zijn penthouse is?'

'Omdat we daar mensen hebben geposteerd. Hij is er niet meer geweest sinds hij uit Frankrijk is vertrokken.'

'Wacht eens even. Als jullie altijd al wisten waar hij woont, waarom hebben jullie hem dan niet in Montréal opgepakt? Waarom gingen jullie in Gordes achter hem aan?'

'Dat is geheim.'

'Dat is gelul. Je hebt het over vertrouwen, maar dat moet blijkbaar van één kant komen.'

Shaw leunde achterover. Onder de omstandigheden was haar verzoek niet zo onredelijk. 'Hij had meer lijfwachten in Montréal. En een schietpartij op straat in die stad was geen optie. Bovendien hebben we al vaker met de Canadezen te maken gehad en het zijn niet onze vrienden. Een vakantie in de Provence, waar we hem in een grot konden overvallen, was een veel betere optie.'

Dat antwoord riep alleen maar een nieuwe vraag op. 'Je hebt me nooit verteld hoe jullie achter zijn reisplannen zijn gekomen,' zei ze. 'De villa? De trip naar Les Baux? Als jullie een informant in Kuchins omgeving hebben, waarom doen wij nu dan al die moeite?'

Enigszins milder gestemd keek Reggie naar de bouwtekeningen. 'Hij moet wel een heel geraffineerd beveiligingssysteem in zijn huis hebben.'

'Ja, maar we zijn wel betere systemen te slim af geweest.'

'Wat is mijn rol?'
'Precies doen wat ik zeg.'
'Oké, ik ga achter in het vliegtuig zitten. Als je me weer op mijn nummer wilt zetten, roep je me maar. Dan kom ik wel aangedraafd.'
Shaw pakte haar arm vast. Ze wilde naar hem uithalen, maar hij zei: 'Het spijt me.'
Ze verstijfde. Haar vuist was nog maar een paar centimeter bij zijn kin vandaan. Ze liet haar hand zakken. 'Oké.' Maar het klonk eerder verbaasd dan verzoenend.
Shaw kon blijkbaar haar gedachten lezen. 'Zeg, ik wilde niet dat je meeging. Ik vond het te riskant. Kuchin heeft je al een keer bijna te pakken gekregen.'
'Ik bood het zelf aan. Maar als je niet wilt dat ik erbij ben, waarom ben ik hier dan?'
'Je hebt Mallory gehoord. Als jij niet meeging, zou hij alles in de openbaarheid brengen.'
'O, kom nou, dat geloof je toch zeker zelf niet. Hij blufte.' Ze keek hem aandachtig aan. 'Maar dat wist je, hè? Je wist dat het een loos dreigement was. Je wilde alleen niet dat mij iets overkwam.'
'Mensen uit mijn omgeving vergaat het vaak slecht, Reggie. Heel slecht.'
'Nogmaals, waarom ben ik dan hier?'
'Ik denk dat Frank het dreigement wel serieus nam. Hij stond erop dat je meeging.'
Ze keek naar de bouwtekeningen op de tafel. 'Ik zal geen blok aan je been zijn, Shaw. Ik zal proberen me nuttig te maken.'
'Dat stel ik op prijs, maar...'
'Want weet je, ik wil ook niet dat jou iets overkomt.'
'Je hoeft je niet druk te maken om mijn veiligheid.'
'Toch doe ik dat. Ik bescherm jou. Bescherm jij mij dan ook?'
'Ja.'
'Dan moet je het volgende goed begrijpen. Als je voor de keuze staat of ik in leven blijf of Kuchin doodgaat, zeg dan tegen dat monster dat ik hem in de hel terugzie. Laat hem niet lopen, Shaw. Beslist niet. Al betekent het dat ik niet levend terugkom. Beloof je dat?'
Shaw gaf geen antwoord.

•86•

De vrachtwagen reed achteruit naar het laadplatform achter het flatgebouw. De papieren waren gescand, en voorzien van de vereiste handtekeningen. De twee grote kisten werden uitgeladen en binnengezet. Volgens de ladingsbrief zaten er antieke voorwerpen in die eigendom waren van een flatbewoner die de hele zomer weg was. De kisten moesten worden opgeslagen en mochten pas worden opengemaakt als de eigenaar terug was.
Een paar uur later werd het laadplatform afgesloten en gingen de chef en zijn mensen naar huis. Na nog een halfuur klapte de zijkant van een van de kisten open en kwam Shaw tevoorschijn. Met een zaklantaarn die een dunne felle straal produceerde liep hij naar de tweede kist en hielp Reggie uit haar schuilplaats.
Ze waren allebei in het zwart gekleed en hadden allerlei gereedschap aan hun riem hangen.
'Ben je er klaar voor?' fluisterde Shaw.
Ze knikte.
Hij zette een headset op, zette hem aan en zei: 'Ben je daar, Frank?'
'Ja. Laat de videobeelden maar zien.'
Frank was vanuit Engeland naar hen toegevlogen om de spullen te leveren die ze nodig hadden om in Kuchins penthouse in de breken.
Shaw knikte naar Reggie en ze schoof een riem om haar borst met een rond plaatje met een middellijn van ongeveer zeven centimeter. In het midden van het plaatje zat een glazen lens. Ze drukte op een knop aan de zijkant en er ging een rood lampje branden.
'Kun je het goed zien?' zei Shaw in de headset.
'Ja. Ik zie de videobeelden. Ga verder.'
Ze omzeilden de liftbeveiliging met een gekloond kaartje, dat Shaw in de gleuf stak.
Franks stem kwam weer uit de headset: 'De beelden van de bewakingscamera's in het gebouw worden op monitors gevolgd, maar we hebben de beelden van de camera's in de goederenlift en buiten Kuchins penthouse op afstand stilgezet. 'De lift wordt na werktijd bijna nooit gebruikt. De bewakers verwachten geen verandering van die camerabeelden, en ook niet van de beelden bij Kuchins flat, want hij is de stad uit. Daar staat tegenover dat ze wel periodiek de ronde doen. De volgende ronde is over precies zestig minuten. Daarna moeten jullie jezelf zien te redden.'
Ze namen de lift naar de bovenste verdieping. De deuren gingen open en ze

kwamen uit in een kleine hal met een stalen deur en een beveiligingspaneeltje ernaast. Shaw keek naar de bewakingscamera in de hoek en wuifde even, al bad hij in stilte dat het Frank inderdaad was gelukt het beeld stil te zetten. Hij gaf Reggie een teken dat ze hun eigen camera op het paneeltje moest richten.
'Heb je het in beeld?' vroeg Shaw in zijn headset. 'Onze research klopt: het werkt inderdaad met netvliesherkenning.'
'Ik zie het. Laat haar dichterbij gaan staan, dan kunnen we het beter zien en kijken of het model klopt.'
Shaw gaf Reggie een teken dat ze vlak voor de netvlieslezer moest gaan staan.
'Oké, we hebben het,' zei Frank. 'Pak het laserapparaat, Shaw. Over vijf seconden sluiten we de stroom in het gebouw af. Er is een back-upbatterij voor het beveiligingssysteem, maar we jagen een gekalibreerde stroompiek net achter de stroomonderbreking aan om de back-up te laten doorbranden. Daarna moeten we de stroom wel gauw weer aanzetten, anders treden er noodmaatregelen in werking.'
'Begrepen.'
Shaw haalde het laserapparaat uit een houder aan zijn riem en richtte het op de netvlieslezer.
'Als ik het teken geef,' zei Frank. 'Vijf... vier... drie.'
Direct na één viel de stroom in het gebouw uit en stonden ze in volslagen duisternis in de hal. Het rode lampje van de netvlieslezer ging uit. Shaw zette het laserapparaat aan en richtte het recht op de lezer. De rode straal schoot de glazen schijf in en vulde hem met een weerspiegelde rode kleur. Even later ging de stroom weer aan.
De deur ging met een klik open.
Reggie keek naar Shaw, die het laserapparaat wegstopte. Hij zei: 'Een foutje in dit systeem dat we een tijdje geleden hebben ontdekt. Stroom uit, stroom aan, en als je in die fractie van een seconde een laserstraal van een bepaalde frequentie op de lezer richt, ziet hij daarin het netvlies van een bevoegde persoon.'
'Niet gek,' zei ze bewonderend.
'Nou, eigenlijk is het geen foutje.'
'Wat bedoel je?'
'Ik bedoel dat we goede contacten onderhouden met een aantal grote fabrikanten van beveiligingsapparatuur. Wij doen weleens iets voor ze en in ruil daarvoor maken ze dit soort dingen voor ons mogelijk.'
Terwijl Reggie haar hoofd schudde, trok Shaw de stalen deur helemaal open. 'Nog negenenvijftig minuten. Laten we aan het werk gaan.'
Shaw haalde een miniatuursetje plattegronden uit zijn zak en keek ernaar met een zaklantaarntje dat hij zwak liet schijnen. 'Blijf bij de ramen vandaan,' zei hij. 'Voor het geval Kuchin mensen in een ander gebouw heeft zitten om de flat

in de gaten te houden. Ook als het licht uit is, zijn we met bepaalde apparatuur te zien.'
'Jammer.'
'Waarom?'
'Ik wilde van het uitzicht genieten.'
Ze doorzochten de flat snel maar systematisch, en op hun buik als ze dicht bij het raam moesten zijn. Na een halfuur hadden ze nog niets nuttigs ontdekt.
Ze stonden midden in Kuchins slaapkamer. Reggie keek teleurgesteld, maar Shaw was blijkbaar nieuwsgierig.
'Wat is er?' vroeg ze ten slotte, toen hij verbaasd bleef kijken.
'Terwijl we aan het zoeken waren, heb ik het laserapparaat gebruikt om de vierkante meters van de flat op te meten, en volgens deze plattegrond komen we ongeveer honderddertig vierkante meter tekort.'
'Hoe kan dat?'
Shaw was vijf minuten bezig met meten. 'Het midden ontbreekt,' zei hij ten slotte.
'Wat betekent dat?'
'Dat betekent dat er in het midden van dit penthouse een verborgen ruimte is, en die is te groot voor alleen de klimaatbeheersing. Die zit in dit soort flats trouwens ook meestal in het plafond.'
Na nog enig zoeken kwamen ze aan het eind van de gang, waar ze naar de sierlijk bewerkte inbouwkast keken. 'Waarom heb ik toch het gevoel dat het ding kan draaien?' zei Shaw tegen Reggie. 'Zie je hem, Frank?' zei hij in zijn headset.
'Ja. Ik zie alles. We hebben minder dan een halfuur. Probeer maar eens wat.'
Vier minuten later sprong het paneeltje voor de toegangscode open doordat Reggie een knop tegen de klok in draaide. Shaw haalde een spuitbusje uit zijn riem en spoot ermee op het paneeltje. Daarna scheen hij er met een blauw licht op, waardoor vingerafdrukken op enkele plaatsen zichtbaar werden. 'Ik heb de vier cijfers,' zei hij. Hij bevestigde een apparaatje aan de bedrading van het paneeltje en draaide eraan. Hij keek naar Reggie op. 'Als je weet welke vier cijfers in de code voorkomen, maakt dat het aantal mogelijke combinaties veel kleiner.'
'Ja, dat weet ik. Dan hoef je alleen nog maar naar de volgorde te zoeken,' zei ze.
De cijfers 4-6-9-7 bleven op het scherm staan en de muurkast ging met een klik open. Ze keken in een donkere ruimte.
'Nou, eens kijken wat meneer Kuchin hier verstopt heeft,' zei Shaw.

•87•

Kuchin zat in een stoel in zijn hotelkamer. Zijn strategie had niet gewerkt. Zijn mannen hadden de omgeving van de geldautomaat systematisch doorzocht, maar ze hadden geen spoor van Katie James gevonden. Ze stonden daar nog allemaal geposteerd, maar Pascals laatste bericht was ontmoedigend geweest. Ze hadden gewoon geen plaatsen meer waar ze konden kijken. De vrouw was ergens in de stad ondergedoken of ze was weggegaan. Geen van beide mogelijkheden was voor de Oekraïener aanvaardbaar.

Hij haalde een koffertje tevoorschijn, vulde een injectiespuit met zijn speciale mengsel en spoot het in een ader. Normaal gesproken zou dat hem op zijn minst een tijdelijke golf van euforie of onoverwinnelijkheid geven. Hij zwoer dat hij er ook helderder door kon denken, en daar had hij op dit moment dringend behoefte aan.

Toch gebeurde er niets. Nou ja, er gebeurde wel iets. Hij voelde zich nog neerslachtiger. Fedir Kuchin had geen nederlaag meer geleden sinds die dag in Oekraïne, toen hij zich gedwongen had gezien zijn dood in scène te zetten en zijn geboorteland te ontvluchten, vlak voordat de woedende massa's wraak zouden nemen op het schrikbewind dat hij jarenlang had gevoerd. Tenminste, zij zouden het een schrikbewind noemen. Hij had er andere woorden voor. Zijn plicht. Zijn baan. Misschien zijn lot.

Hoewel hij nu het goede leven van een succesvolle, verwesterde kapitalist leidde, in een wereld waarin persoonlijke vrijheden zeer op prijs werden gesteld, zou Kuchin in zijn hart altijd geloven dat een select klein groepje over alle andere mensen moest heersen. En dat kon je bereiken door selectief en effectief gebruik te maken van macht. De meeste mensen konden alleen maar volgelingen zijn. Zelfs in het Westen was het maar weinigen gegeven echte rijkdom en leiderschapsposities te bereiken. In Oekraïne had Kuchin altijd binnen vijf minuten kunnen zien wie van zijn mannen voor altijd schapen zouden blijven en welke enkeling een herder zou worden. En hij had zich nooit vergist.

Ja, het Westen was het deel van de wereld waar iedereen kansen had. Kuchin kon daar alleen maar smalend om lachen. Hij was een leider in zijn geboorteland geweest en was hier ook een leider geworden. Een volgeling daar zou hier ook niet meer dan een volgeling zijn. Schapen veranderden niet doordat ze 'kansen' kregen.

Maar zal ik nu dan toch weer worden verslagen?

Hij kon hier niet eeuwig blijven. Hij kon zijn mannen hier niet veel langer houden zonder dat het argwaan wekte. Washington was misschien wel de strengst bewaakte stad ter wereld. Overal waren politieagenten, spionnen, federale agenten, nieuwsgierige, onderzoekende ogen. Als ze op zoek waren naar Kuchin, speelde hij hen misschien precies in de kaart. Maar als hij zonder Katie James de stad uit ging, had hij niets. Dan zou hij verslagen zijn. Daar viel dan niet meer aan te ontkomen.

Hij pakte een afstandsbediening en zette de tv aan. Het nieuws was aan de gang. Het begon met problemen in Afghanistan voor de Amerikanen en hun bondgenoten. Daar moest hij om glimlachen, maar het riep ook bittere herinneringen op aan de vernietigende nederlaag die zijn eigen natie in dat oeroude land had geleden.

De verslaggeefster schatte hij op een jaar of vijftig. Niet een van die jonge, langbenige vrouwen, vaak met geblondeerd haar, die de tekst van de teleprompter voorlazen en nooit in de buurt van de oorlogszones kwamen vanwaar ze 'verslag' uitbrachten. Haar mededelingen waren bondig en informatief, en Kuchin begreep binnen enkele seconden dat ze wist waar ze het over had. Hij veronderstelde dat Katie James dezelfde eigenschappen bezat, al was ze jonger en aantrekkelijker dan deze vrouw. Volgens de informatie die hij over haar bezat was ze in de afgelopen vijftien jaar bij elke brandhaard in de wereld geweest. Zij had geen teleprompter nodig.

Hij concentreerde zich weer op de tv. Kuchin wilde erg graag tot in details zien in wat voor moeilijkheden de Amerikanen verzeild waren geraakt. Dat zou hem tenminste even afleiden van zijn eigen problemen. Hij wist niet dat het tot de oplossing van minstens een van die problemen zou leiden.

'Dit was Roberta McCormick, live vanuit Kaboel,' zei de vrouw op het scherm aan het eind van haar reportage.

De naam bleef even bij Kuchin hangen.

Roberta McCormick?

Hij sprong uit zijn stoel en rende de kamer door naar zijn aktetas, die op het bureau lag. Hij maakte hem open en vond de lijst.

De lijst bestond uit de namen en adressen van inwoners van Washington van wie bekend was dat ze collega's van Katie James waren. Kuchin liet zijn mannen op twee van de adressen letten, omdat die mensen de stad uit waren. De twee anderen waren in de stad, en hun adressen werden dus niet in de gaten gehouden. Kuchin keek naar de laatste naam.

Roberta McCormick. Volgens de lijst was ze thuis, maar ze was in Kaboel, duizenden kilometers bij Washington vandaan. Dat had hij net zelf gezien. Ze woonde in Georgetown, bij R Street en net buiten het zoekgebied dat Kuchin voor zijn mannen had bepaald. Haar man was overleden en haar kinderen waren volwassen. Ze woonde alleen. Maar misschien was er op dit moment toch iemand in haar huis.

•88•

'Allemachtig,' zei Reggie toen Shaw en zij de kamer in keken.
Shaw zei: 'Alsof we opeens weer in de Koude Oorlog terecht zijn gekomen.'
De lichten waren automatisch aangegaan toen ze de kamer waren binnengelopen.
'Godskelere!' riep Frank door de headset. Door het oog van de camera op Reggies borst had hij hetzelfde gezien als zij. 'Die man is geobsedeerd.'
'Denk je?' zei Shaw. Hij keek naar de Sovjetvlag, de oude kleerkasten, het gehavende bureau en de archiefkasten. 'Reggie, loop eens rond, dan kan Frank het allemaal vastleggen.'
Ze deed het en probeerde zo dicht mogelijk bij alle voorwerpen te komen.
Shaw maakte een van de kleerkasten open en zag het uniform dat Kuchin had gedragen toen hij bij de KGB was. Hij keek in de archiefkasten en haalde er papieren uit waaruit de gruwelen bleken die de man onschuldige mannen, vrouwen en kinderen had aangedaan. Reggie legde het allemaal vast met haar camera.
En toen vonden ze de projector. In enkele minuten brachten ze hem in gereedheid. Terwijl de film draaide, zeiden Shaw en Reggie niets. Zelfs Frank mompelde geen woord. Ten slotte zette Reggie het apparaat uit. 'Ik kan er niet meer naar kijken,' zei ze, terwijl het gezicht van het dode kind van het scherm verdween.
Toen Shaw haar aankeek, zag hij tranen in haar ogen. Hij zette de projector weg, maar stopte de filmspoel in zijn tas.
'Moeten we nog iets anders zien, Frank?' zei hij.
Franks stem klonk gespannen. 'Nee, ga nu maar.'

Een paar minuten later liepen Shaw en Reggie door de straten van Montréal. Een auto pikte hen op en bracht hen naar een laag gebouw op een kleine kilometer afstand. Daar wachtte Frank op hen.
Ze zaten enkele ogenblikken zwijgend en aangeslagen bij elkaar.
Shaw keek op. 'Oké, dit bevestigt veel. De man is een psychopaat. Niet dat we daar ooit aan hebben getwijfeld.'
'Maar wat hebben we gevonden dat ons kan helpen hem te vinden?'
Shaw keek Frank aan. 'Hoe zit het met Alan Rice?'
'Het vliegtuig is uit Frankrijk teruggekomen. Dat weten we. Het is geland op het vliegveld van Montréal. Rice en Kuchin waren niet aan boord. En Rice is

niet thuis of op zijn kantoor of op een andere plaats waar wij van weten. Misschien is hij dood, maar het is waarschijnlijker dat hij is ondergedoken. Als we een stap verder willen gaan, moeten we de autoriteiten in kennis stellen en dat willen we niet. Tenminste, nog niet. Dat zou de zaak nog erger kunnen maken.'
'Dus we kunnen Rice niet als pressiemiddel gebruiken?' vroeg Reggie.
'Blijkbaar is het Kuchin of niets.'
'Maar waar is hij?' vroeg ze. 'Met die inbraak in zijn huis namen we een risico, en het heeft ons niets opgeleverd wat ons helpt hem te vinden.'
Shaw en Frank wisselden een blik.
'Sinds Frankrijk hebben we niets meer van hem vernomen,' zei Frank. 'Omdat het een privévliegtuig was, is het denkbaar dat hij helemaal niet uit Frankrijk is vertrokken of dat het toestel onderweg naar Canada ergens een tussenstop heeft gemaakt. Daarna heeft het hier op de grond gestaan. Maar hij kan natuurlijk gemakkelijk onder een valse naam een ander vliegtuig huren.'
'Hij zou dus overal kunnen zijn,' zei Reggie.
'Maar we kunnen nu bewijzen dat hij in Oekraïne voor de KGB heeft gewerkt,' merkte Frank op.
'Dat wisten we al,' zei Reggie. 'En ik ben geen juriste, maar ik denk niet dat een rechtbank ons bewijsmateriaal zou accepteren, want het is door inbraak verkregen en dat vinden ze vast niet goed.'
'Daar heeft ze gelijk in,' zei Shaw.
Frank keek niet overtuigd. 'Misschien wel, misschien niet. Wat mij betreft, mag die schoft als oorlogsmisdadiger terechtstaan in Den Haag, en daar hebben ze enigszins andere regels voor bewijsvoering. En die dingen liggen nog daar in dat penthouse. Als we de Canadese politie of Interpol tippen, kunnen ze er misschien met officiële huiszoekingsbevelen op af gaan.'
'Mooi, dan wordt hij bij verstek veroordeeld,' snauwde Reggie.
'Niemand heeft gezegd dat het gemakkelijk zou gaan,' merkte Frank op. 'Dacht je dat je daarbinnen meteen de geheime sleutel zou vinden die ons regelrecht naar die kerel zou brengen?'
'Nee, maar ik hoopte op iets wat ons verder zou helpen. Maar dat hebben we niet. Wat is nu onze volgende stap?' Ze keek verwachtingsvol van Shaw naar Frank.
'We proberen andere dingen,' zei Frank vaag.
'Geweldig. Jullie hebben al die prachtige, briljante technologie, met jullie laserapparaten en weet ik veel, en jullie kunnen met een druk op de knop de stroom in een hele wolkenkrabber laten uitvallen, maar soms denk ik toch dat onze houtje-touwtjestrategie meer uithaalt.'
'Niet in Gordes,' merkte Frank op.
'Nou, wij gaven het tenminste niet op, zoals jullie deden,' snauwde Reggie. Ze stond op en liep vlug de kamer uit.

Toen de deur achter haar dicht was gesmakt, keken Frank en Shaw elkaar aan.
'Verrek,' zei Frank. 'Ik dacht dat die Britten zo laconiek waren.'
'Er is niets laconieks aan haar,' zei Shaw. 'Maar ze heeft wel gelijk. We zijn geen stap dichter bij Kuchin gekomen.'
'Nou, waarschijnlijk is hij ook geen stap dichter bij haar of jou gekomen.'
'Daar zou ik maar niet op rekenen,' zei Shaw langzaam.
'Weet je iets?'
Shaw gaf geen antwoord. Hij wist niets, tenminste niet met zekerheid. Maar zijn intuïtie bedroog hem nooit, en alle alarmbellen in hem loeiden aan één stuk door.

•89•

Katie James werd plotseling wakker. Dat was niets ongewoons; het overkwam haar wel vaker. Een geluid hier, een gedachte daar, een nachtmerrie die zo echt leek dat ze hem kon aanraken en waar maar geen eind aan wilde komen. Ze stond op, schonk water in en ging in een fauteuil zitten. Ze deed een leeslamp aan en pakte de nieuwste thriller van Lee Child.

Ze schrok toen de telefoon begon te rinkelen. Automatisch keek ze op haar horloge. Het was bijna middernacht. Ze vroeg zich af of ze moest opnemen. Per slot van rekening was dit niet haar huis. Maar het zou Roberta kunnen zijn. Ze keek naar het schermpje voor de nummerherkenning. Niets. Ze aarzelde opnieuw, maar nam toen op.

'Ja?'

'Is Roberta thuis?'

'Met wie spreek ik?'

'Spreek ik met Roberta?'

Dat was vreemd. Als hij Roberta kende, moest hij weten dat het niet Roberta's stem was. 'Met wie spreek ik?' vroeg ze opnieuw, maar de verbinding was verbroken.

Geschrokken keek ze of de voor- en achterdeur op slot zaten. Daarna greep ze een pook die bij de haard lag, ging naar de slaapkamer terug en deed de deur achter zich dicht. Ze keek naar haar mobiele telefoon. Ze hoefde alleen Shaw maar te bellen. Ze wist nu wat zijn nummer was. Maar hij was waarschijnlijk duizenden kilometers bij haar vandaan en kon niets voor haar doen. En waarschijnlijk zou hij dat niet eens willen.

De hand lag over haar mond voordat ze kon schreeuwen. De pook werd tegelijk met haar telefoon uit haar hand getrokken. De stank was zo afschuwelijk dat haar neusgaten zich samentrokken.

Even later zakte Katie in elkaar.

Haar hoofd bonkte verschrikkelijk. Ze deed haar ogen open en vlug weer dicht toen ze in fel licht keek. Ze kreunde, voelde zich hondsberoerd. Ze deed haar ogen weer open. Ze ging rechtop zitten en verstijfde toen ze de man zag die naar haar stond te kijken.

Hij stak zijn hand uit. 'Ik hoop dat je je beter voelt,' zei Kuchin.

Ze nam zijn hand niet aan, maar bleef waar ze was. Katie keek om zich heen. Afgezien van het licht dat op haar was gericht was het donker om haar heen. Ze

voelde een schok onder zich, en nog een. Ze keek omlaag. Ze zat op een stoel die was neergeklapt om er een bed van te maken. Nog een schok, en toen hoorde ze een vertrouwd gezoem. Hoeveel miljoenen kilometers had ze dat gehoord?
Ze zat in een vliegtuig.
Ze ging rechtop zitten en zwaaide haar benen het gangpad op. De man ging een beetje achteruit om haar de ruimte daarvoor te geven.
'Mag ik de voor de hand liggende vraag stellen?' zei ze.
Hij ging op een stoel tegenover haar zitten. 'Ga je gang.'
'Wie ben jij en waarom ben ik hier?'
'Twee goede vragen. Wie ik ben, is voor jou niet van belang. Waarom je hier bent misschien wel.'
Hij hield haar een glanzend vierkant papier voor.
Katie pakte het aan en keek naar de foto. Shaw en zij in Zürich. Ze zag haar hand op zijn arm liggen. Intiemer dan dat was het niet geworden.
Shaw. Daarom ben ik hier.
Ze keek op en gaf de foto terug. 'Ik begrijp het nog steeds niet.'
'Dat zegt je mond, maar je ogen zeggen iets anders. Het is te laat voor zo'n tactiek. Jij kent hem; hij kent jou. En ik wil hem graag ook leren kennen.'
Dat zal wel.
'Waarom?'
'Hij is een interessante man.'
'Ik weet niet waar hij is.'
Kuchin slaakte een zucht. Het volgende moment lag Katie op de vloer van het vliegtuig en liep het bloed over haar gezicht vanaf de plaats waar hij haar had geslagen. Haar hersenen probeerden dat nog te verwerken toen ze aan haar haren overeind werd getrokken en op haar stoel werd teruggegooid. Onderuitgezakt en met haar gezicht in haar handen bleef ze daar zitten. Ze probeerde het bloed te stelpen dat uit haar neus liep.
Ze voelde dat er iets tegen haar gezicht streek.
Kuchin gaf haar een handdoek.
'Neem me niet kwalijk. Ik ben impulsief. Ik moet je vriend namelijk dringend spreken. Hij is me iets schuldig.'
'Wat?' kon Katie moeizaam uitbrengen.
'Ook dat is voor jou niet van belang.'
'Ik weet niet waar hij is. Ik zweer het.'
'Maar je kunt met hem in contact komen.'
'Nee, dat kan ik niet. Ik...' Ze verstijfde weer, want ze zag dat hij haar mobiele telefoon omhooghield.
'Het is interessant dat we twee mobiele telefoons hebben gevonden. De tele-

foon die je in je hand had en die in je tasje. Die in je tasje leek sterk op de meeste telefoons, met contactpersonen, e-mails en een agenda. Maar deze hier, deze telefoon, had niets van die dingen. Volgens de telefoonlijst ben je maar twee keer op dit apparaatje gebeld. En die man die ik zoek, je vriend? Waarom denk ik toch dat hij iemand is die jou zo'n telefoon zou geven?'

'Dat heeft hij niet gedaan.' Katie veegde haar gezicht af.

'Dan heb je er dus geen bezwaar tegen dat ik dit laatste nummer terugbel? Om te kijken wie er opneemt?'

Katie sloeg haar ogen even neer. Ze probeerde haar ademhaling en zenuwen in bedwang te krijgen.

Wat had Shaw in godsnaam gedaan om zo'n kerel als deze kwaad te maken?

'Ik vat je stilzwijgen op als een bevestiging.'

'Hij komt niet.'

'Ik denk van wel.'

'Waarom?' zei Katie doodongelukkig.

Kuchin keek naar de foto van Shaw en Katie. 'Ik denk dat je wel weet waarom.'

•90•

Toen het gebeurde, lag Shaw op de bank. Hij keek op het schermpje van zijn telefoon en herkende het nummer. De telefoon die Frank aan Katie had gegeven. Ze belde hem terug. Hij liet zich weer op de bank zakken. Hij zou niet opnemen. Wat had dat voor zin? Hij werd nog verteerd door schuldgevoelens omdat hij met Reggie naar bed was geweest. Frank had hem verweten dat hij Anna's nagedachtenis had bezoedeld, en misschien had hij gelijk. Shaw wist nog steeds niet hoe het allemaal gebeurd was. Daarentegen wist hij wel dat hij had gewild dat het gebeurde. Hij had die vrouw willen hebben zoals hij geen ander had willen hebben. Misschien zelfs Anna niet. Hij kon het niet verklaren en had niet de energie om dat zelfs maar te proberen.

De telefoon hield op. Hij ging overeind zitten, wreef over zijn hoofd en voelde zich nu extra schuldig omdat hij niet had opgenomen. De telefoon ging weer. Oké, nu kreeg hij nog een kans om ten minste dit goed te maken.

'Hallo?'

'Bill Young?'

De stem uit de catacomben, toen al zo dichtbij, leek nu recht in zijn gezicht te schreeuwen. Shaw was bijna nooit meer bang. Niet dat hij zorgeloos was of zichzelf onkwetsbaar achtte. Verlammende angst was definitief uit zijn geest gebannen. Hij bracht een groot deel van zijn tijd in gevaarlijke situaties door. Als hij steeds weer verstijfde van angst, zou hij dood zijn. Degenen die zich niet door hun angst lieten overheersen, bleven het vaakst in leven. Hij was zo iemand.

Nu voelde Shaw een angst die hij heel lang niet meer gevoeld had. Maar die angst gold niet hemzelf.

'Hoe ben je aan dit nummer gekomen?' Hij wist het antwoord al, maar hoopte toch tegen beter weten in dat hij het mis had.

De volgende stem die hij hoorde, boorde die mogelijkheid de grond in. 'Shaw, blijf weg. Doe níét wat hij zegt. Blijf weg.'

Katie klonk bang, maar ook besluitvaardig. Die paar woorden die ze zei, herinnerden Shaw er op een grimmige manier aan hoe moedig ze was. Ze zat naast een van de grote psychopaten van deze wereld en zei tegen hem dat hij haar gewoon moest laten sterven. Frank had gelijk gehad; hij verdiende haar niet.

'Meneer Shaw?' zei Kuchin.

'Hoe heb je haar gevonden?'

'Dat doet er niet toe,' zei Kuchin. 'Ik heb haar. En nu wil ik jou en de vrouw.'
'Ik kan alleen namens mezelf spreken.'
'Jou en de vrouw,' herhaalde Kuchin.
'En dan laat je Katie gaan? Ja, goed. Ik kom. Alleen ik.'
'Als je alleen komt, kun je je de moeite besparen. Dan leeft je vriendin niet meer als je er bent.'
'Ik zeg je dat ik niet weet waar ze is.'
'Dan stel ik voor dat je heel erg je best doet om haar te vinden.'
'En als dat me niet lukt?'
'Ik heb een gereedschapskistje, meneer Shaw. Dat heb ik nog uit mijn geboorteland. In die kist zit gereedschap met heel veel overredingskracht, en soms maak ik daar gebruik van. Ik heb het kortgeleden gebruikt voor een andere kennis van me. Ik hoef je niet te vertellen dat hij er geen plezier aan beleefde. Ik haal mijn gereedschapskist niet vaak tevoorschijn, maar ik doe het voor je vriendin, als jij niet doet wat ik zeg. Ik maak videobeelden van mijn werk en stuur ze naar je toe.'
'En als ik haar kan vinden? Wat dan?'
'Ik bel je over twee uur op dit nummer terug.'
'Dat is niet genoeg tijd.'
'Over twee uur,' herhaalde Kuchin. 'Dan vertel ik je precies hoe en wanneer dit gaat gebeuren. En ik raad je sterk af met iemand anders dan "Janie" over dit gesprek te praten. Dat zou niets uithalen en er alleen maar voor zorgen dat je vriendin op de pijnlijkste manier sterft die ik voor elkaar kan krijgen. Je hebt de mooie plaatjes op de muur onder in die kerk gezien. Je weet waartoe ik in staat ben.'
'Luister...'
Maar Kuchin was weg. Shaw keek naar de telefoon alsof het een handgranaat zonder pin was die hij moest blijven vasthouden om iemand anders te redden. Maar het was geen granaat; het was een telefoon. En blijkbaar kon hij niemand redden. En Reggie? Hij kon haar niet vragen het te doen. Hij zou het niet vragen.
Als Kuchin weer belde, zou hij tegen hem zeggen dat hij Reggie had gevonden. Ze zouden een ontmoeting regelen. Hij zou daarheen gaan, een excuus verzinnen en zijn best doen om Katie er levend uit te krijgen. Dat was het enige wat hij kon bedenken.
Hij keek op omdat er iets tegen zijn deur bonkte.
'Ja?' Zijn stem sloeg over bij dat ene woord.
'Ik ben het, Reggie. Kunnen we praten?'
Shit.
'Ik wilde net naar bed gaan,' riep hij.
'Alsjeblieft.'

Hij aarzelde, maar maakte ten slotte de deur open en liet haar binnenkomen. Ze keek hem nieuwsgierig aan.
'Voel je je wel goed? Je ziet eruit alsof je moet overgeven.'
'Ik voel me goed.'
Ze ging in een stoel zitten, en hij op de bank.
'Wat is er?'
Reggie praatte, maar hij luisterde niet. Shaw wist dat Kuchin te slim was voor zoiets eenvoudigs als Shaws plan. Hij zou een bewijs willen hebben. Hij zou Reggie zelf aan de telefoon willen hebben. Shaw zou nooit de kans krijgen Katie te redden, tenzij...
'Shaw? Shaw?'
Hij keek op en zag dat Reggie naast hem stond en tegen zijn schouder duwde.
'Ja?' zei hij geschrokken.
'Er is verdomme niet één van mijn woorden tot je doorgedrongen.'
'Sorry. Zeg, het komt me nu niet zo goed uit.'
Ze keek naar de telefoon die hij nog in zijn hand had en keek hem toen argwanend aan. 'Wat is er aan de hand?' wilde ze weten.
'Niets.'
Ze knielde voor hem neer, met haar handen op zijn knieën. 'Er is iets aan de hand en je gaat me vertellen wat het is.'
Shaw kon nauwelijks een woord uitbrengen. Hij zag steeds weer beelden van Katie en Kuchin voor zich. 'Het is niets. Ik kan het wel aan.'
Ze stortte zich meteen op die woorden: 'Wat kun je aan?'
'Wil je er alsjeblieft over ophouden?'
'Hij is het, hè?'
'Wie?'
Ze pakte zijn brede schouders vast en schudde hem heen en weer. 'O, in godsnaam. Vertel op.'
Hij bleef abrupt staan, zodat ze omviel, en liep bij haar vandaan. 'Ik zei dat ik het wel aankon.'
Ze stond op en liep hem achterna. 'Hoe?'
'Ik bedenk wel iets.'
'Hij heeft iemand ontvoerd, hè? Iemand om wie je veel geeft?'
Hij draaide zich bliksemsnel om. Er gingen vreselijke verdenkingen door zijn hoofd, maar ze waren allemaal onzinnig. 'Hoe wist jij...?'
'Ik raadde het,' zei ze. 'Ik denk niet dat jij ooit bang zou zijn als alleen jij in gevaar verkeerde. Het moet dus om iemand anders gaan. Hoe heeft hij die persoon gevonden?'
Shaw liet zich op de zijkant van het bed zakken. 'Ik weet het niet.'
'Wie is het?'

'Ze heet Katie James.'
'Die naam komt me bekend voor.'
'Ze is journaliste.'
'Ja, inderdaad. Heeft hij haar ontvoerd? Weet je het zeker?'
'Te zeker.'
'En wat wil hij?'
'Mij.' Hij aarzelde en likte over zijn lippen. 'En jou.'
'Ons samen?'
'Ik heb tegen hem gezegd dat ik niet wist waar je was.'
'Daar trapte hij zeker niet in?'
'Wat denk je?'
'Waar en wanneer?'
'Reggie, vergeet het maar.'
'Te laat, Shaw.'
'Ik sta niet toe dat je dit doet.'
'Meen je dat nou? Dit is het beste wat ons kon overkomen.'
'Wat?' zei hij geschokt.
'Ik bedoel dat niet voor je vriendin. Dat vind ik heel erg,' voegde ze er vlug aan toe. 'Maar we zouden Kuchin nooit hebben gevonden, en nu nodigt hij ons bij zich uit. Dit is onze kans.'
'Het is niet bepaald een uitnodiging, Reggie. Hij gaat ons vermoorden.'
'Nee, hij gaat probéren ons te vermoorden,' verbeterde ze hem. 'En wij gaan hetzelfde met hem doen.'
'Nou, gezien de omstandigheden zou ik op hem wedden.'
'Toch is het onze enige kans.'
'Begrijp je wel dat als je met me meegaat je hoogstwaarschijnlijk op een sadistische, pijnlijke manier aan je eind komt? Is dat wel goed tot je doorgedrongen?' Hij wees naar de deur. 'Loop nou maar gewoon weg en blijf doorlopen.'
In plaats daarvan ging Reggie naast hem zitten. 'Nu zou ik iets grappigs kunnen zeggen om te laten blijken dat ik niet bang ben, al ben ik dat wel, maar ik denk dat ik het beter met de waarheid kan proberen.'
Shaw keek haar aan.
'Het liefst zou ik Kuchin nooit meer willen zien, Shaw, nooit meer. Ik zie de man steeds weer voor me. Ik word met hem wakker. Ik zie hem als ik over mijn schouder kijk. Het scheelde toen maar heel weinig of ik was doodgegaan. Ik zag zijn ogen. Die waren helemaal leeg. Ik had net zo goed een mug kunnen zijn. Het kan hem geen moer schelen. Een normaal, geestelijk gezond mens kan nooit begrijpen wat er in zo'n monster omgaat.'
'En toch wil je gaan?'
'Ik kan niet leven terwijl die kerel nog ademhaalt. Daar komt het op neer. Ik

wil hem zo graag te pakken krijgen, meer dan wat ook in mijn leven. Als het moet, vermoord ik hem met mijn eigen handen. Hij zal mij moeten vermoorden, want ik zal altijd op zoek naar hem blijven.'
'De man is het monster.'
'Nee, hij is *een* monster. Hij is niet het eerste en niet het laatste monster. En er moet met hem worden afgerekend.'
'Waarom doe je dit?'
Ze stond op. 'Zeg het maar als het tijd is om te vertrekken. Ik ben er klaar voor.'

De twee uren waren om en precies op dat moment ging de telefoon. Shaw had het goed voorspeld. Kuchin wilde Reggie spreken.
'Hallo, kleine Janie,' zei hij nadat ze had bevestigd dat ze aan de lijn was. 'Onze vorige ontmoeting werd ruw onderbroken. Ik verheug me erop je terug te zien.'
Reggie zei niets en gaf de telefoon alleen maar terug aan Shaw.
Ze bereidden zich voor. Ze zouden de volgende dag vertrekken. Ze mochten niemand iets vertellen. 'Als jullie je daar niet aan houden, is ze allang dood voordat jullie bij haar aankomen,' had Kuchin gewaarschuwd.
'Maar als je nu eens van plan bent haar toch te vermoorden?' had Shaw tegengeworpen.
'Ik geef je mijn woord dat ik de vrouw ongedeerd vrijlaat als jullie mijn instructies tot op de letter opvolgen.'
'Je woord?' had Shaw ongelovig gezegd.
'Als voormalig officier van de KGB.'
'Dat zegt me niets.'
'Op het graf van mijn moeder dan. Ik zweer het. Ik heb niets tegen je vriendin. Ik heb iets tegen jou en de vrouw.'
'Waar en wanneer?'
'Dat hangt ervan af waar je nu bent.'
'In je eigen achtertuin. Montréal.'
Shaw dacht dat Kuchin zijn adem even inhield. Het deed hem goed dat hij hem even had kunnen verrassen.
'Dat maakt de zaak eenvoudiger,' zei Kuchin. Hij zette de details uiteen.
Toen hij klaar was, verbrak Shaw de verbinding en keek hij Reggie aan. 'Doe je nog steeds mee?'
'Nu des te meer. Die arrogantie van hem maakt me woedend. Hij vindt het vanzelfsprekend dat wij makke schapen zijn op weg naar de slacht.'
Nou, zijn we dat dan niet? dacht Shaw.

•91•

De volgende middag kwamen Reggie en Shaw bij elkaar in een café tegenover het hotel waar ze logeerden. Shaw keek op zijn horloge.
'Nog een uur,' zei hij. 'Het adres waar we heen moeten, is een vijf uur durende taxirit hiervandaan.'
'Goed, dan hebben we de tijd om bij te praten, vriend.'
Shaw draaide zich met een ruk om toen hij die stem hoorde.
Whit stond naast hun tafel, met Dominic achter hem.
'Wat doen jullie hier nou weer?'
'Ik zal dat maar opvatten als een uitnodiging om te gaan zitten,' zei Whit, die dat dan ook deed. Dominic nam tegenover hem plaats. Hij liet het gips van zijn arm op de tafel rusten.
Shaw keek Reggie aan. 'Heb jij dit geregeld?'
'Ik heb ze gebeld om te vertellen wat er aan de hand is. Ze wilden zelf hierheen vliegen.'
'Ik heb de hele vliegreis geslapen,' zei Whit, terwijl hij zijn rug strekte. 'Nu ben ik mooi uitgerust voor onze trip.'
'Jullie gaan niet,' snauwde Shaw.
'Waarom niet?'
'Omdat hij twee personen verwacht, geen vier. En hij zei dat Katie dood zou gaan als ik me niet tot op de letter aan zijn instructies hield.'
'Daar hebben we over nagedacht,' zei Reggie. 'Als we daarheen gaan en ze nee zeggen, trekken Whit en Dominic zich terug.'
'Dacht je dat? De kans is veel groter dat ze worden vermoord.'
'Het is mijn eigen leven,' zei Whit fel. 'Ik mag ermee doen wat ik wil.'
Dominic knikte alleen maar instemmend.
'Maar als je je daar echt zo druk om maakt,' zei Reggie, 'bel dan Kuchin terug en vraag hem om toestemming. Je hoeft alleen maar het laatste nummer terug te bellen.'
Shaw haalde de telefoon uit zijn zak en keek er even naar voordat hij opkeek naar Whit. 'Besef je wel dat als hij het goedvindt jullie waarschijnlijk niet levend terugkomen?'
Whit keek zijn vriend aan. 'Ga je daarmee akkoord, Dom?'
'Ja, anders zou ik hier niet zijn.'
'Daar heb je je antwoord, vriend,' zei Whit.
Shaw belde. Het antwoord was een beetje verrassend. Zo te horen was Kuchin

blij dat hij nog twee personen aan zijn lijst kon toevoegen.
'Jullie zijn allemaal welkom,' zei hij voordat Shaw hoofdschuddend de verbinding verbrak.
'Alles in orde?' vroeg Reggie.
'O ja, nu hebben we vier begrafenissen in plaats van twee. Laat de champagne maar aanrukken.'

Ze namen een taxi naar de ontmoetingsplaats. Het was een pakhuis, en dat verbaasde Shaw niet.
'Altijd weer zo'n verdomd pakhuis,' zei hij tegen Reggie.
De deur zat niet op slot. Ze gingen naar binnen. Er was daar niemand. Er stond alleen een geelbruine GMC Yukon XL met de sleutels op de voorbank en een briefje met instructies onder de zonneklep.
Dat verbaasde Shaw, tenminste totdat hij erover nadacht.
'Als wij van plan waren een hinderlaag te leggen, hebben zij dat zojuist onmogelijk gemaakt. Toch hebben we voorlopig nog zelf het heft in handen, dus ik begrijp het niet helemaal.'
Ze reden Montréal in noordoostelijke richting uit. Twee uur later, nadat ze alle instructies hadden opgevolgd, reden ze op een smal weggetje in een gebied met veel bossen, met nergens een teken van menselijk leven. Toen ze tweehonderd meter over die grindweg hadden afgelegd, sloeg de motor van de auto plotseling af. Shaw probeerde hem te starten, maar dat had geen enkel effect.
'De tank is halfvol,' zei Reggie, wijzend naar het metertje op het dashboard. 'De rest ziet er ook normaal uit.'
'En het is een nieuwe wagen,' zei Whit vanaf de achterbank.
Shaw keek op naar de knop boven het spiegeltje. 'Hij heeft ook een OnStar-systeem.'
'Wat is dat?' vroeg Reggie.
'Dat is afstandsbediening voor het geval zich een noodsituatie voordoet of je jezelf buitensluit. Je kunt er ook de motor mee uitzetten als de auto is gestolen. Als iemand kans ziet dat systeem uit te schakelen of er gebruik van te maken, kunnen ze de motor op afstand uitzetten. Daar kan ik niets tegen beginnen.'
'Ik denk dat je gelijk hebt,' zei Reggie. Ze keek door het raam naar de twee wagens die naar hen toe kwamen rijden, een aan de voorkant en een aan de achterkant.
Er stapten zes mannen uit die SIG's, Glocks en MP5's op hen gericht hielden.
Twintig minuten later stonden ze naakt in een kring in een betonnen gebouwtje. Ze waren eerst met de hand en vervolgens met een scanner gefouilleerd en daarna afgespoeld met een harde waterstraal. Daarna waren metalen kammen herhaaldelijk door het haar van de mannen en over hun armen en benen ge-

trokken, zodat er lange, rode striemen achterbleven. Ze hadden ook Dominics gips afgesneden en weggegooid. Als vervanging hadden ze hem een mitella gegeven.
Toen ze waren opgedroogd, kregen ze schone kleren: een knalgele overall, ondergoed en sportschoenen met witte sokken.
'Waar was dat nou goed voor?' ging Whit tekeer terwijl hij zijn schoenen aantrok. 'Ze hebben ons bijna verzopen.'
Reggie kleedde zich aan achter een deur die open was gezet om haar een beetje privacy te gunnen, al hadden ze elkaar allemaal al naakt gezien.
Shaw knoopte zijn overall dicht; de mouwen en broekspijpen waren hem veel te kort. De sportschoenen zaten strak om zijn grote voeten. 'Het zijn maatregelen tegen surveillanceapparatuur. Tegenwoordig zijn er trackers die je in haarzakjes kunt inbouwen, of in valse huidvlekjes. Ze hebben ons gefouilleerd en gescand om naar de voor de hand liggende dingen te zoeken, en daarna hebben ze ons onder een waterstraal gezet om de verfijnde dingetjes te vinden.'
Whit rook aan zijn huid. 'Er zat nog iets anders in dat water. Waarschijnlijk kankerverwekkend,' zei hij prikkelbaar.
'Ik hoop voor je dat je daar lang genoeg voor leeft,' zei Shaw.
Toen Reggie haar overall had dichtgemaakt, kwam ze bij hen staan. 'Nou, ik zie dat je nog steeds een grote optimist bent.'
'Ik ben alleen maar realistisch.'
'Waarom denk je dat die overalls geel zijn?' vroeg Dominic.
'Als ik moest raden,' zei Shaw, 'zou ik zeggen: om ons niet zo gauw kwijt te raken.'
'Ons kwijtraken?' riep Whit uit. 'Hoe zouden ze ons kwijt kunnen raken?'
'Dat hangt van ons af, hè?' zei Reggie.

•92•

Na enkele uren werden ze met boeien om hun polsen en enkels, tape over hun mond en een kap over hun hoofd in een SUV met verduisterde ramen gezet en reden ze een hele tijd. Shaw had de seconden in zijn hoofd geteld. En hoewel hij kon aanvoelen dat ze niet over grote wegen reden, was hun snelheid vrij regelmatig geweest. Afgaand op het geluid van de motor en het gieren van de wind langs de SUV schatte hij die snelheid op minstens honderd kilometer per uur.
Toen de wagen eindelijk stopte, kon hij een ruwe inschatting maken. Ze hadden negen uur gereden. Hij wist niet in welke richting, al leek het hem niet waarschijnlijk dat ze in westelijke richting naar Montréal of in zuidelijke richting naar de Verenigde Staten waren gegaan. De beveiliging tussen de Verenigde Staten en Canada was niet zo streng, maar vier geboeide figuren met een kap over hun hoofd in een SUV zouden op zijn minst enige aandacht trekken. Zo niet, dan kon de hele grensbeveiliging wel afgeschaft worden.
Dat betekende dat ze naar het noorden of oosten waren gereden. Als ze negen uur lang een snelheid van honderd kilometer per uur hadden gehad, zouden ze Maine in de Verenigde Staten hebben doorkruist om in New Brunswick of Nova Scotia te komen. En toen de motor van de Yukon was uitgezet, was Quebec de dichtstbijzijnde grote stad geweest. Als je vandaar naar Halifax in Nova Scotia reed, was dat een afstand van veel meer dan de ongeveer vijfhonderd kilometer die zij hadden afgelegd. Daarom trok Shaw de conclusie dat ze meer naar het noorden dan naar het oosten waren gegaan, langs de grens met de Verenigde Staten maar niet eroverheen. Eén keer hadden ze een sanitaire stop gemaakt, maar daarna waren ze weer direct doorgereden.
Later gingen de deuren van de SUV open en moesten ze naast elkaar op hun buik in het laadruim gaan liggen. Gedurende enkele afschuwelijke ogenblikken dacht Shaw dat het was afgelopen. Dat ze nu werden geëxecuteerd. Als hij op de snelle ademhaling van zijn metgezellen mocht afgaan, dachten zij hetzelfde. In plaats daarvan werd er een zwaar dekzeil over hen heen gegooid en zei een stem: 'Geen geluid, of jullie vriendin is dood.'
De portieren van de wagen gingen dicht en ze reden verder. Toen stopten ze. De portieren gingen weer open. Er werd gepraat. De portieren gingen weer dicht en de wagen reed aarzelend naar voren om vervolgens te blijven staan. Shaw kon voelen dat ze geen vaste grond onder de voeten hadden. De wagen bewoog, maar de motor stond uit. Hij bewoog wel een beetje op en neer en heen en weer. Tenminste, dat deed datgene waarop de wagen stond.

Er gingen enkele minuten voorbij. Shaw hoorde nog meer geluiden, zoals het rinkelen van een bel en snelle voetstappen. Er volgde een slingerbeweging en hij had het gevoel dat ze van iets weg gleden, als een trein die een perron verliet. De eerste echte schok die hij voelde, gaf antwoord op die vraag.
We zijn op een boot. Waarschijnlijk een veerboot.
Het water was ruw, de overtocht oncomfortabel, vooral omdat ze dicht tegen elkaar aan achter in de wagen op hun buik lagen. Shaw hoorde Reggie kreunen en hoopte dat ze niet weer zo ziek zou worden als op de boot vanaf Amsterdam. En toen was het voorbij. Ze reden weer enkele uren en daarna stopte de wagen opnieuw. Ze werden eruit getrokken en moesten, de boeien nog om en de kappen nog op, achter elkaar aan lopen. Vervolgens werden ze ruw op zitplaatsen in een kleine ruimte geduwd. Shaw stootte met zijn hoofd tegen de bovenkant van wat het ook was waar ze in zaten. Er sloeg een motor aan. Hij hoorde de luchtstroom van een propeller en zijn maag maakte een sprongetje toen hij voelde dat ze omhooggingen. Toen wist hij dat ze in een helikopter zaten.
Shaw bleef de seconden aftellen en probeerde intussen hun snelheid na te gaan. Toen ze landden, waren er minstens achttienduizend seconden, oftewel vijf uren, verstreken. Als ze met een snelheid van meer dan tweehonderd knopen naar het noorden of oosten waren gevlogen, hadden ze meer dan duizend kilometer afgelegd. Dat zou op New Brunswick of zelfs Nova Scotia kunnen wijzen, al zouden ze in de Atlantische Oceaan zijn terechtgekomen als ze veel meer dan duizend kilometer naar het oosten waren gegaan. Maar vanwege de veerboot geloofde Shaw niet dat ze rechtstreeks naar het oosten waren gegaan.
Toen ze met de SUV vanuit Montréal door Quebec hadden gereden, hadden ze zich bij de zuidelijke punt bevonden van de strook water die door dat deel van Canada sneed, water met veerboten om aan de overkant te komen. Hij wist dat omdat hij ooit op een van die veerboten was geweest. Niemand zou een boot naar het noorden nemen om vervolgens weer over die strook water naar het zuiden of oosten te vliegen. Als New Brunswick of Nova Scotia de bestemming was, zouden ze aan de zuidkant in de helikopter zijn gestapt en helemaal geen gebruik van de veerboot hebben gemaakt. Je nam de veerboot als je naar het noorden ging, naar Hudson Bay of zelfs het poolgebied, of naar het oosten, naar Newfoundland of Labrador.
Toen de helikopter landde en ze uitstapten, wist Shaw dat ze niet binnen de poolcirkel waren; daarvoor hadden ze niet lang genoeg gevlogen, en ze waren onderweg niet geland om te tanken. Hij wist niet in wat voor een helikopter ze zaten, maar dacht dat met zoveel mensen aan boord vijf uur vliegen wel zo ongeveer het maximum was zonder te tanken. En het was te warm. Als hij zou moeten raden, zou hij zeggen dat ze meer naar het oosten dan naar het noorden waren gevlogen. Toen de helikoptermotor stil was en hij de oceaan tegen de

kust hoorde slaan, veronderstelde hij dat ze op de kust van Newfoundland of Labrador waren, wat nog steeds een heel groot gebied was. En het was hem ook nog niet duidelijk hoe die wetenschap hen kon helpen in de situatie waarin ze verkeerden.

De kap en tape werden nu eindelijk verwijderd. Ze keken om zich heen en lieten hun ogen aan het licht wennen. Ze hadden Montréal aan het eind van de middag verlaten en de schemering ging over in duisternis. Er was minstens een hele dag verstreken, rekende Shaw uit. Dat werd bevestigd door zijn knorrende maag.

Ze werden in een SUV gezet en reden bij de oceaan vandaan.

'Enig idee waar we zijn?' fluisterde Reggie tegen Shaw.

'Kop houden!' zei de man die naast de bestuurder zat.

Tien minuten later kwamen er lichten in zicht.

Het huis was opgetrokken van zware houtblokken, met een afgedekte voorveranda en een dak van cederspanen. Er stonden auto's voor. Op enkele honderden meters afstand zag Shaw een ander gebouw, dat donker was. In de verte zag hij de silhouetten van bergen. Het uiterste noorden van de Appalachen, dacht hij. In het verleden was hij een paar keer voor zijn werk in die omgeving geweest. Het was een onherbergzaam, uitgestorven gebied, waar je er niet op hoefde te rekenen dat er een politieman op de straathoek stond. Het recht werd hier bepaald door wie een geweer had of simpelweg de sterkste was.

De SUV stopte. Ze moesten uitstappen en naar het huis lopen, nog steeds met hun boeien om. De eerste die ze zagen, was Pascal. Hij grijnsde van oor tot oor. De tweede was Alan Rice. De derde was degene voor wie ze hier allemaal naartoe waren gekomen.

Fedir Kuchin liep de kamer in. Hij was informeel gekleed: een spijkerbroek met een overhemd en zware werkschoenen. Hij glimlachte niet triomfantelijk en keek ook niet kwaad. Zijn gezicht was ondoorgrondelijk. Dat vond Shaw verontrustender dan wanneer de man hem te lijf was gegaan. Dat gezicht liet zien dat hij zich beheerste en alles zorgvuldig had voorbereid. Maar wat was hij van plan?

Toen hij de volgende persoon zag, vergat hij Fedir Kuchin helemaal.

Een gehavende Katie James keek hem met een zwak glimlachje aan.

•93•

Wat er verder ook gebeurt, dacht Shaw toen hij Katie daar zag staan, ik vermoord hem voordat dit voorbij is.

'Ben je gewond, Katie?' vroeg hij, terwijl ze naar hem toe wilde lopen maar de weg door Pascal versperd zag.

'Nee. Het spijt me zo.'

'Spijt het jou? Ik ben de reden waarom je betrokken bent geraakt bij deze...'

De knal kwam zo onverwachts dat Rice ineenkromp en zelfs Pascal ervan schrok.

Een kogel vloog zo dicht langs Shaws oor dat het een wonder leek dat hij het nog had. Kuchin liet het wapen zakken en keek eerst Reggie en toen Shaw aan.

'Bedankt voor jullie aandacht,' zei hij. 'Het is eigenlijk heel eenvoudig.' Hij wees met het pistool naar Katie. 'Zij was het lokaas dat ik gebruikte om jullie hierheen te krijgen. Nu zijn jullie er.' Hij liet zijn blik over Whit en Dominic gaan. 'Alle vier, inclusief de Ier die mij zo graag in een kist met botten wilde leggen.'

'Daar verheug ik me nog steeds op,' zei Whit, die het voor elkaar kreeg te grijnzen.

Kuchin keek Reggie aan en drukte zijn pistool tegen haar hoofd. 'En de mooie dame. Die mij zo onnadenkend maakte, zo volgzaam. Je hebt me twee dingen gemaakt waarvan ik dacht dat ik ze niet was, namelijk oud en dwaas.'

'Graag gedaan,' zei Reggie. Ze keek hem recht in zijn ogen. De aanraking van het koude metaal bracht haar blijkbaar helemaal niet van haar stuk.

Kuchin drukte nu met de loop tegen haar voorhoofd, en Shaw stond al op het punt om hem aan te vliegen. Maar Kuchin haalde het wapen even snel weer weg. 'Zo gemakkelijk gaat het niet,' zei hij. 'Je hebt me je kleine ritueel laten ondergaan. Ik wil dezelfde gelegenheid krijgen.'

Kuchin keek nu Dominic aan: 'En hier hebben we de geluksvogel. De man die een schot van dichtbij met een semiautomatisch pistool van groot kaliber in zijn voorhoofd overleefde omdat mijn trouwe medewerker Pascal me een ongeladen wapen had gegeven.'

Kuchin bracht zijn pistool omhoog en drukte het tegen Dominics voorhoofd zoals hij bij Reggie had gedaan. Alleen haalde hij deze keer de trekker over. Het achterhoofd van de jongeman explodeerde. Bloed, weefsel en bot werden naar voren gestuwd door het vrijkomen van kinetische energie.

'Dominic!' riep Reggie uit, terwijl hij ruggelings op de hardhouten vloer viel, zijn ogen wijd open en zijn lippen enigszins van elkaar.

Whit deed verwoede pogingen om bij Kuchin te komen, maar geketend als hij was, kon hij alleen maar voorover vallen. Kuchin zette zijn voet op Whits hoofd en pinde hem daarmee vast zoals hij met een insect zou hebben gedaan.

Shaw stond daar alleen maar. Hij keek naar de dode Dominic, keek toen Reggie aan, wier gezicht nat van de tranen was, en ten slotte Katie.

Het spijt me, vormde hij met zijn lippen.

Hij zag aan haar gezicht dat ze het begreep, maar hoe zou ze het echt kunnen begrijpen? Hoe kon iemand zoiets begrijpen?

Kuchin stak het verhitte pistool in zijn holster. Op zijn gezicht had zich geen enkele verandering afgetekend. Blijkbaar maakte het voor hem niet uit of hij iemands hersenen uit zijn hoofd schoot of een praatje over het weer maakte.

'Niemand heeft twee keer zoveel geluk,' zei hij. Hij haalde zijn voet van Whits gezicht en gaf zijn mannen een bevel. De Ier werd door twee van de lijfwachten overeind getrokken en schreeuwde daarbij obsceniteiten naar Kuchin.

Toen Whit eindelijk stil was en trillend naar het lijk van zijn vriend stond te kijken, zei Kuchin: 'Iets anders hadden jullie toch niet kunnen verwachten? Je wist dat je zou sterven als jullie hierheen kwamen. We maken het niet ingewikkeld. Ik hou van eenvoud. Daar heb ik altijd al van gehouden.'

'Zoals die kamer in je penthouse?' zei Shaw. 'Die was eenvoudig genoeg. Bureau, archiefkasten, kleerkasten met je oude uniform. En je kleine filmarchief.'

Kuchin keek hem aan. Het pistool kwam uit de holster. Hij zette de loop tegen Shaws voorhoofd. 'Ik heb een plan,' zei Kuchin. 'Een doordacht plan. Maar ik kan het altijd veranderen.' Hij spande de haan.

Voordat iemand kon bewegen, werd er een hand op zijn arm gelegd. 'Alsjeblieft,' smeekte Katie James. 'Alsjeblieft, niet doen.'

Kuchin keek eerst haar en toen Shaw aan. 'Ik heb je beloofd dat ze ongedeerd zou worden vrijgelaten als je mijn instructies opvolgde.'

'Daar hou ik je aan,' zei Shaw.

'Grappig dat je dat zegt terwijl ik een pistool tegen je hoofd druk.'

'Je hebt het gezworen op het graf van je moeder. Alleen het feit dat ik in je penthouse ben geweest, verandert dat niet.'

Kuchin aarzelde even, maar haalde ten slotte het pistool weg. Hij wees naar Katie. 'Zij blijft hier. Jullie vier gaan daarheen.' Hij wees door het raam naar de duisternis.

'Je kunt niet goed tellen,' zei Shaw. 'We zijn nog maar met z'n drieën over.'

'Je begrijpt me verkeerd. Daarom heb ik hem vermoord. Omdat ik wilde dat jullie met zijn vieren waren, en hij was de vijfde.'

Shaw keek hem verbaasd aan. Kuchin knipte met zijn vingers. Een van zijn mannen bracht een gele overall en sportschoenen naar voren. Kuchin pakte ze aan en wendde zich tot Alan Rice.

'Alan, alsjeblieft, trek dit aan.'
Rice deed een stap achteruit. Zijn gezicht werd eerst rood doordat het bloed erheen stroomde, en toen bleek doordat de realiteit van wat Kuchin zei tot hem doordrong. 'Evan?'
Kuchin gooide Rice de overall en schoenen toe. Het lukte hem de overall op te vangen, maar de schoenen vielen op de vloer.
'Evan?' zei hij opnieuw. Zijn lippen trilden en hij wankelde op zijn benen.
'Je had in de kerk beter moeten mikken, Alan.' Hij streek over zijn eigen oor. 'Evengoed scheelde het niet veel. Mijn huid was zelfs een beetje geschroeid.'
'Maar dat was per ongeluk. Ik mikte op hem.' Hij wees naar de dode Dominic. 'Ik raakte hem.'
'Dat je hem raakte, was per ongeluk. Dat je mij miste, was een onvergeeflijke zonde.'
'Ik... ik ben niet goed met vuurwapens. Dat weet je.'
'Je hebt de afgelopen zes maanden schietlessen genomen. Ik heb je door Pascal laten volgen. En je hebt je ook laten ontglippen dat je verstand van vuurwapens hebt. Je hebt maar één fout gemaakt: omdat je een papieren doelwit op vijfentwintig meter afstand kon raken, dacht je dat je in een chaotische situatie iemand op zeven meter afstand kon doden. Dat kon je niet. En dus bleef ik leven.'
'Je vergist je, Evan. Ik heb die lessen genomen om je niet teleur te stellen als er iets zou gebeuren. Ik wilde je niet teleurstellen. Je hebt mijn leven gered.'
'Ik heb je gezegd dat ik de zaken in de gaten zou houden.'
Rice leek nieuwe moed te krijgen. 'Maar ik heb niets gedaan wat in strijd met jouw belang was. Dat moet je hebben geconstateerd.'
'Over elke cent werd verantwoording afgelegd.'
'Dan begrijp ik niet wat er aan de hand is.'
'De vrachttarieven zijn niet gestegen, Alan. De brandstofprijzen zijn zelfs met zestig procent gedaald in een jaar. Vrachtschepen varen nog steeds op brandstof, nietwaar? Het vergde enig zoekwerk, maar we hebben de rekening met het brandstofgeld gevonden.'
'Nee, je vergist je. Dat was zo omdat de zendingen met twee schepen kwamen. Dat heb ik je verteld.'
'Maar ze kwamen met één schip, niet met twee, en jij bracht de dubbele brandstof in rekening. Ik weet dat omdat je collega in de haven Pascal daar alles over heeft verteld, voordat Pascal zijn tong afsneed. En daarna probeerde je mij te vermoorden om de onderneming helemaal over te nemen.'
'Nee, Evan, nee, ik...'
'Trek die kleren en schoenen aan, Alan. Nu meteen. Anders krijg jij de volgende kogel in je hersenen. Je mag kiezen.'
Snikkend trok Alan Rice ze aan, maar Pascal moest hem helpen, zo erg trilde hij.

Kuchin wendde zich tot de anderen. 'Jullie krijgen een uur voorsprong. Ik raad je aan niet naar de oceaan te gaan, want het water komt zelfs 's zomers niet ver boven de tien graden.' Hij wees naar het raam links van hem. 'Ik zou die kant op gaan. maar bedenk wel dat dit ooit een gletsjer is geweest. Er zijn veel fjorden, met zulke diepe inhammen dat je er voorgoed in kunt verdwijnen, snelstromend water en hellingen die snel in afgronden overgaan. Bovendien zijn daar dieren die het 's nachts op jullie hebben voorzien.'
'Zoals jij?' zei Reggie.
'Vooral zoals ik.'
'Dus het wordt een soort jacht?' vroeg Shaw.
'Niet een soort,' antwoordde Kuchin. 'Het ís een jacht.'
'Dus wij moeten het ongewapend opnemen tegen jou en al je mannen? Het is me de jacht wel.'
'Nee, jullie allemaal tegen alleen mij.'
'Maar jij hebt wapens.'
'Natuurlijk.'
'En als we wegkomen, is de zaak afgedaan?'
'Jullie komen niet weg. Het land is hier tot kilometers in de omtrek mijn eigendom. En het land dat niet van mij is, is ook niet van iemand anders. Er is daar niets. Niets. Alleen jullie en ik.'
'En Katie?'
'Als jij je aan mijn instructies houdt, wordt ze ongedeerd vrijgelaten.'
'Ik wil met Shaw mee,' zei Katie.
Kuchin negeerde haar en keek in plaats daarvan op zijn horloge. 'Jullie hebben nu negenenvijftig minuten.' Hij knikte zijn mannen toe, die de drie gevangenen losmaakten.
Shaw keek naar Katie, waarschijnlijk voor het laatst, veronderstelde hij. Hij deed zijn mond open, maar wat kon hij zeggen? Blijkbaar voelde zij hetzelfde. Daarom keken ze elkaar alleen nog even met een verdrietige glimlach aan.
Reggie trok Whit weg, die nog steeds naar Dominics lijk stond te staren. Ze volgden Shaw naar buiten en zetten het meteen op een lopen.
Alan Rice was niet in beweging gekomen.
'Alan?' zei Kuchin.
'Alsjeblieft, Evan, alsjeblieft, doe dit niet,' klaagde de jongere man.
'Je hebt het zelf gezegd. Ik betaal ze duizenden en toch willen ze miljoenen. Jij wilde meer; zo simpel is het. En ga nu niet smeken. Mannen smeken niet.'
Hij schoot vlak naast Rice een kogel in de vloer. Meteen sprong Rice overeind en rende de deur uit. Katie James werd weggeleid en in een andere kamer opgesloten.
Toen wendde Kuchin zich tot Pascal. 'Haal de honden.'

•94•

Alan Rice sprintte hen voorbij, maar bleef algauw achter omdat hij steken in zijn zij kreeg. Blijkbaar had hij geen goede conditie. Hij zou een blok aan het been van de rest zijn, zodat Kuchin hen gemakkelijker te pakken zou kunnen krijgen. Daarom was Shaw geneigd hem achter te laten, totdat hem iets anders te binnen schoot. Hij liet zich terugzakken en legde zijn hand onder Rice' arm om hem voort te helpen. 'Zoek je tempo. Niet te snel en niet te langzaam.'
'Oké, oké,' hijgde Rice, en hij paste zijn stappen beter af.
Reggie, die blijkbaar aanvoelde wat Shaw deed, liet zich ook terugzakken. Whit rende voorop, zijn hoofd gebogen, zijn gedachten ongetwijfeld nog bij Dominic.
'Wat kun je ons over deze omgeving vertellen?' vroeg Reggie. 'Alles waar we wat aan hebben.'
'Wat bijvoorbeeld?' zei Rice.
Shaw zei: 'Ik neem aan dat we in Newfoundland of Labrador zijn.'
'Het is Labrador. Aan de oceaankant.'
'Hoe wist je dat?' vroeg Reggie aan Shaw.
'Ik had veel tijd om seconden te tellen,' antwoordde hij.
Rice snauwde: 'Er is hier niets. We kunnen het wel schudden. We zijn dood.'
Ze kwamen langs een meertje met smerig water. Voordat Shaw er erg in had, pakte Reggie opeens Rice vast, trok hem naar het meertje en duwde hem erin. Hij ging kopje-onder en kwam sputterend boven. Ze duwde hem weer onder en hield hem daar enkele ogenblikken.
Toen hij weer bovenkwam, riep hij: 'Wat doe je nou?'
'Voor het geval je een elektronische tracker draagt,' zei ze. 'Water en elektronica verdragen elkaar niet goed.'
Shaw keek haar even aan. 'Goed van je. Daar had ik aan moeten denken.'
'Het leek me net iets voor Kuchin om een spion bij ons onder te brengen onder het mom dat hij hem straft.'
'Laten we doorlopen,' zei Shaw.
Toen ze daar draafden, zei Shaw: 'Wat kun je ons nog meer vertellen?'
'Hij heeft ook jachthonden die elke geur volgen.'
'Dat is ook een reden waarom ze onze kleren hebben ingenomen,' zei Shaw. 'Voor de honden.'
'Heeft hij dit al eerder gedaan? Op mensen jagen?'
'Nou, ik weet dat hij niet op dieren jaagt. Hij heeft me verteld dat hij daar een hekel aan heeft.'

Reggie trok een grimas. 'Nou, daar heb je je antwoord. Hij heeft jachthonden, maar hij jaagt niet op dieren.'
'Tenminste niet op dieren met vier poten,' zei Shaw.
'Hij is wreed en onvoorspelbaar,' voegde Rice eraan toe.
'Dat hij wreed is, is tot daaraan toe, maar ik maak me zorgen over die onvoorspelbaarheid.' Shaw keek om zich heen. 'Lopen we nu in de richting van waaruit iemand met een auto hierheen zou komen?'
'Dat is in het donker moeilijk te zien, maar ik denk van wel.'
'Wat is er dichtbij?'
'Niets. Nou ja, er is een landingsbaan, ongeveer veertig kilometer in de richting waarin we nu lopen, maar voor zover ik weet, hebben we daar geen vliegtuig. Goose Bay is misschien het dichtste bij, maar dat is ver weg. Uren met de auto, dagen te voet.'
'Heeft hij hier wapens?'
'Wat dacht je? Hij heeft in het huis een wapenkluis vol met die dingen.'
'Ken jij de combinatie van die kluis?'
'Ja, die heb ik in mijn zak zitten, nou goed?'
Shaw gaf een harde ruk aan de arm van de man en bleef staan. Hij gooide Rice bijna op de grond. 'We kunnen je hier gewoon achterlaten. Dan winnen we tijd doordat Kuchin even met je bezig is. Wil je dat? Of hou je nou eens op met die flauwe grappen en probeer je ons te helpen?'
'Ik weet niets wat jullie kan helpen. Ik ben hier vaak geweest, maar ik kom en ga gewoon met het vliegtuig. Ik ga het huis bijna nooit uit. Waller, Kuchin of hoe hij ook mag heten, kent deze omgeving beter dan wie ook.'
'Dat is geruststellend,' zei Reggie grimmig.
'Als hij honden heeft,' zei Shaw, 'moeten we daar iets aan doen.'
'Hoe?' vroeg Reggie.
'Onze geur veranderen.'
'Hoe doen we dat?' vroeg Rice, die hijgend met hen mee liep. 'Ik dacht dat honden zich niet voor de gek lieten houden.'
'Ook honden zijn in de maling te nemen, zelfs speurhonden. En we hebben één voordeel.'
'Wat dan?' vroeg Reggie.
'Snuif eens.'
'Wat?'
'Haal eens diep adem.'
Rice en zij ademden diep in. Rice kokhalsde bijna, terwijl Reggie haar neus optrok. 'Rotte eieren,' zei ze.
'Zwaveldioxide,' verbeterde Shaw haar. 'Je hebt hier waarschijnlijk veel metamorf gesteente. Dat betekent veel zwavel en waarschijnlijk ook zwavelplassen.'

'Dus?' begon Reggie langzaam.
'We bedekken ons met de geur. Dan ruiken we net als al het andere hier. Het is niet gegarandeerd dat het werkt, maar misschien brengen we de honden genoeg in verwarring. We hebben niet veel mogelijkheden. En we moeten die overalls binnenstebuiten keren. De voering is niet zo fel gekleurd als dat neongeel.'
Hij rende vooruit om dat tegen Whit te zeggen. Ze keerden hun overalls om. Ze volgden de sterke geur en twintig minuten later vonden ze een ondiepe waterplas die naar het natuurlijke mineraal rook.
'Moeten we daarin?' riep Rice uit.
'Ja, als je nog een tijdje in leven wilt blijven,' zei Shaw. 'Als je er maar niet van drinkt.'
Drijfnat, verkleumd en een uur in de wind stinkend liepen ze nog een tijdje door naar het westen. Toen gebaarde Shaw hen te stoppen. Hij keek gefrustreerd. 'Dit is helemaal verkeerd.'
'Waar heb je het over?' vroeg Whit, zijn natte haar in zijn ogen. 'We proberen die kerel voor te blijven. Hij is achter ons en komt deze kant op. Dus moeten wij die kant op.' Hij wees recht naar voren.
'En dat is precies wat hij wil. Hij zei tegen ons dat we deze kant op moesten gaan, Whit. Waarom denk je dat hij dat deed?'
'Een hinderlaag?' antwoordde Reggie. 'Drijft hij ons naar een plaats waar we niet verder kunnen?'
'Dat denk ik. Ik geloofde hem trouwens ook niet toen hij zei dat het alleen een kwestie van hem en ons was.'
'Wat doen we daaraan?' vroeg Whit.
'Ik heb het altijd een goede tactiek gevonden om naar rechts te gaan als je tegenstander denkt dat je naar links gaat.'
'Wat bedoel je?'
Shaw zei: 'Ik bedoel dat we een omtrekkende beweging moeten maken, naar het huis terug.'
'Als hij nu eens dacht dat we dat zouden doen en ons op die manier in een hinderlaag laat lopen?'
'Dan verdient hij het waarschijnlijk te winnen.'
'Hij zál winnen,' jammerde Rice.
Voordat Shaw kon reageren, greep Reggie de man bij zijn nek vast en kneep erin. 'Vertel eens, stuk verdriet. Bedroog je hem echt met die vrachtkosten?'
Rice zei niets. Ze kneep harder. 'Nou?'
'Ja.'
'En heb je geprobeerd hem dood te schieten?'
Rice knikte. Hij keek doodongelukkig.
'Dan vervloek ik je omdat je mis hebt geschoten. Laten we nu verdergaan.'

•95•

Kuchin liep alleen. Hij had zijn geweer in zijn rechterhand en hield de loop omlaag. Verderop hoorde hij het blaffen van de honden. Eigenlijk maakte het niet uit of de dieren het spoor konden volgen of niet. Geuren waren hier problematisch vanwege het terrein en de samenstelling van het gesteente. Hij geloofde dat een man als Shaw ervaren was in het ontwijken van zelfs de beste speurhonden. Dit was een schaakpartij en je moest minstens vijf zetten vooruitdenken. Toen hij nog bij de KGB zat, had Kuchin verraders achtervolgd door de modder, de viezigheid, het ijs en de wateren van Oekraïne. Hij had bijna altijd succes gehad, geholpen door zijn grote verlangen om nooit een nederlaag te lijden. Door diezelfde eigenschap had hij de carrièreladder van de veiligheidsdienst bliksemsnel beklommen. Superieuren hielden van mannen als Kuchin, want die zorgden ervoor dat zijzelf goed overkwamen op hún superieuren.

Hij had zich lang afgevraagd hoe hij dit zou doen. Hij zou ieder van hen naakt op een tafel willen binden om dan zijn metalen gereedschapskoffertje tevoorschijn te halen. Hij wilde hun huid afpellen, hun darmen eruit snijden en hen folteringen laten ondergaan waarvan Abdul-Majeed, al was hij ook ernstig verminkt, zich nooit een voorstelling had kunnen maken. Maar uiteindelijk had hij daarvan afgezien, vooral omdat ze in tegenstelling tot Abdul-Majeed moed hadden getoond. Ze waren een directe confrontatie met hem aangegaan en hadden daarmee hun leven op het spel gezet. Ze hadden zich niet verstopt, hadden het moorden niet aan een gedrogeerde knecht overgelaten, zoals de moslim had gedaan. Daarmee hadden ze toch wel enig respect bij Kuchin afgedwongen. Rice was een ander geval. Hij zou hoe dan ook sterven, maar Kuchin had hem uit praktische overwegingen bij de anderen gezet. Hij was niet van plan te veel tijd aan Alan Rice te verspillen. Dat was hij niet waard.

Zo bleef alleen de jacht over. Hier, op zijn eigen terrein, gaf Kuchin hun een kans, al was het een heel kleine. Hij was niet achterlijk. Hij zou dit overleven, en zij niet, maar nu hadden ze tenminste de gelegenheid hun dood nog even uit te stellen. En Kuchin zelf zou uiteindelijk ook niet ontsnappen. In zekere zin was voor hem de cirkel nu rond. Ze wisten van de kamer in zijn penthouse. Ongetwijfeld waren er nog meer die daarvan wisten. Waarschijnlijk waren die mensen op datzelfde moment al bezig de bewijzen te verzamelen die ze nodig hadden om hem naar Oekraïne te sturen, waar hij terecht zou staan, met zijn executie als onvermijdelijk resultaat.

Waarschijnlijk zullen mijn landgenoten me vierendelen.
De dagen dat hij zich kon schuilhouden waren voorbij. Evan Waller was dood. De Canadese zakenman was een zwakke imitatie van de man die Fedir Kuchin werkelijk was. Als het voorbij was, zou hij niet vluchten. Hij had geen zin meer om zich te verstoppen. Waarschijnlijk zouden ze hem hier te pakken krijgen, in zijn laatste bastion. Uiteindelijk zouden ze winnen omdat ze met een veel groter aantal waren, maar hij zou velen van hen meenemen. Voor een oude krijger was dat een passende manier om ten onder te gaan. Op zijn eigen voorwaarden. Hij glimlachte. En misschien zou dit ertoe leiden dat hij eindelijk zijn plaats in de geschiedenis kreeg. De ware beul van Kiev. Maar dat zou later komen. Deze nacht moest hij een eind aan vier levens maken. Hij verwachtte niet dat ze gemakkelijk zouden sterven, zeker niet Shaw en de vrouw. Ze zouden zich tot het uiterste verzetten. Ze hadden een overlevingsinstinct. Nou, hij ook. En hij was van plan de vrouw voor het laatst te bewaren. Hij had speciale plannen met haar. Zij zou er het langst over doen om te sterven.
Hij bleef staan, bracht zijn geweer omhoog en keek door zijn elektronische vizier naar een punt op enkele honderden meter afstand. In Afghanistan hadden de Sovjets erin uitgeblonken met hun sluipschutters en helikopters op grote afstand mensen te doden. Ze zouden de oorlog misschien hebben gewonnen als de Amerikanen de moedjahedien niet van raketwerpers en een heleboel bijbehorende munitie hadden voorzien. Kuchin kon enige troost putten uit het feit dat sommige van diezelfde wapens nu tegen de Amerikanen werden gebruikt. Een schrale troost. Die primitieve Afghanen hadden het machtige Rode Leger en daarmee een supermacht verslagen.
Als hij de trekker van zijn geweer overhaalde, kon hij de kariboe doden die daar in de verte naar voedsel aan het zoeken was. Maar net als de vorige keer had hij er geen behoefte aan om dat leven te beëindigen. Hij liep door, zijn ogen scherp, al zijn andere zintuigen alert.
Alan Rice was een teleurstelling geweest, maar eigenlijk had Kuchin dat wel kunnen verwachten. Hijzelf had op een gewelddadige manier de zaken van zijn mentor overgenomen, dus waarom zou hij van zijn eigen tweede man iets anders verwachten? Ambitieuze mannen die iets wilden hebben, namen het. Er was wel een verschil: Kuchin was het soort man dat zo'n doel kon verwezenlijken. Hij had lef en was bekwaam. Rice was in beide opzichten tekortgeschoten. Hij was niet bekwaam genoeg en het ontbrak hem al helemaal aan het lef om een man als Kuchin ten val te brengen. Dat was trouwens juist de reden geweest waarom Kuchin hem in dienst had genomen. Je moest nooit een man binnenhalen die meedogenlozer was dan jijzelf.
Hij wist dat ze ergens voor hem waren en dat ze in een gestaag tempo vooruit probeerden te komen. Op een gegeven moment zouden ze hun eigen tactiek in

twijfel trekken, misschien zelfs onderling ruziemaken. Op die manier zouden ze tijd verspillen en de voorsprong die hij hun had gegeven kleiner maken. Misschien veranderden ze van richting omdat ze dachten dat hij een reden had gehad hen die bepaalde kant op te sturen. Dat had hij ook in zijn overwegingen betrokken, net als andere factoren.
Hij keek op zijn verlichte horloge. Over drie uur zou de nacht het donkerst zijn. Daarna zou de hemel geleidelijk lichter worden, totdat over iets meer dan zes uur de zon opkwam. Kuchin verwachtte dat alles dan voorbij zou zijn. De lijken zouden naar de oceaan worden gebracht en verzwaard in het water worden gegooid om nooit meer gevonden te worden, behalve door de vissen die ze zouden verslinden.
Hij zette het geweer weer aan zijn schouder en keek naar het dradenkruis. Kuchin had jarenlang gebruikgemaakt van het SVD-vizier waaraan Russische sluipschutters de voorkeur gaven, maar twee jaar geleden was het hem gelukt de Advanced Combat Optical Gunsight, ACOG, te bemachtigen die veel door de Amerikaanse strijdkrachten werd gebruikt. Het was een verlicht telescopisch reflexvizier. De schutter had zijn beide ogen open als hij de ACOG gebruikte, en dus niet één oog dicht, omdat de hersenen het beeld dat op het dradenkruis van het dominante oog verscheen automatisch op de andere pupil overzetten. Dat zorgde voor een normale diepteperceptie en een volledig gezichtsveld. Allemaal dure terminologie, maar het gevolg was wel dat Kuchin een doel veel sneller kon vinden en neerleggen dan vroeger. En omdat hij nu vier doelen had die hij moest vinden en neerleggen, konden een paar seconden tijdwinst van grote waarde zijn.
Kuchin had een wapen dat met één schot alles kon doden wat het raakte. Maar dat wilde hij niet. Hij wilde het langzaam aanpakken. Alles draaide om timing. Hij had het volste recht om kwaad te zijn, woedend op mensen die hun best hadden gedaan hem te vermoorden, maar hij was te sluw om dit te persoonlijk te laten worden. Als je je door emoties liet leiden, verloor je bijna altijd. Hij zou zich bij de jacht laten leiden door zijn bekwaamheid en rationaliteit. De emotie, de vreugde kon later komen, als het achter de rug was en er weer vier mensen op de grond lagen, gedood door hem.

•96•

Shaw en de anderen waren teruggegaan, maar wel een heel eind bij de route van de heenweg vandaan gebleven. Op die manier was het ze gelukt het huis te bereiken, dat nu donker was. Bijna een uur geleden hadden ze de honden voor het eerst horen blaffen, maar daarna waren de geluiden in de verte verdwenen. Reggie was in een diepe groef gevallen, ooit uitgesleten door een gletsjer, maar ze hadden haar eruit kunnen trekken. Rice was doodmoe en Shaw had hem de laatste kilometer moeten helpen.

Ze keken met zijn vieren naar het donkere huis. Er stonden geen auto's bij.

Reggie fluisterde: 'Denk je dat ze allemaal buiten zijn om Kuchin te helpen naar ons te zoeken?'

'De man is bij de KGB geweest. Het zou wel heel vreemd zijn als hij geen bewaking had achtergelaten,' antwoordde Shaw.

'Hoe gaan we het aanpakken dan?'

'We gebruiken het verrassingselement. Dat is het enige wat we hebben. We moeten wapens hebben.'

'Is dat alles?' vroeg Reggie. 'En je vriendin dan?'

'Als ze hier is, nemen we haar mee.' Hij keek Whit aan. 'Jij vormt de achterhoede. Ik werk me naar voren. Als je iemand ziet, moet je zacht fluiten.'

'Daarmee verraden we ons,' zei Reggie.

'Wat wou je anders doen?' snauwde Shaw. 'Ik heb mijn walkietalkie bij mijn mitrailleur achtergelaten.'

'Dan maar fluiten,' beaamde Whit.

'En wij?' vroeg Reggie. Ze wees naar Rice en haarzelf.

'Als het misgaat, maken jullie dat jullie hier wegkomen. Ga naar het water en probeer vanaf de kust een teken aan een schip te geven.'

Reggie keek niet blij, maar ze hield haar mond. Het was duidelijk dat ze het niet leuk vond om de leiding aan Shaw over te laten, maar hij had duidelijk meer ervaring met dit soort dingen dan zij. En Whit accepteerde hem ook als leider.

Een paar minuten later was Shaw bij de achterdeur en tuurde door de ruit naar binnen. Hij schrok even toen hij haar zag. Katie James zat stevig vastgebonden op een stoel. Blijkbaar was ze in slaap gevallen. Hij probeerde de deurknop. Op slot. Dat was te verwachten. Wat hij niet had verwacht, was dat hij Whit op zijn buik de kamer in zag schuiven. Whit zag Shaw bij het raam, kwam overeind, kroop de kamer door en deed de deur open.

'Ik ben door een raam geklommen,' zei hij. 'Volgens mij is hier niemand.'
Ze maakten Katie vlug wakker en maakten haar los.
'Waar is iedereen?' vroeg Shaw nadat Katie en hij elkaar kort maar innig omhelsd hadden.
'Allemaal buiten op zoek naar jullie, denk ik. Ze hadden ook honden.'
'Die hebben we gehoord.'
Whit keek om zich heen, zijn gezicht samengetrokken van emotie. 'Waar is Dominics lichaam?'
'Dat hebben ze weggehaald. Ik weet niet waarheen. Ik vind het zo erg.'
'Ja,' zei Whit.
'Hij verwachtte vast niet dat jullie terug zouden komen en langs hem zouden glippen,' zei ze.
'Blijkbaar niet.'
'Wat nu?' vroeg Whit.
'Geweerkluis.'
Ze vonden hem en waren twintig kostbare minuten kwijt aan vergeefse pogingen hem open te breken. Ten slotte gooide Shaw het breekijzer dat hij in de garage had gevonden op de vloer. Aan de andere kant van die zeven centimeter dikke deur zat waarschijnlijk genoeg vuurkracht om hen hier veilig weg te krijgen, maar hij kon er niet bij.
'Nou, blijkbaar hielden ze er toch rekening mee dat we op deze manier terug zouden komen,' zei hij.
'Denk je dat ze op ons wachten als we weggaan?' vroeg Whit. 'Ze doen net alsof iedereen weg is, laten ons erin, laten ons Katie bevrijden en overvallen ons dan als we weggaan?'
'Op dit moment verbaas ik me nergens meer over,' zei Shaw.
Ze doorzochten de rest van het huis, maar Shaw vond alleen twee kartelmessen in de keuken. Hij gaf er een aan Whit.
'Messen tegen geweren?' zei Whit.
'Het beste wat we hebben. Laten we nou eens kijken of we een telefoon kunnen vinden, of iets anders waarmee we hulp kunnen vragen.'
Ze vonden niets. Geen vaste telefoon, geen mobiele telefoon, zelfs geen walkietalkie of computer.
'Shaw!'
Reggie stond bij de voordeur. Rice stond naast haar.
'Er komen wagens aan,' zei ze. 'We moeten hier weg.'
Ze renden naar de achterkant van het huis en naar buiten. Stralen van koplampen sneden door de duisternis.
Een terreinwagen met wie weet hoeveel mannen erin. Shaw dacht vlug na. 'We hebben vervoer nodig,' zei hij.

Reggie keek om zich heen en wees naar links. 'Whit gaat met Rice en Katie die kant op en ze verstoppen zich achter die wal. Jij en ik gaan terug, nemen de wagen, en ook wapens, als ze die daarin hebben liggen. Dan halen we de anderen op en maken we dat we wegkomen.'
'Oké,' zei Shaw.
Whit liep met Katie en Rice naar de wal achter het huis. Shaw liep naar de ene kant van de cabine en Reggie naar de andere. Er stapten vier mannen uit de terreinwagen. Ze liepen naar het huis. Shaw wist dat ze hooguit dertig seconden hadden voordat de mannen zouden zien dat Katie er niet meer was.
Hij rende op de terreinwagen af. Reggie deed hetzelfde aan de andere kant.
'Shit,' mompelde Shaw. Ze hadden de portieren op slot gedaan. Hij keek door het raam naar binnen. Geen sleutel in het contact en geen wapens. Reggie kwam bij hem staan.
'Al breek ik de ruit, dan nog krijg je tegenwoordig niet makkelijk meer een auto zonder sleutel aan de praat. En...'
Ze hoorden het allebei tegelijk. Kreten uit het huis. De mannen hadden ontdekt dat Katie weg was.
'Kom op, Shaw!' riep Reggie uit. 'Rennen!'
'Vlug, vlug,' zei hij, en hij gaf haar een duwtje.
Ze keek een keer om en was toen achter de cabine verdwenen.
'Als wij geen vervoer hebben, dan zij ook niet,' zei Shaw. Hij nam het mes en sneed de twee banden aan de rechterkant kapot voordat hij wegrende. Even later vloog de voordeur open en stormden de mannen met hun wapens in de aanslag naar buiten. Enkelen van hen renden naar weerskanten van het huis om met hun machinepistolen in het donker te schieten. De kogels floten over Shaws hoofd, maar hij rende door. Hij geloofde niet dat ze hem konden zien, en er was weinig kans dat ze hem op deze afstand met hun MP5's konden raken, maar ze konden altijd geluk hebben. Shaw kwam bij de anderen en samen renden ze zo hard als ze konden weg van het huis. Evengoed konden ze de mannen nog horen vloeken toen ze de terreinwagen startten en op de kapotgesneden banden probeerden weg te rijden.
Met Shaw voorop maakten ze een omtrekkende beweging en gingen weer naar het westen. Binnen vijf minuten konden ze de lichten van het huis niet meer zien.
'Dat scheelde niet veel,' zei Shaw toen ze eindelijk ophielden met rennen. 'Al onze moeite was bijna voor niets.'
'Waar nu naartoe?' vroeg Rice.
'Nu zijn we achter hen,' antwoordde Shaw. 'Dat zullen ze niet verwachten.'
'Jawel, ze weten dat we daar zijn geweest omdat zij er niet meer is,' zei Reggie terwijl ze naar Katie wees.
Shaw keek eerst Reggie, toen Katie en toen Reggie weer aan. 'Wat wil je daarmee zeggen, dat we haar moeten terugbrengen?'

Reggie verbleekte. 'Natuurlijk niet!'
'Dan moeten we er maar het beste van maken.'
'En hoe wou je dat doen?' vroeg Whit. 'Ze besluipen en met keukenmessen aanvallen?'
'Ik dacht dat je wel zou snappen dat we niet een gevecht moeten aangaan. We moeten wegkomen en hulp zoeken. We hebben geen vervoer, dus we gaan op zoek naar een alternatief. Als mijn gevoel voor richting me niet bedriegt, ligt de kust die kant op. Als we pal naar het zuiden gaan, komen we bij de Strait of Belle Isle. Om deze tijd van het jaar varen er schepen door die zeestraat, op weg naar Europa of op de terugweg. Als we tot morgenochtend in leven kunnen blijven, kunnen we misschien de aandacht trekken van de bemanning van zo'n schip. Dan kunnen ze een boot naar ons toe sturen.'
'Klinkt redelijk,' zei Reggie.
Katie keek Shaw aan. 'Je moet me toch maar eens vertellen wat hier allemaal achter zit.'
'Ja, later, maar niet nu.' Hij pakte haar arm vast. 'Later zal ik je alles vertellen. Dat ben ik je wel verschuldigd.'
Reggie zag dat Katie haar hand op die van Shaw legde. Toen keek ze een andere kant op.

Ze hadden ruim een kilometer afgelegd toen de explosie door de nacht daverde en een eind maakte aan al hun plannen.

•97•

Alan Rice schreeuwde het uit en greep naar zijn dij toen de kogel daarin binnendrong en het bot verbrijzelde. Hij dreunde tegen de grond, rolde om en bleef tegen een rots liggen. Shaw greep Katie en gooide haar op haar buik achter een hoger stukje grond. Whit en Reggie zochten ook dekking. Shaw keek over de top van het heuveltje.

'Iemand de vuurflits gezien?' riep hij.

Niemand.

'Rice,' riep hij. 'Ga achter die rots liggen.'

'Mijn been is gebroken,' riep hij terug.

'Er breekt nog meer bij jou als je niet achter die rots gaat liggen.'

Schuivend op zijn buik had Rice bijna dekking gevonden toen een volgende kogel zijn schouder trof.

'Shit!' Shaw sprong overeind, rende zigzaggend naar Rice toe en trok hem achter de rots. De man bloedde hevig uit beide wonden en verloor telkens even het bewustzijn door de pijn. Het was een gecompliceerde beenbreuk; het bleke afgeknapte bot stak uit zijn dij. Als dat bot op weg naar buiten de slagader had doorgesneden, zou Rice sterven, wist Shaw. Met zijn mes sneed hij een reep stof uit zijn overall en maakte daarvan een primitief schroefverband voor Rice' been. Hij trok het aan de bovenkant van de dij vast. De bloedstroom werd een beetje minder hevig, maar niet veel.

'Ga ik dood?' zei Rice moeizaam toen hij bijkwam.

'Luister, ik wil proberen je hier weg te krijgen. Kun je staan?'

'Dan schiet hij ons neer,' schreeuwde Rice. 'Dan schiet hij ons allebei dood.'

Shaw keek naar hem. De man raakte in een shocktoestand, en daar kon hij niets tegen doen. Shaw verstijfde toen hij de honden hoorde. Alleen blaften ze nu niet. Ze gromden en grauwden zo vervaarlijk dat alle haartjes in Shaws nek overeind gingen staan. Hij stak zijn hoofd voorzichtig boven de rots om te kijken.

'Shaw!' riepen Katie en Reggie tegelijk.

Twee van de grootste en kwaadaardigste honden die Shaw ooit had gezien kwamen met grote snelheid op hem af. Ze sprongen over het ruige terrein alsof het een vlak, hoogpolig tapijt was.

'Shaw, rennen!' schreeuwde Reggie.

Shaw hield zijn mes stevig vast en liet snel de mogelijke scenario's door zijn hoofd gaan. Hij stond op, maar maakte zich zo klein mogelijk, want hij wist niet of de honden een truc waren om hem uit zijn dekking te krijgen en neer te schieten. Hij keek net op tijd over de rots om de eerste hond te zien springen. Shaw haalde uit met zijn mes, trof het honderd kilo zware beest in zijn brede borst en opende een gapende maar helaas oppervlakkige wond. Hij gebruikte zijn andere hand om het door de lucht vliegende dier een strakke boog te laten beschrijven, en het dreunde hard tegen de grond, maar bleef niet liggen.

Met een snelheid en soepelheid die geen mens zou kunnen evenaren, rolde de hond zich om. Hij kreeg vat op de rotsige aarde, draaide zich in een fractie van een seconde om, accelereerde op zijn vier poten en vloog tegen Shaw op, borst tegen borst. Shaw zakte in elkaar. Zijn eigen bloed uit de wond die een van de hoektanden in zijn arm had gemaakt vermengde zich met het bloed uit de borstwond van de hond. Shaw sprong meteen overeind, want als hij op de grond lag, maakte hij geen kans. Zijn vuist trof de snuit van het dier, en toen nog een keer, zodat het tijdelijk verdoofd was. Bij elke vuistslag verplaatste de schok zich helemaal door Shaws arm, tot in de strakke spiermassa bij zijn schouder. Hij haalde nog eens uit met het mes, het dier liet een jammerkreet horen, en toen sprong Shaw over de rots en rende weg, bijna wegzakkend in de losse aarde.

Hij verwachtte elk moment een geweerkogel in zijn rug of dat hij van achteren door de hond zou worden aangevallen. In gedachten zag hij al dat de hond hem naar de grond trok, voelde hij de kaken, rook hij de stinkende adem terwijl de hond in zijn keel beet en zich daarmee aan een eeuwenoude instinctieve tactiek hield om de grote bloedvaten open te scheuren en zo zijn prooi te doden. Het zou een regelrechte nachtmerrie zijn.

Maar het gebeurde niet. Even later begreep hij waarom.

Rice schreeuwde harder dan Shaw ooit iemand had horen doen. Het leek wel alsof zijn longen uit zijn borst waren gescheurd en er een ton zuurstof in was geblazen. Het geluid was zo ijzig dat Shaw tot in het diepst van zijn lichaam dacht te bevriezen. Hij keek achterom en wenste dat hij dat niet had gedaan. Shaw had in zijn leven veel geweld gezien, meer dan de meeste mensen, maar zoiets als dit had hij nog nooit meegemaakt.

De ene hond had Rice' arm in zijn bek. De andere had net het grootste deel van de borst van de stervende man opengescheurd, en het vrijgekomen bloed spoot alle kanten op. Shaw zag heel even weer het schilderij van Goya voor zich waarop een mens door een monster werd opgevreten. Olieverf op linnen, zelfs wanneer tot leven gewekt met de verbeeldingskracht van een genie, stak altijd maar bleekjes af tegen de gruwelen van de werkelijkheid. Pas op dat moment, toen misschien al het grootste deel van zijn lichaam was verdwenen, stierf Alan Rice.

Shaw kwam bij de anderen aan en ze renden zo snel en zo ver als ze konden. Shaw sleepte Katie min of meer met zich mee. Ze gleden, glibberden en rolden over terrein waar je eigenlijk alleen in een afgemeten, behoedzaam tempo kon lopen.

Ongeveer drie kilometer verder lieten ze zich plat op de grond vallen. Ze haalden zo moeizaam adem dat het klonk alsof ze met hun laatste restjes zuurstof bezig waren.

'Hoe?' zei Whit ten slotte toen hij overeind ging zitten. Zijn borst ging nog op en neer.

'Ik weet niet hoe,' antwoordde Shaw. 'Hij was ons te slim af.'

Reggie kwam langzaam overeind. 'We moeten doorgaan. Als er niets anders voor ons op zit dan in de Strait of Belle Isle te springen en naar een boot te zwemmen, dan moet dat maar. Als we hier blijven, gaan we dood.'

Whit stak met zijn mes in de grond. 'Denk nou na. We zijn al dood. Straks hebben de honden ons te pakken. We maken geen kans, Reggie.'

Shaw stond op en hielp Katie overeind. 'Reggie heeft gelijk. We moeten doorlopen.'

Whit keek naar hem op. 'Denk je nou echt dat het nog wat uitmaakt?'

'Nee, maar ik wil dat die schoft er een beetje meer moeite voor doet. Wat jij?'

Hierdoor gestimuleerd liet Whit het mes in zijn zak glijden en sprong overeind. Ze renden zo hard als ze konden naar het water.

•98•

Wat er van Alan Rice was overgebleven, werd in vuilniszakken geveegd en weggebracht. De volgevreten honden, bij wie het bloed over de kaken liep, werden met de lange metalen stokken in het gareel gebracht en kregen hun muilkorf weer om. Op zijn hurken, met zijn geweer over zijn dijen, keek Kuchin naar dat alles, en intussen dacht hij na over zijn volgende manoeuvre.

Hij keek in de verte. Water. Dat was een vereiste voor leven. Daar zouden ze nu naartoe gaan. Dat was logisch. Het was zelfs hun enige optie. Hij zou hen nu gemakkelijk allemaal kunnen doden, maar dat was niet de bedoeling. Kuchin had Shaw kunnen neerschieten toen hij Rice te hulp was gekomen of toen Shaw voor de honden wegvluchtte. Maar nogmaals: het ging er niet om wanneer ze stierven, maar hoe. En hij zou die condities bepalen. Ze hadden één ding gedaan dat hij had verwacht. Glimlachend stond hij op. Ze zouden natuurlijk het belang van hun daad niet begrijpen, maar daar zou hij hen nog op wijzen, kort voordat het allemaal voorbij zou zijn.

Eén uitgeschakeld, nog drie over. Nou ja, twee uitgeschakeld, als hij de man in het huis meetelde, maar die liet Kuchin koud. Hij had de volgorde waarin ze zouden sterven al in zijn hoofd zitten. De vrouw zou als laatste gaan. Kuchin was zijn eerdere verlangen nog niet vergeten. Hij zou haar eerst bezitten en dan afmaken. Een betere wraak kon hij niet bedenken. En haar dood zou veel pijnlijker zijn dan die van de anderen. In zijn rugzak had hij zijn huidschaaf. Hij zou kijken of hij zijn record van minder dan een uur kon breken. Hij had het gevoel dat het zou lukken. In gedachten hoorde hij haar al schreeuwen.

'Pascal?' zei hij, en de kleine man stond bijna meteen naast hem.

'Ja, meneer Waller?'

'Het wordt tijd om verder te gaan, denk ik.' Hij keek naar de lucht. Het donkerste moment van de nacht was gekomen en gegaan. Boven hen was de allereerste zweem te zien van het moment waarop de nacht overging in de dageraad. 'Ze gaan naar de Strait. De schepen.'

Pascal knikte instemmend. 'De zeestraat is breder dan zij waarschijnlijk denken. En er is gisteren melding gemaakt van een ijsschots aan de kant van Labrador. Alle schepen blijven daar een heel eind vandaan. Ze krijgen geen schepen te zien.'

'Dat beseffen ze vast wel als ze daar aankomen. Dan is het lichter. Ze zullen wachten en proberen een teken te geven, in de hoop dat er schepen op het water zijn. Was de wapenkluis intact?'

'Ja, meneer. Dat zijn we nagegaan toen ze weg waren. We hadden alle wapens en munitie eruit gehaald, voor het geval ze de kluis open zouden krijgen. Ze hebben alleen messen meegenomen. De grote man heeft zijn mes tegen een van de honden gebruikt, maar die komt er wel bovenop.'
Kuchin streek over de loop van zijn speciaal voor hem gemaakte geweer. 'Een mes. Een schamel wapen hiertegen.'
'Ik kan binnendoor gaan en ze naar u terugdrijven. Tactisch gezien kunnen ze nergens anders heen dan naar de zeestraat.'
'Doe dat, Pascal. Drijf ze naar me toe.' Hij haalde een kleine plattegrond uit zijn zak en Pascal scheen er met een zaklantaarn op. 'Drijf ze daarheen.' Hij wees naar een plek op de kaart.
'Dat is een goede keuze.' Pascal knikte goedkeurend. Hij keek achterom naar een van de wagens, waar ze de vuilniszakken met de resten van Alan Rice in laadden.
'Hij was een domme man.'
'Nee, hij was een erg slimme man, en slimheid kan iemand domme dingen laten doen. In intelligentie schuilt ambitie. En in ambitie schuilt gevaar.'
'Als u het zegt, meneer Waller.'
'Drijf ze naar me toe, Pascal.'

•99•

Er was niets. Er waren geen schepen te zien en er was zelfs geen lichtje op het water waaruit bleek dat er een schip dichtbij was. En tot overmaat van ramp kwam er mist opzetten vanuit de zeestraat. Shaw keek naar de anderen en toen naar de rotsen beneden hen. 'We kunnen naar beneden klimmen en ons daar verstoppen tot er iets voorbijkomt.'

De drie anderen keken lusteloos naar hem op. 'Het onvermijdelijke uitstellen?' vroeg Whit.

'Ik zie het liever als het innemen van een defensieve positie. In elk geval tot hij naar beneden komt en ons probeert uit te schakelen.'

'Of hier op hoogte blijft staan en ons een voor een afschiet,' merkte Reggie op. 'Toen hij Rice neerschoot, hebben we niet eens gezien waar hij was. Maar het moet een verdomd eind weg zijn geweest.'

'Heb jij een beter idee?' vroeg Katie.

Reggie schopte met haar sportschoen tegen de rots. 'Nee, eigenlijk niet.'

Shaw keek in de richting vanwaar ze gekomen waren. 'Wat denk je?' vroeg Reggie.

'Hij is ons een keer te slim af geweest. Nu zou ik hem graag te slim af willen zijn.'

'Hoe dan? Hij heeft alle tactische en strategische voordelen.'

Whit voegde daaraan toe: 'Hij heeft geweren en honden waarnaast de hond van de Baskervilles een pekineesje is.'

Shaw hurkte neer en dacht na. Hij keek naar de hemel, die steeds lichter werd. 'In die mist kunnen we ons goed verstoppen.'

Reggie knikte. 'Ja, maar de kans is vrij groot dat de mist door de zon wordt verdreven en dan zijn we weer te zien. En terwijl het ons waarschijnlijk wel lukt om over de rotsen naar beneden te klimmen, zie ik ons niet zo gauw weer naar boven klauteren. Beneden hebben we trouwens niet veel dekking. Misschien zijn we halverwege de helling af en staat hij opeens hierboven en schiet hij ons een voor een af.'

'Het enige goede daaraan,' zei Whit, 'is dat de honden niet naar beneden kunnen om ons op te vreten.'

Katie stond op. 'Jezus, mensen, Shaw probeert een manier te bedenken om ons hier weg te krijgen en jullie kunnen alleen maar...'

Shaw legde zijn hand over haar mond en keek om zich heen. Ze hoorden het allemaal. Rechtsboven bewoog iets. Shaw gaf de anderen een teken hem te volgen. Ze liepen naar links, weg van het geluid.

'Kijk, Shaw!' zei Reggie. Ze wees naar achteren.

Ze bleven allemaal staan en zagen het langs de rotswand omlaag komen. Een touw met een zak eraan. De zak kwam beneden aan en het touw werd slap. De plastic zak viel op zijn kant.
'Pak op,' zei een stem.
Ze keken allemaal omhoog.
Pascal stond boven aan de rotswand.
Shaw en Whit hielden instinctief hun mes omhoog.
Pascal grijnsde en schudde zijn hoofd. De mist kwam nu sneller opzetten en hij was bijna niet meer te zien. 'Pak op. Het zal jullie helpen.'
Terwijl hij hem nauwlettend in het oog hield, liep Shaw voorzichtig naar de zak toe. Toen hij daar aangekomen was en zag wat erin zat, viel zijn mond open van verbazing. Hij haalde het pistool en de mobiele telefoon eruit.
Pascal zei: 'De telefoon is opgeladen. Je hebt alle streepjes. Anderhalve kilometer hiervandaan heeft meneer Waller een zendmast laten bouwen. Bel maar wie je wilt. En de gps-chip is geactiveerd.'
'Waarom doe je dit?' vroeg Shaw.
'Hij wil dat ik jullie die kant op drijf,' zei Pascal, en hij wees in de richting vanwaar ze gekomen waren. 'Een kleine twee kilometer hiervandaan, waar de twee paden samenkomen. Er is daar hoog terrein in het westen. Ik denk dat hij daar zit te wachten.'
'Je hebt mijn vraag niet beantwoord.' Meteen controleerde Shaw het wapen om er zeker van te zijn dat het magazijn geladen was en alle noodzakelijke onderdelen goed werkten.
Verrassend genoeg keek Pascal naar Reggie en Whit. 'Ik hoopte dat jullie hem in Gordes zouden vermoorden. De informatie die ik aan jullie collega's gaf, leek me voldoende. Maar Rice liep in de weg. Hij volgde jullie,' zei Pascal, wijzend naar Reggie. 'Naar de kerk.'
'Dus jíj was onze tipgever?' vroeg Reggie verbaasd.
'Verrek.' Whit schudde ongelovig zijn hoofd.
'Ik wist pas wat Rice had ontdekt toen het al te laat was. Ik ging met hem mee naar de kerk omdat ik dacht dat ik jullie misschien zou kunnen helpen.' Hij keek naar Shaw. 'Toen was hij er opeens en hadden jullie geen hulp van mij nodig.'
'Je wilt Waller dood hebben?' vroeg Reggie.
'Hij heette Fedir Kuchin toen mijn moeder hem leerde kennen. Ik kom uit Griekenland en hij was daar op vakantie vanuit Oekraïne.'
'Heb je hem gekend toen je een kind was?' vroeg Katie.
'Dat kun je wel zeggen. Hij is mijn vader, al stelde hij als vader niet veel voor. En hij liet mijn moeder aan haar lot over. Ze stierf in grote armoede. Wij Grieken vergeven of vergeten zoiets niet. Hij denkt dat ik niet weet wie hij werkelijk is. Hij denkt dat ik niet slim genoeg ben om daar zelf achter te komen. Hij

denkt dat ik geloof dat hij in Griekenland gewoon een arme weesjongen heeft gered. Het is waar dat hij me eten en onderdak heeft gegeven en me heeft getraind, maar toch heeft hij schuld aan de dood van mijn moeder, en niets wat hij heeft gedaan zou dat ooit goed kunnen maken.'
Shaw keek naar het pistool. 'Waar is dit voor?'
'Dan hebben jullie een kans.'
Whit riep: 'Waarom vermoord je hem zelf niet?'
'Ik heb mijn redenen. En hij is mijn vader. Ik reken met de anderen af. En ook met de honden. Rekenen jullie met hem af. Veel succes,' voegde hij er snel aan toe.
Het volgende moment was Pascal weg.
Ze keken elkaar aan.
'Wat denk je?' vroeg Katie. 'Geloof je hem?'
Shaw betastte het pistool. 'In elk geval heeft hij ons een echt wapen en een telefoon gegeven. En laten we daar nu meteen iets mee doen.' Hij toetste een nummer in. Frank nam slaperig op.
'Ik heb één minuut om het uit te leggen, Frank, en dan moet je in actie komen zoals je in je hele leven nog nooit hebt gedaan.'
Shaw vertelde hem wat hij moest weten en verbrak toen de verbinding. Hij keek weer naar het pistool en keek toen op naar Katie. 'Reggie en jij blijven hier met Whit. Ik neem het pistool mee en schiet de man dood. En dan kom ik jullie halen.'
'Het gaat niet alleen om hem, Shaw. Hij heeft nog meer mensen,' zei Reggie. 'Misschien heb je hulp nodig.'
'Je hebt Pascal gehoord. Die rekent af met de anderen.'
Whit schudde zijn hoofd. 'Ja, maar Pascal is alleen. Misschien doden ze hem. Ik kan met je meegaan. De dames kunnen hier blijven wachten tot we terugkomen.'
Reggie zei: 'We zijn al die tijd samen geweest. Waarom zouden we ons nu nog opsplitsen?'
'Dat vind ik ook,' zei Katie. 'Alles of niets.'
'Tactisch gezien is dat niet logisch,' wierp Shaw tegen. 'Als we allemaal bij elkaar zijn, maken we het hem veel gemakkelijker.'
'Of moeilijker,' zei Reggie. 'Dat hangt er maar van af hoe je het bekijkt.'
'Zeg, als we nu eens allemaal hier blijven en wachten tot Frank er is?' vroeg Whit.
'Als we dat doen, komt Kuchin hierheen. Zelfs met een vliegtuig of helikopter doet Frank er een tijdje over om hier te komen.'
'We kunnen Kuchin hier overvallen.'
'Het terrein is hier niet gunstig. We fungeren hier als schietschijven. Ga maar

na hoe gemakkelijk Pascal ons kon besluipen. Als ik terugga naar de plaats waar hij ons verwacht, maar hem vanuit een andere hoek aanval, kan ik hem misschien verrassen. En hij verwacht niet dat ik een pistool heb.'
'Wij blijven niet achter, Shaw,' zei Katie. 'Nu ik je eindelijk heb gevonden, laat ik je niet zo gemakkelijk gaan.'
Reggie keek Shaw aan en zei: 'Ik ga ook mee.'
Shaw zocht steun bij Whit, maar de Ier haalde alleen maar zijn schouders op. 'Ik heb in mijn hele leven nog nooit een discussie met een vrouw gewonnen, vriend, en deze keer is het vast niet anders.'
Shaw slaakte een diepe zucht. Met het pistool in de aanslag ging hij op weg. De anderen kwamen pal achter hem aan.

•100•

Kuchin had het terrein gekozen, maar hij bevond zich niet op de plaats die iemand, zelfs Pascal, zou hebben verwacht. Als het op een confrontatie aankwam, was hoog terrein bijna altijd gunstig. Bijna altijd. Hij richtte zijn geweer, keek door het vizier en veegde met zijn gehandschoende hand een beetje vuil van het glas. Toen trok hij zijn handschoen omhoog en keek op zijn horloge. Hij ging op zijn plaats liggen, en terwijl hij wachtte, telde hij in zijn hoofd seconden af om alert te blijven.

Bij de eerste geluiden kwam hij niet in beweging. Toen de voetstappen dichterbij kwamen, lette hij op het geluid dat ze op de grond maakten en bewoog in hetzelfde ritme, zodat ze hem niet zouden horen. De loop ging omhoog en hij drukte zijn rechteroog tegen het glas. Het dradenkruis deed zijn werk. Nu hij zijn doelwit in het vizier had, was er geen reden om te wachten. Hij schoot.

'Shit!' riep Whit uit. Hij greep naar zijn been en viel vlak achter Shaw op de grond.

'Iedereen liggen,' riep Shaw.

Ze gingen allemaal plat op de grond liggen. Reggie schoof naar Whit toe om te kijken hoe erg hij getroffen was. Hij trok zijn overall al open om te proberen het bloeden te stoppen. 'Hij ging erdoorheen,' kreunde hij. 'Ik denk niet dat hij het bot heeft geraakt, maar het doet wel verdomd veel pijn.'

Reggie zei: 'We krijgen je hier weg.'

Whit schudde zijn hoofd. Hij werd bleek. 'Het gaat net als bij Rice. Die schoft heeft een bepaalde methode, Reg. Eerst in het been, dan in de romp.' Hij kreunde en zijn hele lichaam schudde van pijn. Met trillende lippen voegde hij eraan toe: 'En dan die rothonden.'

'We krijgen je hier weg.'

Hij pakte haar met zijn goede arm vast en legde het mes in haar hand. 'Als je die rothonden hoort komen, maak me dan af voordat ze bij me zijn. Beloof het!'

Ze kon hem geen antwoord geven en keek hem hulpeloos aan. Hij schudde haar heen en weer. 'Verdomme, Reggie, beloof het. Laat ze niet met mij doen wat ze met Rice hebben gedaan.'

Met tranen in haar ogen keek Reggie naar het mes. 'Whit, ik kan het niet. Ik kan dat niet doen.'

Whit verzamelde zijn kracht voor nog één smeekbede.

'Als je het niet doet, wint Kuchin. En we mogen dat monster toch niet laten winnen, Reg?' Hijgend liet hij zich zakken.

Reggie pakte het mes nog steviger vast, veegde haar tranen weg en zei: 'Goed. Als het moet, doe ik het.'
Vanaf de plaats waar hij ineengedoken zat, nam Shaw het terrein in ogenschouw. De mist kwam nog zwaarder opzetten en hulde alles in witte vaagheid. Het was net een zinsbegoocheling: de dingen kregen andere vormen. Uit de richting vanwaar Whit was beschoten leidde hij af dat Kuchin zich ergens voor hen bevond, maar dat was nog steeds een groot gebied. Misschien kregen ze maar één kans. Hij zei tegen Katie dat ze moest blijven waar ze was en kroop naar Reggie en Whit toe. Nadat hij de gewonde man had onderzocht, gaf hij haar het pistool. Ze keek hem vragend aan.
'Dit is onze laatste kans, Reggie,' zei Shaw. 'We moeten hem uitroken.'
'Hoe dan?'
'De vuurflits die uit de loop van zijn geweer komt. Die hebben we nog niet gezien, maar in deze duisternis kan hij ons niet ontgaan.'
'Hoe wou je dat voor elkaar krijgen?'
'Door hem opnieuw te laten schieten.'
'Dat weet ik, maar hoe?' zei ze fel.
Hij wees naar voren. Ik ren evenwijdig met jou van rechts naar links. Jij kijkt in die richting daar. Daar zal de flits vandaan komen. Hij is dichtbij. Dat kon ik horen aan het schot. Dat werd niet van grote afstand gelost.'
'Shaw, je...'
Hij keek naar Whit, die kreunend op de grond lag. 'Als de vuurflits komt...'
'Shaw, ik kan niet...'
Hij sloeg haar zo hard in het gezicht dat haar wang er rood van werd. 'Ga me niet vertellen wat je niet kunt. Je kunt het!'
Ze was geschrokken van de klap, maar er kwamen geen tranen in haar ogen. Haar blik werd juist harder.
'Je kunt hem raken, Reggie. Ik heb het je op de schietbaan zien doen. Vijftien centimeter onder de vuurflits. Je schiet drie keer snel achter elkaar op hetzelfde punt. Hij zal geen kogelvrij vest aanhebben, want hij weet niet dat wij een pistool hebben. Zodra je dat hebt gedaan, helpen Katie en jij Whit naar de kust te komen en daar wachten jullie op Frank.' Hij gaf haar ook de mobiele telefoon. 'Bel hem steeds om te horen waar hij is. Dan kan hij aan de hand van de gpschip nagaan waar je bent.'
Reggie streek met haar tong over haar lippen. 'Shaw?' begon ze.
'Doe het nou maar, Reggie. Maak het af. Voor mij.'
Ten slotte knikte ze alleen nog maar. Hij wendde zich meteen van haar af en stond gebogen op. Toen veranderde alles.
'Shaw,' riep Katie, en ze stond ook op en liep naar hem toe. 'Kijk uit.'
Shaw keek naar links. De hufter was op de een of andere manier van positie

veranderd, zo stil als een geest. En door de mist zag hij er ook spookachtig uit. Daar was Kuchin, zijn geweer al in de aanslag, klaar om te schieten. Met zo'n wapen was het in feite een schot van heel dichtbij. Hij kon niet missen.
Een fractie van een seconde voordat het schot klonk stak Shaw zijn armen opzij. Hij voelde dat de kogel langs zijn rechterarm streek. Toen hij zijn armen liet zakken, dacht hij: hoe kan die man van zo dichtbij zo lelijk misschieten? Toen drong de verpletterende waarheid als een lawine tot hem door.
'Katie!'
Hij draaide zich om en zag nog net hoe Katie James achteroverviel, getroffen door een kogel die dwars door haar heen ging. De slierten van haar blonde haar waaierden uit toen de kogel haar borst verliet en achter haar in een rots kletterde. Ze sloeg tegen de grond, bewoog nog even en lag toen stil.
Kuchin stond tien meter bij hem vandaan. Hij keek naar de vrouw die daar lag en toen naar Shaw, die wezenloos naar haar staarde.
Kuchin zei: 'Ik heb je gezegd dat ze ongedeerd zou worden vrijgelaten als je je tot op de letter aan mijn instructies hield. Maar dat heb je niet gedaan. Je ging naar het huis terug en nam haar mee. Je hield je niet aan de afspraak. In feite ben jij de reden voor haar dood, mijn vriend.'
Heel langzaam verplaatste Shaw zijn blik van Katie naar Kuchin. Toen hij de blik in de ogen van de man zag, besefte Shaw dat dit allemaal gepland was. Er was niemand in het huis geweest, alleen Katie, zonder verdere bewaking. Kuchin had Shaw daar niet willen overvallen. Hij had gewild dat Katie door Shaw werd gered, dat hij hun afspraak negeerde. En Shaw was regelrecht in de val gelopen.
Met een bliksemsnelle beweging, aangevuurd door een woede die hij maar één keer eerder in zijn leven had gevoeld, stormde Shaw naar voren. Binnen vier seconden had hij bijna de hele afstand tussen hem en Kuchin overbrugd, met zijn mes in de aanslag om de man te doden. Maar Kuchin had minder tijd nodig gehad om zijn geweer opnieuw omhoog te brengen en zorgvuldig te richten. Shaws hersenen waren duidelijk te zien op zijn dradenkruis van Amerikaans fabricaat dat nooit zijn doel miste. Vlak voordat hij schoot, onttrok een mistflard Kuchin helemaal aan het oog.
Het schot kwam. En nog een. En een laatste schot.
Kuchin liet het geweer zakken op het moment dat Shaw een sprong maakte. Toen viel het geweer op de grond. De greep van de Oekraïener verzwakte en het bloed spoot uit drie gaten in zijn borst. De drie treffers zaten zo dicht bij elkaar dat elke kogel door het hart was gegaan.
Reggie liet het pistool zakken. Haar oefeningen op de rokerige schietbaan hadden hun vruchten afgeworpen. Ze had in haar hoofd geprent op welk punt in de mist hij zich bevond. En het doel had niet bewogen.

Kuchin zakte op zijn knieën, zijn ogen groot van ongeloof na wat er zojuist was gebeurd. Zo keek hij nog toen hij al medisch dood was omdat zijn hart was verwoest. Deskundigen noemden dat vaak de 'technische ziel': de laatste synaptische signalen van dode hersenen die nog een klein beetje denkvermogen bezitten als het fysieke leven al is afgelopen.
Een fractie van een seconde later vloog Shaw tegen Kuchin aan en dreef hij het mes met zo veel kracht door zijn schedel dat het bij het heft afbrak.
Fedir Kuchin viel achterover met Shaw boven op hem. En Shaw sloeg hem – één keer, twee keer, steeds sneller achter elkaar. De vuistslagen regenden op de dode man neer tot er geen gezicht over was, alleen nog weefsel dat tot pulp was geslagen. Shaws knokkels barstten open en zijn handen bloedden.
'Shaw! Hij is dood. Hij is dóód.'
Reggie probeerde hem van Kuchin af te trekken, maar hij duwde haar met zijn grote arm weg. Toen besefte hij blijkbaar wat er gebeurd was. Hij sprong overeind en rende naar Katie toe. Hij voelde haar pols, maar vond geen hartslag. Hij ging schrijlings op haar zitten, pompte op haar borst en kneep toen haar neus dicht en blies lucht in haar mond. Hij pompte en blies. Hij drukte op haar borst, dreef lucht in longen die zich niet wilden uitzetten. Maar toen kreunde ze uiteindelijk. Er ging een schok door haar heen en ze hapte naar adem.
Shaw keek op naar Reggie, die naar hem toe was gerend. 'Help me. Alsjeblieft.'
Terwijl hij Katies hoofd in zijn armen wiegde, scheurde Reggie haar blouse open en keek ze naar de wond.
'De kogel is er dwars doorheen gegaan,' zei ze, 'maar hij heeft haar hart net niet geraakt.' Ze verbond de wond en maakte zo goed mogelijk een eind aan het bloeden. Shaw belde Frank en vertelde hem wat er was gebeurd. Ze zouden een medisch team meebrengen.
Terwijl Katie traag ademde, ging Reggie op haar hurken zitten en keek ze naar Whit, die zacht kreunend op de grond lag, met zijn handen om zijn been.
Toen bekeek ze Kuchins toegetakelde lichaam en ze herinnerde zich iets. 'Moge God begrijpen waarom ik dit doe,' fluisterde ze en ze sloeg een kruis. Toen zag Reggie dat Shaws arm bloedde. Ze trok zijn mouw omhoog en zag het spoor van de kogel in zijn huid.
'Je hebt zijn schot omgebogen,' zei ze.
'Wat?' zei Shaw.
'Zijn kogel raakte jouw arm voordat hij haar trof. Je hebt de baan van die kogel veranderd. Waarschijnlijk mikte Kuchin op haar hoofd. Hij zal hebben gedacht dat het een gegarandeerd dodelijk schot was.'
Shaw keek Katie weer aan. Wat Reggie zei, interesseerde hem niet. 'Ik ben de reden waarom er op haar is geschoten.'

'Shaw, je hebt haar leven gered.'
'Nog niet,' zei hij met een snik. 'Nog niet.' Hij hield Katie zo stevig mogelijk vast, alsof hij daarmee kon voorkomen dat het leven uit haar weggleed. Dat zij uit zijn leven zou glijden.

•101•

Katie en Whit werden in het vliegtuig behandeld door een medisch team dat door Frank was meegebracht. Toen ze in Boston landden, werden beiden in allerijl naar een ziekenhuis gebracht. Shaw, Reggie en Frank zaten urenlang in de wachtkamer. Frank dronk de ene kop slechte automaatkoffie na de andere en Shaw staarde alleen maar naar de tegelvloer. De artsen kwamen vertellen dat de toestand van Whit stabiel was en dat hij volledig zou herstellen. Toen verstreken er nog meer uren.

Shaw bewoog toen hij een lange man en vrouw langs de wachtkamer zag lopen. Het waren Katies ouders. Hij herkende ze van een foto die ze hem eens had laten zien. Ze zagen er doodmoe en ontredderd uit. Ze bleven een uur bij hun dochter. Toen ze terugkwamen, liepen ze de wachtkamer in.

Shaw herinnerde zich dat Katie hem had verteld dat haar vader hoogleraar Engels was. De man was lang en mager en had grotendeels grijs haar. Katies moeder leek op haar dochter, slank en blond, dezelfde ogen, dezelfde manier van lopen.

Katies vader zei: ‘We hoorden dat u onze dochter hebt geholpen.’ Hij zei dat tegen Shaw. Shaw kon het bijna niet opbrengen om de man aan te kijken. Hij probeerde iets te zeggen, maar kon het niet. Hij sloeg zijn ogen weer neer, verlamd door schuldgevoel.

‘Dank u,’ zei Katies moeder.

Shaw kon hen nog steeds niet aankijken.

Frank, die aanvoelde wat er door hem heen ging, stond op en leidde het echtpaar James de kamer uit. Hij praatte op gedempte toon tegen hen. Even later kwam hij terug en ging naast Shaw zitten. ‘Ik heb ze in een andere wachtkamer gezet. Ze bellen de rest van de familie.’

Reggie keek hem aan. ‘Hoe gaat het met Katie?’

‘Blijkbaar nog steeds erop of eronder,’ zei Frank. ‘Ze weten nog niet hoe groot de schade is.’

Er gingen nog meer uren voorbij. Frank had iets te eten uit de kantine gehaald, maar alleen Reggie en hij aten er iets van. Shaw staarde nog steeds naar de vloer. Toen zagen ze Katies ouders weer uit de intensive care komen.

Aan hun gezichten te zien hadden ze goed nieuws. Katies moeder kwam naar Shaw toe. Ditmaal stond hij op en ze omhelsde hem. ‘Ze haalt het,’ zei ze. ‘Ze is buiten levensgevaar.’ Dat kwam er in een opgeluchte stroom uit. Haar man schudde Shaw de hand. ‘Ik weet niet precies wat er gebeurd is, maar ik wil u

met heel mijn hart bedanken dat u hebt geholpen haar leven te redden.'
Enkele minuten later gingen ze weg om Katies broers en zussen te bellen en hun het goede nieuws te vertellen.
Shaw stond daar maar en staarde naar de vloer.
'Je hebt echt geholpen haar te redden, Shaw,' zei Frank.
Shaw maakte een afwijzend handgebaar.
Reggie zei: 'Shaw, je moet naar haar toe gaan.'
Hij schudde zijn hoofd. 'Nee.'
'Waarom niet?'
'Ik heb dat recht niet,' zei hij met zijn tanden op elkaar. Hij balde zijn handen tot vuisten en zag eruit alsof hij die door de muur wilde rammen. 'Door mij is ze bijna omgekomen. En haar ouders bedanken me omdat ik haar zou hebben gered. Het is niet waar. Het klopt helemaal niet.'
Reggie pakte zijn gezicht vast en draaide het naar zich toe. 'Je móét naar haar toe gaan.'
'Waarom?' zei hij heftig.
'Omdat ze dat verdient.'
Ze keken elkaar lang aan. Toen liet Reggie hem langzaam los en deed ze een stap terug.
Shaw liep haar zwijgend voorbij en verliet de wachtkamer. Even later stond hij naast Katies bed. Ze was bedekt met slangen en omringd door apparaten. Voordat de verpleegkundige hen alleen liet, zei ze dat Shaw maar een minuut bij haar mocht blijven. Hij pakte Katies hand op en hield hem voorzichtig vast.
'Ik heb spijt, Katie, van een heleboel dingen.'
Hij wist dat ze onder de pijnstillers zat en niet bij bewustzijn was, maar hij moest die dingen zeggen. Als hij dat niet zou doen, zou hij ontploffen.
'Ik had je niet in Zürich moeten achterlaten. Ik had in Parijs eerder achter je aan moeten gaan. Ik...' Hij haperde en zweeg. 'Ik geef echt, echt om je. En...'
De tranen liepen over zijn wangen en hij haalde moeizaam adem. Hij voelde zich misselijk. Toen bukte hij zich en kuste haar hand. Zodra hij dat deed, voelde hij dat haar vingers zich enigszins om de zijne verstrakten. Hij keek naar haar gezicht. Ze was nog bewusteloos, maar ze had een kneepje in zijn hand gegeven.
Hij zag de verpleegster vanuit de deuropening naar hem kijken.
'Vaarwel, Katie.' zei hij terwijl hij haar eindelijk losliet.

•102•

'Wil je echt zelf rijden?' zei Frank. Hij was net op de passagiersplaats van hun huurauto gaan zitten.
'Ja.' Shaw reed sneller dan hij zou moeten doen naar het vliegveld.
Frank keek van tijd tot tijd nerveus naar hem opzij, maar voelde er blijkbaar weinig voor om de stilte te verbreken. Ten slotte deed hij dat toch. 'We hebben de rest van Kuchins mannen gevonden, allemaal dood, behalve die Pascal. Die is nergens te vinden.'
'Mooi voor hem.' Shaw bleef strak naar de weg kijken.
'Weet je zeker dat je hier niet wilt blijven? Ik zorg wel dat je vrij krijgt. Dan ben je hier als Katie uit het ziekenhuis komt.'
'Ik wil alleen nog maar zo ver mogelijk bij haar vandaan zijn.'
'Maar Shaw...'
Shaw trapte zo hard op de rem dat de auto met een rubberspoor tot stilstand kwam. Overal om hen heen werd getoeterd, en auto's vlogen aan weerskanten voorbij.
'Wat doe je nou?' riep Frank stomverbaasd uit.
Shaws gezicht was rood aangelopen. Zijn grote lichaam beefde alsof hij aan het afkicken was van zware drugs. 'Door mij is ze bijna doodgegaan. En het was niet de eerste keer. Ik kom dus nooit meer bij haar in de buurt, want dit mag nooit meer gebeuren, Frank. Begrijp je me?'
'Ja, ja, ik begrijp het.' Frank had Shaw in zo ongeveer alle denkbare situaties meegemaakt, maar hij had hem nog nooit zo gezien.
Later die avond stapten Frank en hij op vliegveld Logan bij Boston in een Boeing 777 van British Airways. De volgende ochtend zouden ze in Londen aankomen. Onderweg keek Frank naar een film. Hij dronk en at iets, deed wat werk en sliep een tijdje.
Shaw keek de volle zes uur en twintig minuten die de vlucht duurde uit het raam. Toen ze waren geland, passeerden de twee mannen de douane op Heathrow en liepen naar de uitgang.
'Shaw, ik heb een auto klaarstaan. Wil je een lift naar de stad?'
'Geef me nou maar een nieuwe opdracht. Hoe eerder hoe beter.' Shaw liep met gebogen hoofd door. Zijn tas bungelde aan zijn schouder.
Frank keek hem nog even na, vond toen zijn auto en werd weggebracht.

Een uur later kwam Shaw met een bus in Londen aan. Hij ging niet naar het Savoy. Hij werkte niet, en als hij zelf moest betalen, kon hij zich dat hotel niet

veroorloven. Hij nam een veel goedkopere kamer in een veel minder gewild deel van de stad. Hij had zijn tas nog maar net op een stoel gezet toen zijn telefoon ging.
Hij nam niet eens de moeite op het schermpje te kijken. Hij wilde niemand spreken. Hij ging naar buiten, kocht bier, kwam terug, trok een blikje open, dronk het op en nam er nog een. De lege blikjes drukte hij met één hand samen om ze vervolgens in de afvalbak te deponeren.
De telefoon ging weer. Hij nam nog een biertje, liep naar het raam, keek naar de straat en zag mensen voorbijlopen die Katie James nooit hadden gekend en misschien niet eens wisten dat ze ternauwernood aan de dood was ontsnapt.
'Ze is een geweldig mens,' zei Shaw tegen het raam. 'Ik verdien haar niet. En zij verdient absoluut iets beters dan ik.' Hij hield zijn bierblikje omhoog, tikte ermee tegen het glas en dacht aan haar hand die een kneepje in de zijne gaf. Dat had geweldig gevoeld en hij zou het nooit meer voelen.
Om middernacht zweeg zijn telefoon. Hij dronk zijn laatste biertje op, dat nu warm was. Hij kon niet slapen en stond midden in de nacht op om over te geven. Hij douchte, schoor zich, trok schone kleren aan en ging om vier uur 's nachts de stad in om ergens te ontbijten. Omdat het Londen was, had hij binnen twee straten succes. Hij ging achter in het grotendeels lege café zitten en bestelde het grootste gerecht dat ze hadden. Toen het kwam, raakte hij het niet aan en dronk hij alleen twee koppen zwarte koffie. Toen liet hij wat Britse bankbiljetten op het geruite tafelkleed vallen en ging weg.
Hij liep langs de Theems en vond de plaats waar Katie en hij hadden gestaan toen er een schot had geklonken en een man dood in de rivier was gevallen. Daarna liep hij een straat in waar Katie door een man met een injectiespuit zou zijn vermoord als hij één seconde later was gekomen. Hij kwam langs een restaurant waar ze samen hadden gegeten. En ten slotte langs het hotel waar hij haar ontbijtwagentje tegen een muur had gegooid en zij daarop gereageerd had door rustig een kop koffie over hem uit te gieten. De herinnering bracht bij hem een glimlach teweeg die algauw overging in een snik. Bij diezelfde gelegenheid had ze hem de kogelwond in haar bovenarm laten zien en hem het verhaal verteld van de Afghaanse jongen die was gestorven doordat zij naar haar zeggen te ver was gegaan bij het zoeken naar een goed verhaal.
Ze was onmiddellijk over de Atlantische Oceaan gevlogen om bij Shaw te zijn toen hij haar nodig had. Ze was er altijd geweest als hij haar nodig had. En nu lag ze met een gat in haar borst in een ziekenhuis, en dat kwam door hem. Shaw wankelde een steegje in, leunde tegen een vuil bakstenen gebouw en huilde zo hard dat er uiteindelijk alleen nog maar droge snikken kwamen.
Later zat hij met rode ogen op Trafalgar Square bij de duiven en keek hij op naar lord Nelson tot hij pijn in zijn nek had, alleen omdat hij niet wist waar-

naar hij anders zou moeten kijken. Het Londense ochtendverkeer kwam inmiddels op gang. Toen de zon ging schijnen, werd het warmer. Na alles wat was gebeurd was het moeilijk te geloven dat het nog steeds zomer was. Gordes en zelfs Canada leken hem een eeuwigheid geleden.
Hij stond op, keek om zich heen en vroeg zich af waar hij nu naartoe zou gaan, toen hij abrupt bleef staan. Aan de andere kant van het plein stond Reggie en keek hem aan. Hij begon in de andere richting te lopen, maar iets bracht hem ertoe van richting te veranderen en het plein over te steken om bij haar te komen.
'Hoe wist je het?'
'Een gokje,' antwoordde ze. 'En ik belde Frank. Hij zei dat je weer in Londen was.'
'Hoe gaat het met Whit?'
'Zijn been is nog stijf, maar hij komt er wel bovenop. Ik ben blij dat het ook goed komt met Katie.'
Shaw knikte vaag.
Reggie droeg de witte spijkerbroek die ze in Gordes had gedragen, zwarte platte schoenen en een blauwe katoenen blouse. Haar sluike haar hing los op haar schouders. Ze zag er ouder uit, vond Shaw. Ach, ze zagen er allemaal ouder uit. Hij voelde zich wel honderd.
'Ik probeerde je te bellen, maar je nam niet op.'
'Ik denk dat hij uit stond,' zei hij peinzend.
Hij begon te lopen en ze liep met hem mee.
'Nog bedankt voor het neerschieten van Kuchin,' zei hij. 'Dat was een verdomd goed schot.'
'Ik had sneller moeten zijn. Dan zou Katie...'
Hij ging iets verder bij haar vandaan lopen. 'Hou op, Reggie, alsjeblieft.'
Ze zweeg, en ze liepen de Strand op.
'Hebben ze Dominics lichaam ooit gevonden?' vroeg hij.
'Nee. En wat nog het ergste is: zijn ouders zullen nooit precies weten wat er met hem is gebeurd.'
'Ja, dat is erg.'
Ze sloeg haar ogen neer. Blijkbaar zocht ze naar de juiste woorden. 'Frank praat met ons over samenwerking.'
Shaw bleef staan en keek haar ijzig aan. 'Met míj?'
'Nee, met hem. Met zíjn organisatie.'
Shaw liep door. 'Ik zie niet hoe dat zou kunnen.'
Ze praatte nu snel: 'We zouden sommige van onze methoden moeten veranderen. We kunnen niet, eh, ons werk afmaken zoals we gewend waren. Maar hij zei dat ons informatienetwerk en onze research goed van pas zouden komen als we bepaalde...'

Shaw stak zijn hand op als teken dat ze moest zwijgen. 'Het kan me echt niet schelen.'
Ze keek uit het veld geslagen, maar zei: 'Ja. Goed. Dat kan ik me indenken.'
Ze kwamen bij een ander park en Shaw ging op een bank zitten. Reggie aarzelde. Blijkbaar wist ze niet of ze bij hem wilde gaan zitten of niet. Ten slotte ging ze maar zitten, al hield ze afstand, wat moeilijk was omdat Shaw zo groot was.
'Ik geloof niet dat ik je ooit heb bedankt voor het redden van mijn leven.'
'Shaw, je hoeft me niet te bedanken. Als jij er niet was geweest, zou ik hier niet zitten.'
'Ik moest het zeggen.'
'Goed, nu heb je het gezegd. Dat is genoeg.' Ze sloeg haar benen over elkaar en haalde overdreven diep adem. 'Het zijn mijn zaken niet, maar...'
Hij onderbrak haar. 'Begin er dan niet over.'
Er ging een minuut van stilte voorbij.
'We waren niet meer dan vrienden,' zei Shaw toen. 'Tenminste, nog niet. Maar we wáren vrienden. En zij betekende... zij betékent veel voor me. Meer dan ik besefte.'
'Oké.' Er gleed een traan over Reggies wang.
'En of we ooit meer dan vrienden zouden zijn geworden, is iets wat...' Hij schudde zijn hoofd, keek even naar een jongetje met zijn moeder en sloeg toen zijn ogen neer.
'Maar, Shaw, het komt goed met haar. Je kunt naar haar toe gaan...'
'Dat gebeurt niet,' zei hij beslist.
Opnieuw was het even stil.
'Wat ga je nu doen?' vroeg ze.
'Een paar dagen hier door de stad lopen, en dan zet Frank me weer aan het werk.'
'Je zou naar Harrowsfield kunnen komen. Ik geloof trouwens dat Frank daar morgen ook is om dingen te bespreken. En we kunnen...' Ze zweeg, want hij was abrupt opgestaan.
'Nee, Reggie, ik geloof echt niet dat we dat kunnen.'
Hij maakte aanstalten om weg te lopen.
'Alsjeblieft, Shaw.'
Hij keek haar over zijn schouder aan. 'Sorry.'
'Maar als we heel rustig aan doen.' Haar ogen liepen vol met tranen. Blijkbaar ergerde ze zich daaraan, en ze veegde ze weg.
Hij draaide zich naar haar om. 'Ik heb de vrouw begraven die meer voor me betekende dan wie ook. En ik heb bijna een andere vrouw verloren om wie ik heel veel geef.' Hij zweeg even en haalde abrupt adem. 'Ik wil er geen drie van maken. Pas goed op jezelf, Reggie.'

Ze keek hem na tot zijn lange lijf in het al wat drukkere voetgangersverkeer op de trottoirs van Londen leek te verdwijnen.
Ten slotte liep Reggie de andere kant op. Ze kon het niet opbrengen achterom te kijken.
Maar als ze had omgekeken, had ze gezien dat Shaw was blijven staan en een hele tijd naar haar had staan kijken. Toen draaide hij zich langzaam om en liep door.

•Dankbetuiging•

Voor Michelle, die het leven van ons allemaal op de rails houdt.

Voor Mitch Hoffman, redacteur van buitengewone klasse.

Voor David Young, Jamie Raab, Emi Battaglia, Jennifer Romanello, Tom Maciag, Martha Otis, Bob Castillo, Anthony Goff, Kim Hoffman en iedereen bij Grand Central Publishing, voor alles wat jullie doen.

Voor Aaron en Arleen Priest, Lucy Childs, Lisa Erbach Vance, Nicole Kenealy, Frances Jalet-Miller en John Richmond, die me bij elke stap hebben geholpen.

Voor Roland Ottewell, voor je scherpe oog.

Voor Maria Rejt en Katie James van Pan Macmillan, voor goed getimede steun vanaf de andere kant van de plas.

Voor Grace McQuade en Lynn Goldberg, voor geweldige publiciteit.

Voor Lynette, Deborah en Natasha, omdat ze zo'n geweldig team zijn.